LUC

Das

Buch

Als kleines Mädchen verbrachte die Pianistin Julia Forrester jede freie Minute im Gewächshaus von Wharton Park, wo ihr Großvater die schönsten und exotischsten Orchideen züchtete. Als sie viele Jahre später eine schreckliche Familientragödie ereilt, führt das Schicksal sie wieder nach Wharton Park zurück. Inzwischen gehört das baufällige gewordene Anwesen Kit Crawford, den Julia bereits aus ihrer Kindheit kennt. Kit überreicht ihr ein altes Tagebuch, das bei den Renovierungsarbeiten gefunden wurde und womöglich Julias Großvater gehörte. Julia erzählt ihrer Großmutter Elsie von dem Fund, worauf die alte Dame erschüttert reagiert. Denn Elsie weiß, dass nun der Zeitpunkt gekommen ist, ihr jahrelanges Schweigen zu brechen. Sie weiht ihre Enkelin in das wohlgehütete Geheimnis ein, das seit Generationen auf ihrer Familie lastet. Eine tragische Liebesgeschichte aus den 1930er Jahren kommt ans Licht und Julia erkennt, wie auf schicksalhafte Weise ihre eigene Zukunft mit der Vergangenheit verknüpft ist.

Weitere Informationen zu Lucinda Riley sowie zu lieferbaren Titeln der Autorin finden Sie am Ende des Buches.

Lucinda Riley

Das Orchideenhaus

Roman

Aus dem Englischen
von Sonja Hauser

GOLDMANN

Die Originalausgabe erschien 2010
unter dem Titel »Hothouse Flower«
bei Penguin Books Ltd., London.

Dieses Buch ist auch als E-Book erhältlich.

Verlagsgruppe Random House FSC® N001967

49. Auflage

Redaktion: Irmgard Perkounigg
CN · Herstellung: Str.
Satz: Uhl + Massopust, Aalen
Druck und Bindung: GGP Media GmbH, Pößneck
Umschlaggestaltung: UNO Werbeagentur, München
Umschlagillustrationen und -fotos: plainpicture / Arcangel; laif / Gunnar Knechtel;
istockphoto, Network! Werbeagentur
Printed in Germany
ISBN 978-3-442-47554-4
www.goldmann-verlag.de

Besuchen Sie den Goldmann Verlag im Netz

Siam, vor vielen Monden

In Siam sagt man, wenn ein Mann sich leidenschaftlich und unwiderruflich in eine Frau verliebe, sei er in der Lage, sie für sich zu gewinnen und sie dazu zu bringen, dass *er* ihr wichtiger sei als alle anderen Männer.

Es war einmal ein Prinz von Siam, der sich so in eine Frau seltener Schönheit verliebte. Er warb um sie und errang sie, doch wenige Nächte vor der Hochzeit, anlässlich derer landesweite Feiern stattfinden sollten, wurde der Prinz unsicher.

Er wusste, dass er ihr seine Liebe mit einer eindrucksvollen und heroischen Tat beweisen musste, um sie für alle Zeiten an sich zu binden. Dass er etwas finden musste, das genauso selten und schön war wie sie.

Nach langem Nachdenken rief er seine drei treuesten Diener zu sich und erklärte ihnen, was sie tun sollten.

»Ich habe von der Schwarzen Orchidee gehört, die in meinem Reich wächst, hoch oben in den Bergen des Nordens. Die sollt ihr für mich aufspüren und mir in den Palast bringen, damit ich sie meiner Prinzessin an unserem Hochzeitstag schenken kann. Den, der sie findet, mache ich zum reichen Mann. Die beiden, denen es nicht gelingt, werden meine Hochzeit nicht erleben.«

Die Herzen der drei Männer, die sich vor ihrem Prinzen verneigten, waren voller Angst, denn sie wussten, dass sie dem Tod ins Auge blickten. Die Schwarze Orchidee war eine sagenumwobene Blume. Wie die juwelengeschmückten goldenen Drachen an den Bugen der königlichen Barkassen, in denen der Prinz zum Tempel gleiten würde, um mit der Prinzessin den Bund fürs Leben zu schließen, gehörte sie ins Reich der Legenden.

An jenem Abend kehrten alle drei Männer zu ihren Familien zurück, um Abschied zu nehmen. Einer von ihnen, der in den Armen seiner weinenden Frau lag, war schlauer als die anderen.

Bis zum Morgen dachte er sich einen Plan aus und machte sich auf den Weg zu den schwimmenden Märkten, wo man Gewürze, Seide und Blumen erwerben konnte.

Dort erstand er eine prächtige, tiefrot-rosafarbene Orchidee mit dunklen, samtigen Blütenblättern. Mit ihr fuhr er durch die schmalen *klongs* von Bangkok, bis er einen Schreiber fand, der inmitten seiner Schriftrollen in einem dunklen, feuchten Arbeitsraum hinter seinem Laden saß.

Der Diener kannte den Schreiber, der einmal im Palast gearbeitet hatte, jedoch seiner mangelhaften Schrift wegen für unwürdig befunden worden war.

»*Sawadee Krup*, Schreiber«, begrüßte der Diener ihn und legte die Orchidee auf seinen Tisch. »Ich hätte eine Aufgabe für dich. Wenn du mir hilfst, kann ich dir Reichtümer bieten, von denen du bisher nur geträumt hast.«

Der Schreiber, der sich, seit er nicht mehr im Palast arbeitete, seinen Lebensunterhalt nur mit Mühe verdiente, sah den Diener an. »Was kann ich für dich tun?«

Der Diener zeigte auf die Blume. »Ich möchte dich bitten, dein Geschick mit Tinte an dieser Orchidee zu beweisen und ihre Blütenblätter schwarz anzumalen.«

Der Schreiber bedachte den Diener mit einem Stirnrunzeln, bevor er die Pflanze musterte. »Ja, das ist möglich, aber wenn sie neue Blüten treibt, sind diese nicht schwarz, und der Schwindel fliegt auf.«

»Wenn sie neue Blüten treibt, sind wir beide viele Meilen weit weg und leben wie der Prinz, dem ich diene«, erwiderte der Diener.

Der Schreiber nickte und dachte über die Bitte des Dieners nach. »Komm bei Einbruch der Nacht wieder, um deine Schwarze Orchidee zu holen.«

Der Diener kehrte nach Hause zurück, wo er seiner Frau sagte, sie solle ihre wenigen Habseligkeiten packen, und ihr versprach, dass sie sich bald schon alles leisten könne, was ihr Herz begehre. Außerdem werde er ihr einen wunderschönen Palast an einem Ort weit, weit weg errichten.

Als er am Abend zum Schreiber zurückkehrte, seufzte er beim Anblick der Schwarzen Orchidee auf dessen Tisch vor Freude auf.

Er betrachtete ihre Blütenblätter genau und erkannte, dass der Schreiber hervorragende Arbeit geleistet hatte.

»Die Tinte ist trocken und wird nicht an den Fingern Neugieriger haften bleiben«, erklärte der Schreiber. »Das habe ich ausprobiert. Versuch es ruhig selber.«

Der Diener versuchte es, und tatsächlich: Seine Finger wiesen keine Tintenflecken auf.

»Aber ich kann nicht beurteilen, wie lange die Farbe halten wird. Die Feuchtigkeit, die die Pflanze selbst erzeugt, wird die Tinte befeuchten. Und natürlich darf sie nicht in den Regen kommen.«

»Das genügt völlig«, sagte der Diener und nahm die Pflanze an sich. »Ich gehe jetzt zum Palast. Komm um Mitternacht hinunter zum Fluss. Dort wirst du deinen Lohn erhalten.«

Am Abend seines Hochzeitstages und der großen landesweiten Feier betrat der Prinz seine privaten Gemächer.

Die Prinzessin blickte von der Terrasse hinunter auf den Chao-Phraya-Fluss, der noch immer von dem Feuerwerk zur Feier ihrer Hochzeit erglühte. Der Prinz gesellte sich zu ihr.

»Liebste, ich habe etwas für dich, etwas, das deine einzigartige Schönheit und Vollkommenheit symbolisiert.«

Er reichte ihr die Schwarze Orchidee in einem juwelengeschmückten Topf aus reinem Gold.

Die Prinzessin betrachtete die Pflanze, deren nachtschwarze Blütenblätter mit der schweren Farbe zu ringen schienen. Sie wirkte müde und welk … und unnatürlich düster.

Doch die Prinzessin wusste, welchen Schatz sie in Händen hielt und was der Prinz für sie getan hatte.

»Mein Prinz, sie ist wunderschön! Wo hast du sie entdeckt?«

»Ich habe im ganzen Königreich danach suchen lassen. Und ich bin mir sicher, dass es keine zweite ihrer Art gibt, genauso wenig, wie es eine Zweite wie dich gibt.« Er sah sie voller Liebe an.

Sie streichelte sanft sein Gesicht, um ihm ihre ewige Liebe zu zeigen.

»Ich danke dir von Herzen.«

Er ergriff ihre Hand und begann ihre Finger zu küssen. Schon bald wollte er sie ganz besitzen. Es war ihre Hochzeitsnacht, und er hatte lange gewartet. Der Prinz nahm die Orchidee, stellte sie auf die Terrasse, schlang die Arme um die Prinzessin und küsste sie leidenschaftlich.

»Komm mit hinein, meine Prinzessin«, flüsterte er ihr ins Ohr.

Sie ließ die Schwarze Orchidee auf der Terrasse und folgte ihm ins Schlafgemach.

Kurz vor Tagesanbruch erhob die Prinzessin sich von ihrem Nachtlager und ging hinaus, um den ersten Morgen ihres neuen gemeinsamen Lebens zu begrüßen.

Die Pfützen verrieten ihr, dass es in der Nacht geregnet hatte. Obwohl der neue Tag bereits heraufdämmerte, verbarg die Sonne sich noch zum Teil hinter den Bäumen auf der anderen Seite des Flusses.

Auf der Terrasse stand eine tiefrot-rosafarbene Orchidee in dem Topf aus reinem Gold, den der Prinz ihr überreicht hatte.

Die Prinzessin ließ lächelnd die Finger über ihre Blütenblätter gleiten, die, vom Regen gereinigt, so gesund wirkten und viel, viel schöner als am Abend zuvor. Die Pfütze rund um den Topf war leicht grau gefärbt.

Da begriff sie und hob die Pflanze hoch, um ihren himmlischen Geruch einzuatmen. Sie überlegte, was zu tun sei: War es besser, mit der Wahrheit zu verletzen oder mit einer Lüge zu schützen?

Wenige Minuten später schlenderte sie ins Schlafgemach zurück und schmiegte sich wieder in die Arme des Prinzen.

»Mein Prinz«, flüsterte sie, als er erwachte, »meine Schwarze Orchidee ist heute Nacht gestohlen worden.«

Der Prinz richtete sich entsetzt auf, um die Wachen zu rufen. Doch sie beruhigte ihn mit einem Lächeln.

»Nein, Liebster, sie wurde uns nur für eine Nacht geschenkt, für die Nacht, in der unsere Liebe erblühte und wir eins und Teil der Natur wurden. Wir durften nicht erwarten, dass wir etwas so Magisches für uns behalten könnten ... Außerdem wird sie ohnehin irgendwann welken und sterben. Und das könnte ich nicht ertragen.« Sie nahm seine Hand und küsste sie. »Lass uns an ihre Macht glauben und daran, dass ihre Schönheit uns in der ersten Nacht unseres gemeinsamen Lebens gesegnet hat.«

Der Prinz dachte eine Weile nach. Und weil er die Prinzessin aus ganzem Herzen liebte und sich so sehr darüber freute, dass sie nun die Seine war, rief er die Wachen nicht.

Ihrer harmonischen Verbindung entsprang ein Kind, das in jener Nacht gezeugt wurde und auf das noch viele weitere folgten. Der Prinz glaubte den Rest seines Lebens, dass die sagenumwobene Schwarze Orchidee sie an ihrer Magie hatte teilhaben lassen.

Am Morgen nach der Prinzenhochzeit saß ein armer Fischer am Ufer des Chao Phraya, wenige hundert Meter flussaufwärts vom königlichen Palast. Da er in den vergangenen beiden Stunden nichts gefangen hatte, überlegte er, ob die Fische durch das Feuerwerk in der Nacht auf den Grund vertrieben worden waren. Er hatte nichts, was er verkaufen konnte, und seine große Familie würde hungern müssen.

Als die Sonne über die Bäume auf der anderen Seite des Flusses kletterte und sein Wasser erstrahlen ließ, entdeckte der Fischer etwas Glänzendes zwischen den grünen Schlingpflanzen. Er legte seine Rute beiseite und watete ins Wasser, um es zu holen.

Was für ein Anblick bot sich ihm, als er die Pflanzen entfernt hatte!

Der Topf bestand aus reinem Gold und war verziert mit Diamanten, Smaragden und Rubinen.

Der Fischer, der in der Aufregung die Rute vergaß, verstaute den Topf in seinem Korb und machte sich auf den Weg zum Edelsteinmarkt in der Stadt. Er wusste, dass seine Familie nie wieder hungern müsste.

Teil eins

Norfolk, England

Winter

1

Ich habe jede Nacht denselben Traum. Darin kommt es mir vor, als würde mein Leben in die Luft geworfen und regnete in kleinen Stücken wieder herab – verdreht und von innen nach außen gestülpt. Alles Teile meines Lebens und doch in der falschen Reihenfolge.

Es heißt, Träume seien wichtig und verrieten einem Dinge, die man vor sich selbst verheimliche.

Ich verheimliche mir nichts; ich wünschte, ich könnte es.

Ich lege mich schlafen, um zu vergessen und Ruhe zu finden, weil ich den ganzen Tag damit verbringe, mich zu erinnern.

Ich bin nicht verrückt, auch wenn ich in letzter Zeit viel darüber nachgedacht habe, was »verrückt« bedeutet. Abermillionen Menschen, jeder anders, mit seinem eigenen DNS-Profil, seinen eigenen Gedanken und seiner eigenen Wahrnehmung der Welt.

Ich bin zu dem Schluss gekommen, dass wir Menschen letztlich nur das Körperliche teilen können, mit dem wir geboren wurden. Jeder reagiert anders auf Kummer, und keine dieser Reaktionen ist falsch. Manche Menschen weinen monate-, ja jahrelang; sie tragen Schwarz und trauern. Andere scheint ihr Verlust nicht zu berühren. Sie begraben ihn und leben weiter wie bisher, als wäre nichts geschehen.

Ich weiß nicht so genau, wie meine Reaktion aussieht. Ich habe seit Monaten nicht mehr geweint. Letztlich habe ich kaum geweint.

Aber ich habe es auch nicht vergessen. Das werde ich nie.

Unten höre ich jemanden. Ich muss aufstehen und so tun, als wäre ich bereit, dem Tag ins Auge zu blicken.

Alicia Howard lenkte ihren Landrover an die Bordsteinkante, schaltete den Motor aus und lief den kleinen Hügel zum Cottage hinauf, dessen Tür, das wusste sie, niemals verschlossen war. Sie öffnete sie und ging hinein.

Sie betrat zitternd das dunkle Wohnzimmer und zog die Vorhänge am Fenster zurück. Dann schüttelte sie die Kissen auf dem Sofa auf und brachte die drei leeren Kaffeetassen, die herumstanden, in die Küche.

Dort machte sie den Kühlschrank auf, in dem eine einzelne, halb leere Flasche Milch stand. Außerdem entdeckte sie einen abgelaufenen Joghurt, ein wenig Butter sowie eine verschrumpelte Tomate. Alicia schloss die Kühlschranktür und warf einen Blick in den Brotkasten. Wie vermutet leer. Alicia setzte sich seufzend an den Tisch.

Sie dachte an ihre eigene warme, gut ausgestattete Küche, den heimeligen Duft des Abendessens im Aga-Herd, den Klang von Kinderschritten und das fröhliche Lachen der Kleinen – das *Herz* ihres Zuhauses und ihres Lebens.

Wie anders dieser düstere kleine Raum war, entging ihr nicht. Letztlich illustrierte er sehr deutlich das gegenwärtige Dasein ihrer jüngeren Schwester: Julias Leben und Herz waren gebrochen.

Da hörte Alicia Schritte auf der knarrenden Holztreppe. Als ihre Schwester die Küchentür erreichte, war Alicia wie immer beeindruckt von ihrer Schönheit. Mit ihren blonden Haaren und der hellen Haut hätte Alicia sich nicht stärker von der dunklen, exotischen Julia unterscheiden können. Julias fein geschnittenes Gesicht wurde eingerahmt von einer dichten Mähne mahagonifarbenen Haares, und ihre mandelförmigen, bernsteinfarbenen Augen und hohen Wangenknochen traten jetzt, da sie ein paar Kilo abgenommen hatte, noch deutlicher hervor.

Julia trug, weil sie momentan nur wenige Sachen ihr Eigen nannte, nicht die richtige Kleidung für das Januarwetter: ein rotes, bunt besticktes Kaftanoberteil und eine weite schwarze Baumwollhose, die ihre dünnen Beine kaschierte. Alicia bemerkte die Gänsehaut an den nackten Armen Julias. Sie stand vom Tisch auf und nahm ihre widerstrebende Schwester in den Arm.

»Schwesterherz«, sagte sie, »dir ist kalt. Möchtest du dir selbst wärmere Kleidung kaufen, oder soll ich dir ein paar von meinen Pullovern vorbeibringen?«

»Ich brauche nichts«, antwortete Julia und löste sich aus der Umarmung ihrer Schwester. »Kaffee?«

»Es ist nicht viel Milch da; ich hab gerade in den Kühlschrank geschaut.«

»Kein Problem. Ich trink ihn sowieso schwarz.« Julia ging zur Spüle, füllte den Wasserkocher und schaltete ihn ein.

»Wie geht's dir?«, erkundigte sich Alicia.

»Gut.« Julia holte zwei große Kaffeetassen aus dem Regal.

Alicia verzog das Gesicht. »Gut« war Julias Standardantwort, mit der sie neugierige Fragen abblockte.

»Hast du diese Woche mit irgendjemandem gesprochen?«

»Nein.«

»Willst du wirklich nicht wieder eine Weile zu uns kommen? Mir gefällt der Gedanke, dass du ganz allein hier bist, nicht.«

»Danke fürs Angebot, aber ich komme zurecht.«

»Julia, du siehst nicht gut aus. Du hast weiter abgenommen. Isst du überhaupt noch was?«

»Klar. Willst du nun Kaffee oder nicht?«

»Nein danke.«

»*Okay*.« Julia stellte die Milchflasche mit Schwung zurück in den Kühlschrank. Als sie sich umdrehte, funkelten ihre bernsteinfarbenen Augen zornig. »Ich weiß, dass du das alles nur tust, weil du dir Sorgen um mich machst. Aber ich bin keins von deinen Kindern, Alicia, und brauche keinen Babysitter. Ich bin gern allein.«

»Egal«, sagte Alicia in fröhlichem Tonfall, jedoch auch ein wenig ungeduldig, »hol mal lieber deine Jacke. Wir gehen raus.«

»Ich hab heut schon was vor.«

»Dann sag ab. Ich brauche deine Hilfe.«

»Wobei?«

»Dad hat nächste Woche Geburtstag, falls du das vergessen haben solltest. Ich würde ihm gern ein Geschenk kaufen.«

»Und dazu brauchst du meine Hilfe, Alicia?«

»Es ist sein fünfundsechzigster. Er geht in Rente.«

»Das weiß ich. Er ist schließlich auch mein Vater.«

Alicia hatte Mühe, Fassung zu bewahren. »Heute Mittag findet in Wharton Park eine Haushaltsauflösung statt. Ich dachte mir, wir könnten hingehen und sehen, ob wir gemeinsam etwas für Dad finden.«

In Julias Augen flackerte Interesse auf. »Wharton Park wird verkauft?«

»Ja, wusstest du das nicht?«

Julia ließ die Schultern hängen. »Nein. Warum?«

»Vermutlich die alte Geschichte: Schulden. Angeblich verkauft der gegenwärtige Eigentümer das Anwesen einem Typ aus der City, der gar nicht weiß wohin mit seinem Geld. Keine moderne Familie kann sich ein solches Haus leisten. Der letzte Lord Wharton hat es leider schrecklich herunterkommen lassen. Für die Renovierung ist ein Vermögen nötig.«

»Wie traurig«, murmelte Julia.

»Ja«, pflichtete Alicia ihr bei, die sich über Julias Interesse freute. »Es war ein wichtiger Teil unserer Kindheit, besonders deiner. Deswegen finde ich, wir sollten uns ein Erinnerungsstück für Dad sichern. Wahrscheinlich bieten sie sowieso nur Krempel an, und die guten Sachen landen bei Sotheby's, aber wer weiß …«

Zu Alicias Überraschung nickte Julia. »Gut, ich hole meine Jacke.«

Fünf Minuten später lenkte Alicia den Wagen die schmale Highstreet des hübschen Küstenortes Blakeney entlang und dann nach links, um die fünfzehnminütige Fahrt nach Wharton Park zu beginnen.

»Wharton Park«, murmelte Julia.

Die Besuche in Großvater Bills Treibhaus gehörten zu ihren lebhaftesten Kindheitserinnerungen: der überwältigende Duft der exotischen Gewächse, die er darin züchtete, und die Geduld, mit der er erklärte, welcher Gattung sie angehörten und woher sie stammten. Sein Vater wie auch dessen Vater hatten als Gärtner für die Crawford-Familie gearbeitet, die Eigentümer von Wharton Park, einem weitläufigen Anwesen, bestehend aus vierhundert Hektar fruchtbaren Farmlandes.

Julias Großeltern hatten in einem heimeligen Cottage in einem hübschen Winkel von Wharton Park gewohnt, umgeben von all den anderen Bediensteten, die sich um den Grund, das Haus und die Crawford-Familie selbst kümmerten. Julias und Alicias Mutter Jasmine war in dem Cottage zur Welt gekommen und aufgewachsen.

Ihre Großmutter Elsie war genau so gewesen, wie man sich die perfekte Oma vorstellt, wenn auch ein wenig exzentrisch.

Bei ihr hatten sie immer Trost gefunden und etwas Köstliches zu essen bekommen.

Wenn Julia an ihre Zeit in Wharton Park zurückdachte, fielen ihr der blaue Himmel und die bunten Farben der Blumen ein, die in der Sommersonne blühten. Wharton war einmal berühmt gewesen für seine Orchideenzucht. Seltsam, dass diese kleinen, empfindlichen Pflanzen, die eigentlich aus tropischen Gefilden stammten, im kühlen nördlichen Norfolk gediehen.

Als Kind hatte Julia sich das ganze Jahr über auf die Sommerferien in Wharton Park mit der Ruhe und Wärme der Gewächshäuser in einer Ecke des Küchengartens gefreut, wo sie vor den heftigen Nordseewinden geschützt waren. Für sie stellten sie wie das großelterliche Cottage einen Ort des Friedens dar. In Wharton änderte sich nie etwas. Hier gaben nicht Wecker und Stundenpläne den Takt an, sondern die Natur.

Sie erinnerte sich gut an die klassische Musik, die von morgens bis abends aus dem alten Bakelitradio ihres Großvaters erklang.

»Blumen lieben Musik«, sagte ihr Großvater Bill, wenn er sich um seine wertvollen Pflanzen kümmerte. Julia saß gern auf einem Hocker in der Ecke beim Radio, sah ihm zu und lauschte der Musik. Damals lernte sie Klavierspielen und entdeckte ihr Talent dafür.

Im kleinen Wohnzimmer des Cottage stand ein Klavier, auf dem sie nach dem Abendessen oft vorspielte. Ihre Großeltern sahen anerkennend und bewundernd zu, wie Julias zarte Finger über die Tasten glitten.

»Das ist eine von Gott gegebene Begabung, Julia«, stellte Großvater Bill eines Abends mit Tränen in den Augen fest. »Versprich mir, dass du sie nicht vergeudest, ja?«

Zu ihrem elften Geburtstag schenkte Großvater Bill ihr eine Orchidee.

»Die habe ich eigens für dich gezüchtet, Julia. Sie heißt *Aerides odorata.*«

Julia begutachtete die zarten, elfenbein-rosafarbenen Blütenblätter der Topfpflanze, die sich samten anfühlten unter ihren Fingern.

»Wo kommt die her, Großvater Bill?«, fragte sie.

»Aus Asien, genauer gesagt aus der Gegend von Chiang Mai im nördlichen Thailand.«

»Ach. Und welche Art von Musik, glaubst du, gefällt ihr?«

»Mozart scheint sie besonders zu mögen«, antwortete ihr Großvater schmunzelnd. »Und wenn sie zu welken droht, solltest du es mit Chopin versuchen!«

Julia pflegte im Wohnzimmer ihrer zugigen viktorianischen Wohnung in den Außenbezirken von Norwich sowohl ihre Orchidee als auch ihre musikalische Begabung und spielte der Pflanze fleißig vor, so dass diese immer wieder blühte.

Sie träumte von der exotischen Heimat ihrer Orchidee. Dann war sie plötzlich nicht mehr in ihrem Wohnzimmer in England, sondern in den Weiten fernöstlicher Dschungel, vernahm die Geräusche von Geckos und Vögeln und roch die berauschenden Düfte der Blumen, die auf den Bäumen und im Unterholz wuchsen.

Sie wusste, dass sie eines Tages selbst dorthin reisen würde, um alles mit eigenen Augen zu sehen.

Großvater Bill starb, als sie vierzehn war. Julia erinnerte sich deutlich an das Gefühl des Verlustes – er und die Treibhäuser waren für sie das einzig Sichere in ihrem jungen, bereits schwierigen Leben gewesen. Sie hatte ihn als klugen, freundlichen und aufgeschlossenen Mann empfunden, eher ein Vater, als ihr eigener es jemals war. Mit achtzehn bekam sie ein Stipendium für das Royal College of Music in London. Großmutter Elsie zog zu ihrer Schwester nach Southwold, und fortan besuchte Julia Wharton Park nicht mehr.

Jetzt, mit einunddreißig, lebte sie wieder hier. Während Alicia von ihren vier Kindern erzählte, erlebte Julia, als sie aus dem Rückfenster blickte, um Gate Lodge nicht zu verpassen, das den Eingang von Wharton Park markierte, wie früher im Auto ihrer Eltern die Vorfreude.

»Da kommt die Abzweigung!«, rief Julia aus, als Alicia fast daran vorbeifuhr.

»Mein Gott, stimmt. Mein letzter Besuch ist so lange her, dass ich fast den Weg vergessen hätte.«

Als sie in die Auffahrt einbogen, sah Alicia ihre Schwester an und entdeckte so etwas wie Erwartung in ihrem Blick.

»Du hast diesen Ort immer geliebt, stimmt's?«

»Ja, du nicht?«

»Ehrlich gesagt, hab ich mich hier meistens gelangweilt. Ich konnte es gar nicht erwarten, wieder in die Stadt, zurück zu meinen Freunden, zu kommen.«

»Du warst eher ein Stadtmensch«, stellte Julia fest.

»Ja. Und was ist aus mir geworden? Mit vierunddreißig wohne ich in einem Farmhaus auf dem platten Land, mit einem Stall voller Kinder, drei Katzen, zwei Hunden und einem Aga-Herd. Wo, zum Teufel, sind die hellen Lichter der Stadt geblieben?« Alicia lächelte selbstironisch.

»Du hast dich verliebt und eine Familie gegründet.«

»Und am Ende hast *du* die hellen Lichter abbekommen«, sagte Alicia ohne Neid.

»Ja … Da drüben ist das Haus. Es sieht aus wie früher.«

Alicia richtete den Blick auf das Gebäude vor ihnen. »Ich

finde, sogar noch besser. Ich hatte ganz vergessen, wie schön es ist.«

»Ich nicht«, murmelte Julia.

Sie folgten der Schlange von Fahrzeugen, beide in ihre eigenen Gedanken versunken. Wharton Park war im klassischen Georgian Style für den Neffen des ersten Premierministers von Großbritannien erbaut worden, der allerdings starb, bevor der Bau vollendet war. Das fast völlig aus Aislaby-Stein errichtete Gebäude hatte im Lauf seines mehr als dreihundertjährigen Bestehens eine sanftgelbe Farbe angenommen.

Die sieben Erker und die Doppeltreppe, die zu einer Terrasse mit Blick auf den Park führte, verliehen dem Ensemble französischen Glanz. An jeder Ecke stand ein Kuppelturm, und der riesige Portikus wurde von vier hohen ionischen Säulen getragen. Eine bröckelnde Statue der Britannia, die fröhlich auf der Spitze hockte, gab dem Ganzen ein majestätisches, wenn auch ziemlich exzentrisches Aussehen.

Wharton Park war weder groß noch stilistisch rein genug, als dass man es als herrschaftliches Anwesen hätte bezeichnen können; die von späteren Crawford-Generationen in Auftrag gegebenen seltsamen Anbauten störten den Gesamteindruck. Doch aus genau diesem Grund besaß es nicht die abschreckende Kargheit, die anderen großen Gebäuden dieser Epoche anhaftete.

»Da drüben sind wir immer links gegangen«, bemerkte Julia, die sich an den Weg um den See herum zum Cottage ihrer Großeltern am Rand des Anwesens erinnerte.

»Möchtest du nach der Haushaltsauflösung noch einen Blick auf das alte Cottage werfen?«, fragte Alicia.

Julia zuckte mit den Achseln. »Schauen wir mal.«

Gelb gekleidete Parkwächter wiesen den Autos Plätze zu.

»Es scheint sich herumgesprochen zu haben«, sagte Alicia, als sie den Wagen abstellte. Dann wandte sie sich ihrer Schwester zu und legte ihr eine Hand aufs Knie. »Bereit?«

Julia fühlte sich überwältigt von so vielen Erinnerungen. Als sie aus dem Auto stieg, erkannte sie sogar die Gerüche wieder: nach feuchtem, frisch gemähtem Gras, dazu ein Hauch Jasmin an den Rändern des Rasens vor dem Haus. Sie folgten den Besuchern die Stufen hinauf zum Haupteingang des Gebäudes …

2

Ich bin elf und stehe in der gewaltigen Eingangshalle, die mir vorkommt wie eine Kathedrale. Die Decke hoch über mir ist mit Wolken und feisten nackten Putten bemalt. Ihr Anblick fasziniert mich so sehr, dass ich nicht merke, wie mich jemand von der Treppe aus anstarrt.

»Kann ich dir helfen, junge Dame?«

Ich zucke zusammen und lasse fast den wertvollen Topf fallen, den ich in Händen halte. Mein Großvater hat mich hergeschickt, um ihn Lady Crawford zu geben. Wohl ist mir dabei nicht, weil ich Angst vor ihr habe. Aus der Ferne wirkt sie alt und dünn und mürrisch. Doch Großvater Bill wollte unbedingt, dass ich herkomme.

»Sie ist sehr traurig, Julia. Vielleicht muntert die Orchidee sie auf. Nun lauf schon los. Sei ein gutes Mädchen.«

Die Person auf der Treppe ist definitiv nicht Lady Crawford, sondern ein junger Mann, etwa vier oder fünf Jahre älter als ich, mit dichtem, kastanienbraunem Lockenhaar, die er, finde ich, für einen Jungen viel zu lang trägt. Er ist ziemlich groß und schrecklich dünn; seine Arme sehen unter den hochgerollten Hemdsärmeln aus wie Stöcke.

»Ja, ich suche Lady Crawford, der ich das hier aus dem Gewächshaus bringen soll«, stammle ich.

Er schlendert die übrigen Stufen herunter und bleibt mit ausgestreckten Händen vor mir stehen.

»Wenn du möchtest, bringe ich ihr den Topf.«

»Mein Großvater hat gesagt, ich soll ihn ihr persönlich geben«, erwidere ich nervös.

»Leider hat sie sich gerade hingelegt. Ihr geht es nicht so gut.«

»Das wusste ich nicht.« Am liebsten würde ich ihn fragen, wer er ist, doch ich traue mich nicht. Offenbar errät er meine Gedanken, denn er sagt: »Ich bin mit Lady Crawford verwandt, also kannst du mir vertrauen.«

»Gut. Hier.« Ich gebe ihm die Orchidee, insgeheim erleichtert darüber, dass ich sie nicht persönlich aushändigen muss. »Könntest du Lady Crawford bitte von meinem Großvater sagen, dass das eine neue ...« Ich habe Mühe, mich an den Ausdruck zu erinnern. »... Hybride ist, die Blüte gerade aufgegangen?«

»Wird gemacht.«

Ich bleibe stehen, unsicher, was ich als Nächstes tun soll. Ihm geht es genauso.

Nach einer Weile fragt er: »Und, wie heißt du?«

»Julia Forrester. Die Enkelin von Mr. Stafford.«

Er hebt eine Augenbraue. »Ja, klar. Ich bin Christopher Crawford. Meine Freunde nennen mich Kit.«

Er streckt mir die Hand hin, die nicht die Orchidee hält, und ich schüttle sie.

»Schön, dich kennenzulernen, Julia. Ich habe gehört, dass du ziemlich gut Klavier spielst.«

Ich werde rot. »Das glaube ich nicht«, widerspreche ich.

»Sei nicht so bescheiden«, rügt er mich. »Ich habe die Köchin und deine Großmutter heute Morgen über dich reden hören. Komm mit.«

Er zieht mich durch die Eingangshalle und eine Reihe riesiger Räume voll strenger Möbel, die das Gebäude aussehen lassen wie ein übergroßes Puppenhaus. Ich überlege die ganze Zeit, wo sie am

Abend sitzen und fernsehen. Schließlich betreten wir ein in goldenes Licht getauchtes Zimmer, das durch drei vom Boden bis zur Decke reichende Fenster mit Blick auf Terrasse und Gärten strömt. Um den riesigen Marmorkamin sind große Sofas arrangiert, und in der hinteren Ecke, vor einem der Fenster, steht ein Flügel. Kit Crawford führt mich hin, zieht den Hocker heraus und drückt mich darauf.

»Spiel mir was vor.«

Als er den Deckel aufklappt, wirbelt Staub hoch, der in der Nachmittagssonne schimmert.

»Bist du sicher, dass ich das darf?«, frage ich.

»Tante Crawford schläft am anderen Ende des Hauses. Da hört sie nichts. Nun mach schon!« Er sieht mich erwartungsvoll an.

Vorsichtig lege ich die Hand auf die Tasten. Sie fühlen sich anders an als alle, die meine Finger je berührt haben. Damals weiß ich noch nicht, dass sie aus feinstem Elfenbein sind und es sich um einen einhundertfünfzig Jahre alten Bechstein-Flügel handelt. Ich schlage eine Taste ganz leicht an; der Ton hallt lange nach.

Kit wartet mit verschränkten Armen neben mir. Mir wird klar, dass mir keine andere Wahl bleibt, und ich beginne, die Mondscheinsonate *zu spielen, die ich erst vor Kurzem gelernt habe. Im Moment ist es mein Lieblingsstück, und ich habe Stunden damit verbracht, es zu üben.*

Ich vergesse, dass Kit neben mir steht. Der wunderbare Klang des Instruments trägt mich fort. Ich reise, wie immer beim Spielen, an einen anderen Ort, weit weg von hier. Die Sonne scheint auf meine Finger; sie wärmt mein Gesicht. Ich habe das Gefühl, besser denn je zu spielen, und bin überrascht, als das Stück zu Ende ist.

Als ich aus der Ferne Applaus höre, zwinge ich mich, in den riesigen Raum zu Kit zurückzukehren, der mich voller Bewunderung ansieht.

»Wow!«, ruft er aus. »Das war toll!«

»Danke.«

»Du bist so jung, und deine Finger sind kurz. Wie können sie sich so schnell über die Tasten bewegen?«

»Keine Ahnung. Sie tun es einfach.«

»Weißt du, dass Tante Crawfords Mann Harry, Lord Crawford, offenbar ein hervorragender Pianist war?«

»Nein.«

»Das hier war sein Flügel. Er ist gestorben, als ich ein Baby war. Ich habe ihn nie spielen hören. Kannst du noch was anderes?«

»Ich … Ich glaube, ich sollte gehen.«

»Nur noch ein Stück, ja?«

»Na schön.«

Ich beginne, Rachmaninows Rhapsodie über ein Thema von Paganini zu spielen. Wieder verliere ich mich in der Musik. Ich befinde mich ungefähr in der Mitte des Stücks, als ich jemanden rufen höre: »Aufhören! Auf der Stelle!«

Ich schaue hinüber zur Tür des Wohnzimmers, an der eine groß gewachsene, schlanke, grauhaarige Frau mit wutverzerrtem Gesicht steht. Mein Herz beginnt sehr schnell zu schlagen.

Kit tritt zu ihr. »Entschuldige, Tante Crawford. Ich habe Julia gebeten zu spielen. Du hast geschlafen; deshalb konnte ich dich nicht um Erlaubnis fragen. Haben wir dich geweckt?«

Sie sieht ihn mit kalten Augen an. »Nein. Ihr habt mich nicht geweckt. Aber darum geht es nicht, Kit. Du weißt doch, dass niemand auf diesem Flügel spielen darf, oder?«

»Es tut mir wirklich leid, Tante Crawford. Das war mir nicht klar. Julia ist einfach toll. Mit ihren elf Jahren spielt sie schon wie eine Konzertpianistin.«

»Genug!«, herrscht seine Tante ihn an.

Kit bedeutet mir mit hängenden Schultern, ihm zu folgen.

»Entschuldige noch einmal«, sagt er, während ich hinter ihm hinaustrotte.

Als ich an Lady Crawford vorbeigehe, hält sie mich auf. »Bist du

Staffords Enkelin?«, fragt sie, die kalten blauen Augen auf mich gerichtet.

»Ja, Lady Crawford.«

Ich merke, wie ihr Blick ein wenig sanfter wird. Fast habe ich den Eindruck, dass sie den Tränen nahe ist. Sie nickt. »Tut mir leid, die Sache mit deiner Mutter.«

Kit, der die Anspannung spürt, fällt ihr ins Wort. »Julia hat dir eine neue Orchidee aus dem Gewächshaus ihres Großvaters gebracht, stimmt's, Julia?«, ermuntert er mich.

»Ja«, bestätige ich mit zugeschnürter Kehle. »Ich hoffe, sie gefällt Ihnen.«

»Bestimmt. Sag deinem Großvater danke schön von mir.«

Alicia wartete geduldig in der Schlange für den Verkaufskatalog.

»Bist du als Kind je in diesem Haus gewesen?«, fragte sie.

»Ja«, antwortete Julia. »Einmal.«

Alicia deutete zur Decke hoch. »Ziemlich kitschig, diese Putten, findest du nicht auch?«

»Mir gefallen sie irgendwie«, antwortete Julia.

»Seltsames altes Gemäuer«, bemerkte Alica, nahm den Katalog und folgte den anderen Besuchern durch den Eingangsbereich und den Flur entlang in einen großen, mit Eichenholz getäfelten Raum, in dem alle Gegenstände für die Auktion ausgestellt waren. Dort gab sie den Katalog Julia. »Schade, dass es verkauft wird. Es war fast dreihundert Jahre lang der Familiensitz der Crawfords. Das Ende einer Ära und so. Wollen wir uns ein bisschen umsehen?« Alicia legte die Hand auf Julias Ellbogen und dirigierte sie zu einer eleganten griechischen Vase mit feinem Riss, die offenbar als Pflanztopf verwendet worden war. »Wär die nichts für Dad?«

Julia zuckte mit den Achseln. »Vielleicht. Die Entscheidung überlasse ich dir.«

Alicia, die Julias schwindendes Interesse spürte, schlug vor: »Ich denke, wir sollten uns trennen. Dann sehen wir schneller, was interessant sein könnte. Fang du auf dieser Seite an; ich geh auf die andere. In zehn Minuten treffen wir uns an der Tür.«

Julia nickte. Da sie in den vergangenen Monaten nicht viel mit Menschen zu tun gehabt hatte, spürte sie ein Gefühl der Klaustrophobie in sich aufsteigen. Instinktiv bewegte sie sich zum leereren Ende des Raums, zu einem Tapeziertisch, hinter dem eine Frau stand.

»Die Sachen hier sind nicht Teil des eigentlichen Verkaufs«, teilte die Frau Julia mit. »Es handelt sich um allgemeinen Nippes, den Sie gleich jetzt erwerben können. Die Preise stehen jeweils drauf.«

Julia nahm eine zerlesene Ausgabe von *The Children's Own Wonder Book* in die Hand, schlug sie auf und sah das Datum darin: 1926.

»Für Hugo, von Großmutter, in Liebe.«

Außerdem entdeckte Julia *Wilfred's Annual* aus dem Jahr 1932 und *Marigold Garden* von Kate Greenaway.

Diesen Büchern haftete etwas Wehmütiges an; über achtzig Jahre lang hatten Crawford-Kinder die Geschichten darin gelesen. Julia beschloss, sie zu erwerben und für die verlorenen Kinder von Wharton zu bewahren.

Am linken Ende des Tischs befand sich ein zerbeulter Karton voller Drucke. Julia ging sie lustlos durch. Bei den meisten handelte es sich um Lithographien, die das Große Feuer von London, alte Schiffe und hässliche Gebäude zeigten. Dazwischen entdeckte sie einen abgegriffenen braunen Umschlag. Sie zog ihn heraus.

In dem Kuvert steckten Aquarelle von unterschiedlichen Orchideenarten.

Das cremefarbene Papier war mit braunen Flecken übersät; Julia vermutete, dass die Aquarelle eher von einem begeisterten Hobbykünstler als von einem Profi stammten. Doch gerahmt würden sie vielleicht ganz hübsch aussehen. Auf jedem stand mit Bleistift der lateinische Name der jeweiligen Orchidee.

»Wie viel kosten die?«, fragte Julia die Frau.

Sie nahm den Umschlag. »Keine Ahnung. Scheint kein Preis draufzustehen.«

»Wie wär's, wenn ich Ihnen zwanzig Pfund dafür gebe, fünf für jedes?«, schlug Julia vor.

Die Frau betrachtete die fleckigen Aquarelle und zuckte mit den Achseln. »Ich glaube, zehn Pfund für alle zusammen wären angemessener.«

»Danke.« Julia zahlte und kehrte zur Tür zurück, wo Alicia bereits auf sie wartete.

Alicias Blick fiel auf den Umschlag und die Bücher unter Julias Arm.

»Du hast was gefunden?«

»Ja.«

»Lass mal sehen.«

»Zeig ich dir, wenn wir zu Hause sind.«

»Okay«, meinte Alicia. »Ich werde bei der Vase mitbieten, die wir vorhin gesehen haben. Die steht ziemlich weit oben auf der Liste, also müssen wir hoffentlich nicht so lange warten. Die Auktion kann jeden Augenblick beginnen.«

Julia nickte. »Ich mache in der Zwischenzeit einen kleinen Spaziergang. Ich brauch frische Luft.«

»Gut.« Alicia holte ihre Schlüssel aus der Handtasche und gab sie Julia. »Für den Fall, dass es länger dauert. Ansonsten treffen wir uns in einer halben Stunde am Eingang. Vielleicht musst du mir helfen, das gute Stück die Treppe runterzutragen.«

»Danke«, sagte Julia und nahm die Schlüssel. »Bis gleich.«

Sie schlenderte aus dem Raum und durch den Flur zum Eingangsbereich, der jetzt menschenleer war. Dort hob sie den Kopf, um die Putten an der Decke zu betrachten, und schaute dann zur Wohnzimmertür hinüber, hinter der sich der Flügel verbarg, auf dem sie einmal gespielt hatte.

Ein plötzlicher Impuls zog sie dorthin. Der riesige Raum war in trübes Januarlicht getaucht, das unbenutzte Mobiliar nach wie vor so, wie sie es in Erinnerung hatte.

Durch die hohen Fenster schien keine Sonne; in dem Zimmer war es bitterkalt. Julia ging am Kamin und an den Sofas vorbei, von denen ein unangenehmer Schimmelgeruch aufstieg, auf den Flügel zu.

Erst jetzt bemerkte sie die groß gewachsene Gestalt, die mit dem Rücken zu ihr stand und aus dem Fenster jenseits des Flügels blickte, halb verhüllt von dem verschlissenen Damastvorhang. Der Mann bewegte sich nicht, stand starr da wie eine Statue. Anscheinend hatte er sie nicht gehört.

Julia, der bewusst war, dass sie in einem sehr privaten Augenblick störte, versuchte den Raum so leise wie möglich zu verlassen.

An der Tür hörte sie ihn fragen: »Kann ich Ihnen helfen?«

Sie wandte sich um. »Tut mir leid, ich hab hier nichts verloren.«

»Stimmt.« Er sah sie stirnrunzelnd an. »Kennen wir uns nicht?«

Es lagen fast zehn Meter Wohnzimmer zwischen ihnen, doch Julia erkannte das dichte, kastanienbraune Lockenhaar, den schlanken Körper – der seit ihrer letzten Begegnung kräftiger geworden und mindestens dreißig Zentimeter gewachsen war – sowie den schiefen Mund sofort.

»Ja. Ich … Wir sind einander vor vielen Jahren begegnet«, stotterte Julia. »Entschuldigung. Ich geh jetzt lieber.«

»Ach. Ist das nicht die kleine Julia, die Enkelin des Gärtners, inzwischen eine weltbekannte Konzertpianistin?«

»Ja, ich bin Julia. Ob das mit dem ›weltbekannt‹ stimmt, weiß ich allerdings nicht …«

Kit hob die Augenbrauen. »Keine falsche Bescheidenheit, Julia. Ich habe mehrere CDs von dir. Du bist berühmt! Was um Himmels willen machst du hier? Du verbringst doch sicher den größten Teil deines Lebens in Fünf-Sterne-Hotels der ganzen Welt.«

Offenbar wusste er nicht Bescheid.

»Ich … bin zu Besuch bei meinem Vater«, log Julia.

»Wir fühlen uns geehrt«, sagte Kit mit einer angedeuteten Verbeugung, »von einer solchen Berühmtheit aufgesucht zu werden. Ich erzähle allen, dass ich einer der Ersten war, die deine *Mondscheinsonate* hören durften. Wie passend, dass wir uns ausgerechnet in diesem Raum wiedertreffen, kurz vor dem Verkauf des Hauses.«

»Ja. Wie schade.«

»Es ist das Beste so. Tante Crawford hat Wharton verkommen lassen, als sie hier lebte, und mein Vater hatte weder das nötige Geld noch das Interesse, alles wieder auf Vordermann zu bringen. Ich kann mich glücklich schätzen, jemanden gefunden zu haben, der bereit ist, mir diese Last abzunehmen. Es wird ein Vermögen kosten, das Anwesen zu renovieren.«

»Dann gehört Wharton Park also dir?«

»Ich fürchte ja. Nach dem Tod von Tante Crawford und jetzt auch von meinem Vater bin ich der Erbe. Leider haben sie mir jede Menge Schulden und Ärger hinterlassen.« Er zuckte mit den Achseln. »Sorry, wenn ich so negativ klinge.«

»Bist du nicht ein bisschen traurig?«

Kit schob die Hände in die Hosentaschen und trat näher zu ihr. »Offen gestanden: auf einer persönlichen Ebene, nein. Ich war als Junge nur in den Ferien hier, also besteht für mich keine innige emotionale Verbindung zu diesem Anwesen. Und Herrenhausbesitzer zu spielen, liegt mir nicht. Allerdings hat mir die Entscheidung, dreihundert Jahre Familiengeschichte einfach zu verkaufen, zugegebenermaßen schlaflose Nächte bereitet. Aber was bleibt mir anderes übrig? Ich muss Wharton loswerden, um die hohen Schulden abbezahlen zu können, die darauf lasten.«

»Verkaufst du wirklich alles?«

Kit strich sich die Haare aus dem Gesicht. »Das alte Stallungsgeviert, wo früher Bedienstete wohnten, behalte ich für mich, dazu ein mickriges Stück Land. Ich habe einen eigenen Weg zur Straße, so dass ich nicht den Haupteingang benutzen muss. Mein neues Zuhause ist ein ziemlich schäbiges Cottage ohne Zentralheizung, dafür jedoch mit feuchten Wänden.« Er lächelte. »Aber besser als nichts. Ich bin dabei, es zu renovieren. Ich glaube, es wird ganz hübsch, wenn's erst mal fertig ist.«

»Dort haben meine Großeltern gewohnt; meine Mutter ist da zur Welt gekommen«, sagte Julia. »Ich habe die Cottages nie schäbig gefunden, und die Feuchtigkeit ist mir auch nie aufgefallen.«

»O je.« Kit wurde rot. »Mein Gott, wie arrogant von mir. Entschuldige. Ich habe das Cottage für mich behalten, weil es mir gefällt. Wirklich«, betonte er. »Und ich freue mich darauf, dort zu leben. Außerdem hoffe ich, die anderen Scheunen und Cottages ringsherum, wenn sie renoviert sind, vermieten zu können und ein bisschen Geld damit zu verdienen.«

»Hast du denn keine andere Bleibe?«

»Wie du bin ich lange im Ausland gewesen und deshalb

nie dazu gekommen, mir ein richtiges Zuhause einzurichten …« Kit wandte den Blick ab. »Mit dieser Gegend verbinde ich keine sonderlich guten Erinnerungen. Ich habe hier in meiner Kindheit ein paar ziemlich scheußliche Sommer verbracht.«

»Mir hat Wharton Park immer gefallen.«

»Es ist ein schönes altes Haus und liegt gut«, räumte Kit ein.

Julia musterte ihn. Unter seiner tiefen Bräune wirkte er abgespannt und müde. Julia wusste nicht recht, was sie sagen sollte. »Nun, ich hoffe, du wirst glücklich in deinem neuen Heim. Ich muss jetzt los.«

»Und ich sollte mal in den Auktionsraum schauen.«

Sie gingen nebeneinanderher durch die dunklen Räume zum Eingangsbereich.

»Wo lebst du jetzt?«, fragte Kit nach einer Weile. »Bestimmt in einer riesigen Penthouse-Wohnung am Central Park, oder?«

»Ach was. In Blakeney, in einem kleinen, feuchten Cottage, das ich gekauft habe, weil alle auf mich eingeredet haben, dass ich mein Geld in Immobilien anlegen soll. In den letzten acht Jahren habe ich es an Urlauber vermietet.«

»Aber du hast doch bestimmt irgendwo ein anderes Zuhause, oder?« Kit runzelte die Stirn. »In den Hochglanzmagazinen sitzen die Reichen und Schönen nicht in feuchten Cottages in North Norfolk.«

»In den Hochglanzmagazinen wirst du keine Fotos von mir finden«, erklärte Julia. »Und … ach, das ist eine lange Geschichte«, hob sie an, verstummte jedoch, als sie die Eingangshalle erreichten. Eine Frage lag ihr auf dem Herzen. »Gibt's die Gewächshäuser noch?«

»Ich weiß es nicht.« Kit zuckte mit den Achseln. »Ehrlich

gesagt, war ich noch nicht im Küchengarten, weil es so viele andere Dinge zu tun gab.«

Als sie die Halle betraten, sah Julia ihre Schwester mit der Vase in der Hand an der Tür warten.

»Da bist du ja, Kit!«, rief eine kräftige Frau mit kastanienbraunen Haaren und tiefbraunen Augen wie den seinen und gesellte sich zu ihnen. »Wo hast du dich denn herumgetrieben? Der Auktionator will wegen einer Vase mit dir reden. Er meint, sie könnte aus der Ming-Dynastie stammen. Du sollst sie aus der Auktion herausnehmen und bei Sotheby's schätzen lassen.«

Julia sah einen Ausdruck der Verärgerung über Kits Gesicht huschen. »Julia, darf ich dir meine Schwester Bella Harper vorstellen?«

Bella musterte Julia eher desinteressiert. »Hallo«, begrüßte sie sie und hakte sich bei Kit unter. »Du solltest wirklich mit dem Auktionator sprechen«, meinte sie und zog ihn weg.

Kit schenkte Julia ein hastiges Lächeln. »Schön, dich wiedergesehen zu haben«, rief er zurück, dann war er verschwunden.

Julia gesellte sich zu Alicia, die Kit nachstarrte.

»Woher kennst du denn *die*?«, erkundigte sich Alicia neugierig.

»Wen?«, fragte Julia, während sie eine Seite der Vase packte und sie begannen, das Ding die Treppe hinunter zum Auto zu tragen.

»Die grässliche Bella Harper natürlich. Mit der hast du doch gerade geredet.«

»Ich kenn sie nicht, nur ihren Bruder Kit.«

Mittlerweile hatten sie den Wagen erreicht, und Alicia öffnete den Kofferraum, um die Vase darin zu verstauen. »Du meinst Lord Christopher Wharton, den Erben dieses Anwesens?«

»Ja, der ist er wohl jetzt«, antwortete Julia. »Ich habe ihn vor Jahren in diesem Haus kennengelernt und bin ihm gerade eben wiederbegegnet.«

»Tja, ja, stille Wasser gründen tief. Dass du ihn kennst, hast du nie erwähnt.« Alicia wickelte die Vase in einen alten Regenmantel. »Hoffentlich bringen wir die heil nach Hause«, sagte sie und schloss den Kofferraumdeckel. Dann stiegen sie ein, und Alicia ließ den Motor an.

»Hast du noch Lust auf einen Drink und ein Sandwich im Pub?«, fragte Alicia. »Dann kannst du mir ausführlich erzählen, wie du den reizenden Lord Kit kennengelernt hast. Offenbar ist er ein angenehmerer Zeitgenosse als seine Schwester. Mit ihr hatte ich bei Dinnerpartys in der Gegend hin und wieder das Vergnügen; sie behandelt mich immer noch wie die Enkelin des Gärtners. Gott sei Dank wird der Titel an den nächsten männlichen Verwandten vererbt. Wenn Bella ein Mann wäre, hätte es für sie kein Halten mehr gegeben!«

»So ist Kit, glaube ich, nicht«, sagte Julia und wandte sich ihrer Schwester zu. »Danke für das Angebot, aber wenn's dir nichts ausmacht, würde ich lieber nach Hause fahren.«

Alicia sah die Erschöpfung in den Augen ihrer Schwester. »Auch gut. Aber unterwegs kaufen wir Lebensmittel für dich ein.«

Julia war zu müde, um zu widersprechen.

Alicia bestand darauf, dass Julia sich aufs Sofa setzte, während sie selbst den Kamin anzündete und die soeben erworbenen Vorräte einräumte. Ausnahmsweise hatte Julia nichts dagegen, bemuttert zu werden, denn die Fahrt war anstrengend gewesen, und die Rückkehr nach Wharton Park sowie die Begegnung mit Kit hatten sie verunsichert.

Alicia kam mit einem Tablett aus der Küche, das sie vor

Julia abstellte. »Ich hab dir Suppe gekocht. Bitte iss sie.« Sie nahm den braunen Umschlag von dem Beistelltischchen, auf das Julia ihn gelegt hatte: »Darf ich?«, fragte sie.

»Klar.«

Alicia zog die Aquarelle eines nach dem anderen aus dem Kuvert und betrachtete sie. »Hübsch. Das perfekte Geschenk für Dad. Willst du sie rahmen lassen?«

»Wenn das in der kurzen Zeit geht, ja.«

»Du kommst doch nächsten Sonntagmittag zu seinem Geburtstagsessen, oder?«

Julia nickte zögernd und nahm den Suppenlöffel in die Hand.

»Ich weiß, dass du im Moment keine Lust auf große Familienzusammenkünfte hast, aber alle freuen sich darauf, dich zu sehen. Und Dad wäre todtraurig, wenn du nicht auftauchen würdest.«

»Ich komme schon, keine Sorge.«

»Gut.« Alicia sah auf ihre Uhr. »Ich fahr jetzt mal lieber heim ins Irrenhaus.« Sie verdrehte die Augen und drückte Julias Schulter. »Kann ich sonst noch was für dich tun?«

»Nein, danke.«

»Gut.« Alicia gab Julia einen Kuss auf die Stirn. »Bitte melde dich und vergiss nicht, dein Handy eingeschaltet zu lassen. Ich mache mir Sorgen um dich.«

»Die Verbindung ist hier ziemlich schlecht«, sagte Julia. »Aber ich lasse es an.« Sie sah Alicia nach, wie sie zur Tür ging. »Und danke. Danke, dass du mich nach Wharton Park mitgenommen hast.«

»Gern geschehen. Ruf mich an, wenn du was brauchst. Pass auf dich auf, Julia.« Und schon fiel die Tür hinter ihr ins Schloss.

Julia fühlte sich müde und lethargisch. Ohne die Suppe

auszulöffeln, trottete sie die Treppe hinauf und setzte sich, die Hände im Schoß gefaltet, aufs Bett.

Ich möchte kein normales Leben mehr, sondern leiden wie sie. Wo auch immer sie sein mögen – wenigstens sind sie zusammen, und ich bin hier allein, wo ich weder richtig leben noch sterben kann. Alle wollen, dass ich mich fürs Leben entscheide, aber wenn ich das tue, muss ich sie loslassen. Und das kann ich nicht. Noch nicht …

3

Am folgenden Sonntag scheuchte Alicia ihre Familie um zwei Minuten vor eins ins Wohnzimmer.

»Lissy-Schatz, ein Schlückchen Wein?«, fragte ihr Mann Max, drückte ihr ein Glas in die Hand und küsste sie auf die Wange.

»Rose, schalt sofort den iPod aus!«, herrschte Alicia ihre dreizehnjährige Tochter an, die mit mürrischem Gesicht auf dem Sofa lümmelte. »Und das gilt für euch alle: Benehmt euch!« Alicia setzte sich aufs Kamingitter und nahm einen großen Schluck Wein.

Kate, ihre hübsche, blonde, achtjährige Tochter, schmiegte sich an sie. »Mummy, gefällt dir, was ich anhabe?«, fragte sie.

Erst jetzt bemerkte Alicia die gewagte Zusammenstellung aus grellpinkfarbenem Top, gelbem Tupfenrock und türkisfarbener Strumpfhose. Leider war es zu spät, noch etwas daran zu ändern, denn Alicia sah bereits den Wagen ihres Vaters in der Auffahrt.

»Opa ist da!«, rief James, ihr sechsjähriger Sohn.

»Holen wir ihn«, kreischte Fred, der Vierjährige, und machte sich auf den Weg zur Tür.

Alicia beobachtete erfreut, wie die anderen ihm folgten und zum Wagen hinausliefen.

Wenige Sekunden später zerrten sie George Forrester ins Wohnzimmer. Mit seinen fünfundsechzig Jahren war er nach wie vor schlank und attraktiv. Er hatte volles, an den Schläfen ergrauendes Haar und strahlte Autorität und Selbstbewusstsein aus, weil er es gewöhnt war, vor Publikum zu sprechen.

Als berühmter Professor der Botanik an der University of East Anglia hielt er regelmäßig Vorträge vor der Royal Society of Horticulture und in Kew. Dazwischen reiste er in entlegene Erdgegenden, um neue Pflanzenarten zu erforschen. Dabei, sagte er selbst, fühle er sich am wohlsten.

George erzählte seinen Töchtern gern, dass er in der Erwartung zu den Gewächshäusern von Wharton Park gereist war, von deren berühmter Orchideensammlung überwältigt zu werden, sich stattdessen jedoch Hals über Kopf in die junge Schönheit dort verliebt hatte, die seine Frau und die Mutter seiner beiden Töchter werden sollte. Schon wenige Monate später hatten sie den Bund fürs Leben geschlossen.

»Hallo, Liebes«, begrüßte George Alicia. »Du bist schön wie eh und je. Wie geht's dir?«

»Gut, danke. Alles Gute zum Geburtstag, Dad«, gratulierte sie ihm, als er sie umarmte. »Möchtest du was trinken? Wir haben Champagner kühl gestellt.«

»Warum nicht?« Er lächelte. »Eigentlich ist es absurd zu feiern, dass man dem Grab einen Schritt näher kommt.«

»Ach, Dad!«, rügte Alicia ihn, »mach dich nicht lächerlich. Alle meine Freundinnen himmeln dich an.«

»Freut mich, aber das ändert nichts an den Tatsachen. Ab heute«, sagte er und wandte sich seinen Enkeln zu, »ist euer Großvater Pensionär.«

»Was ist ein Pensionär?«, wollte Fred wissen.

Der zwei Jahre ältere James stieß seinen kleinen Bruder in die Rippen. »Ein alter Mann, Dummkopf.«

»Ich hole den Champagner«, verkündete Max mit einem Augenzwinkern in Richtung Alicia.

»Und«, fragte George, setzte sich gegenüber von seiner Tochter aufs Kamingitter und streckte die langen Beine aus. »Wie läuft's?«

»Hektisch, wie üblich«, seufzte Alicia. »Und bei dir?«

»Genauso. Letzte Woche hat mich ein amerikanischer Kollege aus Yale angerufen. Er plant eine Forschungsreise zu den Galapagosinseln im Mai und möchte, dass ich ihn begleite. Da bin ich noch nie gewesen, obwohl ich immer hinwollte. Ihr wisst schon: Darwins *Entstehung der Arten* und so. Ich werde gute drei Monate weg sein, weil ich in den Staaten ein paar Vorlesungen halten soll.«

»Dann hast du also nicht vor, es im Ruhestand langsamer angehen zu lassen?«

Fred hüpfte auf einem Bein zu George. »Wir haben dir ein echt cooles Geschenk gekauft, Opa, ein ...«

»Halt den Mund, Fred. Es soll eine Überraschung sein«, fiel ihm Rose, das mürrische Teenagermädchen, vom Sofa aus ins Wort.

Max kam unterdessen mit der entkorkten Champagnerflasche herein und füllte drei Gläser.

»Prost euch allen.« George hob sein Glas. »Auf die nächsten fünfundsechzig Jahre.« Nachdem er einen Schluck getrunken hatte, fragte er: »Kommt Julia auch?«

»Ja, jedenfalls hat sie's versprochen. Wahrscheinlich ist sie spät dran.«

»Wie geht's ihr?«, erkundigte sich George.

»Nicht so gut.« Alicia schüttelte den Kopf. »Ich hab sie

letzte Woche mit zu der Auktion in Wharton Park genommen, um dein Geburtstagsgeschenk zu kaufen. Danach schien es ihr ein bisschen besser zu gehen, obwohl das nicht viel zu bedeuten hat.«

»Wie schrecklich«, seufzte George. »Ich fühle mich so ... hilflos.«

»Das tun wir alle, Dad«, pflichtete Alicia ihm bei.

»Zuerst der Tod eurer Mutter, als sie elf war, und jetzt ... Das Leben ist ungerecht.«

»Ja, furchtbar, und man weiß so gar nicht, was man tun oder sagen soll. Julia hat Mums Tod damals ziemlich verstört, das weißt du ja, Dad. Nun hat sie die drei Menschen verloren, die ihr am meisten bedeuteten.«

»Hat sie erwähnt, ob sie nach Südfrankreich zurückmöchte?«, erkundigte sich George. »Ich könnte mir vorstellen, dass sie sich in ihrem eigenen Haus besser fühlen würde als in diesem düsteren Cottage.«

»Nein. Wahrscheinlich erträgt sie die Erinnerungen dort nicht. Ich hätte sehr zu kämpfen, wenn dieses Haus plötzlich ...«, Alicia biss sich auf die Lippe, »... leer wäre.«

»Opa? Hast du eine Freundin?«, platzte Kate dazwischen und kletterte auf seinen Schoß.

»Nein, Schätzchen«, antwortete George schmunzelnd. »Mir war immer nur deine Oma wichtig.«

»Wenn du möchtest, könnte ich deine Freundin sein«, bot Kate ihm an. »Du bist sicher einsam so allein in dem großen Haus in Norwich.«

Alicia zuckte zusammen. Kate hatte die Angewohnheit, das zu sagen, was alle dachten.

»Ich bin nicht einsam, Schätzchen«, widersprach George und zerzauste ihr die Haare. »Ich habe Seed, meinen Hund, und meine Pflanzen, die mir Gesellschaft leisten.« Er drückte sie an sich. »Aber ich verspreche dir, falls mir jemals nach einer Freundin sein sollte, wende ich mich zuerst an dich.«

Da sah Alicia Julias Wagen die Auffahrt heraufkommen.

»Sie ist da, Dad. Ich geh sie reinholen.«

»Gut, Liebes«, sagte George, der Alicias Sorge spürte.

Alicia öffnete die Haustür. George, dachte sie, hatte, obwohl der Tod ihrer Mutter nun mehr als zwanzig Jahre zurücklag, nicht das getan, wofür sich die meisten Männer in seiner Situation entschieden hätten, sich nach einem Ersatz für ihre Mutter umgesehen. Alicia erinnerte sich an all die geschiedenen Frauen, die ihren attraktiven Vater umschwärmt hatten, ohne je sein Interesse zu wecken.

Die eine oder andere Frau hatte es wohl gegeben, allerdings nur zur Befriedigung seiner körperlichen Bedürfnisse. Alicia bezweifelte, dass er sich je auf eine emotionale Bindung eingelassen hatte. Vielmehr schien er zu akzeptieren, dass niemand seine Seelenverwandte Jasmine ersetzen konnte.

Möglicherweise hatte seine Leidenschaft für die Pflanzenwelt ihm geholfen, die Lücke zu füllen.

Da stieg Julia in einer viel zu großen Jacke aus dem Wagen und kam auf sie zu.

»Hallo, Schwesterherz. Dad ist schon da.«

»Ich weiß. Tut mir leid, dass ich ein wenig zu spät bin. Ich hab die Zeit vergessen.«

»Kein Problem. Komm rein.« Alicia deutete auf das Paket unter Julias rechtem Arm. »Prima, du hast die Bilder rahmen lassen.«

»Julia«, begrüßte Max sie, als sie das Zimmer betrat. »Schön, dich zu sehen.« Er legte lächelnd den Arm um die schmalen Schultern seiner Schwägerin. »Darf ich dir das Paket abnehmen?«

»Danke.«

»Hallo, Dad. Alles Gute zum Geburtstag.« Sie begrüßte ihn mit einem Kuss.

»Liebes, danke, dass du gekommen bist.« George ergriff ihre Hand und drückte sie.

»Sollen wir, jetzt, wo alle da sind, die Geschenke auspacken?«, schlug Alicia vor.

»Darf ich das für Opa machen?«, fragte eine Stimme unter dem Beistelltischchen.

»Ich glaube, Opa schafft das allein«, antwortete Max seinem jüngsten Sohn und reichte George die Vase. »Die ist von allen Howards. Ganz schöner Humpen«, meinte er schmunzelnd mit einem Blick auf die großen Griffe zu beiden Seiten des Gefäßes.

George begann das Geschenkpapier zu entfernen, assistiert von einem Paar kleiner Hände, die plötzlich unter dem Tischchen hervorkamen.

»Das ist aber ein großer Topf, Opa«, bemerkte Fred, als die Vase ausgepackt war. »Gefällt er dir?«

George lächelte. »Die Vase ist wunderschön. Danke, Alicia, und danke euch, Kinder.« Er sah seine Tochter an. »Du sagst, sie stammt aus Wharton Park?«

»Ja.« Alicia nickte Julia zu. »Gibst du Dad jetzt auch dein Geschenk?«

»Klar.« Julia deutete auf das Paket auf dem Tischchen. »Da ist es.«

Julia verfolgte mit erwartungsvollem Blick, wie ihr Vater es öffnete. Der schlichte schwarze Holzrahmen und das beigefarbene Passepartout brachten die Aquarelle besonders gut zur Geltung.

»Ach …«, murmelte George, als er eines nach dem anderen betrachtete. Schließlich fragte er: »Sind die auch aus Wharton Park?«

»Ja.«

Die gesamte Familie wartete auf eine Reaktion. Nach einer Weile brach Alicia das Schweigen. »Gefallen sie dir nicht?«

George sah Julia an, nicht Alicia. »Julia, sie sind wunderschön. Ein besseres Geschenk hättest du nicht finden können, denn« – er wischte sich verstohlen eine Träne aus dem Augenwinkel – »ich bin sicher, dass deine Mutter sie gemalt hat.«

Am Essenstisch wurde lebhaft darüber diskutiert, wie Jasmines Aquarelle nach Wharton Park gelangt waren.

»Bist du dir vollkommen sicher, dass sie von Mummy sind?«, fragte Alicia.

»Ja, davon bin ich überzeugt«, antwortete George, während er ein Stück von dem Roastbeef abschnitt, das Alicia zubereitet hatte. »Bei der ersten Begegnung mit deiner Mutter saß sie mit einem Skizzenblock und Aquarellfarben in einer Ecke des Gewächshauses von eurem Großvater. Wenn wir bei unseren späteren gemeinsamen Reisen etwas Interessantes entdeckten, habe ich mir Notizen gemacht, und sie hat die Pflanzen gemalt. Ihr Stil ist unverkennbar. Zu Hause werde ich diese Aquarelle mit den anderen eurer Mutter vergleichen. Julia« – er lächelte seiner Tochter über den Tisch hinweg zu –, »du hättest mir wirklich nichts Schöneres schenken können.«

Nach dem Kaffee im Wohnzimmer stand Julia auf.

»Ich gehe jetzt, Dad.«

George hob den Blick. »Schon?«

Julia nickte. »Ja.«

George nahm ihre Hand. »Besuch mich doch mal, ja? Ich würde mich freuen, wenn du auf einen Plausch vorbeikämst.«

»Gut«, sagte Julia, doch sie wussten beide, dass sie ihr Versprechen nicht einlösen würde.

»Vielen herzlichen Dank für die Bilder, Liebes. Sie bedeuten mir wirklich viel.«

»Ich finde, wir sollten lieber dem Schicksal danken, denn ich hatte ja keine Ahnung von der Vorgeschichte«, widersprach Julia. »Tschüs, Kinder, bis morgen.« Sie winkte ihnen zum Abschied zu.

»Tschüs, Tante Julia«, antworteten sie im Chor.

Alicia ergriff ihre Hand, als sie zur Tür hinauswollte. »Trinken wir nächste Woche einen Kaffee zusammen?«

»Ich ruf dich an. Und danke fürs Essen.« Julia küsste ihre Schwester auf die Wange. »Auf Wiedersehen.«

Alicia schloss seufzend die Tür hinter Julia. Da spürte sie, wie sich zwei Arme um ihre Taille legten.

»Sie ist immer noch ziemlich durch den Wind«, stellte Max fest.

»Ja. Es hilft nichts, wenn sie den lieben langen Tag in dem düsteren Cottage sitzt. Das geht jetzt schon über sieben Monate so.«

»Du kannst sie zu nichts zwingen«, meinte Max. »Immerhin hat sie heute den Mund aufgekriegt. Wenigstens Opa bleibt zum Tee, und den Abwasch erledige ich. Setz dich doch zu deinem Vater und unterhalte dich mit ihm.«

Alicia kehrte ins Wohnzimmer zurück, wo ihr Vater mit ihren Söhnen spielte. Rose hatte sich nach oben in ihr Zimmer verdrückt, und Kate half Max in der Küche. Alicia schaute in den Kamin und dachte über die zufällige Entdeckung der Orchideenaquarelle und Julia nach.

Nachdem ihre Mutter viel zu früh an Eierstockkrebs gestorben war, hatte Alicia sich mit ihren vierzehn Jahren größte Mühe gegeben, sich um ihre jüngere Schwester Julia zu kümmern. George war oft auf Vortragsreisen oder unterwegs, um Pflanzen zu sammeln; Alicia erschien es damals, als würde er so wenig Zeit wie möglich zu Hause verbringen. Da sie jedoch begriff, dass dies seine Methode war, den Verlust seiner Frau zu verarbeiten, beklagte sie sich nie über seine Abwesenheiten.

Nach Jasmines Tod hatte Julia sich ganz in sich selbst zurückgezogen und sich gegen Alicias wohlmeinende Mütterlichkeit gewehrt. Auch in der schwierigen Teenagerzeit hatte sie sich Alicia nicht anvertraut, ihr nichts über die Schule und ihre Freunde verraten, eine Mauer um ihre Gedanken errichtet und ihre freie Zeit darauf verwendet, ihr Klavierspiel zu verbessern.

Am Ende hatte Alicia »die Tasten der Hölle«, wie sie das Klavier im Arbeitszimmer nannte, als Rivalen um Julias Gunst empfunden. Ihr Pflichtbewusstsein war stärker gewesen als ihre eigenen Wünsche und Bedürfnisse. Mit achtzehn hatte Alicia eigentlich einen Studienplatz in Psychologie an der Durham University ergattert. Obwohl sich eine Haushälterin um alles kümmerte und sogar über Nacht blieb, wenn George unterwegs war, hatte Alicia nicht das Gefühl gehabt, Julia allein lassen zu können. Folglich war sie auf die Universität in Norwich gegangen und hatte in dem Jahr, als Julia nach London zog, um am Royal College of Music zu studieren, Max kennengelernt.

Ihre oft einsame Kindheit hatte Alicia von einem Ehemann, einer großen Familie und einem behaglichen Heim träumen lassen. Anders als ihre Schwester, die unter der gleichen Wanderlust litt wie ihr Vater, sehnte Alicia sich nach Sicherheit und Liebe. Sechs Monate nachdem Max um ihre Hand angehalten hatte, heirateten sie, und bereits ein Jahr später war sie schwanger mit Rose. Seitdem konzentrierte sie sich voll und ganz darauf, ihren Kindern das zu geben, was sie selbst in ihrer Jugend nicht gehabt hatte.

Alicia hatte sich mit der Beschränkung ihres Horizonts aufgrund ihrer Vergangenheit abgefunden.

Schwerer fiel es ihr da schon, die fortgesetzte Lethargie ihrer jüngeren Schwester hinzunehmen. Seit dem Beginn von Julias Karriere in der Welt der klassischen Musik hatte Alicia nur noch selten von ihr gehört. Doch als Julia sie sieben Monate zuvor gebraucht hatte, war Alicia für sie dagewesen und hatte sie zurück nach Norfolk geholt. Trotzdem spürte sie nach wie vor die alte Distanziertheit und Spannung zwischen ihnen.

Alicia wusste nun genauso wenig wie zwanzig Jahre zuvor, wie sie an ihre Schwester herankommen sollte.

»Mummy, ich backe Feenkuchen zum Tee. Auf welches Tablett soll ich sie legen?«, fragte da Kate von der Tür aus. Alicia stand auf.

»Ich komme schon, Schätzchen.«

4

Als Julia am folgenden Morgen aufwachte, wartete sie auf die trüben Gedanken und die Hoffnungslosigkeit, die sie normalerweise in den ersten Sekunden nach dem Schlaf überfielen.

Doch sie kamen nicht.

Und so stand sie auf, ging zum Fenster und zog die Vorhänge zurück.

Das einfache Cottage war hauptsächlich seiner herrlichen Aussicht wegen so beliebt bei Feriengästen. Es stand auf einem grasbewachsenen Hügel, nur ein paar Meter von der High Street von Blakeney entfernt, und bot sowohl die Vorzüge des Ortes als auch die Ruhe und den guten Ausblick der erhöhten Lage.

Die klare Januarsonne schien auf den frostbedeckten Hügel. Darunter befand sich der Hafen von Blakeney und dahinter das Meer. Julia zog den Riegel an dem kleinen Fenster zurück, öffnete es weit und atmete tief durch. Heute, dachte Julia, war es tatsächlich möglich zu glauben, dass irgendwann der Frühling wiederkommen würde.

Als sie in ihrem dünnen T-Shirt zu zittern begann, schloss sie das Fenster, schlüpfte in ihre Jacke und ging nach unten, um Tee zu kochen.

Bis zum Mittag erhärtete sich Julias Gefühl, dass sich etwas geändert hatte. Sosehr sie sich auch bemühte, sich zu erinnern, was sie in den vergangenen Monaten in dem Cottage gemacht hatte – es gelang ihr nicht. Nun wollte die Zeit plötzlich nicht mehr vergehen; Julia war unruhig, langweilte sich sogar.

Vergeblich versuchte sie, zur behaglichen Apathie jener Tage zurückzufinden.

Als ein Gefühl der Klaustrophobie sich ihrer bemächtigte, merkte Julia, dass sie aus dem Haus musste. Sie zog Jacke, Schal und Gummistiefel an, öffnete die Tür und wanderte über das Gras in Richtung Meer.

Der Hafen lag verlassen da. Die Boote, in der Wintersaison sicher an Land, klangen unruhig. Die Takelage klimperte vor sich hin, als wollte sie die Besitzer daran erinnern, dass sie bald wieder einsatzfähig wäre. Julia ließ den Hafen hinter sich und ging die Landzunge entlang, an deren hinterem Ende sich Seehunde im Sand sonnten, sehr zur Freude der Touristen, die eigens mit dem Boot kamen, um sie zu beobachten.

Zum Schutz gegen den kalten Wind stellte sie den Kragen ihrer Jacke hoch. Julia genoss das Gefühl, allein zu sein. Auf beiden Seiten des schmäler werdenden Landstreifens wogte Wasser – es war, als würde sie sich von der Welt wegbewegen.

Sie hielt kurz inne, bevor sie zum Wasser hinunterging. Es war tief und kalt, tief genug, um darin zu ertrinken. Wenn sie sich hineinstürzte, wäre niemand da, der sie aufhalten könnte, und der Schmerz hätte ein Ende.

Schlimmstenfalls würde sie für immer schlafen, bestenfalls sie wiedersehen.

Julia streckte vorsichtig einen Fuß aus.

Sie konnte es jetzt tun …

Jetzt …

Was sollte sie daran hindern?

Sie sah ins graue Wasser, versuchte, sich zu diesem letzten, erlösenden Schritt durchzuringen, aber …

Sie schaffte es nicht.

Julia hob den Blick zur fahlen Sonne, legte den Kopf in den Nacken und stieß einen gellenden Schrei aus.

»WWWWAAAARRRRUUUUMMM???«

Sie sank heulend auf die Knie und schlug vor Wut und Schmerz mit den Fäusten auf den Boden ein.

»Warum sie? Warum sie?«, schluchzte sie wieder und wieder.

Sie lag flach auf dem Boden, Arme und Beine von sich gestreckt, und weinte all die Tränen, die sie sieben Monate lang nicht hatte vergießen können.

Nach einer Weile richtete sie sich auf und ging auf die Knie, als wollte sie beten.

»Ich muss … *leben*! Ohne euch, irgendwie …«, jammerte sie und hob die Handflächen zum Himmel.

»Hilf mir, bitte, hilf mir …« Sie sank in sich zusammen, legte den Kopf in die Hände und stützte sie auf die Knie.

Julia hörte nur noch das rhythmische Lecken der Wellen

am Ufer und stellte fest, dass es sie beruhigte. Sie spürte die Wärme der schwachen Sonne auf dem Rücken, und plötzlich durchströmte sie ein unerwartetes Gefühl des Friedens.

Julia wusste nicht, wie lange es dauerte, bis sie aufstand. Völlig durchnässt vom feuchten Boden, die Beine wacklig und beide Hände taub von der Kälte, stolperte sie die Landzunge entlang zurück zum Cottage.

Als sie es mit vom langen Gehen und Weinen zittrigen Knien erreichte, hörte sie jemanden ihren Namen rufen.

»Julia!«

Kit Crawford kam von der Highstreet auf sie zu.

»Hallo«, begrüßte er sie. »Ich wollte dich besuchen, aber du warst nicht da. Ich hab einen Zettel durch den Briefschlitz geschoben.«

»Ach«, sagte sie, ein wenig verwirrt.

»Du bist ja völlig durchnässt. Was um Himmels willen hast du getrieben?« Er blickte nach oben zum Himmel. »Hat es geregnet?«

»Nein.« Julia drückte die Haustür auf und trat auf das gefaltete Stück Papier, das Kit durch den Briefschlitz geworfen hatte. Sie hob es auf.

»Meine Handynummer.« Er deutete auf den Zettel. »Aber wenn ich dich jetzt doch persönlich erwische: Hast du Zeit für ein kurzes Gespräch?«

Julia wusste, dass sie nicht besonders begeistert wirkte, und außerdem begann sie vor Kälte mit den Zähnen zu klappern. »Ich glaube, ich brauche auf der Stelle ein heißes Bad«, antwortete sie in der Hoffnung, dass er gehen würde.

Kit folgte ihr ins Cottage. »Deine wertvollen Finger sind ganz blau. Wir dürfen nicht riskieren, dass die berühmteste britische Nachwuchspianistin sich Frostbeulen holt, oder?« Er schloss die Tür hinter sich. »Gott, ist es hier drin kalt. Weißt du was? Geh du nach oben und lass dir ein heißes Bad ein, und ich heize den Kamin an und koche uns einen Kaffee, ja?«

Julia sah ihn an. »Es könnte eine Weile dauern.«

»Ich bin nicht in Eile.«

Julia ließ sich Zeit, Finger, Füße und Gehirn im warmen Badewasser aufzutauen. Dabei überlegte sie, warum Kit so unerwartet aufgetaucht war. Normalerweise kamen Besucher nicht einfach unangemeldet zu ihr, und sie war sich nicht sicher, ob ihr das behagte.

Andererseits wusste sie, dass sie nicht weitermachen konnte wie bisher und das versuchen musste, was alle ihr rieten: ein neues Leben beginnen.

Sie hätte sich für den Tod entscheiden können, hatte jedoch das Leben gewählt.

Julia schlüpfte in ihre Jeans und die alte Wolljacke, die sie an der Rückseite der Tür zum Gästezimmer entdeckt hatte, und ging wieder nach unten.

Kit saß auf dem Sofa, ein kleines Päckchen auf den Knien, und im Kamin brannte munter ein Feuer, wie sie es selbst noch nie zustande gebracht hatte.

»Wie hast du mich aufgespürt?«, fragte sie Kit, als sie an den Kamin trat.

»Über meine Schwester Bella. Sie kennt hier jeden. Oder besser gesagt: Sie sieht zu, dass sie jeden kennt, und wenn das nicht funktioniert, kennt sie sicher jemanden, der zu der betreffenden Person Kontakt hat. In diesem Fall zu deiner Schwester Alicia. Ich habe versucht, dich vor meinem Besuch anzurufen, aber dein Handy ist offenbar immer ausgeschaltet.«

Julia dachte mit schlechtem Gewissen an die siebzehn Nachrichten, die sie beim letzten Einschalten nicht abgehört hatte. »Hier kriegt man kaum Empfang.«

»Kein Problem. Als Erstes wollte ich mich für neulich entschuldigen.«

»Wieso?«

Kit betrachtete seine Hände. »Ich wusste nicht, was dir passiert ist. Wie gesagt, ich war mehrere Jahre im Ausland und bin erst vor ein paar Monaten nach England zurückgekommen.«

»Wer hat's dir erzählt?«

»Bella natürlich. Offenbar stand hier alles in der Zeitung, und Bella hat selbstverständlich sämtliche Artikel gelesen. Bestimmt sind die Informationen zum größten Teil falsch, wie meist in solchen Fällen.«

»Keine Ahnung. Wie du dir vielleicht denken kannst, habe ich sie nicht gelesen.«

»Klar.« Kit schien sich unbehaglich zu fühlen. »Mein Beileid, Julia. Es muss schrecklich für dich sein.«

»Ja.« Julia wechselte das Thema, um ihnen weitere Peinlichkeiten zu ersparen. »Und weswegen bist du nun hergekommen?«

Kits Miene hellte sich auf. »Ich habe etwas gefunden, das dich und deine Familie interessieren könnte.«

»Tatsächlich?«

»Ja. Ich habe dir doch erzählt, dass ich die Cottages im Geviert renovieren lassen möchte, oder?«

Julia nickte.

»Es hat sich herausgestellt, dass mein neues Zuhause tatsächlich das alte Cottage deiner Großeltern ist. Beim Rausreißen der Bodendielen haben die Handwerker das hier entdeckt.« Kit wies auf das Päckchen auf seinem Schoß.

»Was ist das?«

Kit wickelte vorsichtig ein kleines, in Leder gebundenes Buch aus und hob es hoch. »Ein Tagebuch, es beginnt 1941.

Ich habe es flüchtig durchgeblättert. Das Leben eines Kriegsgefangenen im Changi-Gefängnis.«

Julia runzelte die Stirn. »Das ist in Singapur, nicht?«

»Ja. Viele britische Soldaten, die damals in Malaya kämpften, landeten als Gäste der Japaner eine Weile dort. Weißt du, ob dein Großvater jemals in Kriegsgefangenschaft war?«

»Großvater Bill hat viel von Asien erzählt, allerdings hauptsächlich von den herrlichen Blumen, die dort wachsen.« Julia lächelte. »Von Changi hat er nichts erwähnt.«

»Wahrscheinlich wollte er ein Kind nicht mit seinen Erinnerungen belasten. Trotzdem vermute ich, dass es sein Tagebuch ist. Wem sonst sollte es gehört haben? Dein Großvater hat doch sein ganzes Leben in dem Cottage gewohnt.«

»Darf ich?« Julia streckte die Hand nach dem Tagebuch aus. Als sie es aufschlug, sah sie, dass das Leder das dünne Papier vor dem Verrotten bewahrt hatte. Die eleganten schwarzen Buchstaben waren immer noch gut zu lesen.

»Ist das die Schrift deines Großvaters?«, fragte Kit.

»Ich kann mich nicht erinnern, jemals etwas von ihm Geschriebenes gesehen zu haben. Seine Beobachtungen über die Orchideen in den Gewächshäusern hat stets meine Mutter notiert«, antwortete Julia. »Vielleicht würde mein Vater seine Schrift erkennen. Oder meine Großmutter, die zwar schon über achtzig, aber meines Wissens gesund und munter ist. Ich frage mich nur, warum er das Tagebuch versteckt hat.«

»Soviel ich weiß, sind die Japaner nicht gerade zimperlich mit Kriegsgefangenen umgegangen. Vielleicht hat dein Großvater das Tagebuch verborgen, weil er deine Großmutter nicht aus der Fassung bringen wollte. Glaubst du, ich könnte es mir ausleihen, wenn deine Familie es gelesen hat? Augenzeugenberichte finde ich faszinierend.«

»Ja, ich auch«, pflichtete Julia ihm bei, die ein schlechtes

Gewissen hatte, weil sie so wenig über Großvater Bills Vergangenheit wusste.

Kit stand auf. »Außerdem wollte ich dich um einen Gefallen bitten.« Er trat an das Bücherregal, das neben dem Kamin stand, und zog einen Band heraus. »Ich glaube, das gehört mir.«

Es war *The Children's Own Wonder Book*, das Julia für ein Pfund in Wharton erstanden hatte.

»Das kann nicht sein! Es steht das Datum 1926 drin.«

»Ja, schon erstaunlich, was die plastische Chirurgie heutzutage vermag«, meinte Kit schmunzelnd. »Aber im Ernst: Es gehörte *meinem* Großvater. Meinst du, es wäre ein angemessenes Tauschobjekt gegen das Tagebuch?«

»Natürlich.«

»Danke. Ach, und Julia ...« Plötzlich wirkte Kit verlegen. »Ich habe einen Bärenhunger und dachte, vielleicht könnten wir ...« Da klingelte sein Handy. »Entschuldige bitte.« Er hielt den Apparat ans Ohr. »Hallo? Ach, hallo, Annie ...« Er lauschte und schüttelte den Kopf. »Ich kann dich nicht verstehen. Die Verbindung ist sehr schlecht. Was? Es hat keinen Sinn, ich verstehe nichts. Bis später dann. Danke, tschüs.«

»Tut mir leid, Julia, ich muss los.« Kit ging zur Tür, wo er sich noch einmal zu ihr umdrehte. »Halt mich auf dem Laufenden über das Tagebuch, ja?«

»Klar. Und danke, Kit, dass du dir die Zeit genommen hast, es mir zu bringen.«

»Kein Problem. Ich habe übrigens einen Blick auf die Gewächshäuser geworfen. Sie stehen noch, allerdings kann ich nicht beurteilen, wie schlecht ihr Zustand ist. Der Küchengarten jedenfalls sieht übel aus. Schau doch mal vorbei, wenn du möchtest, bevor der neue Eigentümer einzieht. Auf Wiedersehen, Julia.«

5

Am selben Nachmittag suchte Julia einen für sie ungewöhnlichen Ort, den Supermarkt im nahe gelegenen Städtchen Holt, auf. Nach Kits Abschied war sie ziellos im Cottage herumgewandert und irgendwann zu dem Schluss gekommen, dass sie Hunger hatte, großen Hunger, zum ersten Mal seit Wochen. Im Wagen auf dem Parkplatz sitzend, verschlang sie nicht nur eine Packung mit Sandwiches, sondern auch zwei Wurstbrötchen sowie einen Schokoladenriegel. Wahrscheinlich, dachte sie, war ihr Appetit von der frischen Luft und dem langen Spaziergang am Morgen angeregt worden.

Im Cottage befand sich keine Waage, aber so, wie ihr die Jeans am Leib schlotterte, waren etliche Sandwiches nötig, um ihr altes Gewicht wiederzuerlangen.

Julia warf die Verpackung auf den Beifahrersitz und machte sich auf den Weg nach Hause. Als sie die Kreuzung vor Holt erreichte, blieb sie stehen. Unvermittelt erschien ihr der Gedanke, in das kalte, dunkle kleine Cottage zurückzukehren, wenig verführerisch. Also bog sie nach rechts ab und fuhr zu Alicias Farmhaus.

»Julia, was für eine nette Überraschung!«, rief Alicia mit strahlendem Gesicht aus. »Schaut, wer da ist, Kinder: Tante Julia!«

»Ich dachte, ich … schau einfach mal vorbei.« Plötzlich fühlte Julia sich unbehaglich.

Alicia schöpfte das Essen für die Kinder, die sich am Tisch zankten, aus einem Topf auf dem Aga-Herd auf Teller.

»Schön, dass du gekommen bist. Möchtest du was essen? Bohneneintopf. Schmeckt besser, als es klingt.«

»Nein danke. Ich habe gerade gegessen.«

Alicia hob eine Augenbraue, als sie die Teller zum Tisch trug. »Tatsächlich?«

»Ja!« Julia unterdrückte das ihr inzwischen vertraute Gefühl der Verärgerung. »Wirklich, gerade erst. Aber gegen eine Tasse Tee hätte ich nichts.«

»Stell das Wasser auf; ich leiste dir Gesellschaft.« Alicia setzte sich neben den jammernden Fred und begann ihn zu füttern.

»Mummy, Bohnen sind igitt!«

»Fred, je schneller du sie isst, desto schneller sind sie weg.« Alicia trat zu Julia an den Herd. »Du hast ein bisschen Farbe gekriegt und schaust besser aus als seit Langem.«

»Danke.« Julia goss kochendes Wasser in die Teekanne. »Ich habe heute Morgen einen langen Spaziergang gemacht. Der hat mir gutgetan.«

»Sieht ganz so aus. James! Hörst du wohl auf, mit Bohnen nach Fred zu schnippen! Die isst du, jede einzelne davon.«

Julia reichte Alicia eine Tasse Tee. »Und ... ich hatte Besuch.«

»Kit Crawford?«

»Ja.«

»Ich wollte dir noch sagen, dass Bella Harper angerufen hat, um mich nach deiner Telefonnummer zu fragen. Sie war zum Plaudern aufgelegt.« Alicia räumte die Teller ab und gab den Kindern einen Joghurt. »Wahrscheinlich glaubt sie jetzt, alles über dich zu wissen. Und ich bin in ihrem Ansehen gestiegen, weil ich eine so berühmte Schwester habe. Aber genug von dieser albernen Zicke. Was wollte Kit?«

»Er hat in Bills und Elsies altem Cottage etwas gefunden, das er mir geben wollte.« Julia nahm einen Schluck Tee.

»Ach. Was denn?«

»Ein Tagebuch, vermutlich von Großvater Bill. Darin schildert er seine Kriegsgefangenenzeit im Changi-Gefängnis in Singapur. Ich erzähle dir mehr darüber, sobald ich es gelesen habe.«

»Interessant«, meinte Alicia. »Wie alt war Großvater Bill, als er es geschrieben hat?«

»Es stammt aus dem Jahr 1941, also dürfte er Anfang zwanzig gewesen sein. Wusstest du, dass er dort in Gefangenschaft war?«, erkundigte sich Julia.

Alicia schüttelte den Kopf. »Nein, doch das hat nichts zu sagen. Ob er wirklich da war, musst du Großmutter Elsie fragen. Die weiß es bestimmt.«

»Hast du sie in letzter Zeit gesehen?«

Alicia machte ein schuldbewusstes Gesicht. »Nein. Irgendwie finde ich nie die Zeit, sie zu besuchen. Du weißt ja, die Kinder … Ich sollte mir wirklich mehr Mühe geben.«

»Lebt sie noch in Southwold?«

»Ihre Schwester ist vor etwa einem Jahr gestorben; jetzt wohnt sie allein dort. Weißt du noch, wie wichtig es ihr immer war, uns die Haare zu machen? Hochfrisur, offen, Zöpfe, Pferdeschwanz, Locken …« Alicia lachte. »Und dann noch die Sammlung merkwürdiger Perücken im hinteren Raum des Cottage. Sie hat Stunden damit zugebracht, sie zu frisieren, wie ein Kind, das mit Puppen spielt. Wollte sie nicht Friseuse werden?«

»Ja. Sie hat meine Haare gehasst, weil sie zu schwer zum Aufdrehen waren, sogar wenn ich die Lockenwickler über Nacht dranließ.« Julia musste bei dem Gedanken daran ebenfalls lächeln. »Ich werde sie besuchen. Das wollte ich sowieso.«

Alicia ging zur Kommode und nahm ein Adressbuch aus einer der Schubladen. »Ich gebe dir Elsies Anschrift und Telefonnummer. Schön, wenn du sie besuchst, Julia. Seit du in

Frankreich lebst und ich wegen der Kinder keine Zeit mehr habe, sind wir wohl nicht die allerbesten Enkelinnen, was?«

»Stimmt«, pflichtete Julia ihr bei. »Bei dem Besuch entscheide ich dann, ob ich ihr das Tagebuch gebe oder nicht. Kit meint, Großvater Bill hätte es vielleicht versteckt, weil er sie nicht damit belasten wollte.«

»Möglich.« Alicia begann den Tisch sauber zu machen. »Wascht euch die Hände und das Gesicht, ihr Rasselbande«, wandte sie sich an die Kinder. »Dann könnt ihr vor dem Baden eine halbe Stunde fernsehen. Los.«

Die drei rannten aus der Küche, und Julia half Alicia, die Spülmaschine einzuräumen.

»Du hast dich gut mit Kit unterhalten?«

»Ja, ich hab ihm *The Children's Own Wonder Book* für das Tagebuch überlassen.« Julia schmunzelte. »Er war jahrelang im Ausland und wusste nicht, was mir passiert ist. Das hat er erst jetzt von seiner Schwester erfahren.«

»Vielleicht gar nicht so schlecht«, meinte Alicia. »Er ist sehr … attraktiv. Findest du nicht?«

»Finde ich nicht, nein. Aber egal, ich muss los.«

Julias veränderter Gesichtsausdruck verriet Alicia, dass sie eine Grenze überschritten hatte. »Ich schreibe dir Elsies Telefonnummer auf.« Sie notierte sie auf einen Block und reichte den Zettel Julia. »Halt mich auf dem Laufenden, ja?«

»Ja. Danke für den Tee.« Julia war bereits auf dem Weg zur Tür. »Tschüs.«

Draußen setzte sie sich in den Wagen und schlug die Tür deutlich lauter zu, als nötig gewesen wäre, bevor sie mit quietschenden Reifen losfuhr.

Sie ärgerte sich über den untrüglichen Instinkt ihrer Schwester, sie aus der Fassung zu bringen, obwohl sie wusste, dass Alicia ihr nur helfen und sich um sie kümmern wollte, wie damals in der Kindheit. Doch Julia fühlte sich von ihr bevormundet.

Alicia war stets die Patentere von ihnen gewesen – ihr Vater hatte sie das »Goldene Mädchen« genannt. Sie konnte mehrere Teller gleichzeitig in der Luft halten, und zwar ganz ruhig und mit perfekt sitzender Frisur.

Julia war in ihrem Schatten aufgewachsen und hatte größte Mühe gehabt mit der Organisation ihres Lebens. Sie war stets eine Einzelgängerin gewesen, hatte sich nie etwas aus ihrem Äußeren gemacht und die Schule nur mit Ach und Krach geschafft, weil sie so viele Stunden am Klavier verbrachte. Julia hatte immer gewusst, dass sie sich nicht mit der perfekten Alicia messen konnte. Außerdem stand Alicia ihrem Vater seit jeher näher, während Julia am Rockzipfel ihrer Mutter hing. Die Leute bemerkten, wie ähnlich sie sich waren, nicht nur körperlich, sondern auch in ihrer Weltfremdheit und künstlerischen Ader.

Julias Kindheit hatte mit dem Tod ihrer Mutter geendet.

Als Julia das Cottage erreichte, schürte sie, nach wie vor aus der Fassung, das Feuer im Kamin. Leider war Alicias Fürsorglichkeit echt, weshalb Julia sie ihr nicht zum Vorwurf machen konnte. Das vermittelte ihr ein noch stärkeres Gefühl der Unzulänglichkeit und Schuld. Sie wusste genau, wie sehr Alicia sich angestrengt hatte, in die Fußstapfen ihrer Mutter zu treten, und wie schwierig das Julia gegenüber gewesen war, die glaubte, dass es keinen Ersatz für ihre Mutter gab. Sie hätte in Alicia lieber eine Schwester gehabt, mit der sie ihren Kummer teilen konnte, als einen notwendigerweise unzulänglichen »Mutter-Ersatz«.

Nun hatte das Schicksal sie in eine Lage gebracht, in der sie Alicias Hilfe wieder benötigte. Ihrem Charakter gemäß war Alicia für sie da gewesen und hatte Julia den Mangel an

Kontakt seit ihrem Auszug von zu Hause mit achtzehn und ihrer Übersiedlung nach Frankreich kein einziges Mal vorgeworfen.

Doch die Rückkehr hierher … Es schien sich alles zu wiederholen. Erneut lag ihr Leben in Trümmern, während das von Alicia perfekt war, und erneut fühlte Julia sich wie erstickt von der Fürsorglichkeit ihrer Schwester.

Und noch ärgerlicher: Alicia sprach oft die Gedanken aus, die Julia gern vor sich selbst verborgen hätte.

Julia setzte sich mit dem Tagebuch aufs Sofa und schlug die erste Seite auf, konnte sich aber nicht auf die Worte konzentrieren. Sie starrte ins Feuer.

»Er ist sehr attraktiv, findest du nicht …?«

Julia seufzte.

Ja … Am Morgen auf der Landzunge war sie zu dem Schluss gelangt, dass sie einen neuen Weg einschlagen musste. Doch schon der Gedanke an eine Beziehung mit einem Mann ging ihr einen Schritt zu weit. In der düsteren Welt, in der sie sich in den vergangenen Monaten aufgehalten hatte, war kein Platz für Überlegungen über die Zukunft gewesen.

Julia ging in die Küche, wo sie die Tür des vollen Kühlschranks öffnete, um ein Nudelfertiggericht herauszuholen. Einen kurzen Augenblick lang spielte sie mit dem Gedanken, für Alicia ein Foto von all den Lebensmitteln zu machen, damit diese endlich mit dem Nörgeln aufhörte.

Als sie mit dem Teller ins Wohnzimmer zurückkehrte, gestand sie sich ein, warum sie so wütend auf ihre Schwester war.

Sie hatte ein schlechtes Gewissen, weil sie sich in Kits Gesellschaft wohlfühlte. Und außerdem fand sie ihn tatsächlich attraktiv.

Nach dem Essen nahm Julia noch einmal das Tagebuch zur

Hand, schlug es aber nicht auf. Es war ein langer, emotional anstrengender Tag gewesen.

Sie stieg die Treppe hinauf ins Schlafzimmer, und zum ersten Mal, seit ihre Welt sieben Monate zuvor zusammengebrochen war, verbrachte Julia die Nacht ohne Albträume.

Am folgenden Morgen war sie bereits um acht Uhr auf den Beinen und in der Küche. Eine Tasse Tee mit Milch und eine Schale Müsli stärkten ihren Entschluss, sich wieder dem Leben zu stellen. Sie holte ihr Handy aus der Kommode, schaltete es ein und ging hinauf ins Bad, an den einzigen Ort im Cottage, wo sie Empfang hatte.

Auf ihrer Mailbox hatten sich neunzehn Nachrichten angesammelt, manche davon zwei Monate alt. Die aktuellsten stammten von Alicia, ihrem Vater, Kit und ihrem Agenten Olav.

Auch ihre Haushälterin in Frankreich hatte sie kontaktiert und gebeten, sie sofort zurückzurufen. Offenbar gab es ein Problem mit dem Haus, doch Agnes sprach so schnell Französisch, dass Julia sie nicht verstand. Sie setzte sich auf den Wannenrand und notierte die Namen der Anrufer. Ihre Hand zitterte, weil sie Angst davor hatte, mit Menschen aus der Vergangenheit zu reden.

Heute würde sie sich die Haushälterin und den Agenten vornehmen. Alle anderen konnten warten.

Julia ging wieder nach unten, ließ sich aufs Sofa plumpsen, schloss die Augen und zwang sich, sich die rebenumrankte Terrasse ihres hübschen Hauses auf dem Hügel über dem alten Dorf Ramatuelle vorzustellen, unter dem das blaue Wasser des Mittelmeers glitzerte.

Sie wusste, dass sie die Erinnerungen nicht länger verdrängen konnte, wenn sie tatsächlich ins Leben zurückfinden wollte.

Vielleicht, dachte sie, musste sie jene wertvollen Momente auch wieder schätzen lernen, statt sich gegen sie zu wehren …

Die untergehende Sonne taucht das blaue Wasser in einen rotgoldenen Schimmer, als stünde es in Flammen. Der Klang von Rachmaninows drittem Klavierkonzert weht über die Terrasse herüber und erreicht seinen Höhepunkt, als die Sonne im Meer versinkt.

Dies ist meine Lieblingstageszeit, wenn die Natur sich eine Verschnaufpause gönnt und die Lebensspenderin sich zur Ruhe begibt.

Leider können wir weit weniger oft hier zusammen sein, als ich es mir wünschen würde, weswegen mir dieser Moment sehr kostbar erscheint. Inzwischen ist die Sonne untergegangen, so dass ich die Augen schließen und mich ganz auf Xavier konzentrieren kann. Ich habe dieses Konzert selbst Hunderte von Malen gespielt und bin fasziniert von den subtilen Nuancen seiner Interpretation. Sie klingt kraftvoller, maskuliner als die meine.

Ich habe bis Mitte der Woche keine Auftritte, aber Xavier muss morgen zu einem Konzert nach Paris; wir verbringen also unseren letzten gemeinsamen Abend. Wenn er mit dem Üben fertig ist, wird er mit einem Glas Rosé auf die Terrasse kommen, wo wir dann beisammensitzen, uns über alles und nichts unterhalten und diese seltenen Augenblicke der Ruhe und Einsamkeit genießen.

Der Mittelpunkt unseres Lebens, die Energie, die uns verbindet, ist in diesem Haus. Wenn ich unseren Sohn Gabriel gebadet habe, knie ich immer neben seinem Bettchen nieder und beobachte, wie die Spannung von ihm abfällt und er ins Reich der Träume hinübergleitet.

»Bonne nuit, mon petit ange«, *flüstere ich dann, schleiche auf Zehenspitzen aus dem Zimmer und schließe die Tür leise hinter mir.*

Ich bin froh, dass mir noch eine Woche mit ihm bleibt. Manche

Mütter haben das Vergnügen, ihre Kinder vierundzwanzig Stunden am Tag zu sehen, jedes Lächeln und jede neue Fähigkeit, die sie sich auf dem Weg ins Erwachsenendasein erwerben. Dafür beneide ich sie, denn mir ist dieser Luxus nicht vergönnt.

Während ich zum dunkler werdenden Himmel hinaufblicke, gesellt Xavier sich mit einem Glas Rosé und einer Schale frischer Oliven zu mir.

»Bravo«, lobe ich ihn, als er mich auf die Stirn küsst und ich sein Gesicht streichle.

»Merci, ma petite«, antwortet er.

Wir sprechen Französisch miteinander, weil seine englische Grammatik uns schlimmer erscheint als mein grässlicher Akzent im Französischen.

Außerdem ist Französisch ja nach allgemeiner Auffassung die Sprache der Liebe.

Er setzt sich auf den Stuhl neben mir und legt die Füße auf den Tisch vor uns. Seine Haare stehen wie immer nach dem Üben wirr vom Kopf ab, was ihn wie ein riesiges Kleinkind wirken lässt. Ich streiche ihm die Haare glatt. Er ergreift meine Hand, um sie zu küssen.

»Schade, dass ich morgen wegmuss. Vielleicht können wir uns nächstes Jahr den ganzen Sommer frei nehmen und hier sein.«

»Das wäre schön«, sage ich und beobachte aus den Augenwinkeln, wie der Mond aufgeht und den Platz der Sonne einnimmt.

Xaviers helle Haut schimmert im Licht des Mondes noch blasser. Ich werde nie müde, ihn anzusehen. Wenn ich ein Geschöpf des Tages, der Sonne bin mit meiner dunklen Haut und meinen dunklen Augen, dann ist er eines der Nacht und des Mondes.

Seine Züge, ererbt von der russischen Mutter, sind nicht klassisch attraktiv. Seine Nase ist zu lang, seine gletscherblauen Augen liegen zu nahe beieinander, seine hohe Stirn ist zerfurcht und sein dichtes schwarzes Haar strohig. Die Lippen sind das einzig Vollkommene in *seinem Gesicht: ein mädchenhaft-voller, rosiger Schmollmund, hinter dem sich große, kräftige weiße Zähne verbergen.*

Sein Körper wirkt unproportioniert. Die Beine sind lang wie Stelzen, während sein Oberkörper kurz ist und die langen Arme und langen, schmalen Finger aussehen, als klebten sie am falschen Körper. Xavier ist über dreißig Zentimeter größer als ich.

Auf seinen Rippen befindet sich kein Gramm Fett, woran sich, da bin ich mir sicher, sein Leben lang nichts ändern wird. Die hektische Energie, die ihn nicht einmal im Schlaf zur Ruhe kommen lässt – er wälzt sich neben mir herum und schreit manchmal sogar im Traum –, wird alle Pfunde, die das mittlere Alter mit sich bringt, sofort verbrennen.

Ich liebe seinen Körper und seine Seele, seit ich ihn bei einem Tschaikowsky-Wettbewerb in Leningrad Schubert habe spielen hören.

Den ich gewann.

Er wurde Zweiter.

Ich betrachte sein geliebtes, vertrautes Gesicht, in dem es so viel zu erforschen gibt.

Ich bin weit weniger komplex als er. Ich spiele ziemlich gut Klavier, heißt es. Weil ich es einfach kann. Und mir fällt es leicht, von der Bühne zu gehen und in den Alltag zurückzukehren. Xavier hingegen trägt die Musik in sich und überlegt immerzu, wie sich ein Stück besser gestalten lässt.

Vermutlich würde er sich, müssten alle Klaviere der Welt zu Feuerholz verarbeitet werden, selbst auf den Scheiterhaufen werfen.

Wir lachen über meine Berühmtheit und scherzen, dass ich in einem Kleid einfach hübscher aussehe als er und fotogener spiele … Ich bin als Frau besser vermarktbar.

Aber ich weiß, dass er ein Genie ist und Chopins Etüden mit einem Hauch Magie spielen kann, die sie zu den seinigen machen.

Und ich weiß, dass die Welt das eines Tages erkennen wird. Dann werde ich mich ihm klaglos geschlagen geben.

Ich bin mir sicher, dass mein eigenes Spiel sich durch ihn verbessert hat.

Ich liebe ihn über alles.

6

Julias Gesicht war nass von Tränen. Sie wusste, dass noch viele folgen würden, wenn sie sich dazu zwang, sich zu erinnern.

»Xavier.« Zum ersten Mal sprach sie seinen Namen laut aus. »Xavier, Xavier …«, wieder und wieder, weil sie sicher sein konnte, dass ihre Haushälterin und ihr Agent von ihm sprechen würden, und sie dann in der Lage sein wollte, ihre Gefühle zu kontrollieren.

Julia duschte, zog sich an und setzte sich noch einmal auf den Rand der Badewanne, um sich für die bevorstehenden Telefonate zu sammeln, die sie ins Leben zurückkatapultieren würden.

Ihre Haushälterin Agnes meldete sich nicht, als Julia ihre Handynummer wählte; Julia war dankbar für den Aufschub. Sie hinterließ eine Nachricht auf Band und bat sie zurückzurufen.

Dann ihr Agent Olav. Sie überprüfte die Uhrzeit auf ihrem Handy – es war halb elf. Olav konnte überall auf der Welt sein; er hatte Büros in New York, London und Paris. Julia hoffte, auch bei ihm nur die Mailbox zu erreichen, obwohl das selten vorkam.

Das Telefon klingelte; Julia wartete mit angehaltenem Atem. Kurz darauf meldete Olav sich.

»Julia, Schätzchen! Wie schön, von dir zu hören – endlich«, fügte er spitz hinzu.

»Wo bist du?«, fragte sie.

»In New York. Einer meiner Künstler ist heute Abend mit dem New York Symphony Orchestra in der Carnegie Hall aufgetreten. Übrigens ziemlich uninspiriert. Aber sprechen wir doch von dir, Schätzchen. Hier liegen Hunderte von Anfragen von den üblichen Verdächtigen in Mailand, Paris, London und so weiter. Ich habe ihnen gesagt, dass du dir eine Auszeit gönnst, Julia, aber ewig werden die nicht warten.«

»Ich weiß, Olav«, entschuldigte sie sich.

»Die machen die Termine achtzehn Monate bis zwei Jahre im Voraus. Wenn wir nicht bald irgendwo zusagen, dauert es unter Umständen drei Jahre, bis du wieder auf einer Bühne stehst. Hast du überlegt, wann ich mit einem Okay von dir rechnen kann?«

Obwohl Julia dankbar war, dass Olav sich die Mitleidsfloskeln gespart hatte und gleich zu seinem Lieblingsthema, dem Geschäftlichen, gekommen war, half ihr das nicht bei ihrer Entscheidung.

»Nein. Offen gestanden habe ich kaum einen Gedanken darauf verschwendet.«

»Kann ich dich per E-Mail erreichen, Schätzchen? Wenn ja, leite ich die Anfragen einfach an dich weiter, du schaust sie dir an und sagst mir, ob dir irgendetwas zusagt.«

»Nein. Mein Laptop ist in meinem Haus in Frankreich.«

Kurzes Schweigen. »Du bist also nach wie vor in Norfolk?«

»Ja.«

»Dann hätte ich eine bessere Idee. Ich bin nächste Woche in London. Wir treffen uns zum Lunch im Claridges; da kann ich dir die Unterlagen persönlich übergeben.«

Julia hörte, wie er in seinem Kalender blätterte und schließlich fragte: »Würde dir Donnerstag nächster Woche passen? Dann könnte ich dir auch die Schecks in die Hand drücken, die in den letzten sieben Monaten bei mir eingegangen sind.

Wie du von meiner Nachricht auf dem Anrufbeantworter weißt, handelt es sich um ein erkleckliches Sümmchen. Ich habe das Geld nicht wie sonst eingezahlt, weil ich nicht wusste, was du mit eurem gemeinsamen Konto vorhast.«

Julia schluckte. »Danke. Nächsten Donnerstag ist mir recht.«

»Prima! Ich freu mich schon, dich wiederzusehen, Schätzchen. Aber weil es hier halb fünf Uhr früh ist und ich morgen nach Tokio fliegen muss, brauche ich noch eine Mütze Schlaf. Wir treffen uns um zwölf in der Bar beim Restaurant. Bis dann.«

Julia seufzte erleichtert darüber auf, dass der Kontakt hergestellt war. Sie wusste, dass sie die Verabredung wieder absagen konnte, doch ihr noch zarter Optimismus hatte es ihr nicht erlaubt, ihm von vornherein einen Korb zu geben.

Außerdem musste sie pragmatisch denken. Bisher hatte sie von dem Geld auf ihrem englischen Bankkonto gelebt, von den Cottage-Mieteinnahmen der vergangenen acht Jahre. Als sie vor mehr als einem Monat das letzte Mal einen Blick auf den Kontostand geworfen hatte, waren nur noch ein paar hundert Pfund übrig gewesen. Sie war nicht in der Lage gewesen, bei ihrer Bank in Frankreich anzurufen, weil sie mit Sicherheit Formulare ausfüllen musste, um Xaviers und ihre Konten auf sie allein umschreiben zu lassen. Sie hatte für sich noch nicht akzeptieren können, dass es Xavier nicht mehr gab.

Ihr war klar, dass sie nach Frankreich zurückkehren musste, um ihr Leben neu zu strukturieren. Aber ein Anruf war die eine Sache, eine physische Konfrontation mit den Fakten eine völlig andere.

Da Julia ihre bisherigen Fortschritte nicht gefährden wollte, beschloss sie, einen Spaziergang zu machen. Gerade, als sie in ihre Jacke schlüpfte, klopfte es an der Tür.

»Hallo, Liebes, ich bin's, Dad«, hörte sie eine Stimme von draußen.

Julia öffnete überrascht.

»Tut mir leid, wenn ich einfach so reinschneie«, sagte George, als er über die Schwelle trat. »Aber Alicia meint, du wärst die meiste Zeit hier. Ich kann gern ein andermal wiederkommen, wenn's dir jetzt nicht passt.«

In dem winzigen Raum wirkte Julias Vater wie Gulliver im Lande Liliput. »Nein, nein, ist schon in Ordnung«, beruhigte sie ihn und zog die Jacke wieder aus, während er sich setzte. »Kaffee?«

»Nein danke. Ich hab grade welchen getrunken. War draußen auf den Marschen bei Stiffkey, um mir eine Probe von einer ungewöhnlichen Pflanze zu holen, die einer meiner Doktoranden dort entdeckt hat. Ich dachte mir, ich schaue auf dem Rückweg bei dir vorbei. Ich frage dich jetzt nicht, wie's dir geht, weil ich aus eigener Erfahrung weiß, wie sehr das nervt. Aber ich finde, du siehst besser aus als letztes Mal, nicht mehr so dünn. Alicia macht sich Sorgen, dass du zu wenig isst. Stimmt das?«

Julia schmunzelte. »Dad, du kannst gern einen Blick in meinen Kühlschrank werfen. Ich war gestern beim Einkaufen.«

»Wunderbar. Weißt du, ich verstehe dich, weil ich beim Verlust deiner Mutter Ähnliches durchgemacht habe. Gott sei Dank habe ich nicht auch noch ein Kind verloren. Der kleine Gabriel war so süß. Es muss schrecklich für dich sein, Liebes.«

»Ja«, bestätigte Julia mit leiser Stimme.

»Ohne gönnerhaft klingen zu wollen: Irgendwann wird es besser. Allerdings dauert das, und man kommt auch nicht ›drüber weg‹, wie es so schön heißt, sondern ...«, George suchte nach dem passenden Wort, »... gewöhnt sich an den Zustand. Eines Tages erreicht man dann einen Punkt, wo man aufwacht und die Dunkelheit nicht mehr ganz so dunkel erscheint.«

»Ja.« Julia nickte. »Ich habe das Gefühl, dass gestern Morgen etwas geschehen ist … und heute Morgen …« Es fiel ihr schwer zu formulieren, was sie meinte. »Du hast recht: Die Dunkelheit erscheint mir nicht mehr ganz so dunkel.«

Sie schwiegen eine Weile, bevor Julia sagte: »Bist du aus einem bestimmten Grund zu mir gekommen?«

»Ja. Wie wär's, wenn wir aus diesem düsteren Cottage raus und über die Straße ins White Horse gehen? Auf ein Gläschen Wein und frischen Fisch?«

Julia unterdrückte ihren Impuls, den Kopf zu schütteln. »Klingt gut, Dad.«

Zehn Minuten später saßen sie an einem gemütlichen Tisch beim Kamin. George bestellte zweimal Fish and Chips und holte den Wein an der Theke.

»Toller Pub hier«, erklärte er. »Eine echte Stammkneipe, besonders im Winter, ohne die Touristen.« Einer plötzlichen Eingebung folgend, streckte er die Hand aus und drückte ihren Arm. »Julia, ich bin sehr stolz auf dich. Jetzt weiß ich, dass du es schaffen wirst. Weiter so, Liebes, auch wenn mal gute und mal schlechte Tage kommen.«

»Ich gebe mir Mühe, Dad«, versprach sie.

»Worüber ich eigentlich mit dir reden wollte«, sagte George und räusperte sich, »sind die Orchideenaquarelle, die du mir geschenkt hast. Ich habe sie mit denen deiner Mutter verglichen; es besteht kein Zweifel, dass sie von ihr sind. Höchstwahrscheinlich hat sie sie in jungen Jahren gemalt.«

»Es freut mich sehr, dass ich sie entdeckt habe, Dad. Das war offenbar ein Fingerzeig des Schicksals.«

»Ja, aber es ist noch etwas anderes interessant an den Aquarellen, oder zumindest an einem davon.« George trank einen Schluck Wein. »Ich weiß, dass deine Mutter als Kind viele Stunden bei deinem Großvater im Gewächshaus verbracht und die Blumen dort gemalt hat. Drei der Orchideen auf den Bildern habe ich als Cattleya identifiziert. Sie sind nach William Cattley benannt, den man den ›Vater‹ der britischen Orchideen nennen könnte. Ihm gelang es im neunzehnten Jahrhundert als Erstem, epiphytische Orchideen hier zu kultivieren; die meisten Orchideen, denen wir in diesem Land begegnen, stammen von den seinen ab. Doch bei der vierten Pflanze, die deine Mutter gemalt hat, ist es anders.«

»Ach, tatsächlich?«, fragte Julia, als das Essen serviert wurde.

»Ja. Wenn ihre Darstellung stimmt, und davon gehe ich nach fünfzehn Jahren Zusammenarbeit mit ihr aus, handelt es sich bei dieser Orchidee um eine *Dendrobium nigum*.« George brach ein Stück von dem dicken Fish-and-Chips-Teig ab. »Entweder hat deine Mutter das Bild aus einem Buch kopiert, was natürlich möglich ist und die wahrscheinlichste Lösung, oder«, fuhr er kauend fort, »diese Pflanze wuchs seinerzeit im Treibhaus ihres Vaters.«

Auch Julia begann zu essen. »Und ...?«

»Nun, das letzte Exemplar einer *Dendrobium nigum* wurde bei einer Auktion für fünfzigtausend Pfund verkauft. Die Blüte ist einfach unglaublich; nur sehr wenige ihrer Art wurden überhaupt jemals in den Bergen von Chiang Mai in Thailand gefunden. Sie kommt der Vorstellung von einer ›Schwarzen Orchidee‹ am nächsten, auch wenn sie letztlich eher tiefrot ist. Botaniker haben es nie geschafft, sie außerhalb ihrer eigentlichen Heimat zu züchten, was sie sehr wertvoll macht. Es würde mich wundern, wenn diese Pflanze in den fünfziger Jahren den Weg in die Gewächshäuser von Wharton gefunden hätte.«

»Hat Großvater Bill Mum nicht gebeten, alle seine Aufzeichnungen abzutippen, und wurden sie nach seinem Tod nicht dir übergeben? Vielleicht findet sich darin etwas.«

»Ja«, bestätigte George. »Ich habe seit Sonntag den größten Teil meiner Zeit mit der Durchsicht der Notizen verbracht, doch diese Orchidee wird darin nicht erwähnt.« Er legte Messer und Gabel beiseite. »Dein Großvater hatte über zweihundert verschiedene Orchideenarten in seinen Treibhäusern. Über die fragliche habe ich bisher nichts herausfinden können, aber ich werde weitersuchen.«

»Darf ich kurz das Thema wechseln?«, fragte Julia. »Hat Alicia das Tagebuch erwähnt, das Kit Crawford unter den Bodendielen in dem alten Cottage gefunden hat?«

»Ja. Offenbar handelt es sich um die Schilderungen eines Kriegsgefangenen im Changi-Gefängnis in Singapur. Ich habe keine Ahnung, ob Bill während des Kriegs dort war. Die Einzige, die das wissen könnte, ist deine Großmutter Elsie. Sie hat mir letztes Weihnachten eine Karte geschrieben; es scheint ihr mit ihren siebenundachtzig Jahren noch ziemlich gut zu gehen. Warum besuchst du sie nicht mal?«

»Das wollte ich, Dad. Alicia hat mir ihre Telefonnummer gegeben, und ich habe vor, sie heute anzurufen.«

»Gut. Was gibt's sonst für Neuigkeiten? Ich meine, abgesehen davon, dass du überlegen musst, ob du wirklich noch länger in diesem deprimierenden Cottage bleiben möchtest.«

»Du hast ja recht«, sagte Julia. »Ich habe erst in den letzten Tagen gemerkt, wie düster es ist.«

»Und es gibt so gar keinen Platz für ein Klavier …«, stellte George fest.

»Ich brauche kein Klavier. Doch wenn ich beschließe, weiter hierzubleiben, werde ich Agnes bitten, mir ein paar Dinge aus Frankreich zu schicken.«

»So ist es recht, Liebes.« George schlug mit der flachen Hand auf den Tisch. »Aber ich muss noch eine ganze Menge E-Mails beantworten und vor morgen früh eine Vorlesung konzipieren.«

Julia wartete am Eingang des Pubs auf ihn, während er zahlte. Dann überquerten sie gemeinsam die Straße und gingen den Hügel zum Cottage hinauf.

»Liebes, es war ein unerwartetes Vergnügen«, bemerkte George und schloss Julia in die Arme. »Pass auf dich auf und melde dich.«

»Ja, versprochen.«

7

Am folgenden Morgen rief Julia Elsie an. Die alte Dame freute sich sehr, von ihr zu hören, was Julias schlechtes Gewissen noch verstärkte. Sie versprach, am Samstag zum Tee nach Southwold zu kommen. Nach dem Telefonat zog Julia sich an, schlüpfte in ihre Jacke und machte sich auf den Weg zu den Gewächshäusern von Wharton Park.

Dass sie die Stille im Cottage nun so viel schlechter ertrug als bisher, deutete sie als gutes Zeichen. Doch wenn sie nicht ob zahlloser leerer Tage den Verstand verlieren wollte, musste sie Pläne für die Zukunft schmieden.

Sie bog in die Auffahrt von Wharton Park und bewunderte die Rotbuchen, die sie flankierten, sowie die alte Eiche, unter der angeblich einst Anne Boleyn Heinrich VIII. geküsst hatte.

Nach fünfhundert Metern wandte sie sich nach rechts und lenkte den Wagen die holprige Straße entlang, die zum Geviert führte. Dahinter lag der Küchengarten mit den Treibhäusern.

Sie stellte das Auto im Geviert ab und trat hinaus in die kühle Luft. In ihrer Erinnerung war dies ein geschäftiger Ort, weil die Familien in unmittelbarer Nähe wohnten und sich auch die Stallungen dort befanden. Hier klapperten Hufe und wurden Traktoren ausgeladen, die bisweilen die Fußball spielenden Kinder der Arbeiter nur knapp verfehlten.

Es war eine kleine Welt innerhalb der größeren gewesen …

In der nun Stille herrschte.

Julia ging den von Gras überwucherten Weg entlang zum Küchengarten. Die blaue Tür existierte noch, wenn auch mittlerweile von Efeu umrankt. Sie drückte sie auf.

Anstelle der sorgfältig gepflanzten langen Reihen mit Karotten, Erbsen und Pastinaken hatten sich Unkraut und Nesseln ausgebreitet, dazwischen einzelne traurige, ausgewachsene Kohlköpfe. Julia schlenderte weiter zu dem kleinen Obstgarten, der den Blick auf die Gewächshäuser verdeckte.

Die Apfel-, Birnen- und Pflaumenbäume, manche sehr alt, standen noch da, mit krummen, nackten Ästen, darunter verrottetes Fallobst vom vergangenen Herbst.

Julia ging zwischen den Bäumen hindurch, bis sie die Dächer der Treibhäuser zwischen den Blättern der wild wuchernden Büsche hindurchlugen sah und den kaum noch erkennbaren Pfad zur ersten Tür erreichte – die auf dem Boden lag, ein Haufen fauliges Holz und zerbrochenes Glas. Sie stieg darüber hinweg und betrat das Gewächshaus.

Es war bis auf die alten Tapeziertische sowie die Reihen von Metallhaken über ihr leer, der Betonboden mit Moos bedeckt, und Unkraut hatte sich darin ausgebreitet.

Julia lief zum anderen Ende des Treibhauses und fand dort, in derselben Ecke wie früher, den Hocker, auf dem sie immer gesessen hatte. Darunter stand, die Metallteile mit einer dicken Schicht Rost überzogen, das alte Bakelit-Radio von Großvater Bill.

Obwohl man es sicher nicht mehr reparieren konnte, würde sie es mitnehmen. Julia drückte es an die Brust wie ein Baby und drehte in dem aussichtslosen Versuch, es zu neuem Leben zu erwecken, an den Knöpfen …

»Orchideen lieben Musik, Julia. Vielleicht erinnert sie sie an die Geräusche der Natur in ihrer Heimat«, sagt Großvater Bill, während er mir zeigt, wie man die zarten Blütenblätter mit einer Blumenspritze besprüht. »Und an die Wärme und Feuchtigkeit dort.«

Die meisten Besucher finden es in den Gewächshäusern, in denen die Luft steht und durch deren Glasfenster das grelle Licht der Sonne hereindringt, was die Temperatur weit über die eines heißen englischen Tages ansteigen lässt, unerträglich.

Ich liebe diese Wärme, weil ich nicht gern viel anhabe. Hier fühle ich mich zu Hause, und auch Großvater Bill scheint die Hitze nichts auszumachen.

Außerdem kann sich so der angenehme Duft der Blumen besser in der Luft verbreiten.

»Das ist eine Dendrobium Victoria Regina, die manche auch als Blaue Dendrobium bezeichnen, aber wie du siehst, ist sie fliederfarben«, erklärt mein Großvater. »Eine echte blaue Orchidee muss erst noch entdeckt werden. Diese hier wächst auf Bäumen in Südostasien … Kannst du dir das vorstellen? Ganze Gärten in der Luft …«

Dann bekommt Großvater Bill »diesen Blick«, wie ich ihn nenne, und obwohl ich ihn bitte, mir mehr zu erzählen, tut er es nicht.

»Dendrobia ruhen im Winter. Ich deute das als Winterschlaf. In dieser Zeit brauchen sie gerade so viel Wasser, dass sie nicht welken.«

»Woher weißt du, was sie mögen, Großvater?«, frage ich ihn. »Bist du in die Orchideenschule gegangen?«

Er schüttelt schmunzelnd den Kopf. »Nein, Julia. Ich habe viel von einem asiatischen Freund gelernt, der inmitten von Orchideen aufwuchs. Das Übrige habe ich mir durch Probieren und genaue Beobachtung ihrer Reaktion auf das, was ich mit ihnen anstellte, selbst angeeignet. Heutzutage weiß man genau, was man bekommt, weil es auf der Verpackung steht, aber als junger Mann wurden mir Kisten aus fernen Ländern geschickt, und erst, wenn die Pflanze blühte, wussten wir, um welche es sich handelte.« Er seufzte. »Das waren aufregende Zeiten damals, auch wenn ich mehr Orchideen verloren als durchgebracht habe.«

Ich weiß, dass Großvater Bill Ansehen genießt in der Welt der Orchideenliebhaber, weil es ihm gelungen ist, sogenannte Hybriden zu züchten. Sie sind ungewöhnlich, und oft kommen bekannte Fachleute zu Besuch, um seine neuesten Erfolge zu begutachten.

Großvater Bill ist sehr bescheiden und redet nicht gern über seine Leistungen. Er meint, seine Aufgabe sei es, Blumen zu züchten, nicht, damit zu prahlen. Großmutter Elsie sieht das anders. Manchmal sagt sie, wie viel Geld Bill Wharton Park gebracht hat, weil so viele Ausflügler die Gewächshäuser sehen und seine Pflanzen kaufen möchten, und dass er einen größeren Anteil am Erlös erhalten sollte.

Ich höre nicht hin, weil ich nicht will, dass irgendetwas den Frieden meines Paradieses stört. Wenn ich nicht hier bin und mich traurig fühle, denke ich an diesen Ort und finde Trost.

Julia zwang sich, in die triste Realität zurückzukehren. Da sie vor Kälte zitterte, verließ sie das Treibhaus und eilte durch den Küchengarten zum Auto. Beim Einsteigen sah sie Kit aus den Stallungen kommen. Er winkte ihr zu und gesellte sich zu ihr.

»Hallo, Julia. Du hast dir das traurige Ende der früheren Pracht von Wharton Park mit eigenen Augen angesehen?«

»Wie schade. Die Gewächshäuser sind leer – es ist nichts

mehr übrig.« Sie schüttelte den Kopf. »Du weißt nicht zufällig, wo die ganzen Orchideen hingekommen sind, oder?«

»Nein, leider nicht. Mein Vater hat sich viel zu lange nicht hier blicken lassen. Und Tante Crawford scheint Orchideen nicht gemocht zu haben. Erinnerst du dich noch an den Tag, als du ihr die Orchidee gebracht hast? Sobald du weg warst, hat sie sie mir gegeben und gesagt, ich soll sie irgendwohin tun, wo sie sie nicht sieht.« Kit runzelte die Stirn. »Bitte frag mich nicht, warum. Vielleicht freut es dich zu hören, dass ich sie bei mir im Schlafzimmer aufgestellt und mitgenommen habe, als ich weggefahren bin. Sie hat noch Jahre später geblüht.«

»Merkwürdig«, sagte Julia. »Und traurig.«

»Ja«, pflichtete Kit ihr bei. »Der Himmel allein weiß, was außer den Orchideen sonst noch alles aus Wharton verschwunden ist. Je schneller ich es dem neuen Eigentümer übergebe, desto besser. Würdest du dir gern das alte Cottage deiner Großeltern anschauen? Ich bin auf dem Weg dorthin.«

»Warum nicht?« Sie gingen hinüber zu dem Cottage, das in einem kleinen Garten gleich hinter dem Geviert stand. Aus dem Innern hörte Julia Baugeräusche.

»Hoffentlich hast du nicht das Gefühl, dass dieser Ort ebenfalls zerstört ist, aber hier konnte man einfach nicht mehr wohnen. Und solange die letzten Beschäftigten des Anwesens noch da sind, dachte ich, könnten sie etwas Sinnvolles für mich tun.«

»Was geschieht mit ihnen, wenn der neue Eigentümer Wharton übernimmt?«, erkundigte sich Julia.

»Die meisten von ihnen erhalten einen neuen Vertrag, und vermutlich werden sie lieber für einen anwesenden Chef arbeiten als in der Situation der vergangenen zwanzig Jahre. Wollen wir reingehen? Erschrick nicht: Es sieht ganz anders aus.«

Julia, die einen dunklen, schmalen Flur und eine steile Treppe erwartete, trat erstaunt in einen großen, leeren Raum.

»Ich kann niedrige Decken nicht leiden«, erklärte Kit. »Immerhin bin ich über eins neunzig groß. Also habe ich sie rausnehmen lassen.«

Kit hatte nicht nur die Decken entfernt. Die gesamte innere Struktur, früher bestehend aus Küche, Schlafzimmer und Bad, war verschwunden. Julia hob den Blick zur ehemaligen Schlafzimmerdecke und sah an der höchsten Stelle vier neu eingebaute Oberlichter. Aus ihrer Kindheit war nur noch der große Kamin übrig.

»Es ist tatsächlich ganz anders«, stellte sie fest.

»Ich habe den Raum im oberen Stockwerk für die höheren Decken unten genutzt. Den alten Schuppen möchte ich in eine Küche und ein Bad umbauen lassen. Ganz schön drastisch, ich weiß, aber ich glaube, dass es meinen Bedürfnissen entsprechen wird, wenn es fertig ist.«

»Eins steht fest: Du hast das Cottage auf den Standard des neuen Jahrtausends gebracht«, stellte Julia fest. »Es ist kaum noch als das alte zu erkennen.«

Er sah sie an. »Du bist aus der Fassung, stimmt's?«

»Ach was.«

Doch sie wussten beide, dass er recht hatte.

»Begleite mich doch auf ein Sandwich ins Haus, Julia. Das, finde ich, bin ich dir nach der Entweihung deines Erbes schuldig.«

»Es ist wohl kaum *mein* Erbe«, widersprach sie.

»Hallo, mein Lieber. Tut mir leid, dass ich so spät komme.« Eine attraktive Frau mit rotbraunen Haaren gesellte sich zu ihnen, küsste Kit auf die Wange und bedachte Julia mit einem Lächeln.

»Julia, das ist Annie. Sie hat mir bei der Umstrukturierung des Cottage geholfen und entwirft gerade Pläne für die Umwandlung des übrigen Gevierts in Mieteinheiten. Bis ihr eigenes Projekt ausgereift ist.« Kit deutete auf Annies Bauch und legte den Arm um ihre Schulter. »Nicht mehr lange, oder?«, fragte er liebevoll.

»Gott sei Dank nur noch vier Wochen.« Annie zwinkerte Julia mit ihren klaren grünen Augen zu. »Wird langsam Zeit, dass es schlüpft«, bemerkte sie mit leicht amerikanischem Akzent. »Haben Sie Kinder?«

Julias Augen füllten sich unwillkürlich mit Tränen. Was sollte sie darauf antworten?

»Julia ist eine berühmte Konzertpianistin«, sprang Kit ihr bei. »Wir haben uns vor Jahren in Wharton Park kennengelernt, und ich gehöre zu den ersten Menschen, für die sie gespielt hat. Nicht wahr, Julia?«

Julia, die sich ein wenig gefasst hatte, nickte und räusperte sich. »Ja. Aber jetzt muss ich nach Hause. Schön, Sie kennengelernt zu haben, Annie. Viel Glück.«

»Gleichfalls, Julia.«

»Danke. Tschüs, Kit. Bis bald.« Julia wandte sich ab und rannte fast zum Wagen.

8

Obwohl Schnee angekündigt war, machte Julia sich am folgenden Tag nach dem Mittagessen auf den Weg nach Southwold zu ihrer Großmutter.

Als sie das Autoradio anmachte, erkannte sie die schwermütigen Klänge von Rachmaninows Klavierkonzert Nr. 2. Julia schaltete sofort wieder aus. Manche Dinge erschienen ihr trotz ihres neu entdeckten Optimismus noch unerträglich. Auch Annies höfliche Frage hatte sie zutiefst getroffen.

Aus exakt diesem Grund hatte sie sich so lange zurückgezogen; allein zu sein war ihr leichter gefallen, als sich einer Welt voller Anblicke, Gerüche und Menschen zu stellen, die, egal wie gut sie es mit ihr meinten, irgendwann etwas sagten oder taten, das sie an ihre Tragödie erinnerte.

Sich dem Schmerz zu stellen, war der nächste Schritt. Ihre Emotionen würden Zeit brauchen, sich zu beruhigen, und sie würde ganz allmählich lernen, mit der Außenwelt sowie den Erinnerungen zurechtzukommen. Wie vieles im Leben war es ein langwieriger Prozess. Sie konnte nicht erwarten, dass sich ihre Genesung innerhalb weniger Tage vollzog.

Julia wusste, dass ein Besuch bei ihrer Großmutter ihr keinen Schmerz verursachen würde, denn mit ihr würde sie die unmittelbare Vergangenheit überspringen und in einer Zeit landen, die für sie »sicheres Terrain« bedeutete. Außerdem freute sie sich tatsächlich darauf, Elsie wiederzusehen.

Julia warf einen Blick auf den Zettel, auf dem sie sich den Weg notiert hatte. Kurze Zeit später bog sie in eine baumbestandene Sackgasse und dann in die Auffahrt zu einem gepflegten Bungalow.

Sie nahm die Tasche mit dem Changi-Tagebuch und ging zur Haustür, um zu klingeln. Wenig später öffnete ihre Großmutter sie und breitete zur Begrüßung die Arme aus.

»Julia!«

Elsie drückte sie an ihren üppigen Busen, der nach Bluegrass-Parfüm und Körperpuder roch.

»Lass dich anschauen.« Elsie trat einen Schritt zurück und klatschte begeistert in die Hände. »Na so was! Du bist ja eine richtige Schönheit geworden!«, rief sie aus. »Und wie sehr du deiner Mutter ähnlich siehst, als sie in deinem Alter war! Komm rein, Liebes, komm rein.«

Julia folgte Elsie ins Haus. Der Bungalow war winzig, picobello aufgeräumt, hell und freundlich. Elsie führte sie in ein kleines Wohnzimmer mit einer rosafarbenen, dreiteiligen Dralonsitzgarnitur, die um den Gaskamin gruppiert war.

»Gib mir deine Jacke, setz dich hin und wärm dich auf, während ich uns was Heißes zu trinken mache. Kaffee oder Tee?«

»Eine Tasse Tee wäre schön, danke, Oma«, antwortete Julia.

»Gut. Ich habe Scones gebacken; die mochtest du doch immer so gern. Du siehst aus, als könntest du ein bisschen Aufpäppeln vertragen.«

Julia lächelte. »Wahrscheinlich hast du recht.«

Elsie ging in die Küche, um den Wasserkocher einzuschalten, während Julia sich in einem Sessel zurücklehnte. Wenig später kehrte Elsie mit einem Tablett zurück.

»Wie geht's meiner berühmten Enkelin?«

»Gut, Oma. Es freut mich wirklich, dich zu sehen. Tut mir leid, dass ich dich nicht besucht habe, aber ich bin in letzter Zeit nicht viel aus dem Haus gekommen.«

»Du hast viel durchgemacht, Liebes. Ich wusste, dass du vorbeischauen würdest, wenn du so weit wärst.« Elsie tätschelte Julias Hand. »Ich geb dir ordentlich Zucker in den Tee. Du siehst ja aus wie dein Opa nach dem Krieg, klapperdürr.« Sie reichte Julia eine Tasse und bestrich einige Scones dick mit clotted cream und Marmelade. »Meine hausgemachte Pflaumenmarmelade, erinnerst du dich noch, wie sehr du die früher gemocht hast? Irgendwie ist es mir gelungen, auf dem winzigen Fleckchen Erde, das sich hier in der Gegend Garten schimpft, einen Pflaumenbaum zu ziehen.« Elsie deutete auf die kleine Rasenfläche, die durchs Fenster zu sehen war. »Er macht sich prächtig.«

Julia musterte Elsie genauer, die längst nicht so alt wirkte, wie sie erwartet hatte. Vielleicht schritt der Alterungsprozess bei jemandem, den ein junger Mensch von Anfang an als »alt«

erachtete, nicht so offensichtlich voran. Julia biss ein Stück von dem Gebäck ab und genoss den vertrauten Geschmack.

Elsie nickte zufrieden. »Ich wette, das sind die besten Scones, die du je gegessen hast, trotz der feinen französischen Küche, an die du jetzt gewöhnt bist.«

Julia schmunzelte. »Ja, Oma, du bist die Beste.« Sie bemerkte Elsies Stirnrunzeln.

»Du hast dich nicht richtig ernährt. Deine Haare sind ganz stumpf.« Sie nahm eine Locke in die Hand und rieb sie zwischen den Fingern. »Strohtrocken. Was du brauchst, sind ein ordentlicher Schnitt und eine Kur. Und dazu was Anständiges in den Bauch. Das sage ich allen meinen Damen: Was Sie in den Mund stecken, landet auf Ihrem Kopf.«

»Deine Damen?« Julia sah Elsie erstaunt an. »Arbeitest du als Friseuse?«

»Ja«, antwortete Elsie fröhlich. »Allerdings nur an Donnerstagvormittagen im Altenheim, wo die Herrschaften sowieso nicht mehr viele Haare haben. Ich mach das gern. Endlich habe ich den Beruf, den ich immer wollte.«

»Hast du denn noch die Perücken?«, erkundigte sich Julia.

»Nein, die brauche ich nicht mehr; jetzt hab ich ja echte Köpfe. Du hast es wahrscheinlich merkwürdig gefunden, dass ich stundenlang daran herumgefummelt habe, aber sie waren besser als nichts. Lady Crawford hat sich von mir frisieren lassen und manche der Gäste, die nach Wharton Park kamen. Komisch, wie das Leben manchmal so spielt, was?«

»Ja. Und dir selber geht's auch gut?«

»Wie du siehst«, antwortete Elsie mit einem Blick auf ihre breite Taille, »schmeckt mir das Essen. Obwohl mich das Kochen jetzt, wo ich allein bin, mehr Mühe kostet. Deine Großtante ist Anfang letzten Jahres gestorben, seitdem wurstle ich allein hier herum.«

»Nachträglich noch mein Beileid, Oma.« Julia nahm sich ein zweites Scone vom Teller.

»Wenigstens musste sie nicht leiden. Sie ist eines Abends ins Bett gegangen und am Morgen nicht mehr aufgewacht. So würde ich auch gern gehen.« Elsie sprach wie viele alte Menschen ganz offen über den Tod. »Weil sie kinderlos gestorben ist, hat sie den Bungalow mir hinterlassen. Diese modernen Gebäude sind schon viel besser als die winzigen, feuchten Cottages von früher. Hier gibt's immer warmes Wasser für ein Bad, und die Klospülung funktioniert auch.«

»Es ist wirklich sehr gemütlich«, pflichtete Julia ihr bei. »Fühlst du dich nicht manchmal einsam?«

»Ach was! Mit dem Frisieren hab ich genug zu tun, und es vergeht kein Tag, an dem ich mich nicht mit Freunden oder Bekannten treffe. Wir waren so isoliert in Wharton, Julia, wo wir uns nur mit den anderen Arbeitern anfreunden konnten. Hier habe ich einen ganzen Ort voller Rentner!«

»Freut mich, dass du zufrieden bist, Oma. Dann fehlt dir das Leben in Wharton Park also nicht?«

Elsies Miene verdüsterte sich. »Dein Opa fehlt mir schrecklich, aber nicht das Leben, das ich dort hatte. Vergiss nicht: Ich bin mit vierzehn in den Dienst eingetreten; das hieß um fünf Uhr aus den Federn und um Mitternacht ins Bett, wenn es keine Abendeinladung gab und niemand bei uns übernachtete. So habe ich mehr als fünfzig Jahre meines Lebens verbracht.« Sie schüttelte den Kopf. »Nein, Julia, ich genieße den Ruhestand. Doch genug von mir. Wie geht's deinem Dad und deiner Schwester?«

»Wie immer«, antwortete Julia. »Dad arbeitet nach wie vor wie ein Besessener und will bald zu einem Forschungsprojekt ans andere Ende der Welt aufbrechen. Und Alicia ist mehr als beschäftigt mit ihrer großen Familie.«

»Kann ich mir vorstellen. Sie schickt mir manchmal Fotos und schreibt immer, ich soll zu ihnen kommen, aber ich will ihr nicht zur Last fallen. Außerdem hab ich keinen Führerschein, und Zugfahren mag ich nicht. Vielleicht finden sie ja irgendwann mal die Zeit, mich zu besuchen, so wie du heute.«

»Ich verspreche dir, dass ich in Zukunft versuchen werde, öfter herzukommen. Jetzt bin ich ja wieder im Land.«

»Du willst also hierbleiben?«

»So genau weiß ich das noch nicht.« Julia seufzte. »Ich werde Entscheidungen treffen müssen, um die ich mich bisher gedrückt habe.«

»Das kann ich verstehen. Aber du wolltest mich etwas fragen.«

»Weißt du, dass Wharton Park verkauft wird?«

»Ja.«

»Kit Crawford, das ist der Erbe, behält das Geviert und zieht in euer altes Cottage.«

Elsie legte den Kopf in den Nacken und lachte lauthals, bis ihr die Tränen kamen. »Master Kit zieht in unser altes Gärtnercottage?« Sie schüttelte den Kopf.

»Doch, es stimmt«, beharrte Julia. »Er muss das Anwesen verkaufen, weil es hoch verschuldet ist und für die Renovierung sehr viel Geld nötig wäre. Außerdem war euer Cottage sehr hübsch«, fügte sie hinzu.

»Mag sein, aber die Vorstellung, dass Lord Crawford in unsere bescheidene Hütte zieht, bringt mich trotzdem zum Lachen.« Elsie zog ein Taschentuch aus ihrem Ärmel und putzte sich die Nase. »Entschuldige, Liebes. Erzähl weiter.«

»Die Handwerker haben die Bodendielen rausgerissen.« Julia holte das Tagebuch hervor. »Und das hier gefunden.«

Elsie schien es zu erkennen.

»Ja«, sagte sie nur.

»Über einen Aufenthalt im Changi-Gefängnis in Singapur während des Krieges.«

»Ich weiß, worum es darin geht, Julia.« Elsie traten Tränen in die Augen.

»Tut mir leid, Oma. Ich wollte dich nicht aus der Fassung bringen. Du musst es nicht lesen. Ich möchte dich nur fragen, ob Großvater Bill es geschrieben hat. Er war doch während des Kriegs in Asien, oder? Manches von dem, was er mir damals in den Gewächshäusern erzählt hat, deutet darauf hin. Obwohl er mir nie verraten hat, wann und wo«, fügte sie hastig hinzu, als sie sah, dass Elsie blass wurde.

Elsie nickte erst nach einer ganzen Weile. »Ja, er war dort.«

»In Changi?«

Wieder nickte Elsie.

»Dann ist es also sein Tagebuch?«

Erneut kurzes Schweigen, bevor Elsie fragte: »Julia, hast du es gelesen?«

Julia schüttelte den Kopf. »Nein, ich wollte, aber irgendwie …« Sie seufzte. »Ich könnte mir vorstellen, dass die Geschichte ziemlich traurig ist, und im Moment bin ich mit meiner eigenen Trauer beschäftigt.«

»Verstehe.« Elsie stand auf und ging zum Fenster, vor dem dicke Schneeflocken das Gras in dem kleinen Garten bedeckten. Obwohl erst kurz nach vier, wurde es bereits dunkel. Mit dem Rücken zu Julia sagte sie: »Das Wetter wird schlechter. Möchtest du über Nacht bleiben?«

»Ich …« Als Julia den Schnee sah und sich die Heimfahrt und das triste Cottage vorstellte, antwortete sie: »Ja, gern.«

Elsie wandte sich zu ihr um. »Gut. Weißt du was? Ich mache uns was zu essen. Bei der Arbeit kann ich am besten denken. Und nachdenken muss ich jetzt. Schau du doch währenddessen einfach fern, ja?« Sie deutete auf die Fernbedienung und verließ das Zimmer.

Fünfundvierzig Minuten später, nachdem Julia sich eine harmlose Talentshow angesehen und unvermutet Spaß daran gefunden hatte, kam Elsie mit einem Tablett ins Wohnzimmer zurück.

»Es ist fast sechs, und am Samstag gönne ich mir immer einen Noilly Prat. Ich habe auch ein Fläschchen Rotwein von einer Freundin. Keine Ahnung, ob der was taugt, aber möchtest du welchen?«

»Warum nicht?«, sagte Julia, froh darüber, dass Elsie wieder rote Wangen hatte.

»Der Shepherd's Pie steht im Ofen. Es dauert nicht mehr lang, bis wir essen können.« Elsie reichte Julia ein Glas und nahm selbst einen Schluck. »Beim Kochen hab ich nachgedacht; jetzt bin ich ruhiger.«

»Tut mir leid, Oma. Ich wollte dir wirklich keinen Kummer bereiten. Mir war nicht klar, wie schmerzhaft das für dich ist.« Julia nippte an ihrem Wein. »Meine Gedanken kreisen in letzter Zeit nur um mich selbst; ich werde anfangen müssen, mich wieder mit den Gefühlen anderer zu beschäftigen.«

Elsie tätschelte Julias Hand. »Das ist doch klar. Es hat dich ja auch knüppeldick erwischt. Außerdem hast du mir keinen Kummer bereitet. Es war nur ein Schock, das da« – sie deutete auf das Tagebuch – »zu sehen. Ich dachte, Bill hätte es verbrannt. Das hatte ich ihm geraten, damit kein Fremder es findet, denn das würde zu nichts Gutem führen …« Ihr Blick schweifte ab.

Julia wartete auf eine Erklärung.

»Tja …« Elsie sammelte sich. »Wahrscheinlich fragst du dich, was los ist. Jemand hat dieses Tagebuch entdeckt und es dir gegeben. Ich könnte dich anlügen, aber das halte ich nicht für richtig. Nicht mehr.«

»Oma, bitte erzähl mir alles. Falls es sich um ein Geheimnis handelt, halte ich den Mund. Das konnte ich schon als Kind.«

Elsie streichelte lächelnd Julias Wange. »Ich weiß, Liebes. Doch leider gestaltet sich die Sache nicht so einfach. Es handelt sich um ein Familiengeheimnis, dessen Enthüllung mehrere Leute aus der Fassung bringen würde.«

Das machte Julia sehr neugierig. »Wen? Es sind doch nur noch Dad, Alicia und ich übrig.«

»Manchmal betreffen solche Geheimnisse mehr als eine Familie. Aber egal«, meinte Elsie. »Wahrscheinlich fange ich am besten ganz von vorn an und sehe dann schon, wohin es führt.«

Julia nickte. »Tu, was du für richtig hältst. Ich höre einfach zu.«

»Ich warne dich: Es könnte eine Weile dauern. Die Geschichte beginnt mit meiner Ausbildung zur Zofe im Jahr 1939 im Großen Haus. Ach«, rief Elsie aus und klatschte in die Hände, »damals hättest du Wharton nicht erkannt, Julia. Bei den Crawfords war immer etwas los. In der Jagdsaison haben sie fast jedes Wochenende ein Fest veranstaltet. Einmal kamen Freunde aus London, um deren achtzehnjährige Tochter Olivia Drew-Norris ich mich kümmern sollte. Sie war meine erste ›Lady‹.« Elsies Augen begannen zu glänzen. »Julia, ich werde mein Lebtag nicht vergessen, wie ich sie im Magnolienschlafzimmer das erste Mal gesehen habe …«

9

Wharton Park, Januar 1939

Olivia Drew-Norris trat an das Fenster des großen Zimmers, in das sie soeben geführt worden war, und sah hinaus. Beim Anblick des grauen Himmels seufzte sie tief.

Es war, als hätte jemand bei ihrer Ankunft in England zwei Monate zuvor die hellen, warmen Farben gelöscht und sie durch verschwommenes Schlammbraun und -grau ersetzt.

Die karge Landschaft und der Nebel, der sich bereits kurz nach drei Uhr auf die Felder senkte, ließen sie erschaudern und gaben ihr ein Gefühl geistiger Leere.

Vor Kälte zitternd entfernte sie sich vom Fenster.

Olivia wusste, dass ihre Eltern sich freuten, wieder in England zu sein, weil diese grässlich feuchte Insel ihre Heimat war. Doch Olivia empfand anders. Sie hatte seit ihrer Geburt keinen einzigen Tag außerhalb Indiens verbracht.

Sie konnte nicht verstehen, wie die Gespräche im Club oder bei Abendeinladungen im Haus ihrer Eltern in Poona sich stets nostalgisch um England hatten drehen können. Sie selbst fand die Insel nicht attraktiv. Alle beklagten sich über die Hitze in Indien, aber immerhin musste man dort die Nacht nicht in mehrere modrig riechende Schichten gewickelt verbringen und warten, dass die Füße endlich warm wurden. Olivia litt seit ihrer Ankunft permanent unter Schnupfen.

Sie sehnte sich nach den Düften und Klängen ihres Geburtslandes – reife Granatäpfel, Weihrauch, das Öl, das ihre Ayah für ihr langes, schwarzes Haar verwendete, der Gesang der Bediensteten im Haus, das Lachen der Kinder in den staubigen Straßen der Stadt, das Rufen der Händler auf dem

Markt. Was für ein buntes, lebhaftes Bild, und welch ein Gegensatz zu diesem stillen, tristen Land.

Nach der Vorfreude auf die »Heimkehr« fühlte Olivia sich nun niedergeschlagener und elender als je zuvor in ihrem Leben.

Und das Schlimmste: Sie hätte in Poona bleiben können, als ihre Eltern nach England zurückkehrten, wenn sie eindeutiger auf die Avancen jenes rotgesichtigen Oberst reagiert und ihm gestattet hätte, um sie zu werben.

Aber er war so schrecklich alt, mindestens fünfundvierzig, und sie erst achtzehn.

Außerdem hatte sie in den heißen Nächten, in denen an Schlaf nicht zu denken war, englische Romane von Jane Austen und den Brontë-Schwestern gelesen, die in ihr den Glauben an die »wahre Liebe« reifen ließen.

In den folgenden Monaten würde sie die Londoner Saison absolvieren und heiratsfähigen jungen Männern vorgestellt werden. Unter ihnen würde sie wohl ihren Mr. Darcy finden.

Das war ihr einziger Hoffnungsschimmer im düsteren Nebel – aber, da machte Olivia sich nichts vor, höchst unwahrscheinlich. Die jungen britischen Männer, die sie kannte, stärkten ihr Vertrauen in die Zukunft nicht gerade. Ihr teigiger Teint, ihre Unreife und die Tatsache, dass sie sich ausschließlich für die Fasanenjagd zu interessieren schienen, sprachen nicht für sie.

Vielleicht lag es daran, dass sie einen so großen Teil ihres Lebens unter Erwachsenen verbracht hatte, weil sie zu den wenigen jungen Engländern in Poona gehörte. Sie war in Gesellschaft der Freunde ihrer Eltern aufgewachsen, hatte Einladungen zum Abendessen und zu Festen, zum Reiten und Tennisspielen wahrgenommen.

Auch ihre Ausbildung war ungewöhnlich gewesen. Ihre

Eltern hatten Mr. Christian, einen Cambridge-Absolventen, der im Ersten Weltkrieg verwundet worden war und sich in Poona niedergelassen hatte, als Hauslehrer engagiert. Mr. Christian, der Philosophie studiert hatte, fand in Olivia eine bereitwillige Schülerin und vermittelte ihr breites Wissen, was an einem englischen Mädchenpensionat nicht möglich gewesen wäre.

Außerdem brachte er ihr bei, auf fast professionellem Niveau Schach zu spielen und beim Bridge zu schummeln.

Doch in den vergangenen Wochen hatte Olivia gemerkt, dass ihre Kultiviertheit ihr in England nicht weiterhelfen würde. Ihre Garderobe, die ihr in Indien modern erschienen war, galt hier als hoffnungslos veraltet. Sie hatte die Schneiderin ihrer Mutter angewiesen, alle Röcke zu kürzen, so dass sie wie bei den anderen jungen Damen in London eher bis zum Knie als bis zu den Knöcheln reichten.

Und bei einem Einkaufsausflug mit ihrer Mutter durch Derry and Toms hatte sie heimlich einen leuchtend roten Lippenstift erstanden.

Das Kürzen der Röcke und der Lippenstift waren nicht Olivias Eitelkeit zuzuschreiben, sondern ihrem Wunsch, sich nicht noch stärker von der Masse abzuheben, als sie es ohnehin schon tat.

Dieses Wochenende verbrachten sie wieder in einem eiskalten, feuchten Mausoleum. Offenbar war Papa mit Lord Christopher Crawford, ihrem Gastgeber, zur Schule gegangen. Wie üblich verbrachte Papa die Tage bei der Jagd, während Mama oder *Mummy*, wie sie lernte, sie hier zu nennen, im Salon Tee trank und mit ihrer Gastgeberin höflich Konversation machte.

Wenn Olivia neben ihr saß, kam sie sich ziemlich überflüssig vor.

Es klopfte leise an der Tür.

»Herein«, sagte sie.

Ein hübsches, sommersprossiges Gesicht mit leuchtenden braunen Augen tauchte auf. Das Mädchen steckte in einer altmodischen, deutlich zu großen Bedienstetenuniform.

»Entschuldigung, M'am, ich heiße Elsie und soll Ihnen während Ihres Aufenthalts bei uns zur Seite stehen. Darf ich Ihren Koffer für Sie auspacken?«

»Natürlich.«

Elsie trat über die Schwelle und blieb nervös stehen. »Entschuldigung, M'am, hier drin ist es ziemlich dunkel. Darf ich das Licht anmachen? Ich kann Sie da drüben fast nicht sehen.« Sie kicherte schüchtern.

»Ja, bitte.«

Das Mädchen huschte zur Nachttischlampe und schaltete sie ein. »Viel besser, finden Sie nicht?«

»Ja.« Olivia stand auf und wandte sich Elsie zu. »Hier wird es sehr früh dunkel.« Das Mädchen starrte sie an. »Ist irgendwas?«, fragte sie.

Elsie zuckte zusammen. »Entschuldigung, M'am, ich hab nur grade gedacht, wie schön Sie sind. Ich bin noch nie einer so hübschen jungen Frau wie Ihnen begegnet. Sie sehen aus wie eine Filmschauspielerin.«

Olivia bedankte sich erstaunt. »Zu viel der Ehre.«

»M'am, Sie müssen entschuldigen, wenn ich nicht alles sofort richtig mache. Ich arbeite das erste Mal als Zofe.« Elsie hievte Olivias Koffer aufs Bett und ließ die Schlösser aufschnappen. »Wenn Sie mir sagen, was Sie zum Nachmittagstee tragen wollen, lege ich es für Sie bereit. Ihr Kleid fürs Abendessen nehme ich mit runter zum Aufbügeln und Auslüften.« Elsie sah Olivia fragend an.

Olivia deutete auf ihr neues rosafarbenes Kleid mit dem

kleinen runden Kragen und den großen weißen Knöpfen an der Vorderseite. »Das hier für gleich und das blaue aus Brokat für später.«

»Jawohl, M'am.« Elsie nickte, schlug die Kleider vorsichtig auseinander und breitete sie auf dem Bett aus. »Das blaue sieht sicher wunderschön aus zu Ihrer Haut. Soll ich die anderen Sachen für Sie in den Schrank hängen?«

»Danke, sehr freundlich, Elsie.«

Olivia setzte sich auf den gobelinbezogenen Hocker am Fußende des Betts, während Elsie im Zimmer aufräumte. In Indien hatte Olivia die Bediensteten kaum wahrgenommen. Doch dieses englische Mädchen, das ungefähr so alt war wie sie selbst, verwirrte sie.

Ihr Vater hatte sich bei ihrer Rückkehr in ihr früheres Haus in Surrey bitterlich beklagt, wie schwierig es sei, in diesen Zeiten gutes Personal zu finden. Immer weniger junge Frauen verdienten sich ihren Lebensunterhalt als Bedienstete, behauptete er. Eine wachsende Zahl entscheide sich lieber für eine Tätigkeit als Sekretärin in einem Büro oder als Verkäuferin in einem der neuen Warenhäuser, die nun im ganzen Land eröffnet wurden.

»Mädchen wollen heutzutage niemanden mehr *bedienen*«, hatte er festgestellt.

Während ihrer Besuche bei Freunden ihrer Eltern auf dem Land hatte Olivia allerdings gemerkt, dass die weibliche Emanzipation in den großen Städten deutlich weiter fortgeschritten war als dort.

»Gut, M'am, ich geh jetzt runter, Ihr Abendkleid aufbügeln. Nach dem Tee komme ich herauf, lasse Ihnen ein Bad ein und zünde den Kamin an. Kann ich sonst noch etwas für Sie tun?«

»Nein danke, Elsie«, antwortete Olivia lächelnd. »Und sag doch Olivia zu mir.«

»Danke, M'am… Ich meine, Miss Olivia.« Elsie huschte zur Tür und schloss sie hinter sich.

Vor dem Abendessen fragte Elsie Olivia, ob sie ihr die Haare hochstecken dürfe, und strich ihr über die dichten blonden Locken. »Ich glaube, das würde Ihnen stehen, Sie elegant aussehen lassen, wie die Garbo. Ich habe an meiner Schwester geübt und kann das.«

Olivia nickte und setzte sich auf den Hocker vor dem Spiegel. »Gut, Elsie, ich vertraue dir.« Wenn es schiefginge, dachte sie, konnte sie die Haare immer noch lösen.

»Ich liebe das Frisieren und wollte eine richtige Ausbildung machen, aber der nächste Salon ist über zwanzig Kilometer weg, und ich hab keine Möglichkeit hinzukommen. Es gibt nur einen einzigen Bus am Tag, der fährt um elf von Gate Lodge ab. Das nützt mir wenig«, erklärte Elsie, während sie geschickt Olivias Haare bürstete und hochsteckte.

»Könntest du dir vorstellen, in die Stadt zu ziehen?«, fragte Olivia.

Elsie sah sie entsetzt an. »Was? Meine Ma und meine Geschwister allein lassen? Sie braucht meine Hilfe und das Geld, das ich verdiene. Fertig.« Elsie trat einen Schritt zurück, um ihr Werk zu begutachten. »Wie gefällt es Ihnen?«

»Danke, Elsie«, sagte Olivia mit einem Lächeln. »Das hast du sehr gut gemacht.«

»Nichts zu danken, Miss Olivia, es war mir eine Ehre. Darf ich Ihnen jetzt beim Schnüren des Korsetts helfen?«

»Du bist wirklich ein Schatz, Elsie«, antwortete Olivia. »Offen gestanden habe ich keine Ahnung, wie man es anlegt. Ich habe noch nie eins getragen und stelle mich wahrscheinlich ziemlich dumm an.«

Elsie nahm das Korsett vom Bett und begutachtete es. »Ein

modisches ›Wespentaillenkorsett‹«, erklärte sie voller Bewunderung. »Das kenne ich aus *Woman's Weekly*. Angeblich verleiht es die perfekte Figur. Ich glaube, ich weiß, wie es funktioniert. Keine Sorge, Miss Olivia, gemeinsam schaffen wir das schon.«

Als das Korsett an Ort und Stelle war, glaubte Olivia, keinen Platz mehr für eine einzige Olive, geschweige denn ein viergängiges Menü zu haben. Elsie schob das neue nachtblaue Brokatkleid über ihren Kopf und schloss es am Rücken.

Olivia glättete den Rock, der sich unter ihrer zusammengeschnürten Taille bauschte, und musterte sich im Spiegel.

Haar, Korsett und Kleid hatten eine vollkommene Verwandlung bewirkt. Aus dem Spiegel sah sie kein Mädchen mehr, sondern eine junge Frau an.

»Mein Gott, Miss Olivia, sind Sie hübsch! Die Farbe passt genau zu Ihren Augen. Heute werden sich ein paar Leute nach Ihnen umdrehen, so viel steht fest. Hoffentlich sitzen Sie neben Master Harry, dem Sohn von Seiner Lordschaft. Wir Mädchen sind alle ein bisschen verliebt in ihn«, gestand Elsie. »Er ist wirklich attraktiv.«

»Bei meinem Glück sicher nicht. Ich bekomme bestimmt den alten Major mit dem Bauch, den ich beim Nachmittagstee kennengelernt habe.« Olivia runzelte lächelnd die Stirn.

Die beiden Mädchen teilten einen Augenblick des stillschweigenden Verständnisses, das die Klassenschranken überwand.

»Ich hoffe nicht, Miss Olivia. Viel Vergnügen heute Abend.«

An der offenen Tür wandte Olivia sich noch einmal um. »Danke, Elsie, du hast mir wirklich sehr geholfen. Später erzähle ich dir alles«, versprach sie mit einem Augenzwinkern, bevor sie den Raum verließ.

Olivia war nicht die Einzige, der vor dem Abendessen graute. Harry Crawford hatte insgeheim beschlossen, dass es keine Jagdgesellschaften mehr geben würde, wenn er Wharton Park von seinem Vater übernahm – hilflose Lebewesen umzubringen, verursachte ihm Übelkeit.

Harry kämpfte mit seinen Manschettenknöpfen – sein Kammerdiener half dem älteren Major beim Anziehen – und rückte dann vor dem Spiegel seine Fliege zurecht. Dabei überlegte er, wie viele andere Menschen wohl das Gefühl hatten, ins falsche Leben hineingeboren worden zu sein. In dem seinen war die Pflicht oberstes Gebot. Obwohl all jene, die ihm zu Hause und in seinem künftigen Regiment unterstanden, ihn vermutlich beneideten, hätte Harry liebend gern mit jedem von ihnen getauscht.

Er wusste, dass niemand sich wirklich für seine Gefühle interessierte; sein Leben war bereits vor seiner Zeugung vorgezeichnet gewesen. Er stand für Kontinuität, daran ließ sich nichts ändern.

Wenigstens waren die beiden Jahre der Hölle in Sandhurst zu Ende. Er hatte zwei Wochen Heimaturlaub, bevor er sich dem 5th Royal Norfolk's, dem alten Regiment seines Vaters, in seiner Funktion als Offizier anschloss. Lord Christopher Crawford, der den für ihn höchsten möglichen Rang erreicht hatte, arbeitete nun als Regierungsberater in Whitehall.

Man munkelte, es würde Krieg geben ... Der Gedanke daran ließ Harry in kalten Schweiß ausbrechen. Chamberlain tat sein Bestes, und alle hofften auf eine friedliche Lösung, doch weil Harrys Vater die Fakten kannte und nicht auf Gerüchte von der Straße angewiesen war, wusste Harry, dass es dazu wahrscheinlich nicht kommen würde. Sein Vater behauptete, der Krieg würde innerhalb eines Jahres ausbrechen, und Harry glaubte ihm.

Harry war kein Feigling und hatte kein Problem mit dem Gedanken, sein Leben für sein Land zu opfern. Die Kampfeslust seiner Offizierskollegen, die sich darauf freuten, den Krauts einen Denkzettel zu verpassen – ein Euphemismus für Tod und Zerstörung im großen Stil –, teilte er jedoch nicht.

Er behielt seine pazifistische Einstellung für sich, weil sie im Offizierskasino nicht auf viel Gegenliebe stieß. Nachts lag er oft auf seiner schmalen Pritsche wach und fragte sich, ob er, konfrontiert mit einem Kraut, tatsächlich in der Lage wäre abzudrücken, um die eigene Haut zu retten.

Er wusste, dass es genug andere gab, die genauso dachten wie er. Nur hatten sie keinen bekannten, hochrangigen General als Vater und auch keine zweihundertfünfzigjährige Familiengeschichte des Heroismus.

Harry war seit Langem klar, dass die Gene seines Vaters sich bei ihm nicht durchgesetzt hatten. Seine Persönlichkeit ähnelte der seiner sanftmütigen, künstlerisch begabten Mutter Adrienne weit mehr. Allerdings leider auch in seiner Neigung zu unvermittelten Depressionen, in denen sich die Welt schwarz färbte und Harry sich abmühte, einen Sinn im Leben zu erkennen.

Seine Mutter nannte diese Phasen ihr *petit mal* und zog sich für gewöhnlich ins Bett zurück, bis sie überwunden waren. Als Offizier der Armee bot sich Harry diese Möglichkeit nicht. Sein mangelndes Interesse an militärischen Dingen war in Unterhaltungen mit seinem Vater nie Thema gewesen. Letztlich beschränkten sich ihre Gespräche auf ein fröhliches »Guten Morgen« oder »Scheint ein schöner Tag zu werden« oder »Sag doch bitte Sable, er soll mir einen Scotch einschenken, ja?«

Sein Vater hätte jeder der befehlshabenden Offiziere in Sandhurst sein können. Seine Mutter kannte natürlich Harrys

Einstellung dem Leben und seiner Zukunft gegenüber, wusste aber, dass ihr die Hände gebunden waren. Folglich redeten sie nicht darüber.

Immerhin hatte sie ihm das ermöglicht, was ihm Trost spendete, und dafür würde er ihr ewig dankbar sein. Als Harry sechs war, hatte Adrienne gegen den Willen seines Vaters einen Klavierlehrer für ihn eingestellt, der Harry an den Tasten des Instruments so etwas wie Lebensfreude vermittelte.

Inzwischen war er zu einem sehr guten Pianisten herangereift. Zum Teil deshalb, weil er sich in der Schule im Musiktrakt oder zu Hause im Salon beschäftigen konnte, ohne dass jemand ihn störte.

Sein Musiklehrer in Eton, der seine Begabung erkannte, hatte ihm geraten, sich um die Aufnahme ins Royal College of Music zu bewerben, doch sein Vater hatte sich geweigert, sich mit dem Thema zu befassen. Der Junge würde Sandhurst besuchen. Klavierspielen war etwas für Dilettanten und kein Beruf für den künftigen Lord Crawford.

Das war das Ende des Themas gewesen.

Harry hatte weiterhin so viel wie möglich zu üben versucht, obwohl seine Auftritte in Sandhurst sich darauf beschränkten, die Offiziere mit Cole Porter zu unterhalten. Chopin stand dort nicht auf dem Programm.

Wenn die schwarzen Hunde der Depression über ihn herfielen, hoffte Harry manchmal auf die Wiedergeburt in einer Welt, in der er seine Begabung und Leidenschaft ausleben konnte. Vielleicht, dachte er, brachte der Krieg ihn dieser Wiedergeburt näher.

10

Als Olivia den Salon betrat, hatte sie das ungewohnte, aber nicht unangenehme Gefühl, positiv wahrgenommen zu werden. Lord Crawford begrüßte sie als Erster.

»Olivia, nicht wahr? Wie diese indische Sonne die Knospen doch erblühen lässt. Drink?«

»Ja, gern«, antwortete sie und nahm ein Glas Gin von dem Tablett, das der Butler ihr hinhielt.

»Freut mich sehr, dass Sie heute Abend meine Tischnachbarin sein werden, meine Liebe«, bemerkte Lord Crawford mit einem diskreten Nicken in Richtung Butler, der mit einem ebenso diskreten Nicken antwortete. Spätestens jetzt war Olivia Lord Crawfords Tischnachbarin.

»Nun, wie gefällt Ihnen das gute alte England?«, erkundigte er sich.

»Es ist spannend, das Land zu sehen, von dem ich schon so viel gehört habe«, log Olivia, ohne mit der Wimper zu zucken.

»Es freut mich sehr, meine Liebe, dass Sie sich die Zeit nehmen, uns hier auf dem Land in Norfolk zu besuchen. Sie haben die Londoner Saison vor sich, sagt Ihr Herr Papa?«

»Ja.« Olivia nickte.

»Gute Sache.« Lord Crawford schmunzelte. »Macht einen Riesenspaß. Darf ich Ihnen meine Frau vorstellen? Heute Nachmittag war sie indisponiert, aber inzwischen scheint sie sich erholt zu haben.« Er führte sie zu einer schlanken, eleganten Dame. »Adrienne, das ist Olivia Drew-Norris, die diese Saison bestimmt genauso vielen jungen Burschen das Herz brechen wird, wie du es vor Jahren getan hast.«

Adrienne, Lady Crawford, wandte sich Olivia zu und reichte ihr die zarte weiße Hand.

»*Enchantée*«, sagte Adrienne und lächelte ihr anerkennend zu. »Sie scheinen wirklich eine Herzensbrecherin zu sein.«

»Danke, Lady Crawford.« Olivia begann, sich wie eine Kuh zu fühlen, die Preisrichtern zur Begutachtung vorgeführt wurde. Sie hoffte nur, dass das kein Vorgeschmack auf die Londoner Saison war.

»Sagen Sie doch Adrienne zu mir. Wir werden sicher gute Freunde, *n'est-ce pas*?«

Lord Crawford bedachte seine Frau mit einem liebevollen Blick. »Schön, schön. Ich überlasse Olivia deinen fähigen Händen, meine Liebe. Vielleicht kannst du ihr ein paar Tipps geben.« Damit wandte er sich anderen Gästen zu.

Olivia bewunderte unterdessen Adriennes Schönheit. Obwohl Anfang vierzig, hatte Adrienne den schlanken Körper eines Mädchens sowie ein fein geschnittenes Gesicht mit hohen Wangenknochen und makellosem, elfenbeinfarbenem Teint. In ihrer Weiblichkeit erinnerte sie Olivia eher an eine zarte indische *Mem Sahib* als an die durchschnittliche englische Aristokratin, deren Körperbau dazu bestimmt war, dem rauen britischen Wetter zu trotzen und mit Hilfe eines gebärfreudigen Beckens den Familienstammbaum fortzuführen.

Adrienne war so klein und zierlich, dass sie besser in einen Pariser Salon als in ein zugiges englisches Landhaus gepasst hätte. Adrienne stammte tatsächlich aus Frankreich, das wusste Olivia von ihrer Mutter. Und das schlichte schwarze Cocktailkleid sowie die cremefarbene Perlenkette trug sie mit der leichten Eleganz ihres Heimatlandes.

»Tja, Olivia, nun sind Sie also in diesem schrecklichen Land mit dem grässlichen Wetter und dem grauen Himmel, *n'est-ce pas*?«

Olivia war erstaunt über Adriennes Unverblümtheit. »Die

Umstellung fällt mir tatsächlich nicht leicht«, bestätigte sie so diplomatisch wie möglich.

Adrienne legte ihre kleine Hand auf die ihre. »*Ma chérie*, auch ich bin an einem warmen, sonnigen Ort aufgewachsen. Als ich von unserem *château* im Süden Frankreichs nach England kam, hatte ich das Gefühl, das nicht ertragen zu können. Ihnen geht es genauso. Wie sehr Indien Ihnen fehlt, ist Ihnen von den Augen abzulesen.«

»Ja«, flüsterte Olivia.

»Ich kann Sie nur damit trösten, dass es mit der Zeit besser wird.« Adrienne zuckte auf elegante Weise mit den Achseln. »Ich würde Ihnen gern meinen Sohn Harry vorstellen. Er ist in Ihrem Alter und wird Ihnen Gesellschaft leisten, während ich die perfekte Gastgeberin spiele. Wenn Sie mich kurz entschuldigen würden: Ich suche ihn und bringe ihn zu Ihnen.«

Olivia war entwaffnet durch Adriennes offene Einschätzung der Lage, weil sie aus vergleichbaren Situationen lediglich Smalltalk kannte. Alle tieferen Gedanken – oder noch schlimmer: Gefühle – wurden von der britischen Gesellschaft mit einem Stirnrunzeln bedacht. Das immerhin hatte sie in dem Club in Poona gelernt.

Die Unterhaltung mit Adrienne war ihr ein kleiner Trost.

Harry, der von seiner Mutter den Auftrag erhalten hatte, dem jungen »indischen« Mädchen Gesellschaft zu leisten, machte sich artig auf den Weg zu Olivia. Wenige Schritte von ihr entfernt sah er, wie sich ihre Lippen zu einem Lächeln öffneten.

Plötzlich erwachte ihre kühle, blonde Schönheit zum Leben, und sie begann von innen heraus zu strahlen. Harry, der die körperlichen Reize des anderen Geschlechts normalerweise nicht sofort bemerkte, war klar, dass er eine Frau vor sich hatte, die seine Offizierskollegen wohl als »atemberaubend« bezeichnet hätten.

Als sie ihn entdeckte, sagte sie: »Sie müssen Harry sein, von Ihrer Mutter zu mir geschickt, um Konversation zu machen.« Ihre türkisfarbenen Augen blitzten belustigt auf.

»Ja. Aber ich kann Ihnen versichern, dass es mir ein Vergnügen ist.« Er warf einen Blick auf ihr leeres Glas. »Darf ich Ihnen einen neuen Drink bringen lassen, Miss Drew-Norris?«

»Ja, gerne.«

Harry winkte den Butler heran. Olivia stellte ihr leeres Glas aufs Tablett und nahm sich ein frisches. »Glauben Sie bitte nicht, ich hätte ein lockeres Mundwerk. In Wahrheit habe ich Mitleid mit Ihnen, weil Sie mit so vielen Menschen reden müssen, die Sie nicht kennen.«

Olivia war erstaunt über ihre eigene Direktheit und machte den starken Gin dafür verantwortlich. Sie sah sich Harry, den »attraktiven« Harry, wie Elsie ihn genannt hatte, genauer an: Harry vereinte die besten physischen Eigenschaften beider Elternteile in sich; er hatte die Körpergröße seines Vaters und den feinen Knochenbau sowie die strahlend braunen Augen seiner Mutter geerbt.

»Ich kann Ihnen versichern, Miss Drew-Norris, dass ich das Gespräch mit Ihnen nicht als lästige Pflicht erachte. Sie sind noch keine siebzig, was natürlich hilft – und in dieser Weltgegend ziemlich ungewöhnlich ist.«

Olivia lachte über Harrys Schlagfertigkeit.

»*Touché*. Obwohl Sie in diesem Smoking aussehen wie Ihr eigener Vater.«

Harry zuckte gutmütig mit den Schultern. »Miss Drew-Norris, ich glaube fast, dass Sie sich über mich lustig machen. Ist Ihnen nicht klar, dass diesem Land Krieg droht und wir alle Opfer bringen müssen? Für mich bedeutet das, dass ich den abgelegten Anzug meines Vaters trage, auch wenn er mir drei Nummern zu groß ist.«

Olivias Miene verdüsterte sich. »Denken Sie wirklich, es gibt Krieg?«

»Daran besteht kein Zweifel.«

»Ich bin ganz Ihrer Meinung, aber mein Daddy weigert sich, den Tatsachen ins Auge zu blicken«, erklärte sie.

»Nach einem Jagdtag mit *meinem* Vater hat er sicher begonnen, sich mit dem Gedanken vertraut zu machen.«

»Ich bezweifle sehr, dass man mit Herrn Hitler zu einer friedlichen Lösung gelangen kann«, meinte Olivia. »Er will die Weltherrschaft, und die Hitlerjugend ist offenbar genauso fanatisch wie er.«

Harry sah sie erstaunt an. »Miss Drew-Norris, Sie scheinen sehr gut informiert zu sein. Das ist für eine junge Dame ziemlich ungewöhnlich.«

»Finden Sie es unschicklich für Frauen, über Politik zu diskutieren?«

»Nein, überhaupt nicht. Im Gegenteil: Ich finde es ausgesprochen erfrischend. Die meisten Mädchen interessieren sich nicht für solche Fragen.«

»Ich hatte das Glück, in Indien von einem Mann unterrichtet zu werden, der überzeugt davon war, dass Frauen ebenso viel Anspruch auf eine Ausbildung haben wie Männer.« Olivias Blick wurde traurig. »Er hat mir die Welt erklärt und mir meine eigene Bedeutung darin bewusst gemacht.«

»Hört sich ganz so an, als würde der Mann sein Leben in Poona vergeuden. Wenn ich in Eton doch nur auch solche Anregungen bekommen hätte. Ich konnte es gar nicht erwarten, dort fertig zu werden.« Harry zündete sich eine Zigarette an. »Haben Sie vor, Ihre Bildung weiter voranzutreiben?«

Olivia schüttelte bedauernd den Kopf. »Ich weiß nicht, wie Mummy und Daddy auf einen solchen Vorschlag reagieren würden. Vermutlich wären sie ziemlich überrascht: ›Was! Ein Blaustrumpf in der Familie?‹ Nein, ich werde wohl verheiratet werden, vorausgesetzt natürlich, dass mich jemand haben will.«

»Miss Drew-Norris, ich versichere Ihnen, dass das kein Problem darstellen wird.«

Sie sah ihn an. »Auch dann nicht, wenn ich es nicht möchte?«

Harry drückte seine Zigarette in einem Aschenbecher aus. »Ich habe den Eindruck, dass die meisten von uns nicht das bekommen, was sie wollen. Aber versuchen Sie, es sich nicht zu sehr zu Herzen zu nehmen. Ich glaube, es wird Veränderungen geben, besonders für Frauen. Der vielleicht einzige Vorteil eines Krieges ist, dass sich dadurch der Status quo ändert.«

»Das kann ich nur hoffen«, pflichtete Olivia ihm bei. »Und was ist mit Ihnen?«, erkundigte sie sich, als sie sich plötzlich an die goldene Regel erinnerte, die allen Mädchen von Kindesbeinen an eingebläut wurde: Als Frau durfte man das Gespräch mit einem Gentleman niemals beherrschen.

»Ich?« Harry zuckte mit den Achseln. »Ich bin Soldat, im Moment auf Heimaturlaub, aber nicht mehr lange, fürchte ich. Wir haben soeben Order erhalten, die Zahl der Männer in meinem neuen Bataillon zu verdoppeln, über die bürgerwehrähnliche Territorial Army.«

»Ich begreife nicht, dass das Leben hier weitergehen kann wie gewohnt.« Olivia ließ den Blick über die anderen Anwesenden schweifen, die sich prächtig amüsierten.

»Das ist wohl der britische Geist«, meinte Harry. »Die Welt mag untergehen, aber in Häusern wie diesem bleibt alles beim Alten. In gewisser Hinsicht danke ich Gott sogar dafür.«

»Liebe Gäste, das Abendessen ist angerichtet.«

»Miss Drew-Norris«, sagte Harry, »es war mir ein Vergnügen. Passen Sie übrigens auf: Es könnten Schrotkugeln im Fasan sein. Die Köchin ist manchmal ein bisschen nachlässig.« Er zwinkerte ihr zu. »Vielleicht haben wir vor Ihrer Abreise noch einmal Gelegenheit, miteinander zu sprechen.«

Olivia verbrachte den Abend damit, über Lord Crawfords grässliche Witze zu lachen und sich wie eine junge Dame zu benehmen. Hin und wieder riskierte sie einen Blick ans andere Ende des Tisches, wo Harry ebenfalls seine Pflicht tat und die Frau des Majors unterhielt. Als die Männer sich in die Bibliothek zurückzogen und die Frauen zum Kaffee in den Salon schlenderten, gab Olivia vor, müde zu sein, und entfernte sich.

An der Treppe tauchte Adrienne neben ihr auf. »*Ma chérie*, sind Sie krank?«, fragte sie besorgt.

Olivia schüttelte den Kopf. »Nein, ich habe nur Kopfschmerzen.«

Adrienne legte lächelnd die Hände auf ihre Schultern. »Das kalte englische Wetter hat Ihre tropischen Knochen erzittern lassen. Ich werde Elsie bitten, Ihr Zimmer noch einmal zu heizen und Ihnen eine heiße Schokolade zu bringen. Wir sehen uns dann morgen, *n'est-ce pas*? Vielleicht möchten Sie ja einen Spaziergang im Garten mit mir machen. Ich könnte Ihnen etwas zeigen, das Sie an die Heimat erinnert.«

Olivia nickte, gerührt über Adriennes aufrichtige Sorge. »Danke.«

»*Je vous en prie.* Sie haben das Gespräch mit meinem Sohn Harry genossen?«, erkundigte sie sich.

»Ja, sehr, danke.« Olivia, die spürte, wie sie rot wurde, konnte nur hoffen, dass Adrienne das nicht bemerkte.

Adrienne nickte. »Wusste ich es doch. *Bonne nuit, ma chérie.*«

Olivia stieg müde die Stufen empor. Sie hatte tatsächlich Kopfschmerzen, wahrscheinlich weil sie keinen Alkohol gewöhnt war. Und sie brauchte Zeit für sich, um über ihre Begegnung mit Harry nachdenken zu können.

In ihrem Zimmer angekommen, schlüpfte sie blitzschnell in ihr Nachthemd, eine Kunst, die sie seit ihrer Ankunft im kalten England perfektioniert hatte. Kaum lag sie im Bett, klopfte es an der Tür.

»Herein.«

Elsie hielt ein Tablett mit einer großen Tasse heißer Schokolade in der Hand. »Ich bin's nur, Miss Olivia.« Elsie durchquerte das Zimmer und stellte das Tablett auf das Nachttischchen neben Olivia. »Nach dem Rezept meiner Ma«, erklärte sie lächelnd. »Mit einem Schuss Brandy gegen die Kälte.«

»Danke, Elsie.« Olivia wölbte die Hände um die warme Tasse, während sie Elsie zusah, wie sie das Feuer im Kamin neu entfachte.

»Hatten Sie einen schönen Abend, Miss Olivia?«

»O ja, Elsie.« Sie lächelte.

Als Elsie, die sich vom Kamin abwandte, ihr Lächeln bemerkte, begannen ihre Augen zu blitzen. »Und haben Sie Master Harry kennengelernt?«

»Ja.«

»Wie finden Sie ihn?«

Eine weitere goldene Regel, das wusste Olivia, lautete, Bediensteten niemals Geheimnisse anzuvertrauen, am allerwenigsten dann, wenn es sich nicht um das eigene Personal handelte, doch die Versuchung, über Harry zu sprechen, war einfach zu groß.

»Ich halte ihn für … einen sehr ungewöhnlichen Mann.«

»Finden Sie ihn so attraktiv, wie ich gesagt habe?«, fragte Elsie.

Als sie keine Antwort bekam, senkte Elsie den Blick. »Entschuldigung, Miss, ich vergesse mich selbst; ich darf keine persönlichen Fragen stellen.«

»Elsie, du machst deine Arbeit sehr gut«, versicherte Olivia ihr. »Nach dem morgigen Tag werden wir uns vermutlich nie mehr wiedersehen. Und« – sie holte tief Luft – »willst du die Wahrheit hören? Harry ist … ein Schatz!«

Elsie klatschte begeistert in die Hände. »Ach, Miss Olivia! Wusst ich's doch! Mir war klar, dass Sie einander mögen würden.«

Olivia nahm einen Schluck heiße Schokolade. »Elsie, das ist der beste Kakao, den ich je getrunken habe.«

Elsie bedankte sich und entfernte sich. »Ich komme morgen früh wieder, die Vorhänge aufziehen. Gute Nacht.«

Als Elsie gegangen war, lehnte Olivia sich in die weichen Kissen zurück, nippte an der heißen Schokolade und ließ ihre Unterhaltung mit Harry noch einmal vor ihrem geistigen Auge Revue passieren.

11

Am folgenden Morgen nahm Olivia das Frühstück allein ein, weil die Jagdgesellschaft zeitig aufgebrochen war und sowohl ihre Mutter als auch Adrienne in ihren jeweiligen Räumen frühstückten. Anschließend begab sie sich in die Bibliothek. Bücher waren in Poona etwas Wertvolles und Seltenes gewesen, weswegen die Fülle der Bände in den vom Fußboden bis zur Decke reichenden Regalen Olivia überwältigte.

Sie holte Virginia Woolfs *Die Fahrt zum Leuchtturm* heraus und setzte sich zum Lesen in einen bequemen Ledersessel am Kamin.

Nach einer Weile hörte sie Klaviermusik und erkannte Chopins Polonaise in As-Dur. Sie stand auf, verließ, geleitet von der Musik, die Bibliothek und gelangte so zum Salon.

Dort blieb sie stehen, um mit geschlossenen Augen der herrlichen Interpretation eines ihrer Lieblingsstücke zu lauschen. Als die letzten Töne verklangen, spähte sie um eine hohe chinesische Vase, die den Blick auf den Pianisten verstellte.

Olivia stockte der Atem: Es war Harry. Obwohl sie sich wie ein Störenfried vorkam, beobachtete sie ihn, wie er, die Hände im Schoß, durchs Fenster auf den Park starrte. Als er sich erhob, entdeckte er sie.

»Gütiger Himmel, Miss Drew-Norris! Ich habe Sie gar nicht bemerkt.« Er gesellte sich verlegen, die Hände in den Hosentaschen, zu ihr.

»Ich war in der Bibliothek, habe die Musik gehört und« – sie zuckte mit den Achseln – »bin ihr gefolgt.«

»Sie mögen klassische Musik?«

»Ja, sehr. Besonders wenn sie so gespielt wird wie eben von Ihnen. Sie sind ausgesprochen gut«, sagte Olivia errötend. »Wo haben Sie das gelernt?«

»Zu Hause, von einem Klavierlehrer, und in der Schule habe ich weitergemacht. Aber ähnlich wie bei Ihnen die akademischen Studien werden diese Tasten wohl keinen Einfluss auf meine Zukunft haben. Leider«, fügte er hinzu.

»Aber das sollten sie. Sie spielen so, wie ich es auf Platten in Indien gehört habe.«

»Danke für das Kompliment.« Er sah kurz aus dem Fenster, bevor er fragte: »Hätten Sie Lust auf einen Spaziergang? Heute scheint die Sonne sich durch die Wolken gekämpft zu haben.«

»Eigentlich sollte ich mit Ihrer Mutter spazieren gehen, doch die habe ich bisher noch nicht gesehen.«

»Das werden Sie wahrscheinlich auch nicht. Bestimmt liegt sie mit Migräne im Bett. Sie leidet schrecklich darunter, besonders wenn es spät geworden ist wie gestern Abend. Holen Sie einfach einen Mantel, und dann treffen wir uns in fünf Minuten auf der Terrasse.«

Olivia lief nach oben, um den Mantel anzuziehen, der sich eher für die Stadt als für Ausflüge auf dem Land eignete.

Als sie zurückkam, lehnte Harry bereits am Geländer der Treppe, die zum Garten führte, eine Zigarette in der Hand, und deutete auf einen der Bäume. »Sehen Sie, was darunter wächst? Die ersten Frühlingsboten, Schneeglöckchen.« Er nickte in Richtung Stufen. »Wollen wir?«

Sie liefen die breite Treppe zum Garten hinunter.

»Wie gefällt Ihnen unser Miniatur-Versailles?«, fragte Harry mit einem Blick auf den gepflegten französischen Garten, den eine sorgfältig gestutzte und in Form gebrachte Hecke einfasste. In der Mitte befand sich ein eleganter Springbrunnen mit der Figur eines kleinen Jungen. »Mutter wollte hier etwas schaffen, das sie an ihre Heimat Frankreich erinnert. Ich finde, das ist ihr wunderbar gelungen. Sie sollten die Anlage im Hochsommer sehen, wenn alles in bunten Farben blüht.«

»Ich kann es mir vorstellen.«

»Die Mimosen haben Sie um ein paar Tage verpasst«, erklärte Harry und deutete auf die Büsche, die geschützt unter der Terrasse standen. »Die blühen zwischen Januar und März und duften einfach himmlisch. Unser Gärtner wollte nicht glauben, dass sie in Norfolk gedeihen. Es handelt sich um eine

Pflanze, die das gemäßigte südfranzösische Klima liebt, aber Mutter hatte recht: Sie wächst hier.«

»Offenbar hat sie einen grünen Daumen. Die Gartenanlage ist wunderschön.« Olivia drehte sich einmal im Kreis, um den Blick schweifen zu lassen, und folgte Harry dann auf einem der Wege, die vom Brunnen wegführten.

»Ihre Mutter sagt, sie hätte etwas im Garten, das mich vielleicht an Indien erinnert«, bemerkte Olivia nach längerem Schweigen.

»Sie meint bestimmt das Gewächshaus. Jack, unser Gärtner, der früher eher Rüben als exotische Pflanzen gezogen hat, ist die vergangenen Jahre damit beschäftigt gewesen, mit den Zwiebeln zu experimentieren, die Mutter sich von Kew Gardens schicken lässt. Wollen Sie die anschauen?«

»Gern.«

»Es ist ein ganzes Stück entfernt; wir sollten schnell gehen, damit uns nicht kalt wird. Sie werden also heute Abend mit Ihren Eltern nach Hause fahren?«, fragte er.

»Noch nicht gleich. Zuerst wollen wir nach London, um die Ballsaison mit Großmutter zu besprechen. Mummy ist lange nicht im Land gewesen und kennt sich nicht mehr aus. Großmutter wird uns bestimmt gute Ratschläge in puncto Protokoll geben können.«

»Es wird sicher nicht so schlimm, wie Sie befürchten, Miss Drew-Norris …«

»Sagen Sie doch bitte Olivia zu mir.«

»Olivia. Ich war vor ein paar Jahren auf einigen der Tanzveranstaltungen; sie können durchaus Spaß machen.«

»Das hoffe ich, obwohl ich nicht sonderlich scharf auf diesen London-Aufenthalt bin. Die Atmosphäre dort ist schrecklich angespannt – alle scheinen darauf zu warten, dass etwas Furchtbares geschieht.« Harry nickte. »Sie haben sicher von der Arbeitslosigkeit und den Unruhen auf den Straßen gelesen?«

»Natürlich. Wir leben in aufregenden Zeiten. Offen gestanden bin ich froh, wenn wir endlich wissen, woran wir sind.«

»Vielleicht erspart die unmittelbar bevorstehende Zukunft mir ja die Londoner Saison«, scherzte Olivia. »Die findet doch sicher nicht statt, wenn der Krieg ausbricht, oder?«

»Die könnte wahrscheinlich nicht mal ein Krieg verhindern«, stellte Harry in spöttischem Tonfall fest, zündete sich eine Zigarette an und bot Olivia eine an, doch sie winkte ab.

»Falls es tatsächlich zum Krieg kommt, werde ich jedenfalls nicht müßig herumsitzen und Tee trinken«, erklärte Olivia mit Nachdruck. »Dann mache ich mich nützlich, so viel steht fest. Wie, weiß ich noch nicht, aber Mummy und Daddy können mich wohl kaum davon abhalten, meinem Land zu dienen, oder?«

»Gut gebrüllt, Löwe! Treten Sie ein.« Harry öffnete die blau angemalte Holztür, die zum Küchengarten führte. Sie durchquerten Reihen ordentlich gepflanzter Kohlköpfe, Karotten, Kartoffeln und Rüben, bis sie zu einem Gewächshaus an einer hohen Ziegelmauer gelangten. Harry machte auch diese Tür auf.

Der intensive Duft von Blumen und die Wärme versetzten Olivia in ihre frühere Heimat zurück. Sie sog die Gerüche ein und ließ den Blick über die bunte Fülle schweifen.

»Hier ist es himmlisch, Harry!«, rief sie begeistert aus und begann, die langen Reihen der Pflanzen abzugehen.

Harry sah, dass ihre Augen feucht wurden. Sie beugte sich vor, um die Hände um eine zarte gelbe Blume zu wölben und daran zu riechen. »Frangipani. Die wuchs vor meinem Schlafzimmerfenster in Poona. Ich habe jede Nacht ihren

Duft eingeatmet.« Sie vergrub die Nase in der Blüte. »Ich wusste nicht, dass sie hier gedeiht.«

Harry rührte ihre emotionale Reaktion. Erst jetzt wurde ihm klar, was für ein Schock England nach all den Jahren üppiger Vegetation für sie sein musste.

»Dann nehmen Sie sie doch mit, was, Jack?« Harry wandte sich dem Gärtner mittleren Alters zu, dessen Gesicht von der Arbeit im Freien wettergegerbt und durchfurcht war.

»Natürlich, Master Harry«, antwortete der Gärtner lächelnd. »Frangipani wachsen hier genug. Was die mögen, habe ich inzwischen herausgefunden. Sehen Sie sich ruhig um, Miss. Es freut mich, jemanden dazuhaben, der meine Pflanzen zu würdigen weiß.«

Olivia schlenderte die Reihen auf und ab, versenkte die Nase in den Blüten und ließ die Finger über die samtigen Blätter gleiten.

»Sie haben etwas Wunderbares geschaffen, Jack«, lobte sie ihn. »Diese Blumen können das englische Klima bestimmt genauso wenig leiden wie ich.«

»Ich pflege sie jetzt fünfzehn Jahre, und obwohl ich kein ausgebildeter Botaniker bin, weiß ich, was sie mögen oder nicht mögen. Und mein Sohn Bill« – Jack deutete auf einen groß gewachsenen, attraktiven jungen Mann, der ein paar Schritte entfernt Pflanzen goss – »hat ein Händchen dafür, stimmt's, Bill?«

Der junge Mann wandte sich ihnen zu und nickte. »Die gefallen mir viel besser als Kohlköpfe«, meinte er grinsend. »Am schönsten ist es, wenn wir eine neue Zwiebel bekommen und keine Ahnung haben, was daraus mal wird.«

»Ein ausgezeichneter Nachfolger für mich, Master Harry, ein richtiges Naturtalent«, sagte Jack. »Hoffentlich wird er nicht eingezogen. Es heißt, sie rekrutieren schon aus den Territorials in der Gegend.« Jack sah ihn an. »Stimmt das, Master Harry?«

»Das kann ich nicht beurteilen«, antwortete Harry diplomatisch. »Im Moment tappen wir alle noch im Dunkeln.«

Jack wandte sich Olivia zu. »Falls es tatsächlich zum Krieg kommt, ist das Treibhaus in guten Händen. Das letzte Mal hat der Hunne mir das Bein zerfetzt, also werde ich nicht mehr gebraucht.«

»Jack, Bill …« Harry nickte den beiden zu. »Ihr verrichtet hier wirklich hervorragende Arbeit. Weiter so.«

»Sagen Sie Lady Crawford doch bitte, sie möchte vorbeikommen, wenn sie Zeit hat. Eine ihrer Zwiebeln ist gerade aufgegangen; sie sollte sie sehen.« Jack tippte sich an den Rand der Mütze. »Einen guten Tag noch, Master Harry und auch Ihnen, Miss. Viel Freude mit der Frangipani.«

Olivia bedankte sich. »Es ist wirklich sehr nett von Ihnen, dass Sie sie mir schenken.«

»Keine Ursache«, sagte Jack, als Harry mit ihr zur Tür ging.

»Sie sind ein Schatz, dass Sie mir das Gewächshaus gezeigt haben, Harry«, erklärte Olivia begeistert. »Das hat meine Laune deutlich verbessert.«

»Es war mir ein Vergnügen. Ein ganz besonderer Ort, nicht wahr?«

Sie kehrten schweigend durch den Küchengarten zum Haus zurück. Harry zündete sich erneut eine Zigarette an, zog ein paarmal daran und trat sie aus. »Im Kriegsfall werden alle Familien auf dem Anwesen betroffen sein. Nehmen Sie zum Beispiel Bill. Der macht gerade Elsie, einem unserer Hausmädchen, den Hof.«

Olivia lächelte. »Ich kenne Elsie. Ein schlaues Ding für diesen gut aussehenden jungen Mann.«

»Wird nicht mehr ganz so gut aussehen, wenn ihm die

Krauts das halbe Gesicht wegschießen«, murmelte Harry, als sie die Stufen zum Haus hinaufstiegen. Er wandte sich Olivia zu. »Tut mir leid, dass ich so negativ klinge, aber ich frage mich, was aus Wharton wird, wenn alle unsere jungen Arbeiter ins Feld ziehen.«

»Dann werden die Frauen das Ruder übernehmen«, antwortete Olivia lächelnd.

Harry erwiderte ihr Lächeln und verbeugte sich leicht. »Da wären wir wieder, Mrs. Pankhurst. Es war mir ein Vergnügen, Ihnen unsere bescheidenen Gärten zu zeigen. Jetzt gehe ich wohl besser zu den Jägern, bevor jemand merkt, dass ich mich verdrückt habe.«

»Warum sind Sie nicht bei Tagesanbruch mit den anderen Männern rausgegangen?«, erkundigte sich Olivia.

»Ich habe behauptet, ich hätte zu tun, aber offen gestanden wäre mir jede Ausrede recht gewesen. Die Jagd ist einfach nichts für mich.« Er streckte ihr die Hand hin. »Wahrscheinlich werde ich Sie vor Ihrer Abreise nicht mehr sehen. Passen Sie auf sich auf, Olivia. Gute Fahrt ins große Nebelloch London. Es war mir ein Vergnügen, Sie kennenzulernen.«

»Gleichfalls, Harry.«

Harry nickte, schob die Hände in die Hosentaschen und verschwand im Haus.

12

Olivias Eltern und ihre Großmutter Lady Vare waren sich einig, dass Olivia während der Saison in London wohnen sollte. Das Familienanwesen in Surrey erschien ihnen als Basis für eine Debütantin nicht angemessen, weil es zu weit entfernt war vom Glamour der Londoner Szene. Also traf Olivia zwei

Wochen nachdem sie Wharton Park verlassen hatte, mit ihren Koffern im Haus ihrer Großmutter am Cheyne Walk ein.

Das Gebäude stammte aus einer anderen Ära, war vollgestopft mit viktorianischen Möbeln und behängt mit schweren Brokatvorhängen, und die Wände zierten lebhaft gemusterte Tapeten nach Entwürfen von William Morris. Olivia fand es bedrückend und war froh, im obersten Stock untergebracht zu sein, in ihrer eigenen hellen kleinen Wohnung. Wenn sie morgens die Vorhänge zurückzog und die Fenster öffnete, blickte sie auf die Themse, um ihre klaustrophobischen Gefühle in den Griff zu bekommen.

Der erste Schritt zur Debütantin war die Anmeldung im St. James Palace. Mädchen konnten dem Hof nur vorgestellt werden, wenn sie von einer Lady unter die Fittiche genommen wurden, die selbst präsentiert worden war. Da Olivias Mutter in ihrer Jugend Debütantin gewesen war, hätte sie diese Aufgabe problemlos übernehmen können, doch das wollte Lady Vare nicht. Am Ende gab Olivias Mutter nach, überließ Lady Vare die Vorbereitung von Olivias Londoner Saison und kehrte nach Surrey zurück.

Zwischen den zahllosen Kleideranproben konnte Olivia tun, was sie wollte. Was bedeutete, dass sie viel Zeit hatte, über Harry Crawford und ihren Aufenthalt in Wharton Park nachzudenken.

Die beiden Tage dort wurden in ihrer Erinnerung fast zu einer Art Fata Morgana. Vor ihrem geistigen Auge ließ Olivia wieder und wieder die Gespräche mit Harry Revue passieren und freute sich darüber, dass er sie als intellektuell ebenbürtig behandelt hatte. In ihrem gegenwärtigen Leben in London vermittelte man ihr eher das Gefühl, nicht viel mehr als ein Anziehpüppchen zu sein.

Sie wusste, dass ihr Kalender, sobald die Saison begann, voll sein würde mit anstrengenden Tanzveranstaltungen, Lunch- und Abendeinladungen, die alle dazu dienten, sie in die Gesellschaft einzuführen und einen geeigneten Partner für sie zu finden.

Die Ungerechtigkeit dieses Überflusses vor dem Hintergrund von Arbeitslosigkeit, Armut und sozialen Unruhen entging Olivia nicht. Wenn sie im Bentley ihrer Großmutter in London herumchauffiert wurde, beobachtete Olivia durchs Fenster die armen Leute, die auf der Straße lebten und sich die Hände an Feuern wärmten, sowie die Männer, die mit Transparenten am Parlamentsgebäude vorbeimarschierten, auf denen sie die Regierung aufforderten, ihre Kinder vor dem Hungertod zu bewahren.

Olivia fühlte sich isoliert durch ihre privilegierte Stellung und nicht als Teil des sich verändernden Zeitgeistes; sie war in der Alten Welt gefangen, obwohl sie zur Neuen gehören wollte. Manchmal machte sie einen Spaziergang entlang des Embankment, warf den Obdachlosen, die unter den Brücken froren, Münzen zu und hatte ein schlechtes Gewissen ihrer warmen, guten Kleidung wegen.

Eines Nachmittags nach einer Sitzung bei Lenare, dem berühmten Fotografen, der sie in ihrem traditionellen weißen Debütantinnenkleid im Bild festgehalten hatte, klopfte die Zofe ihrer Großmutter an die Tür.

»Lady Vare lässt fragen, ob Sie so freundlich wären, mit ihr den Tee im Salon zu nehmen.«

Als Olivia den Raum betrat, saß Lady Vare steif auf einem Ledersessel mit hoher Lehne am Kamin.

»Setz dich doch bitte, Olivia. Da deine Präsentation unmittelbar bevorsteht, wollte ich mit dir über die Leute sprechen, die dir während der Saison begegnen werden. Früher war Misstrauen nicht nötig, aber leider …«, Lady Vare rümpfte die Nase, »… ist das Niveau gesunken, und es gibt gewisse … *Elemente*, die keine angemessene Gesellschaft für eine junge Dame wie dich sind. Dazu zählen zum Beispiel Ausländer. Durch ein Gespräch mit einer Mutter, deren Tochter ebenfalls vorgestellt wird, habe ich herausgefunden, dass es eine Clique gibt, die als … *frivol* gilt. Olivia« – sie hob mit strenger Miene den Zeigefinger –, »von ihr musst du dich fernhalten.«

»Wie soll ich sie erkennen?«, fragte Olivia mit unschuldigem Blick.

»Sie tragen Lippenstift und rauchen.«

Olivia unterdrückte ein Lachen.

»Ich passe auf, Großmutter, das verspreche ich dir, und hoffe, dass ich dich stolz machen kann.«

Lady Vare nickte. »Das gelingt dir sicher, Olivia. Wenn du mich jetzt bitte entschuldigen würdest. Ich muss mich noch um andere Dinge kümmern.«

Als Olivia an jenem Abend zu Bett ging, wünschte sie sich nichts sehnlicher, als dass die bevorstehenden drei Monate so schnell wie möglich vorüber wären, damit sie ihr eigenes Leben führen konnte.

Der Präsentationsabend lief reibungslos ab und war weitaus vergnüglicher, als Olivia sich ihn vorgestellt hatte. Die Mall, die sie entlangchauffiert wurde, säumten Schaulustige, und auch vor den Toren des Buckingham-Palasts wimmelte es von Menschen. Wildfremde Leute warfen ihr Kusshändchen zu, baten ihren Chauffeur, das Innenlicht des Wagens einzuschalten, damit sie Olivias Kleid besser begutachten konnten, und bejubelten sie. Es erstaunte sie, dass sie ihr die privilegierte

Stellung nicht zu neiden und sie auch nicht infrage zu stellen schienen.

Ihr Wagen war Teil einer langen Schlange, die in den Innenhof des Palastes einfuhr. Am meisten Angst hatte sie beim Hinaufschreiten der breiten Treppen, vorbei an den Palastbediensteten mit ihren gepuderten Perücken, davor, dass sie ihr weißes Kleid und die Glacéhandschuhe schmutzig machen würde.

Obwohl sie selbst ihre Präsentation als relativ unwichtigen Moment ihres Lebens erachtete, konnte sie sich nicht einer gewissen Nervosität erwehren, als sie in einem Vorzimmer darauf wartete, dem Königspaar vorgestellt zu werden.

»Was für eine Farce!«, schnaubte eine auffallend dünne junge Frau mit schwarzen Haaren, die das trug, was Olivias Großmutter als unangemessenen Lippenstift bezeichnet hätte. »Welche Nummer hast du?«

»Sechzehn.«

»Mein Gott, wie langweilig das alles ist«, gähnte Nummer siebzehn. »So schrecklich altmodisch.«

Weil Olivia in den folgenden zwei Minuten im Thronsaal erwartet wurde, schenkte sie ihr keine Beachtung und versuchte, sich auf ihre Pflicht zu konzentrieren.

Hinterher waren die Mädchen bedeutend entspannter. Olivias Präsentation war gut gelaufen, ohne dass sie gestolpert und dem Königspaar vor die Füße gefallen wäre. Jetzt plapperten die jungen Frauen fröhlich drauflos und machten sich über das Büfett von Lyons her. Sie schienen einander alle zu kennen, so dass Olivia abseits stand und sich fehl am Platz fühlte.

»Kopf hoch, wir haben's fast geschafft«, flüsterte eine Stimme neben ihr. »Ich bin's, Venetia Burroughs. Und du?«

Die Nummer siebzehn. »Olivia Drew-Norris«, antwortete Olivia.

»Puh! Ich brauche unbedingt eine Zigarette«, stellte Venetia fest. »Wann, glaubst du, lassen sie uns hier raus?« Venetia warf die langen, pechschwarzen Haare zurück, die, anders als die von Olivia und den meisten anderen Mädchen, nicht hochgesteckt waren.

»Keine Ahnung. Ich würde ja auf die Uhr schauen, aber es ist so mühsam, die Handschuhe auszuziehen«, antwortete Olivia.

Venetia hob die Augenbrauen. »Allerdings.« Sie ließ den Blick über den Raum schweifen. »Wir sehen alle ein bisschen wie Draculas Braut aus, findest du nicht?«

Olivia schmunzelte. Venetia war offenbar eins der »frivolen« Mädchen, vor denen ihre Großmutter sie gewarnt hatte. Olivia war fasziniert.

»Egal. Ich genehmige mir einfach eine.« Venetia holte eine Zigarette aus ihrer Abendhandtasche und zündete sie an.

»Ah, das tut gut«, seufzte sie und stieß den Rauch deutlich sichtbar aus.

Olivia beobachtete nervös, wie die Köpfe der in der Nähe stehenden Mädchen sich in ihre Richtung wandten.

Venetia zuckte mit den Achseln. »Was wollen sie denn machen? Mich verhaften und in den Tower werfen? Der König raucht selber wie ein Schlot. Möchtest du auch eine?« Sie hielt Olivia das Etui hin.

»Nein danke.«

»Rauchst du nicht, oder kannst du's nicht leiden?«, fragte Venetia. »Wo kommst du her? Ich hab dich bei keiner der Tanz- oder Lunchveranstaltungen vor der Saison gesehen.«

»Aus Indien.«

»Ach, wie exotisch.« Venetia musterte Olivia von oben bis unten. »Weißt du, du bist sehr hübsch. Eigentlich müsstest du einen guten Fisch fangen diese Saison. Ich würde sagen, du gehörst zu den attraktivsten fünf.«

»Ich bin mir nicht sicher, ob ich jemanden fangen will«, gestand Olivia.

Venetia sah sie bewundernd an. »Tatsächlich? Was machst du dann hier?«

»Das Gleiche wie du, vermute ich«, antwortete Olivia. »Wir tun das, was unsere Mütter vor uns getan haben, und halten die Tradition aufrecht.«

Venetia nickte. »Aber ich habe vor, mir sehr viel mehr Spaß zu gönnen, als meiner Mutter seinerzeit erlaubt war. Und ähnlich wie du bin ich nicht gerade versessen darauf, verkuppelt zu werden.« Sie zuckte mit den Achseln. »Mein Motto lautet: Wenn's schon sein muss, versuche ich wenigstens, so viel Freude wie möglich dran zu haben.«

Jetzt gesellte sich eine hübsche, dunkelhaarige junge Frau mit strahlenden Augen zu ihnen, deren Kleid eher nach Pariser Couture als nach den englischen Privatschneiderinnen aussah, bei denen die meisten anderen Mädchen ihre Kleider hatten anfertigen lassen.

»Hallo.« Die junge Frau umarmte Venetia. »Bitte sei ein Schatz und lass mich an deiner Zigarette ziehen.«

»Du kannst sie fertigrauchen, Kick.«

Die schöne Amerikanerin lachte. »Danke. Gehst du anschließend noch ins Ritz? Ein paar von uns brechen in zwanzig Minuten auf. Daddy hat gesagt, er schaut später auch vorbei.«

»Vielleicht. Kommt drauf an, was sich sonst noch tut.«

»Gut, dann also bis zum nächsten Mal, Schätzchen.« Kick hob eine Augenbraue und musterte Olivia. »Wer ist das?«

»Olivia Drew-Norris. Ich glaube«, flüsterte Venetia ihr verschwörerisch zu, »sie ist eine von uns.«

»Ach. Dann bis bald, Olivia.« Damit verschwand sie.

Nicht nur Venetias Blick folgte Kick, als sie den Raum durchquerte.

»Du weißt, wer das ist, oder?«, fragte Venetia Olivia.

»Ja, ich kenne ihr Bild aus den Zeitungen. Kathleen Kennedy.«

»Die ungekrönte Königin der Saison, Darling. Alle lieben sie.«

»Das kann ich verstehen. Sie ist wunderschön.«

»*Und* modern. Wie eine frische Brise, und wenn sie einen mag« – Venetia drückte Olivias Arm –, »sorgt sie dafür, dass man Spaß hat in dieser Saison. Komm doch mal vorbei, damit ich dir Mup vorstellen kann. So nenne ich meine Mutter. Warum, erzähle ich dir nicht, das würde dich langweilen. Ich glaube, sie gefällt dir. Gehst du morgen zu Tip Chandlers Ball im Savoy?«

»Ja.«

»Das wird lustig. Geraldo spielt mit seinem Orchester. Dort können wir weitere Pläne schmieden.« Venetia zwinkerte einer jungen Frau zu, die von der anderen Seite des Raums aus winkte. »Ich muss los, Darling, die Runde machen. Bis morgen dann.«

Als Olivia an jenem Abend nach Hause kam, verspürte sie zum ersten Mal so etwas wie Vorfreude auf die bevorstehende Saison.

13

Als Elsie aufwachte, freute sie sich, die Maisonne durch die dünnen Baumwollvorhänge scheinen zu sehen. Es war ein strenger Winter gewesen; die Nebel vom Meer hatten sich erst gehoben, wenn es dunkel wurde, und dazu die bittere Kälte. Elsie war in letzter Zeit ein wenig niedergeschlagen, weil sie wieder als Hausmädchen arbeiten musste. Es hatte keine großen Einladungen mehr in Wharton Park gegeben und deshalb auch keine Damen, um die sie sich hätte kümmern können. Ihr Lohn als Zofe von einem Pfund, einem Shilling und sechs Pence war auf ein Pfund reduziert worden, was bedeutete, dass ihre Familie jede Woche ein Pfund Butter weniger kaufen konnte.

Im Haus herrschte Ruhe, weil sich Seine Lordschaft die meiste Zeit in London, bei Konferenzen über den Krieg, aufhielt. Und Lady Crawford hatte einen besonders elenden Winter hinter sich mit einer Reihe von Malaisen, darunter eine so üble Grippe, dass der gesamte Haushalt sich Sorgen um ihr Leben gemacht hatte.

Lady Crawford war immer schon eine zarte Person gewesen, und wenn es ihr nicht gut ging, lief im Haus nichts richtig.

Elsie sprang aus dem Bett, was ein entrüstetes Aufstöhnen ihrer jüngeren Schwester zur Folge hatte, mit der sie es sich teilte, und zog die Vorhänge zurück. Das zeitigte ein weiteres Ächzen ihrer Schwester, die sich wegdrehte und den Kopf unter ein Kissen schob.

Ein Blick in Richtung Sonne sagte Elsie, dass es kurz nach fünf war und sie noch eine Stunde hatte, bevor die Arbeit begann. Die Zeit würde sie nutzen, um ihre beste Kleidung für später herzurichten. Heute musste sie nur den halben Tag arbeiten, und Bill wollte sie am Nachmittag ins Regal in Cromer ausführen, wo sie sich *Goodbye Mr. Chips* ansehen würden. Sie war um halb zwei mit Bill im Geviert verabredet, der ihr eine Überraschung versprochen hatte.

Elsie überlegte, ob es sich um einen Ring handelte. Sie war gerade achtzehn geworden, und Bill machte ihr seit über einem Jahr den Hof. Es wurde allmählich Zeit, dachte sie.

Insbesondere deshalb, weil Bill sich der Territorial Army

angeschlossen hatte und zwei Abende die Woche zur Ausbildung nach Dereham ging, mit Besen und Spaten als Waffen. Was, wenn er eingezogen und zum Kämpfen ins Ausland geschickt wurde? Elsie hatte zwei Onkel an der Somme verloren und wusste, was Krieg bedeutete.

Wenn es nach ihr gegangen wäre, hätten sie so schnell wie möglich geheiratet, denn dann müssten sie sich nicht mehr streiten, wenn Bill sich beim Küssen und Kosen im Wald zu weit vorwagte. Bill war klar, dass er warten musste, bis sie den Bund der Ehe geschlossen hatten.

Elsie wollte in das gemütliche Gärtnerhäuschen ziehen, das Bill in wenigen Jahren von seinen Eltern erben würde. Es lag ein wenig abseits vom Geviert, in einem eigenen Garten, und war doppelt so groß wie das, das ihrer Familie gehörte und in dem acht Menschen auf engstem Raum zusammenlebten.

Ihre Ma würde glücklich sein, sie loszuwerden, solange sie weiter zum Familieneinkommen beitrug. Bill verdiente das Doppelte von ihr, und Lady Crawford schien ihn zu mögen, weil Bill die Gabe besaß, all ihre schönen Blumen zum Blühen zu bringen.

Wenn Lady Crawford das Gewächshaus aufsuchte und Bill ihr ein neues Exemplar zeigte, steckte sie ihm jedes Mal einen Shilling oder zwei zu. Dieses Geld war im Lauf der Jahre zu einem ansehnlichen Sümmchen angewachsen; Elsie wusste, dass Bill es unter den Bodendielen seines Zimmers versteckt hielt. Zu ihrer Hochzeit konnten sie sich mit ziemlicher Sicherheit ein ordentliches Fest im Gemeindesaal leisten. Elsie wünschte sich, dass es die schönste Hochzeit werden würde, die im Geviert je gefeiert worden war.

Als Elsie merkte, dass sie wertvolle Zeit mit Tagträumen vergeudete, holte sie Hut, Rock und Bluse aus dem Schrank und legte alles auf dem Stuhl zurecht. Den Rock hatte sie selbst genäht, aus einem marineblauen Tischtuch, das die Haushälterin Mrs. Combe wegwerfen wollte. Er war an der Taille schmal, modisch kurz, reichte nur knapp bis zu den Knien, und fiel in Falten über die Hüften. Elsie war sehr zufrieden mit ihrem Werk und hoffte, dass Bill dadurch zur richtigen Entscheidung angeregt würde.

Elsie schlüpfte in ihre Uniform, lief die Treppe hinunter und wünschte ihrer Ma einen guten Morgen, die am Herd den Haferbrei umrührte.

»Willst du welchen?«, fragte ihre Mutter.

Elsie schüttelte den Kopf. »Ich bin zum Mittagessen wieder da und den Rest des Tages unterwegs.« Bevor ihre Mutter sie bitten konnte, auf die Kleinen aufzupassen oder in Cromer etwas für sie zu erledigen, war Elsie schon fast draußen. »Wiedersehen, Ma.« Sie verabschiedete sich mit einem fröhlichen Winken und schloss die Tür hinter sich.

Im Obstgarten lugte Elsie zum Gewächshaus hinüber, um zu sehen, ob Bill schon da war – sie beobachtete ihn gern, wenn er es nicht merkte –, und entdeckte ihn durchs Fenster, mit konzentrierter Miene über eine Pflanze gebeugt.

Elsie konnte ihr Glück kaum fassen, dass sie einen so gut aussehenden und klugen jungen Mann für sich hatte gewinnen können.

Ihre Familie warf ihr bisweilen vor, Ambitionen zu hegen, die jemandem ihres Standes nicht zukamen, doch das stimmte nicht. Sie und Bill waren jung, gesund und fleißig, und sie wollte, dass sie beide die Chancen, die sich ihnen boten, bestmöglich nutzten.

Ihr war außerdem klar, dass sie sich glücklich schätzen konnten, ein Dach über dem Kopf sowie eine lebenslange Anstellung zu haben, denn aus den Wochenschauen wusste sie, wie viele andere in den Städten darbten. Und als Ehefrau mit Kindern wäre sie noch dankbarer für die Sicherheit, die Wharton Park ihnen bot.

Überdies verehrte sie Lady Crawford wie alle anderen Mitglieder des Haushalts, weil sich ihre Arbeitgeberin von den meisten großen Ladys auf ihren Anwesen unterschied. Lady Crawford herrschte nicht mit Angst und Schrecken wie viele ihrer Standesgenossinnen – das hatten Hausmädchen, die zu Besuch in Wharton Park gewesen waren, Elsie anvertraut –, sondern mit Freundlichkeit und Verständnis.

Nur selten enttäuschte ein Bediensteter sie oder ihre Erwartungen. Anweisungen gab sie mit ihrer leisen, sanften Stimme, die allen das Gefühl vermittelte, ihr einen Gefallen zu tun. Und wenn tatsächlich einmal etwas nicht ganz so gelang, wie Lady Crawford sich das vorgestellt hatte, reichte ein leichtes Heben der Augenbraue oder ein Verziehen des Mundes, um den Übeltäter tagelang in tiefe Niedergeschlagenheit zu stürzen.

Sie schien sich wirklich etwas aus ihrem Personal zu machen. Elsie erinnerte sich, wie sie einmal als kleines Mädchen am Küchentisch gesessen hatte, während ihre Ma für die jährliche Gartenparty in Wharton Park buk. Elsie mühte sich gerade mit den Buchstaben ab, die sie lernte, als Lady Crawford in die Küche kam, um einen Blick auf die Scones und Biskuitkuchen zu werfen, dabei Elsie entdeckte und zu ihr trat.

»Du bist doch Elsie, *n'est-ce pas*?«

Obwohl Elsie die merkwürdigen Worte, die die Herrin manchmal verwendete, nicht verstand, nickte sie. »Ja, Lady Crawford.«

»Was machst du da?« Sie warf einen Blick auf die unbeholfen hingekritzelten Wörter in Elsies Heft.

»Ich schreibe aus diesem Buch ab, Lady Crawford, aber

manche der Wörter verstehe ich nicht«, antwortete Elsie wahrheitsgemäß.

»Ach, die englische Sprache! Sie ist so kompliziert. Lass mal sehen …« Und sie setzte sich neben Elsie und verbrachte die folgenden zwanzig Minuten damit, ihr zu helfen.

Unter den Bediensteten munkelte man, dass Lady Crawford gern mehr Kinder gehabt hätte, doch das war offenbar nicht möglich gewesen. Die Geburt von Harry hatte sie sehr mitgenommen, und danach war kein Nachwuchs mehr gekommen. Elsie wollte auf jeden Fall mit Bill eine gesunde Schar von Kindern in die Welt setzen. Schließlich waren große Familien der Sinn des Lebens, oder?

Die Fenster von Wharton Park blitzten in der Morgensonne. Elsie liebte das Haus, seine Solidität und die Sicherheit, die seine dicken Mauern ausstrahlten.

Andere Dinge würden sich ändern, das wusste sie, doch das Große Haus stand seit fast drei Jahrhunderten an dieser Stelle und würde mit ziemlicher Sicherheit weitere dreihundert dort bleiben.

Elsie ging zum Dienstboteneingang, wo sie die Stiefel auszog, um in Hausschuhe zu schlüpfen, und betrat die Küche.

»Heute bist du tatsächlich mal früh dran, Miss«, begrüßte Mrs. Combe sie, die am Tisch die Speisenfolge studierte. »Das Wasser kocht. Setz dich und trink eine Tasse Tee, und dann ab ins Esszimmer, das Silber polieren. Lady Crawford möchte dich um zehn sehen. Vermutlich geht's um den Ball für Miss Penelope, die Nichte von Lady Crawford, nächsten Monat.«

»Ein Ball?«, fragte Elsie aufgeregt. »Davon weiß ich noch gar nichts.«

»Warum auch, Miss!«, erwiderte Mrs. Combe. »Muss Lady Crawford dich etwa um Erlaubnis bitten, wenn sie Pläne macht?«

Elsie wusste, dass die Haushälterin sie neckte. Elsie war fleißig, weswegen Mrs. Combe nur selten Grund zur Klage hatte. Außerdem gehörte sie als zweite Cousine von Elsies Mutter fast zur Familie.

»Wird es ein großes Fest werden, Mrs. Combe? Wie viele Gäste sind eingeladen?«, erkundigte sich Elsie neugierig.

»Es handelt sich um Miss Penelopes Debütantinnenball, also wird Lady Crawford, die selbst keine Tochter hat, bestimmt aufbieten, was sie kann. Die Einzelheiten werde ich später diese Woche erfahren, aber eines steht fest: Der Juni wird ein sehr geschäftiger Monat. Ich freue mich schon darauf. Ein Fest und ein bisschen Fröhlichkeit können wir hier gut gebrauchen.«

»Heißt das, die anderen Debütantinnen kommen zu dem Ball aus London hierher?«, fragte Elsie.

Mrs. Combe nickte. »Sie sind in Häusern in der Gegend untergebracht, doch auch Wharton Park wird zum Bersten voll sein.«

»Mrs. Combe, können Sie sich das vorstellen?«, rief Elsie begeistert aus. »All die schönen jungen Frauen in diesem Haus! Letzten Monat habe ich mit Bill in Cromer in der Wochenschau gesehen, wie sie im Palast präsentiert wurden.«

»Immer mit der Ruhe, junge Miss. Es steht jede Menge Arbeit an. Da du dir keinen Tee gemacht hast, gehe ich davon aus, dass du keinen wolltest, also verschwinde nach oben ins Esszimmer, das Silberbesteck polieren. Und um Punkt zehn erscheinst du sauber und ordentlich vor Lady Crawford in der Bibliothek.«

»Ja, Mrs. Combe«, sagte Elsie artig.

Um zehn Uhr klopfte Elsie an der Tür zur Bibliothek. Eine Stimme sagte: »*Entrez*.« Elsie trat ein.

»Bitte, Elsie.« Adrienne deutete auf den Stuhl ihr gegenüber. »Nimm Platz.«

Elsie setzte sich.

»Mrs. Combe hat mir gesagt«, begann Adrienne lächelnd, »dass du gut frisierst.«

Elsie wurde rot. »Ach, nein, Lady Crawford. Mir gefallen die modernen Frisuren, und ich kopiere sie gern.«

»*C'est parfait!*«, rief Adrienne aus. »Du hast bestimmt von dem Ball gehört, der hier nächsten Monat für meine Nichte stattfindet?«

»Ja, Lady Crawford.« Elsie nickte.

»Es werden viele kultivierte junge Damen hierherkommen, die aus London nur das Beste gewöhnt sind. Manche werden ihre eigenen Zofen mitbringen, andere nicht. Wärst du bereit, deine Dienste als Friseuse anzubieten?«

»Lady Crawford!« Elsie war überwältigt. »Wie Sie gerade gesagt haben: Diese jungen Damen sind nur das Beste gewöhnt, und ich betreibe das nur als Freizeitbeschäftigung. Aber ich werde mir Mühe geben.«

»*Voilà!* Dann wäre das geregelt. Ich kann also sagen, wir hätten hier eine junge Frau, die den Debütantinnen vor dem Ball beim Frisieren helfen kann.«

»Danke, Lady Crawford. Ich werde mich bemühen, Sie nicht zu enttäuschen.«

»Das weiß ich, Elsie.« Adrienne erhob sich und trat ans Fenster, wo sie einen tiefen Seufzer ausstieß. »Ich möchte, dass dieser Ball etwas ganz Besonderes wird.« Sie wandte sich wieder Elsie zu. »Wenn tatsächlich Krieg ausbrechen sollte, könnte er der letzte sein, den dieses Haus für sehr lange Zeit erlebt.« Sie nickte Elsie zu. »Du darfst gehen.«

»Danke, Lady Crawford.«

Adrienne sah ihr nach, als sie die Bibliothek verließ. Elsie war ein braves Mädchen, und sie konnte sie gut leiden. Außerdem betrachtete sie ihre Beziehung mit Bill, dem Sohn des Gärtners, mit Wohlwollen. Ob sie ahnten, welche Sturmwolken sich über ihnen zusammenbrauten? Christopher behauptete, es würde nicht mehr lange dauern, Hitlers Einfluss wachse von Tag zu Tag. Es sei nur noch eine Frage der Zeit …

Adrienne hatte ihren Bruder im letzten großen Krieg verloren und konnte von Glück sagen, dass ihr der Mann geblieben war. Jetzt verlor sie möglicherweise den Sohn – ein unerträglicher Gedanke. Sie wusste, dass Rang und Stand auf dem Schlachtfeld nichts zählten. Sowohl Harry als auch Bill, der Sohn des Gärtners, würden früher oder später einrücken müssen. Dann lag die Entscheidung allein bei Gott.

Und ihr waren die Hände gebunden.

Die Briten zeigten keine Emotionen. Adrienne hatte sich sehr bemüht, sich ihre Art anzueignen, und war gescheitert. In Frankreich hatte sie gelernt, dass es besser war, Gefühle auszudrücken, als sie zu verbergen.

Doch in Zeiten wie diesen distanzierte sie sich vermutlich besser von ihren Emotionen, denn der Wunsch, ihren Sohn zu schützen, überwältigte sie im Moment fast. Adrienne wusste, dass Harry nicht aus Neigung Soldat und gezwungen war, ein Leben zu führen, das nicht seinen Vorlieben und Fähigkeiten entsprach. Er würde dafür vielleicht sogar sein Leben lassen müssen.

Adrienne zwang sich, diese düsteren Gedanken zu verdrängen, bevor sie vollends von ihr Besitz ergriffen. Harry durfte ihre Angst nicht spüren. Sie musste ihre ganze Energie darauf verwenden, den Ball für ihre Nichte zum Ereignis der Saison zu machen. Adrienne beschloss, zum Gewächshaus zu gehen, um mit Jack und Bill die Blumenarrangements für die Veranstaltung zu besprechen.

14

Olivia in London betrachtete die Einladung zu Penelope Crawfords Ball mit weit weniger Enthusiasmus, als sie es noch ein paar Wochen zuvor getan hätte. Anfangs hatte sie ununterbrochen an Harry Crawford gedacht, doch seitdem die Saison in vollem Gange war, ließ Olivia sich von der Hektik des »Zirkus«, wie Venetia und ihre Freundinnen die Sache nannten, mitreißen.

Sie trottete mit müden Augen ins Esszimmer, um mit ihrer Großmutter zu frühstücken, die Einladung nach Wharton Park in der Hand. Lady Vare, die einen Turban trug, trank gerade wie üblich ihre morgendliche Tasse Kaffee und las *The Telegraph*. Olivias Eintreten quittierte sie mit einem mürrischen Blick.

»Olivia, mir ist klar, dass du ein volles Programm hast, aber es geht einfach nicht an, zu spät zu den Mahlzeiten zu erscheinen. Wäre ich in meiner Jugend säumig gewesen, hätte ich bis zum Lunch hungern müssen.«

»Tut mir leid, Großmutter«, sagte Olivia, als das Hausmädchen ihr eine Portion Eier mit Speck servierte. »Ich war gestern Abend beim Ball der Hendersons und hinterher zu einem späten Supper im Quaglinos.« Beim Anblick des Essens wünschte Olivia, der kleine Hämmer Nägel in die Schläfen klopften, sie hätte den letzten Gin-Tonic nicht mehr getrunken.

»Ich habe dich um drei Uhr nachts nach Hause kommen hören«, rügte Lady Vare sie. »Ich kann nur hoffen, dass du meine Warnung vom Beginn der Saison beherzigst und dich nicht in die falsche Gesellschaft begibst.«

»Aber nein, Großmutter«, flunkerte Olivia. »Meine Gesellschaft von gestern Abend heißt du sicher gut: John Cavendish, Marquess of Hartington, war mit seinem jüngeren Bruder Andrew dabei.« Olivia wusste, dass das ihre Großmutter beeindrucken würde, denn John Cavendish war der Erbe von Devonshire Estate, zu dem Chatsworth House gehörte. Sie erwähnte lieber nicht, dass der Oberkellner sie ihrer Lautstärke wegen gebeten hatte, das Lokal zu verlassen, weswegen sie in irgendjemandes Haus in Mayfair weiterfeiern mussten.

»Gibt es denn einen jungen Beau, der besonderes Interesse an dir zeigt?«, erkundigte sich Lady Vare.

Es gab tatsächlich eine ganze Reihe von Kavalieren, die ihre Großmutter als »in Frage kommend« bezeichnet hätte und die ganz versessen darauf waren, mit Olivia zu tanzen, sie zum Essen in ihrer Clique oder in die Nachtklubs einzuladen, die man nach dem Ball aufsuchte.

Doch wie ihre Großmutter richtig bemerkt hatte, war die Situation heute anders als zu ihrer Zeit. Zu Olivias neuem Bekanntenkreis gehörten zahlreiche junge Männer, die sie als Freunde, nicht als potenzielle Ehemänner betrachtete. Angesichts des drohenden Krieges war vielen von ihnen klar, dass ihr bisheriges Leben vorüber sein würde, wenn der Tag X kam. Und bevor sie dem möglichen Tod entgegenmarschierten, wollten sie jeden Tag so leben, als wäre er ihr letzter.

Aber das konnte Olivia ihrer Großmutter nicht sagen.

»Ja, es gibt einige junge Männer, die … interessiert zu sein scheinen«, antwortete Olivia und gab dem Hausmädchen ein Zeichen, den Teller mit dem unangetasteten Essen abzuräumen. Das Mädchen tat ihr den Gefallen und reichte ihr dafür den ersehnten Kaffee.

»Darf ich fragen, wer?«

»Ach«, sagte Olivia lässig, »Angus MacGeorge, dem gehört halb Schottland, und es macht Spaß, mit ihm zusammen zu sein, und Richard Ingatestone, sein Vater ist ein hohes Tier bei der Marine, und …«

»Es wäre vielleicht nicht schlecht«, fiel Lady Vare ihr ins Wort, »wenn du einen dieser jungen Männer zum Tee hierher einladen würdest, Olivia, damit ich ihn kennenlernen kann.«

»Ich werde sie fragen, Großmutter, aber momentan ist so viel los, und alle sind Wochen im Voraus ausgebucht.« Sie hob die Einladung hoch. »Nächsten Monat findet in Wharton Park ein Ball für Penelope Crawford statt. Ich könnte dort übernachten.«

»Ich habe Bälle auf dem Land immer langweilig gefunden. Bist du sicher, dass der Aufwand sich lohnt, Olivia? Schließlich borgt Penelope Crawford sich für die Gelegenheit nur das Haus ihres Onkels. Ihre eigene Familie verfügt über kein nennenswertes Vermögen. Ihr Vater Charles ist im Großen Krieg in einem Schützengraben gefallen. Ich bezweifle, dass viele Leute die Veranstaltung besuchen werden.«

Olivia nippte an ihrem Kaffee. »Ich war kurz nach Weihnachten mit Mummy und Daddy in Wharton Park, Großmutter. Mir hat es dort gut gefallen. Darf ich also zusagen?«

»Wenn du dadurch keine wichtige Veranstaltung in der Stadt versäumst und mir die Gästeliste vorlegst, ja.« Lady Vare erhob sich vom Tisch, nahm ihren Gehstock und fragte: »Kommst du zum Lunch?«

»Nein, ich bin im Berkeley verabredet, und hinterher muss ich das Ballkleid abholen, das ich letzte Woche kaputt gemacht habe. Die Schneiderin hofft, dass es bis heute Nachmittag fertig wird. Ich würde es gern am Abend tragen.«

Olivias Großmutter nickte. »Dann also bis morgen früh«, sagte sie, als sie den Raum verließ. »Und bitte pünktlich.«

»Ja, Großmutter, natürlich«, rief Olivia ihr nach. Sie stützte erleichtert den schmerzenden Kopf in die Hände, um ihre Schläfen zu massieren.

Anfangs hatte Olivia es noch als Nachteil empfunden, ihre Mutter während der Saison nicht bei sich zu haben, doch nun entpuppte sich die Tatsache, dass ihre Großmutter zu alt und müde war, um sie zu begleiten, als wahrer Segen. Sie besaß vollkommene Freiheit, zu tun und zu lassen, was sie wollte, und mit einer Clique zu verkehren, mit der ihre Großmutter nicht einverstanden gewesen wäre. Olivia hatte den Spaß ihres Lebens.

Venetia hatte Olivia unter ihre Fittiche genommen und sie den interessanteren Teilnehmern der diesjährigen Saison vorgestellt. Obwohl als »frivol« verschrien, waren diese jungen Leute kultiviert, intelligent und politisch informiert. Die meisten absolvierten die Saison nur, weil sie mussten.

Statt sich beim Lunch oder spätabendlichen Supper über die Farbe ihrer Ballkleider für den folgenden Abend zu unterhalten, diskutierten die Mädchen, was sie später mit ihrem Leben anfangen wollten. In ihrer Zukunft spielten nicht notwendigerweise Ehe und Kinder eine Rolle, sondern ein Studium oder, falls der Krieg ausbräche, ihre Aufgabe darin.

Olivias Lieblingsort in London war Venetias Stadthaus am Chester Square. Dort wimmelte es immer von ungewöhnlichen Leuten aus der Künstlerwelt, zu der Venetias Eltern zählten.

Venetias Vater Ferdinand Burroughs war ein bekannter Avantgardemaler, in den Venetias Mutter Christina, eine »Lady« aus einer der vornehmsten Familien des Landes, sich verliebt und den sie geheiratet hatte. Christina Burroughs war so, wie Olivia sich ihre eigene Mutter gewünscht hätte. Sie hatte pechschwarze, bis zur Taille reichende Haare – die Olivias Ansicht nach mit ziemlicher Sicherheit gefärbt waren –, trug auffälliges Augen-Make-up und benutzte einen Jade-Zigarettenhalter.

Christinas Familie hatte sich geweigert, sich mit dem Ansinnen ihrer Tochter auseinanderzusetzen, einen mittellosen jungen Künstler heiraten zu wollen. Also war sie nach London gegangen, um mit Ferdinand zusammen sein zu können, wo sie jahrelang praktisch von der Hand in den Mund lebten, bis Ferdinands Werke sich endlich zu verkaufen begannen.

Das Stadthaus am Chester Square hatte Christina von einer Großtante geerbt, der einzigen Verwandten, die Mitleid mit ihr zu haben schien. Somit besaß das junge Paar immerhin ein Dach über dem Kopf.

Weil die beiden kein Geld für die Innenausstattung besaßen, moderten die Vorhänge vor sich hin, und die Möbel stammten aus billigen Läden. Da es auch keine Bediensteten gab, hätte das gesamte Haus einer gründlichen Reinigung, am besten mit jeder Menge Desinfektionsmittel, bedurft.

»Inzwischen ist Pup schrecklich reich. Seine Gemälde verkaufen sich für Hunderte von Pfund, und sie könnten sich alles leisten, was sie wollen«, erklärte Venetia Olivia. »Aber ihnen gefällt das Haus, wie es ist. Und mir auch.«

Venetia absolvierte die Saison der Familie ihrer Mutter zum Trotz, die bestürzt darüber war, dass die Tochter eines gewöhnlichen Malers bei Hof vorgestellt werden durfte.

»Weil ich nun mal präsentiert wurde, kann ich tun und lassen, was ich will, Darling«, hatte Venetias Mutter Christina eines Tages bei einem Martini in Gesellschaft der Mädchen gekichert, bevor diese zu einem Ball aufgebrochen waren. »Meine Schwester Letty ist entsetzt – natürlich erlebt ihre Tochter, die grässliche Deborah, diese Saison ebenfalls als Debütantin. Zu allem Unglück ist meine Tochter schön, während die ihre Pickel hat, zu dick und ausgesprochen dumm ist.«

Olivia hatte den Eindruck, dass Venetia eher die Mutterrolle für Christina spielte als umgekehrt. Vielleicht war Venetia ob ihrer exzentrischen Herkunft gezwungen gewesen, sich eine für ihr Alter ungewöhnliche Klugheit und einen Sinn fürs Praktische anzueignen. Jedenfalls vereinte sie in sich auf faszinierende Weise Künstlerseele und gesunden Menschenverstand, und Olivia bewunderte sie.

Venetia erwähnte ganz beiläufig die Namen von Berühmtheiten wie Virginia Woolf, die mit ihrer Geliebten Vita Sackville-West oft zum Tee vorbeigeschaut hatte, als Venetia ein Kind war. Der Glanz des Bloomsbury-Kreises und der Kontakt der Burroughs' zu ihm faszinierten Olivia. Obwohl die Gruppe sich inzwischen fast aufgelöst hatte, herrschte in dem Haushalt nach wie vor radikales Gedankengut vor, und Venetia war eine leidenschaftliche Verfechterin der Frauenrechte und des Kampfs um Gleichberechtigung. Sie wusste bereits, dass sie den Namen ihres Mannes bei einer eventuellen Heirat nicht annehmen würde.

Olivia hatte die Saison bislang nur Spaß mit gleichgesinnten Freunden und Nahrung für ihren wachen Geist gebracht, so dass sie nun, Ironie des Schicksals, fast ihr Ende fürchtete, denn dann würde sie Entscheidungen bezüglich ihrer Zukunft treffen müssen.

Die Rückkehr nach Surrey, wo sie darauf warten würde, dass ein passender Ehemann sie erwählte, war nur eine Option. An ihrem einundzwanzigsten Geburtstag käme sie in den Genuss eines eigenen kleinen Einkommens, doch die zweieinhalb Jahre bis dahin wäre sie noch von ihren Eltern abhängig.

Es sei denn, sie suchte sich Arbeit …

Olivia stand vom Esstisch auf und ging hinauf in ihre

Wohnung, um sich für das Mittagessen bei Venetia anzukleiden.

Venetias Vater Ferdinand Burroughs war tags zuvor aus Deutschland zurückgekehrt, wo er Skizzen vom Dritten Reich für eine Reihe von Gemälden angefertigt hatte. Olivia, die ihn nur aus Schilderungen seiner bewundernden Tochter kannte, freute sich schon darauf, den Mann selbst zu treffen und Berichte aus erster Hand über die Bedrohung durch die Nazis zu hören. Sie steckte ihren Hut fest, streifte ihre Handschuhe über, nahm ihre Tasche und machte sich auf den Weg zum Chester Square.

Wo Venetia sie mit blassem Gesicht und sorgenvoll gerunzelter Stirn begrüßte.

»Was ist los?«, erkundigte sich Olivia, als sie Venetia durch den Eingangsbereich in die Küche folgte, wo die Familie im Sommer Gäste empfing, weil man von dort aus einen guten Blick auf den hübschen ummauerten Garten hinter dem Haus hatte.

»Gin?«, fragte Venetia.

Olivia sah auf ihre Uhr; es war erst halb zwölf. Sie schüttelte den Kopf. »Nein danke, nicht nach gestern Abend.«

»Normalerweise würde ich um diese Zeit auch noch nichts trinken, aber Pup ist ziemlich aus der Fassung nach seinem Aufenthalt in Deutschland.« Venetia schenkte sich eine ordentliche Menge Gin ein und nahm einen großen Schluck. »Er sagt, all das Schreckliche, das in Deutschland passiert, wird in den hiesigen Zeitungen nicht richtig dargestellt. Es muss wirklich furchtbar sein! Pup hat mit eigenen Augen gesehen, wie eine Gruppe junger Nazis eine Synagoge in Brand gesteckt hat. Offenbar will Hitler die Juden auslöschen!«

»Das kann doch nicht sein.« Olivia legte die Arme um Venetia.

»Doch!«, schluchzte Venetia. »Mup ist gerade mit ihm oben und tröstet ihn. Er befand sich in großer Gefahr, ohne dass wir es wussten!«

»Gott sei Dank ist er sicher wieder daheim.«

»Ja, Gott sei Dank«, pflichtete Venetia ihr bei. »Was er gesehen hat … Er sagt, es war so brutal; das könnte er nie malen. Weißt du, dass es ungesetzlich ist, wenn Arier und Juden sexuell miteinander verkehren oder heiraten? Und dass in den vergangenen achtzehn Monaten unzählige Synagogen niedergebrannt wurden? Juden dürfen kein Radio besitzen und keine Schulen besuchen, in denen arische Kinder unterrichtet werden.«

Olivia lauschte schockiert. Erst nach einer Weile fragte sie: »Aber warum erfährt die Welt nichts davon?«

Venetia schüttelte den Kopf. »Ich weiß es nicht; Pup auch nicht. Er hat vor, seine einflussreichen Politikerfreunde zu informieren.«

15

Harry Crawford wachte mit einem Gefühl tiefer Dankbarkeit dafür auf, zu Hause zu sein. Anders als bei vielen seiner Offizierskollegen, die nicht wussten, wie ihr Schicksal sich in den folgenden Monaten gestalten würde, stand das seine fest. Er sollte die Ausbildung einer Gruppe örtlicher Rekruten für das 5th Royal Norfolk's übernehmen. Das bedeutete, dass er zumindest den Hochsommer in Wharton verbringen und in seinem eigenen Bett schlafen konnte.

Die Offizierskollegen hatten ihn wegen seines Glücks geneckt, denn einige von ihnen wurden an weit weniger angenehme Orte versetzt. Manch einer fragte sich, ob Harrys

Vater seine Verbindungen hatte spielen lassen, doch das bezweifelte Harry. Angesichts der Tatsache, dass die Deutschen jeden Moment in Osteuropa einmarschieren konnten, galten die Gedanken seines Vaters mit ziemlicher Sicherheit nicht dem körperlichen Wohl seines Sohnes.

Harry öffnete das Schiebefenster, lehnte sich hinaus, atmete den frischen, süßen Geruch des Jasmins ein, den seine Mutter in großen Beeten entlang der Terrasse gepflanzt hatte, und genoss diesen seltenen Moment der Ruhe. Obwohl es ihm lieber gewesen wäre, wenn der Ball für seine Cousine Penelope nicht ausgerechnet an seinem ersten Tag zu Hause stattgefunden hätte, weil er seine Pflicht tun und mit hässlichen jungen Frauen tanzen musste, war es schön zu sehen, dass das alte Haus zu neuem Leben erwachte. Außerdem wusste er, wie viel dieses Ereignis seiner Mutter bedeutete.

Unten herrschte rege Betriebsamkeit. Man hatte Hilfskräfte aus dem Dorf angeworben, die das eigene Personal bei den Vorbereitungen unterstützten. Möbel wurden durch die Eingangshalle geschoben und Stühle und Tische für die einhundertfünfzig Dinnergäste in den Ballsaal gebracht. Nach dem Essen sollten die Gäste in den Salon oder, falls es ein lauer Abend war, auf die Terrasse gescheucht werden, damit man die Tische und Stühle im Saal wieder entfernen und die Kapelle ihre Instrumente aufbauen konnte.

Harry bahnte sich einen Weg durch das Chaos zum Ballsaal, froh darüber, dass Gott die Gebete seiner Mutter zu erhören und das launische englische Wetter den ganzen Tag über gut zu bleiben schien. Jack und sein Sohn Bill betraten die Terrasse mit Schubkarren voll bunter Blumen.

»Braucht ihr Hilfe, Jungs?«, fragte Harry.

»Danke, Master Harry, wir schaffen's allein. Sie sind ja erst gestern heimgekommen, also lassen Sie's langsam angehen, Sir«, antwortete Jack und lüftete seine Mütze.

Ohne ihm Beachtung zu schenken, begann Harry, die Blumen auf die Terrasse zu stellen. »Du hast dich fürs 5th Norfolk's gemeldet, stimmt's, Bill?«, erkundigte er sich.

»Ja, Master Harry.«

»Dann werden wir uns wohl besser kennenlernen, denn ich soll eure Ausbildung leiten. Wir sehen uns am Montag in Dereham. Freut mich, dass mich dort ein bekanntes Gesicht erwartet. Du kannst mich den anderen vorstellen.«

Bill lächelte breit. »Und wir freuen uns, Sie als Ausbilder zu haben, Sir.«

Jack wendete den Schubkarren. »Bill, geh und sag Lady Crawford, dass die ersten Blumen da sind und ich die übrigen hole. Sie wird sicher herausfinden wollen, wo sie am besten zur Geltung kommen. Du weißt ja, wie eigen Lady Crawford bei ihren Blumen ist.« Jack zwinkerte Harry zu. »Danke für die Hilfe, Master Harry. Bis später dann.«

Olivia und Venetia waren morgens um zehn Uhr von London losgefahren. Venetia hatte sich mit der Versicherung, sie sei eine gute Fahrerin, den Ford ihrer Eltern ausgeliehen. Leider erwies sich diese als unrichtig. Olivia verbrachte fünf Stunden in Todesangst, wenn Venetia auf die Gegenfahrbahn geriet, wenn sie den Motor absterben ließ, den falschen Gang einlegte oder nur knapp einem Zusammenstoß entging.

Olivias Navigationsfähigkeiten waren kaum besser als Venetias Fahrkünste, weswegen sie mehrfach falsche Straßen wählten. Statt der Viereinhalb-Stunden-Fahrt, mit der sie gerechnet hatten, waren sie immer noch mindestens eine Stunde von Wharton Park entfernt und würden nicht mehr pünktlich zum Nachmittagstee dort eintreffen.

Wenigstens war die Landschaft im Lauf der Fahrt attraktiver geworden, und Olivia konnte ziemlich sicher sein, sich auf der richtigen Straße zu befinden.

»Ich befürchte, dass wir irgendwann einfach in die Nordsee plumpsen«, stellte Venetia fest. »Grässlich, wie lange diese Fahrt schon dauert; ich habe einen Bärenhunger. Pup sagt immer, er reagiere allergisch auf frische Luft. Ich glaube, er war, solange ich auf der Welt bin, nie auf dem Land. Könnte sein, dass ich in seine Fußstapfen trete.«

Olivia hob die Augenbrauen, erwiderte jedoch nichts. Wenn Venetia erst Wharton Park sähe, würde sie bestimmt feststellen, dass die Fahrt sich gelohnt hatte.

Eineinhalb Stunden später bogen sie in die lange Auffahrt des Anwesens ein. Die Sonne stand bereits tief am Himmel und tauchte den Park in sanftes Licht.

Venetia beklagte sich nach wie vor über ihren leeren Magen, ihren steifen Rücken und ihren vom vielen Gangwechseln schmerzenden Fuß. Olivia kurbelte das Fenster herunter und atmete die milde Abendluft ein.

»Da drüben«, verkündete sie, als Wharton Park in Sicht kam. »Ist es nicht wunderschön?«

Venetia, die keine Lust mehr auf Höflichkeiten hatte, fragte zurück: »Kennt man in dem alten Kasten überhaupt schon Glühbirnen?«

»Spotte nicht, Venetia. Natürlich! Außerdem ist heute der einundzwanzigste Juni, der längste Tag des Jahres. Wir werden also kaum Kunstlicht brauchen. Wenn du das Wochenende über schmollen willst: Tu dir keinen Zwang an«, fügte sie hinzu, als Venetia den Wagen vor dem Haus ruckelnd zum Stehen brachte. »Ich finde es himmlisch und habe vor, die Zeit hier zu genießen, auch wenn dir nicht danach ist.«

In dem Moment ging die Haustür auf, und ein junger Mann, an den sie sich vage erinnerte, kam ihnen entgegen.

»Hallo, Miss Drew-Norris«, begrüßte er sie, als sie aus dem Wagen stieg und ihr zerknittertes Kleid glattstrich. »Schön, Sie wieder in Wharton Park zu sehen.«

Olivia erkannte Bill, den Sohn des Gärtners, dem sie im Januar kurz im Gewächshaus begegnet war.

»Wie geht's den Blumen?«, erkundigte sie sich. »Meine Frangipani machen sich jedenfalls prächtig auf meinem Fensterbrett in London.«

»Gut, danke, Miss Drew-Norris.«

»Ich kann es kaum erwarten, die Gärten zu sehen«, erklärte Olivia. »Harry sagt, sie wären wunderschön im Hochsommer.«

»Stimmt. Sie sind genau zur richtigen Zeit hier; jetzt blüht alles ganz frisch. Mitte Juli sehen die Pflanzen schon wieder welk und trocken aus. Miss Drew-Norris, soll ich Ihnen das Gepäck ins Haus bringen? Wenn Sie mir den Schlüssel geben, könnte ich anschließend den Wagen für Sie abstellen.«

»Der Wagen gehört mir.« Venetia trat mit den Schlüsseln auf Bill zu und bedachte ihn mit einem verführerischen Lächeln. »Gehen Sie sorgsam damit um, ja?«

»Natürlich, Miss«, sagte Bill und öffnete den Kofferraum, um das Gepäck herauszuholen.

Als er sie die Stufen zum Haus hinauftrug, bemerkte Venetia: »Das nenne ich mal einen himmlischen Anblick. Wer ist das?«

»Bitte benimm dich«, warnte Olivia sie lächelnd. »Er ist der Sohn des Gärtners. Du hast zu viel Lady Chatterley gelesen. Komm jetzt. Ich bin am Verdursten und sehne mich nach einer Tasse Tee.«

Um sieben Uhr stand Adrienne auf der Terrasse, ein Glas Champagner in der Hand. Die Nacht war genau so, wie sie es sich gewünscht hatte. Nur an solchen Abenden konnte Wharton Park der Schönheit ihrer Heimat Provence das Wasser reichen. Die laue Dämmerung auf dem englischen Land, wenn Erde und Himmel miteinander zu verschmelzen schienen und der Geruch frisch gemähten Grases sich mit dem der Rosen verband, besaß durchaus ihren Reiz.

Im Haus war alles bereit. Der Ballsaal hinter Adrienne sah prächtig aus; die fünfzehn Tische waren mit gestärktem weißem Linnen, alten Kristallgläsern und, jeweils in der Mitte, Vasen, in denen frische Blumen aus dem Gewächshaus steckten, eingedeckt.

Adrienne liebte Momente, in denen alles bereit war, aber noch nichts begonnen hatte, und man voller Vorfreude hoffte, dass sich die Erwartungen erfüllen würden.

»Mutter, du siehst hinreißend aus«, bemerkte Harry, in seinem Smoking selbst ziemlich attraktiv.

»*Merci, mon chéri*. Ich genehmige mir gerade ein paar Augenblicke, um diesen wunderschönen Abend zu genießen.«

Harry zündete sich eine Zigarette an und ließ den Blick über die herrlichen Gärten schweifen. »Es ist so still … die Ruhe vor dem Sturm.«

Adrienne legte ihm sanft die Hand auf die Schulter. »Seit du hier bist, habe ich dich kaum zu Gesicht bekommen. Wie geht es dir, mein Lieber?«, erkundigte sie sich.

»Gut, danke, Mutter.«

»Bist du glücklich?«, fragte sie, obwohl sie die Antwort kannte.

»Ja … Ich akzeptiere, dass ich nur ein kleines Rädchen im großen Getriebe bin und nicht das Universum kontrolliere.« Er seufzte. »Man muss seine Pflicht tun.«

»Ach, Harry. Wenn die Welt nur anders wäre, aber dem ist leider nicht so. *Mon dieu!*« Adrienne schlug eine Hand vor den Mund. »Ich werde melancholisch, dabei sollte ich mich glücklich schätzen, dich hierzuhaben. Wir werden die gemeinsame Zeit genießen.«

»Keine Sorge!« Er schenkte ihr ein Lächeln.

»Dein Cousin Hugo kann heute Abend nicht kommen, weil er sich zur Ausbildung eines Bataillons in Wales aufhält. Also wirst du den ersten Tanz mit der armen Penelope absolvieren müssen, nicht dein Vater. Ich war vor ein paar Minuten bei ihr, um sie mir in ihrem Kleid anzusehen.« Adrienne zuckte anmutig mit den Achseln. »Obwohl es schwierig ist, ein Schweineohr in ein Seidentäschchen zu verwandeln, ist es uns – mir durch die Auswahl des Kleides und Elsie durch die Gestaltung ihrer Frisur – gelungen, sie vorzeigbar zu machen.«

»Dann hast du Wunder gewirkt, Mutter«, meinte Harry, der sich nur zu gut an seine unattraktive, pummelige Cousine erinnerte.

»Vielleicht entpuppt sie sich als Spätentwicklerin.« Adrienne ergriff Harrys Hand und drückte sie. »Ich muss los, *chéri*, nach deinem Vater suchen. Zuletzt habe ich ihn oben gesehen. Da war er gerade damit beschäftigt, sein Hemd auszuwählen. Er kann sein Glück kaum fassen, dass all die jungen Debütantinnen zu ihm ins Haus kommen, und fiebert dem Abend entgegen.« Adrienne hob eine Augenbraue. »Wir gönnen ihm das Vergnügen, *n'est-ce pas?*«

Harry blickte ihr nach, wie sie über die Terrasse ging. Sie wirkte strahlend in ihrem safrangelben Seidenkleid, das ihre zierliche Figur bestens zur Geltung brachte. Die dunklen Haare waren zurückgesteckt, und große Diamantohrringe betonten ihren Schwanenhals. Harry überlegte, ob eine so schöne Mutter möglicherweise ein Hindernis war, weil er sich schwer vorstellen konnte, dass irgendeine junge Frau es schaffte, es mit ihr aufzunehmen. Manchmal glaubte er fast, dass sein mangelndes Interesse am anderen Geschlecht daher rührte. Das magische Gefühl, das andere Männer als »Liebe« bezeichneten oder manche seiner Offizierskollegen auf einer niedereren, körperlicheren Ebene ansiedelten, kannte er nicht.

Olivia Drew-Norris, das Mädchen aus Indien, das er einige Monate zuvor kennengelernt hatte, entsprach seiner Vorstellung von einer attraktiven Frau noch am ehesten. Sie stand auf der Gästeliste, das wusste er, und vielleicht würde er mit ihr tanzen.

Da hörte er das Knirschen von Reifen auf dem Kies vor dem Haus, das das Eintreffen des ersten Gasts ankündigte. Die Zeit des ruhigen Überlegens war vorbei; Harry kehrte ins Haus zurück, um seine Pflicht zu tun.

16

»Menschenskind, Olivia! Siehst du aber heute hübsch aus!«, rief Venetia in Olivias Zimmer aus. »Du strahlst ja richtig! Ist das ein neues Kleid? Das Rosa passt genau zu deinem Teint. Und die Rosenblüten in deinem Haar sind umwerfend. Wer hat dir die Frisur gemacht?«

»Elsie, meine Zofe. Sie ist ein Schatz. Soll sie dich auch frisieren?«

Venetia warf die dichten schwarzen Haare in den Nacken und schüttelte den Kopf. »Nein, ich fürchte, Darling, der ›Hübsche-Prinzessin-Look‹ steht mir nicht. Wie gefällt dir *mein* Kleid?«

Venetia trug ein eng anliegendes goldfarbenes Etuikleid

mit tiefem Dekolleté. Sie sah atemberaubend, wenn auch in einem englischen Landhaus ziemlich fehl am Platz aus.

»Unglaublich«, antwortete Olivia. »Das bist ganz ... du.«

»Ich hab das Kleid in Mups Schrank gefunden und werde es den Rest der Saison tragen.« Venetia kicherte. »Du kennst mich ja, Darling. In langen Tüllkleidern stolpere ich beim Tanzen permanent über den Stoff oder trete meinen armen Partnern auf die Zehen.« Sie nickte in Richtung Tür. »Wollen wir?«

»Ja, gern.«

Die beiden jungen Frauen gingen Arm in Arm die breite Treppe zur Eingangshalle hinunter, aus der Stimmengemurmel nach oben drang.

Venetia ließ den Blick über die Gäste am Fuß der Treppe schweifen. »Sieh mal einer an! Gestern Abend scheint's langweilig gewesen zu sein in London. Es sind tatsächlich alle gekommen.«

Da gesellte sich Adrienne zu ihnen. »Olivia, *ma chérie*, Sie sind wunderschön!«

»Danke, Adrienne.« Errötend stellte Olivia ihr Venetia vor. »Das ist meine Freundin Venetia Burroughs.«

Als Adrienne Venetias goldfarbenes Etuikleid und ihre Haare sah, lächelte sie breit. »Und Sie sind auch eine richtige Schönheit. Ich bewundere Menschen, die gern provozieren, und das wollen Sie doch, *n'est-ce pas*?« Sie küsste Venetia auf beide Wangen. »*Bienvenue, chérie*, viel Spaß heute Abend.«

»Nicht schlecht!«, murmelte Venetia auf dem Weg zur Terrasse, wo sich die Gäste in der lauen Abendluft versammelten. »Sie hat mich sofort durchschaut. Wie sie es ausdrücken würde: *Elle est étonnante!*«

»Sie weiß immer sofort, was Sache ist«, bestätigte Olivia und nahm zwei Gläser Champagner von einem Tablett. »Ich mag sie sehr und finde sie ausgesprochen attraktiv.«

»Ja«, pflichtete Venetia ihr bei. Da legte ein junger Mann in roter Weste die Arme um sie. »Teddy, hast du dich tatsächlich aus dem Ritz rausgewagt, um hierherzukommen? Ich bin überwältigt!«

»Venetia, meine Liebe«, sagte der junge Mann und ließ die Finger ganz ungeniert über ihren Körper wandern, »du siehst umwerfend aus. Hallo, Olivia«, fügte er hinzu. »Und du auch.«

»Danke.« Olivia nickte Teddy zu, der sich weiter mit Venetia unterhielt und verstohlene Blicke in ihren Ausschnitt warf.

Olivia ging ans andere Ende der Terrasse, von wo aus sie einen guten Blick auf den Garten hatte, der, wie Harry einst geschwärmt hatte, im Sommer einfach prächtig war.

»Miss Drew-Norris! Olivia. Das sind Sie doch, oder?«, hörte sie eine ihr bekannte Stimme fragen. »Darf ich Ihnen sagen, dass Sie traumhaft schön sind?«

»Hallo, Harry«, begrüßte Olivia ihn errötend. Wenn sie selbst sich zu einer Frau entwickelt hatte, war Harry jetzt ein Mann. Sie stellte fest, dass das Bild, das sie von ihm im Kopf hatte, nicht an die Realität herankam.

»Na, wie war die Saison bis jetzt?«

»Sehr viel kurzweiliger als erwartet. Und ich habe mich mit einigen sehr interessanten Leuten angefreundet.«

»Wie schön. Haben Sie sich inzwischen in England eingelebt?«, erkundigte er sich. »Sie wirken deutlich glücklicher als bei unserer letzten Begegnung.«

»Ja, ich glaube schon. An Abenden wie diesem« – sie deutete auf den Park – »würde es jedem schwerfallen, den Reizen des Landes nicht zu erliegen.«

»Stimmt. Wissen Sie schon, was Sie tun werden, wenn die Saison vorbei ist?«

»Nein, noch nicht. Darüber will ich mir heute nicht den

Kopf zerbrechen. Ich freue mich so darüber, in Wharton Park zu sein, und möchte einfach nur diesen wunderbaren Abend genießen. Wie geht es Ihnen, Harry?«

»Ich kann den ganzen Sommer hierbleiben und habe vor, dieses Geschenk zu nutzen. Wie schön, Sie wiederzusehen, Olivia.«

»Olivia, Darling, wie geht's dir?« Ein Mann, den Harry nicht kannte, gesellte sich zu ihnen.

»Wenn Sie mich entschuldigen würden, Olivia«, sagte Harry. »Die Pflicht ruft. Ich muss mich unter die Gäste mischen, denn es scheint einige junge Damen, darunter meine Cousine, zu geben, die Gefahr laufen, als Mauerblümchen zu verkümmern.« Harry nickte in Richtung einer molligen jungen Frau, die am anderen Ende der Terrasse allein dastand. »Wir sehen uns bestimmt später wieder.«

Harry schlenderte davon, um Penelope zu retten, doch bevor er sie erreichte, klopfte ihm jemand auf die Schulter.

»Harry! Alter Junge! Wie geht's, wie steht's?«

»Sebastian!« Harry schüttelte seinem alten Freund die Hand. »Lange nicht gesehen. Am vierten Juni in Eton vor ein paar Jahren, stimmt's?«

»Ja, könnte sein.« Sebastian nahm die dicke, runde Brille ab, um sie zu putzen. »Hab mir schon gedacht, dass du heute Abend hier sein würdest. Wie läuft's? War's in Sandhurst so schlimm, wie du dachtest?«

»Noch schlimmer!«, scherzte Harry, denn Sebastian war einer der wenigen jungen Männer, denen gegenüber er sich eine solche Bemerkung erlauben konnte. Sie kannten einander aus Eton, wo der asthmatische, kurzsichtige Bücherwurm Sebastian sich mit dem musikalischen, schüchternen Harry zusammengetan hatte. Sie waren beide von den anderen tyrannisiert worden und hatten ihnen, obwohl sie nicht viele Gemeinsamkeiten besaßen, zusammen als Außenseiter die Stirn geboten. »Zum Glück ist die Zeit vorbei. Jetzt steht der Krieg bevor, und ich freue mich schon darauf, mir das Bein abschießen zu lassen«, sagte Harry mit düsterer Miene.

»Vor diesem Schicksal werde ich wenigstens bewahrt«, stellte Sebastian fest und setzte die Brille wieder auf. »Niemand mit einem Funken Verstand würde mir ein Gewehr in die Hand drücken. Ich sehe ja nicht mal, worauf ich ziele.«

»Dich würde ich nicht in meinem Bataillon wollen, mein Lieber, aber mich wahrscheinlich auch nicht«, stellte Harry schmunzelnd fest, während er zwei Gläser Champagner von einem Tablett nahm und eines davon Sebastian reichte. »Und, was treibst du so?«

»Ich arbeite im Handelsunternehmen meines Vaters. Man hat mir im Londoner Büro eine Ausbildung angedeihen lassen, und bald werde ich nach Bangkok fahren, um dort die Zentrale zu leiten. Papa möchte nach zwanzig Jahren im Ausland endlich zurück nach Hause, auch wenn er nicht weiß, was ihm hier blüht.«

»So, so.«

»Das Einzige, was ich wahrscheinlich mit dem Krieg zu tun haben werde, falls er tatsächlich ausbricht, ist die Organisation unserer Schiffe, die Truppen und Versorgungsgüter nach Asien bringen. Eigentlich freue ich mich sogar darauf, denn angeblich sind die siamesischen Mädchen eine Wucht!«

»Klingt fast so, als würdest du genau zum richtigen Zeitpunkt das Land und das Chaos in Europa verlassen«, bemerkte Harry nicht ohne Neid. »Ich kann mir nicht vorstellen, dass es sich bis in den Fernen Osten ausbreiten wird.«

»Ich auch nicht, aber sicher weiß das niemand, oder?«, sagte Sebastian. »Ich habe ein schlechtes Gewissen, dass ich nichts für unser Land tun kann, aber vielleicht ist das der gerechte

Ausgleich für meine schlechten Augen und mein schwaches Herz«, meinte er mit einem Grinsen.

Harry berührte kurz seine Schulter zum Abschied, weil er sah, dass Penelope immer noch allein herumstand. »Ich muss los, alter Junge. Schick mir doch eine Karte, sobald du deine Adresse in Bangkok weißt.«

»Mach ich. Hat mich wirklich gefreut, dich wiederzusehen, Harry. Bemüh dich, am Leben zu bleiben, wenn der schlimmste Fall eintreten sollte, ja? Ich reservier dir ein paar hübsche kleine Siamesinnen.«

Beim Essen genoss Olivia das Gespräch mit ihren Tischnachbarn, hauptsächlich Leute, die sie aus London kannte. Links von ihr saß Angus, der schottische Laird, der ihr schöne Augen zu machen schien, und zu ihrer Rechten Archie, Viscount Manners. In London munkelte man, Archie sei »vom anderen Ufer«. Olivia mangelte es an Erfahrung, das zu beurteilen.

Nach dem Essen wurden sie aus dem Raum geleitet, damit man die Tische entfernen konnte. Olivia ging mit Archie auf die Terrasse, um ausnahmsweise eine Abdullah-Zigarette mit ihm zu rauchen.

Archie blickte seufzend auf den Park, der im Dämmerlicht lag. »Kaum auszuhalten, so schön ist es hier. Wie Blake so richtig schreibt: Man weiß schon im Entstehen um die Vergänglichkeit.«

Da begann die Kapelle zu spielen, und die Gäste schlenderten in den Ballsaal.

»Ich hoffe, es macht dir nichts aus, wenn ich dich nicht zum Tanzen auffordere, denn ich habe zwei linke Füße und möchte dich nicht verletzen, Olivia«, gestand Archie. »Es steht dir frei, dir einen anderen Partner zu suchen.«

»Mir gefällt es hier sehr gut.«

»Das wird sich gleich ändern. Ich sehe schon einen Verehrer nahen.«

Und tatsächlich: Harry kam über die Terrasse auf sie zu. »Ich störe doch nicht, oder?«, fragte er unsicher, als er zu ihr trat.

»Aber nein«, antwortete Olivia sofort. »Darf ich Ihnen Archie vorstellen? Archie, das ist Harry Crawford, der Sohn des Hauses.«

Die beiden Männer musterten einander kurz, bevor Harry Archie die Hand reichte. »Erfreut, Sie kennenzulernen.«

»Ganz meinerseits«, sagte Archie und lächelte.

Olivia brach das Schweigen, das sich nun herabsenkte. »Archie und ich haben uns glänzend unterhalten beim Essen, über die Dichter der Romantik. Archie schreibt selbst.«

»Gedichte?«, fragte Harry.

»Ja. Nur für mich selbst. Einem anderen möchte ich sie nicht zumuten. Ich fürchte, meine Werke sind ziemlich melancholisch.«

»Klingt, als könnten sie mir gefallen«, meinte Harry schmunzelnd. »Ich liebe die Gedichte von Rupert Brooke.«

Archie strahlte. »Was für ein Zufall! Ich auch. Ich habe die arme Olivia beim Dinner halb zu Tode gelangweilt mit ihm.« Archie schloss die Augen und begann zu zitieren:

»›Sanft, Tag, den ich liebe, schließ ich deine Lider,
Glätt deine stille Stirn und falte deine schmale tote Hand.
Graue Dämmerschleier werden dichter; Farbe stirbt.
Ich trag dich, leichte Last, hin zum umwölkten Strand …‹«

Harry fuhr fort:

»›… Wo dein Boot wartet, von Meeresnebeln
Bekränzt und grauem Wassertang gekrönt.‹«

»Eines Tages möchte ich nach Skyros fahren, um sein Grab mit eigenen Augen zu sehen«, sagte Archie.

»Ich hatte das Glück, die Old Vicarage in Grantchester besichtigen zu können, wo Brooke seine Kindheit verbrachte«, erklärte Harry.

Olivia, die ihrem angeregten Gespräch lauschte, fühlte sich wie das fünfte Rad am Wagen. Zum Glück tauchte da Venetia auf. Olivia fiel gleich auf, dass sie beschwipst war.

»Hallo, Darling«, begrüßte Venetia sie und musterte Harry, der weiterhin in die Unterhaltung mit Archie vertieft war, mit interessiertem Blick. »Wer ist das?«

»Harry, von dem ich dir erzählt habe«, flüsterte Olivia.

Venetia nickte anerkennend. »Ein Träumer. Wenn du ihn nicht willst«, meinte sie kichernd, »nehme ich ihn. Harry«, fiel sie ihm ins Wort, »ich bin Venetia Burroughs, Olivias beste Freundin. Ich habe schon viel von Ihnen gehört.« Sie küsste ihn auf beide Wangen.

Olivia wäre am liebsten im Erdboden versunken.

Harry wirkte ziemlich erstaunt über diese überschwängliche Begrüßung. »Venetia, freut mich, Sie kennenzulernen.«

»Das Vergnügen ist ganz meinerseits, Harry. Ich erwarte mir später einen Tanz mit Ihnen. Apropos Tanzen: Ich würde vorschlagen, dass wir alle reingehen; hier draußen wird's allmählich kühl.«

»Gute Idee.« Harry schenkte Olivia ein Lächeln. »Ich wollte Sie um einen Tanz bitten. Machen Sie mir die Freude?« Er streckte Olivia den Arm hin, die sich errötend bei ihm unterhakte.

»Wir müssen uns ein andermal weiterunterhalten«, verabschiedete Harry sich von Archie.

»Gern.«

Dann betrat er mit Olivia den Ballsaal.

Beim Tanzen mit Harry musste Olivia an London denken und daran, wie oft sie sich gewünscht hatte, von ihm in den Armen gehalten zu werden. Und nun war sie an einem wunderschönen Sommerabend mit ihm in Wharton Park, ihrem Lieblingsort in England.

Später ging Harry mit ihr zum Luftschnappen nach draußen.

»Nun«, sagte er und zündete sich eine Zigarette an, »ich würde behaupten, dass der Abend bis jetzt ein uneingeschränkter Erfolg ist, nicht wahr?«

Olivia hob den Blick zum klaren Nachthimmel. »Ja, perfekt«, murmelte sie zufrieden.

»Mutter sieht glücklicher aus als seit Langem. Die Kapelle spielt gerade mein Lieblingsstück von Cole Porter – ›Begin the Beguine‹.« Harry begann leise vor sich hin zu summen. »Ein letzter Tanz, Miss Drew-Norris?«, fragte er und umfasste ihre Taille.

»Wenn Sie darauf bestehen, Hauptmann Crawford.«

Olivia legte den Kopf an Harrys Brust und gab sich ganz dem Augenblick hin.

»Olivia, es war wunderschön, heute Abend mit Ihnen zu tanzen. Danke«, sagte Harry und küsste sie auf die Lippen.

Als Adrienne, die auf die Terrasse getreten war, um den Nachthimmel zu betrachten, die beiden sah, lächelte sie vor Freude.

17

Während der Rückfahrt nach London am folgenden Tag gestand Olivia Venetia überglücklich, nun begreife sie, was es mit dieser sogenannten »Magie« der Liebe auf sich habe. Venetia schnaubte nur verächtlich, als Olivia andeutete, Harry sei »der Richtige«.

»Darling, also wirklich! Woher willst du das wissen? Es war dein erster Kuss. Du bist vollkommen verrückt!«

Olivia schüttelte den Kopf. »Nein, bin ich nicht. Ich kenne meine Gefühle, und manchmal passiert es einfach so. Schau dir deine Eltern an, die waren achtzehn und neunzehn, als sie sich ineinander verliebt haben.«

»*Touché*. Aber das war damals, und wir leben heute. Außerdem sagst du doch immer, dass du dir mit dem Heiraten Zeit lassen willst. Du hast ja noch nicht mal den letzten Schritt gewagt«, fügte Venetia hinzu. »Wie kannst du dir ohne das so sicher sein?«

Olivia wusste sehr wohl, dass Venetia »den letzten Schritt« bereits getan hatte. Nicht nur einmal und anscheinend, ohne sich allzu viele Gedanken zu machen. In dieser Hinsicht unterschieden sich ihre Ansichten deutlich. Venetias Einstellung, ihr Körper gehöre ihr und sie könne damit ohne schlechtes Gewissen machen, was sie wolle, teilte Olivia nicht. Sie wollte Jungfrau bleiben, bis sie den Mann heiratete, den sie liebte.

»Mir ist das nicht wichtig«, erwiderte Olivia mit leiser Stimme. »Ich finde es zweitrangig.«

»Mein Gott, Olivia! Ich dachte, mir wäre es in den vergangenen Monaten gelungen, dir die Grundlagen des Feminismus nahezubringen. Und nun träumst du schon von der Hochzeit. Versuch mir nicht weiszumachen …«, der Wagen näherte sich gefährlich der Straßenmitte, als Venetia ihr spielerisch mit dem Finger drohte, »… dass du das nicht tust, denn ich sehe es dir an der Nasenspitze an.«

Nach zwei Wochen auf Wolke sieben, in denen die Saison sich ihrem Ende zuneigte und alle von London in das wärmere Klima der Riviera flohen, hatte Olivia noch immer nichts von Harry gehört.

Auf die Euphorie folgten Unsicherheit und Schmerz. Olivia versank in Schwermut und begann zu glauben, dass Venetias Einschätzung der Lage möglicherweise doch richtig gewesen war: Vermutlich hatte Harry dieser Kuss nichts weiter bedeutet als den netten Abschluss eines Abends.

Olivia war mit Venetia eingeladen, einen Monat in einer Villa in St. Raphael zu verbringen, die den Eltern von Angus, dem schottischen Laird, gehörte. Angus mochte Olivia sehr und hatte seine Absichten klargemacht. Ein Besuch bei seiner Familie kam also einer Erwiderung seiner Gefühle gleich.

»Ich fahre auf jeden Fall hin, egal ob du mitkommst oder nicht«, verkündete Venetia. »Die Atmosphäre hier ist deprimierend. Pup arbeitet immerzu im Atelier, und Mup schmollt, weil Pup sich weigert, Besucher zu empfangen. Ganz zu schweigen davon, dass ich, wenn ich das Haus durch die Hintertür verlasse, über einen hässlichen Luftschutzbunker stolpere, der unseren schönen Garten verunziert.«

Venetia und Olivia waren gerade vom Dudley House in der Park Lane, wo sie den Ball von Kick Kennedy besucht hatten, zum Ritz unterwegs.

»Es ist einfach nicht fair, Venetia«, widersprach Olivia. »Angus ist wirklich ein netter Kerl, aber ich möchte nicht, dass er meint, ich erwidere seine Gefühle.«

»Darling, im Krieg und in der Liebe ist alles erlaubt. Außerdem liegt es in der Natur der Sache, dass hübsche Mädchen ein paar Jungs das Herz brechen. Die Villa von Angus soll phantastisch sein. Was willst du sonst machen, wenn du nicht mitfährst? Den ganzen Sommer über deinem Angebeteten nachtrauern und darauf warten, dass die Deutschen ihre Bomben abwerfen?« Sie bogen von der Hauptstraße ab, um das Ritz durch einen Seiteneingang zu betreten. »Reiß dich zusammen und gönn dir ein bisschen Spaß, solange du kannst.«

Als Venetia die Stufen zum Ritz betrat, sah Olivia eine vertraute Gestalt aus einer Tür kommen, hastig die Straße hinunter- und von ihr weggehen. Sie packte Venetia an der Schulter.

»Ich glaube, das war er.«

»Wer?«

»Harry natürlich.«

Venetia blieb seufzend am oberen Ende der Treppe stehen. »Olivia, meine Liebe, jetzt scheinst du wirklich komplett den Verstand zu verlieren. Was sollte Harry nach London verschlagen?«

»Ich bin sicher, dass er es war«, beharrte Olivia.

Venetia ergriff ihren Arm. »Offenbar hast du bei Kicks Ball zu viele Martinis getrunken. Hör auf mit deiner Tagträumerei. Das wird allmählich langweilig.«

Als Olivia nach drei weiteren Tagen der Qual aus unruhigem Schlaf erwachte, wurde ihr klar, dass Venetia mit ziemlicher Sicherheit recht hatte. Sie würde Angus' Einladung nach Frankreich annehmen und ihre Wunden lecken. Dort wäre es wenigstens warm, anders als in Surrey, die einzige Alternative, die sich ihr sonst bot.

Gerade als sie sich auf den Weg zu Venetia machen und Vorbereitungen für ihre Reise nach Frankreich treffen wollte, klingelte das Telefon.

»Vermittlung. Sie haben einen Anruf von Cromer 6521. Darf ich durchstellen?«

»Ja, danke. Hallo, Olivia Drew-Norris am Apparat?«

»Olivia, Adrienne Crawford hier, von Wharton Park.«

»Adrienne, wie schön, von Ihnen zu hören. Ist alles in Ordnung?«

»Alles bestens. Abgesehen davon, dass ich mich ein wenig einsam fühle und fragen wollte, ob Sie im August schon etwas vorhaben. Wenn nicht, könnten Sie herkommen und den Monat bei mir verbringen, mit mir im Garten spazieren gehen und das wunderbare Sommerwetter genießen. Ich weiß, dass Harry Sie gerne wiedersehen würde. Er hat so viel zu tun mit der Ausbildung seines Bataillons, der arme Junge.«

Olivia sank auf den Stuhl neben dem Telefon.

»Ich …« Sie wusste, dass sie sich schnell entscheiden musste. »Ich leiste Ihnen gern Gesellschaft, Adrienne. Wirklich sehr freundlich von Ihnen, mich zu fragen.«

»*C'est parfait!* Dann ist es also abgemacht. Wann können Sie kommen?«

»Ich habe meinen Eltern versprochen, sie in Surrey zu besuchen, könnte aber Anfang nächster Woche bei Ihnen sein. Würde Ihnen das passen?«

»Ja, wunderbar«, antwortete Adrienne. »Wenn Ihnen das hilft, schicke ich Ihnen gern unseren Chauffeur nach Surrey. Die Zugreise wäre ziemlich beschwerlich.«

»Danke.«

»Ich freue mich schon darauf, Sie nächste Woche zu sehen, Olivia. Es ist sehr nett von Ihnen, dass Sie mir Gesellschaft leisten wollen.«

»Keine Ursache. Wharton Park ist mein absoluter Lieblingsort«, erklärte Olivia durchaus aufrichtig. »Auf Wiedersehen.«

»*A bientôt, chérie.*«

Nachdem Olivia aufgelegt hatte, hielt sie die Hände an die Wangen, um sie zu kühlen.

Ein ganzer Monat in Wharton Park … bei Harry.

Sie schloss die Haustür hinter sich und hüpfte vor Freude fast den ganzen Weg zu Venetias Haus.

Venetia wirkte über die Nachricht nicht so begeistert, wie Olivia gehofft hatte. Olivia schrieb Venetias Reaktion ihrem Egoismus zu, denn jetzt würde sie allein nach Frankreich fahren müssen.

»Du sagst, seine Mutter hat dich angerufen?«, erkundigte sich Venetia. »Glaubst du, er ist ein Muttersöhnchen? Ich finde es jedenfalls ziemlich seltsam.«

Olivia ließ sich die Freude nicht verderben. »Natürlich muss mich die Hausherrin einladen, oder? Alles andere wäre unschicklich. Außerdem mag ich Adrienne und Wharton Park«, fügte sie hinzu.

»Du bist verrückt, wenn du eine Reise an die Riviera für einen Aufenthalt in einem zugigen Mausoleum in der Pampa aufgibst«, seufzte Venetia. »Aber ich denke gern an dich, wenn ich im Mittelmeer bade und in der Sonne Cocktails schlürfe.«

Und ich werde überhaupt nicht neidisch sein, dachte Olivia glücklich.

Am folgenden Tag packte Olivia ihre Siebensachen, bedankte sich bei ihrer Großmutter und machte sich auf den Weg zu ihren Eltern in Surrey.

Die beiden Tage, die sie dort verbrachte, gestalteten sich schwierig. Das lag nicht an ihren Eltern; Olivia hatte sich verändert. Es war fast, als wäre sie ihnen in den vergangenen Monaten entwachsen. Beim Abendessen mühte Olivia sich ab, Gesprächsthemen zu finden, die alle interessierten. Doch selbst wenn es ihr gelang, schienen sie grundsätzlich anderer Meinung zu sein als sie.

Am Abend vor ihrer Abreise nach Wharton Park trank sie nach dem Essen mit ihrer Mutter Kaffee im Salon.

»Nun«, fragte ihre Mutter, ohne den Blick von ihrem Strickzeug zu heben, »darf ich davon ausgehen, dass zwischen dir und Harry Crawford ein Einverständnis besteht?«

»Er ist sehr, sehr nett, aber damit beschäftigt, sein Bataillon auszubilden. Deswegen werde ich ihn während meines Aufenthalts dort vermutlich nicht allzu oft zu Gesicht bekommen.«

»Du hast meine Frage nicht beantwortet, Olivia.« Ihre Mutter hob den Blick.

Olivia hielt sich bedeckt. »Wir mögen uns.«

Ihre Mutter lächelte. »Ich empfinde ihn als sehr angenehm und möchte dir sagen, dass dein Vater und ich nichts gegen eine Verbindung einzuwenden hätten.«

»Mutter!« Olivia errötete. »So weit sind wir noch lange nicht.«

»Ich sehe, dass du ihn mehr als nur gut leiden kannst. Jedes Mal, wenn du seinen Namen aussprichst, fängst du zu strahlen an.«

»Ja, wahrscheinlich hast du recht«, gab Olivia zu.

»Mein Gott, wie viel Geld wir uns für die Saison hätten sparen können, wenn uns klar gewesen wäre, dass wir schon im Januar den Richtigen gefunden hatten. Lady Crawford hat mich und deinen Vater freundlicherweise zu einem Wochenende nach Wharton Park eingeladen. Ich habe Ende August vorgeschlagen. Bis dahin gibt es vielleicht gute Nachrichten. Im Moment ist die Welt so unsicher, Olivia«, seufzte ihre Mutter. »Genieße das Leben, solange es geht.«

Als Olivia sich später schlafen legte, war sie bestürzt über die Direktheit ihrer Mutter. Vielleicht brachte der bevorstehende Krieg die Menschen dazu, offen über ihre Gefühle zu sprechen.

Am folgenden Morgen wachte Olivia um sechs Uhr auf; sie zog sich an, packte und war um acht fertig. Fredericks, der Chauffeur der Crawfords, traf um Punkt neun ein.

Olivias Mutter verabschiedete sich an der Tür von ihr. »Schreib und halt mich auf dem Laufenden.« Sie küsste ihre Tochter auf beide Wangen. »Und viel Vergnügen.«

»Ja, Mutter.« Olivia umarmte sie. »Dir und Daddy auch eine gute Zeit.«

Adrienne begrüßte Olivia auf der Schwelle zu Wharton Park. »*Ma chérie*, Sie sind sicher müde! Kommen Sie herein. Sable kümmert sich ums Gepäck und zeigt Ihnen Ihr Zimmer. Es ist das gleiche wie beim letzten Mal. Ruhen Sie sich vor dem Essen ein wenig aus. Wir haben keine Eile. Christopher hält sich in London auf, und Harry wird erst um zehn kommen, vielleicht auch später.«

Als Sable sie in ihr Zimmer führte, wunderte sich Olivia, dass sie es einmal kalt und hässlich gefunden hatte, denn jetzt fielen die Strahlen der spätnachmittäglichen Sonne einladend auf die hübsche Blümchentapete. Olivia legte sich mit dem Gefühl ins Bett, den Raum zu mögen, und schlief nach der anstrengenden Reise sofort ein.

Ein Klopfen an der Tür weckte sie. Elsie, die Zofe, streckte den Kopf herein.

»Hallo, Miss Olivia. Wie schön, dass Sie wieder da sind! Ich werde mich während Ihres Aufenthalts hier um Sie kümmern. Lady Crawford hat mich gebeten, Sie zu wecken, weil es nach sieben ist. Wenn Sie jetzt nicht aufstehen, tun Sie heute Nacht kein Auge zu. Darf ich reinkommen?«

»Natürlich.« Olivia lächelte, glücklich darüber, Elsies vertrautes fröhliches Gesicht zu sehen. »Ich habe gar nicht gemerkt, wie spät es ist.«

»Das Bad ist schon eingelassen, Miss Olivia. Während Sie in der Wanne liegen, packe ich Ihre Sachen für Sie aus. Wir essen um acht zu Abend. Lady Crawford lässt ausrichten, es ist leger. Darf ich Ihnen etwas Hübsches zum Anziehen aussuchen?«

»Ja, gern. Danke, Elsie.« Olivia schlug das Oberbett zurück und schwang die Beine über die Bettkante. »Sag, hast du mit Bill den Hochzeitstag schon festgelegt?«

»Ja. In etwas mehr als vier Wochen werde ich Mrs. William Stafford«, antwortete Elsie stolz. »Vielleicht sind Sie dann noch da, Miss Olivia. Wenn ja, würde ich mich freuen, Sie bei der Zeremonie in der Kirche begrüßen zu dürfen. Lady Crawford hat mir freundlicherweise einen Ballen Spitze geschenkt, und daraus näht meine Tante mir ein Kleid. Ach, Miss, ich bin ja so aufgeregt!«

Elsies Freude war so ansteckend, dass Olivia fast ein wenig neidisch wurde.

Um fünf vor acht ging Olivia nach unten, wo Sable sie im Eingangsbereich erwartete.

»Lady Crawford ist draußen auf der Terrasse, Miss Drew-Norris. Darf ich vorangehen?«

Draußen sah Olivia, dass ein kleiner Tisch für zwei Personen gedeckt war. Große Kerzen, in Glasbehältern vor dem Wind geschützt, erhellten die Dämmerung.

»Olivia, nehmen Sie Platz.« Adrienne deutete auf den anderen Stuhl. »Ich hoffe, es ist Ihnen warm genug hier. Es liegt eine Decke für Sie bereit, falls Ihnen kalt wird. Ich esse draußen, wann immer es geht. In Frankreich waren wir zwischen Mai und September kaum jemals drinnen. Es gibt einen Rosé aus den Weinbergen unseres Château in der Provence. Davon lasse ich jedes Jahr zwölf Kisten schicken. Möchten Sie ein Glas kosten?«

Olivia setzte sich. »Gern. Danke.«

Adrienne gab Sable ein Zeichen, den Wein einzuschenken. »Wir essen in fünfzehn Minuten, Sable. *Merci.*«

»Sehr wohl, Lady Crawford.« Der Butler nickte und verschwand im Haus.

»*Santé.*« Adrienne hob das Glas, und sie nahmen beide einen Schluck.

Olivia genoss Wein und Essen. Weißwein war ihr für gewöhnlich zu säurehaltig und Rotwein zu schwer; der Rosé erschien ihr ideal.

»Gut, *n'est-ce pas*?«, fragte Adrienne.

»Ja, sehr gut.«

»Meine Familie hat den Wein früher aus großen Krügen getrunken, frisch aus unserem Keller.« Adrienne seufzte. »*Eh bien!* Wieder etwas, das mir fehlt.«

»Aber Sie sind doch glücklich in England, oder?«, erkundigte sich Olivia.

»Ja, nur dieses Jahr stimmt mich ein wenig traurig. Den August verbringen wir normalerweise in unserem Familien-Château. Weil Christopher so viel in Whitehall zu tun hat und Harry die Rekruten ausbilden muss, hatte ich das Gefühl, ich könnte nicht ohne sie fahren. Christopher glaubt, dass der Krieg unmittelbar bevorsteht.«

»In London kann man die Vorbereitungen praktisch nicht mehr ignorieren. Am Tag meiner Abreise habe ich beobachtet, wie Luftschutzsirenen entlang des Embankment installiert wurden.«

»Tja.« Adrienne lenkte das Gespräch geschickt auf angenehmere Themen. »Erzählen Sie mir doch etwas über die Saison. War sie so, wie Sie sie sich erhofft haben?«

»Sogar besser. Ich habe sehr interessante Menschen kennengelernt.«

»Wie zum Beispiel Ihre Freundin Venetia Burroughs? Sie ist ungewöhnlich, wie Sie.« Da schob Sable ein Wägelchen mit Silbertabletts auf die Terrasse. »Und wie waren die Bälle? So schön, wie ich sie in Erinnerung habe?«

Olivia unterhielt Adrienne bei einem Abendessen aus Wasserkressesuppe und einem Salat mit frischen Zutaten aus dem Küchengarten mit zahlreichen Anekdoten.

»*Voilà!*« Adrienne klatschte vor Begeisterung in die Hände. »Das klingt alles ganz ähnlich wie damals in meiner eigenen Debütantinnenzeit. Bestimmt haben Sie vielen jungen Männern den Kopf verdreht. Fragt sich nur, ob es einem von ihnen gelungen ist, auch Ihnen den Kopf zu verdrehen.«

»Ich … Nein. Jedenfalls keinem, den ich für etwas Besonderes gehalten hätte.«

»Das wird sicher nicht mehr lange dauern«, meinte Adrienne, die ihr Unbehagen bemerkte. »Olivia, fühlen Sie sich während Ihres Aufenthalts hier wie zu Hause. Sie können Fredericks, unseren Chauffeur, bitten, Sie herumzufahren, wann immer Sie wollen. Vielleicht besuchen wir auch einmal gemeinsam einen der zahlreichen Strände der Gegend. Dann sehen Sie, wie schön Norfolk ist. Und am Wochenende kann Harry Ihnen Gesellschaft leisten. Er ist immer so müde, der arme Junge, freut sich aber sehr auf Ihr Kommen. Es tut ihm gut, jemanden in seinem Alter in Wharton um sich zu haben. Doch jetzt wird es allmählich Zeit fürs Bett, meinen Sie nicht auch?« Adrienne stand auf und küsste Olivia auf beide Wangen. »*Bonne nuit, ma chérie*, schlafen Sie gut.«

»Gleichfalls, Adrienne.« Olivia erhob sich ebenfalls. »Ich habe den heutigen Abend sehr genossen.«

Die beiden Frauen gingen hinein.

»Elsie bringt Ihnen morgen um eine Zeit, die Sie selbst bestimmen können, ein Frühstückstablett aufs Zimmer. Zum

Lunch treffen wir uns um ein Uhr; danach zeige ich Ihnen die Gärten und das Gewächshaus. Holen Sie sich, was immer Sie wollen, aus der Bibliothek. Hinter der Rosenlaube, in der linken Ecke des ummauerten Gartens, befindet sich ein Sommerhaus. Dort sitze ich oft und lese.«

»Danke, Adrienne. Sehr freundlich.«

»Sehr freundlich von *Ihnen*, dass Sie gekommen sind. *À bientôt*, Olivia. Schlafen Sie gut.«

18

Schon bald ergab sich ein entspannter Tagesablauf für Olivia. Sie verbrachte die Vormittage lesend im Sommerhaus und machte vor der Nachmittagsruhe einen Spaziergang mit Adrienne. Das Abendessen nahmen sie gemeinsam auf der Terrasse ein und unterhielten sich über Kunst, Literatur und Adriennes geliebtes Frankreich.

Olivia stellte fest, dass die Schönheit von Wharton Park und der langsame Rhythmus des Lebens dort ihr ein tiefes Gefühl inneren Friedens verschafften und Gedanken an den bevorstehenden Krieg und ihre eigenen Pläne aus ihrem Kopf vertrieben.

Eines Nachmittags fuhr Adrienne mit ihr an die Küste. Olivia stockte fast der Atem, als sie den goldgelben Strand von Holkham erblickte. Sie machten ein Picknick in den Dünen; Adrienne döste nach dem Essen ein, den Strohhut ins Gesicht gezogen, um ihre helle Haut vor der Sonne zu schützen.

Olivia ging ans Wasser, um ihre Zehen vorsichtig hineinzustrecken. Es war nicht so kalt, wie sie erwartet hatte, und als der Wind ihr durch die Haare blies und die Sonne auf den menschenleeren Strand herunterschien, konnte Olivia sich gut vorstellen, in diesem Teil Englands zu leben.

Als Olivia in Wharton Park hinauf in ihr Zimmer gehen wollte, um aus ihrem feuchten, zerknitterten Kleid zu schlüpfen, begegnete sie auf der Treppe Harry.

»Olivia, was für eine Freude, dass Sie hier sind.« Er küsste sie herzlich auf beide Wangen. Olivia bedauerte ihren ungepflegten Zustand, Harry hingegen wirkte in seiner Offiziersuniform ziemlich beeindruckend.

»Hallo, Harry, wie geht es Ihnen?«

Er verdrehte die Augen. »Mittelprächtig, würde ich sagen. Aber Sie sehen sehr gut aus.«

Olivia wurde rot. »Finden Sie? Ihre Mutter und ich waren am Strand. Ich fürchte, ich sehe ein bisschen zerzaust aus.«

»Ach was. Ich liebe es, mir die Spinnweben vom Meereswind aus dem Kopf blasen zu lassen. Hätten Sie Lust, morgen noch mal mit mir hinzugehen? Ich habe dieses Wochenende keinen Dienst und möchte es genießen.«

Harry strahlte eine Leichtigkeit und Begeisterung aus, die Olivia bis dahin noch nicht aufgefallen waren.

»Klingt gut. Aber wenn Sie mich jetzt bitte entschuldigen würden: Ich muss dieses feuchte Kleid ausziehen.«

»Selbstverständlich. Bis zum Abendessen, Olivia.«

»Ja«, sagte sie und lief die Treppe hinauf. »Bis später.«

An jenem Abend bat Olivia Elsie, sie zu frisieren – den Pony in einer Rolle, die übrigen Haare in üppigen goldenen Locken, die über ihre Schultern fielen. Dazu zog sie ihr blaues Lieblingskleid an.

»Sie sind bildhübsch«, stellte Elsie voller Bewunderung fest. »Master Harry ist heute zum Abendessen da, stimmt's?«

»Ich glaube schon.« Olivia, die zu nervös war, um sich auf Vertraulichkeiten einzulassen, ging nach unten und auf die Terrasse, wo Adrienne und Harry bereits auf sie warteten.

»Harry hat mir gerade erzählt, dass ihr morgen zusammen an den Strand wollt.« Adrienne lächelte anerkennend. »Olivia, *chérie*, die frische Luft tut Ihnen gut. Sie sehen wunderschön aus.« Adrienne reichte Olivia ein Glas Rosé von dem Silbertablett auf dem Tisch. »Morgen wird auch Christopher zu Hause sein. Am Sonntag haben wir einige Nachbarn zum Lunch eingeladen, damit Sie sie kennenlernen können. Aber setzen wir uns doch.«

Der Abend verging in angenehmer Atmosphäre. Harry war Olivia gegenüber sehr aufmerksam und erkundigte sich nach der Londoner Saison und dem Leben in der Stadt. Adrienne zog sich, Müdigkeit vorschützend, früh zurück, so dass die beiden allein auf der Terrasse blieben. Olivia bemühte sich, ihre Nervosität unter Kontrolle zu halten und Haltung zu bewahren.

»Es freut mich wirklich, dass Sie in Wharton Park sind, Olivia. Wie schön, dass meine Mutter Gesellschaft hat, wenn sie nicht in Frankreich bei ihrer Familie sein kann und mein Vater so selten da ist. Sie mag Sie sehr.«

»Ich mag sie auch«, sagte Olivia.

»Gefällt Ihnen das, was dieser Teil der Welt zu bieten hat, nun besser als das letzte Mal?«, fragte Harry lächelnd.

»Ja! Ich finde es wunderbar hier. Ihre Mutter hat mich bekehrt.«

»Sie besitzt große Überzeugungskraft.« Harry hob die Augenbrauen. »Schön, dass Sie sich in Wharton wohlfühlen. Dies ist ein ganz besonderer Ort.«

»Was für ein Glück für Sie, dass Sie das Wochenende hin und wieder zu Hause verbringen können«, bemerkte Olivia.

»Ja. Das macht alles erträglicher. Aber«, meinte Harry und drückte seine Zigarette aus, »ich muss jetzt ins Bett. Ich bin hundemüde. Sie nicht?« Er reichte ihr die Hand. Sie ergriff sie und stand auf. Als sie ins Haus gingen, ließ er sie wieder los. »Gute Nacht, Olivia«, verabschiedete er sich an der Treppe und küsste sie höflich auf beide Wangen. »Schlafen Sie gut.« Dann verschwand er in Richtung seines Zimmers.

Olivia legte sich verwirrt darüber, dass Harry nicht versucht hatte, sie auf den Mund zu küssen, schlafen. Sie tröstete sich mit dem Gedanken, dass dies erst der Anfang ihres Aufenthalts war und Harrys erster freier Tag seit Wochen. Sie musste ihm Zeit lassen.

Am folgenden Morgen während der Fahrt zum Strand schien Harry bester Laune zu sein.

»Ich werde Sie nicht mit einem zweiten Ausflug nach Holkham langweilen, sondern dachte mir, wir fahren nach Cromer, essen dort zu Mittag und machen dann einen Spaziergang am Strand«, schlug er vor.

Olivias Vorstellung, in den Dünen in Harrys Armen zu liegen, verflüchtigte sich. Sie versuchte, ihre Enttäuschung zu verbergen und sich die wertvolle Zeit mit ihm nicht zu verderben.

Sie verbrachten einen schönen Tag miteinander, auch wenn er nicht ganz so verlief, wie Olivia ihn sich gedacht hatte. Beim Lunch in einem Hotelrestaurant unterhielt Harry sie mit Anekdoten über die Rekruten seines Bataillons, von denen einige aus Wharton Park stammten.

»Besonders beeindruckt mich Bill Stafford, der Verlobte von Elsie«, erzählte Harry und zündete sich eine Zigarette an.

»Er wird es bestimmt zum Offizier bringen, weil er die Ruhe und Souveränität besitzt, die nötig sind, damit die anderen auf ihn hören. Er wird mit Sicherheit ein besserer Soldat als ich«, gab Harry zu.

»Das stimmt doch nicht, Harry.«

»Ich fürchte schon, meine Liebe«, widersprach er und drückte seine Zigarette im Aschenbecher aus. »Wollen wir heimfahren?«

Weil Lord Crawford von London nach Hause zurückgekehrt war, fand das Essen an jenem Abend im Speisezimmer statt. Adrienne strahlte vor Freude darüber, beide Männer bei sich zu haben, und steckte alle mit ihrer guten Laune an. Anschließend spielten sie Bridge. Olivia gewann dank ihrer guten Ausbildung bei Mr. Christian.

Am Ende des Abends begleitete Harry sie die Treppe hinauf, wo sie wieder auf einen Gutenachtkuss wartete. Doch erneut bekam sie nur einen keuschen Kuss auf die Wange, bevor er sich in Richtung seines Zimmers entfernte.

Zum Lunch am folgenden Tag erwartete man zwanzig Gäste, samt und sonders Freunde und Nachbarn von Lord und Lady Crawford. Olivia genoss das Essen, weil sie die Gesellschaft älterer Menschen gewöhnt war, hatte aber das merkwürdige Gefühl, taxiert zu werden. Sie konnte nur hoffen, dass sie sich von ihrer besten Seite zeigte. Harry verhielt sich wie schon in den vergangenen Tagen: aufmerksam-distanziert.

Vor dem Einschlafen kam Olivia zu dem traurigen Schluss, dass es an der Zeit war, ohne ihn Pläne für die Zukunft zu schmieden.

Als der Sommer zur Neige ging und der September herannahte, trieb der Geruch von abgebrannten Stoppelfeldern über das Anwesen. Olivia las viel, machte lange Spaziergänge durch den Park und besuchte immer wieder Jack im Gewächshaus. Harry hatte sie seit dem Essen am Sonntag nicht mehr gesehen – er war das vergangene Wochenende in London gewesen. Seine offensichtliche Ambivalenz machte sie nur noch entschlossener, sich auf ihre Gedanken über die Zeit nach Wharton Park zu konzentrieren. Sie wäre schon früher abgereist, doch Elsie, mit der sie sich mittlerweile angefreundet hatte, wollte, dass sie bis zu ihrer Hochzeit blieb.

Drei Tage vor Elsies Hochzeit kam Christopher unerwartet aus London. Er und Adrienne verbrachten den größten Teil des Nachmittags in seinem Arbeitszimmer. Olivia las gerade in der Bibliothek, als Adrienne sie mit blassem Gesicht aufsuchte.

»Meine Liebe«, begrüßte Adrienne sie. »Es sieht ganz so aus, als wäre der Krieg unausweichlich. Christopher sagt, die britische Regierung habe Informationen, dass die Kriegsmarine alle unter deutscher Flagge segelnden Handelsschiffe angewiesen hat, sofort deutsche Häfen anzulaufen, weil der Einmarsch in Polen bevorstehe. Sie werden den deutsch-sowjetischen Nichtangriffspakt wohl nicht einhalten.« Adrienne sank, den Kopf in den Händen, auf einen Stuhl. »Jetzt ist es so weit, Olivia.«

Olivia stand auf, um sie zu trösten. »Das wird Hitler bestimmt nicht wagen. Er weiß, was das bedeutet.«

»Ja, das weiß er, und genau das will er, wollte er von Anfang an. Christopher glaubt, dass der deutsche Einmarsch in Polen bereits morgen früh beginnt. Dann muss Großbritannien in den Krieg eintreten.« Adrienne ergriff Olivias Hand. »Elsie darf nichts davon erfahren. Sie soll sich noch ein paar Stunden über ihre Hochzeitsvorbereitungen freuen. Verraten

Sie niemandem davon, bis die Öffentlichkeit darüber unterrichtet ist, ja?«

»Natürlich, Adrienne. Ich sage kein Wort, das verspreche ich.«

»Ich hoffe nur, dass sie ihren Hochzeitstag genießen können wie jedes andere Paar. Sie sollen das Gefühl haben, eine Zukunft zu besitzen, auch wenn dem nicht so ist.« Adrienne traten Tränen in die Augen, die sie mit einem Spitzentaschentuch wegwischte. »*Mon dieu!* Genug! Ich muss mich zusammenreißen. Entschuldigen Sie, *ma petite*. Manchmal ist es gar nicht gut, so viel zu wissen. Christopher muss sofort nach London zurück. Aber er wollte mir die Nachricht selbst überbringen.«

An jenem Abend blieb Adrienne auf, bis Harry nach Hause kam. Als er eintraf, bat sie ihn in die Bibliothek und schenkte sich und ihm einen Armagnac ein.

»Mutter, ich weiß Bescheid«, sagte Harry, der die Sorge in ihrem Gesicht las. »Bitte versuch, nicht in Panik zu geraten. Bis jetzt ist nichts sicher. Keiner weiß, wie es weitergeht. Überraschend kommt Hitlers Aktion nicht. Unsere Vorbereitungen laufen seit Monaten. Ich glaube, meine Jungs sind froh, wenn klar ist, wie die Dinge stehen, und wenn sie das Gelernte in die Tat umsetzen können.«

Adrienne hob die Hand an die Stirn. »Nicht zu fassen, dass ich noch einen Krieg erleben muss. Der letzte hat mir so viele geliebte Menschen genommen, und jetzt ... Harry ...« Sie zuckte hilflos mit den Achseln.

»*Maman*, bitte beruhige dich«, tröstete er sie, als sie in seinen Armen zu schluchzen begann. Dies war eine der wenigen Situationen, in denen er sich eine reservierte britische Mutter gewünscht hätte. Sie so verzweifelt zu sehen schmerzte ihn.

»Was soll ich hier machen, Harry? Wenn du im Krieg bist und dein Vater in London ist? Und die meisten jungen Männer des Guts auch nicht da sind? Wie soll ich Wharton Park allein verwalten?«

»Du hast doch Olivia.«

»*Pouf!*« Adrienne winkte ab. »Sie wird nicht bleiben, wenn der Krieg ausbricht. Warum sollte sie auch? Ich habe euch beobachtet, Harry. Sie liebt dich, aber du … scheinst dich nicht genauso für sie zu interessieren. Ja, ich habe sie hierher eingeladen, weil ich dachte, dass du sie auch attraktiv findest. Offenbar habe ich mich getäuscht. Sie ist nur deinetwegen da und wird wieder gehen, und dann bin ich allein.«

Harry war bestürzt über ihren Ausbruch.

»Du meinst, Olivia ist in mich verliebt?«, rief er erstaunt aus.

»Natürlich! Merkst du das denn nicht? Sie ist so ein nettes Mädchen, klug und ungewöhnlich für eine Engländerin. Ja, ich hatte Pläne für dich … Weil du der Alleinerbe bist, und … oh!« Sie legte die Hände an ihre glühenden Wangen. »Es fällt mir schwer, das auszusprechen, aber falls du den Krieg nicht überlebst, gibt es keinen Erben für Wharton Park. Dann geht der Besitz an Hugo, den Neffen deines Vaters, und unsere Linie stirbt nach dreihundert Jahren aus.«

»Gütiger Himmel!« Harry begann, das Glas Armagnac in der Hand, in der Bibliothek auf und ab zu marschieren. »Du hast recht. Wenn ich nicht zurückkomme, ist …« Er verstummte.

»Harry, entschuldige. Ich bin heute Abend nicht ich selbst. Bitte verzeih mir, und vergiss, was ich gerade gesagt habe.«

Er wandte sich ihr zu. »Es stimmt. Olivia ist wirklich ein nettes Mädchen; ich mag sie sehr. Genau wie du. Sie könnte dir Gesellschaft leisten, wenn …«

»Nein, Harry! Vergiss es!«, rief Adrienne aus. »Ich habe zu viel erwartet. Ich dachte …«

»Vielleicht waren deine Gedanken gar nicht so abwegig.« Harry nickte. »Mir als Mann fehlte offenbar die Sensibilität, die Zeichen richtig zu deuten.«

»Mag sein, aber bitte vergiss nicht, dass Liebe sich nicht erzwingen lässt.« Adrienne senkte den Blick. »Ich habe Kopfschmerzen und muss mich hinlegen.«

»Natürlich, *Maman*, es war ein schwieriger Tag für uns alle.«

Adrienne ging zur Tür, wo sie sich noch einmal zu Harry umwandte. »Ich möchte nicht, dass du irgendetwas tust, das nicht deinen Gefühlen entspricht. Das ist nicht die französische Art und auch nicht die meine. Gute Nacht, mein Lieber. Hoffen wir auf ein besseres Morgen.«

Als sie aus dem Zimmer war, schenkte Harry sich einen weiteren Armagnac ein und ließ sich zum besseren Nachdenken in den bequemen Ledersessel sinken.

19

Am Morgen des 1. September 1939 hörten sie im Radio, dass Hitlers Truppen in Polen einmarschiert seien.

Zwei Tage später, am Vorabend von Elsies und Bills Hochzeit, erklärte Chamberlain in einer Rede an die Nation, Großbritannien und Deutschland befänden sich jetzt im Krieg.

Nun lag eine Atmosphäre der Anspannung in der Luft, die das gesamte Anwesen zu durchdringen schien. Am folgenden Morgen, als Olivia gerade ihre Koffer packte, klopfte es an der Tür.

»Herein«, sagte sie.

Harry trat ein. »Entschuldigung, wenn ich störe, Olivia, aber Sie sind doch zu Elsies Hochzeit eingeladen, oder?«

»Ja«, antwortete sie kühl. Der Kriegsausbruch sowie Harrys zwiespältiges Verhalten hatten alle ihre romantischen Gefühle erstickt.

»Hätten Sie etwas dagegen, wenn ich Sie begleite? Ich könnte ein bisschen Aufmunterung gebrauchen. Ich mag Elsie und Bill sehr, und eine solche Feier scheint mir genau das Richtige zu sein.«

Olivia sah ihn überrascht an. Ihr war klar, dass sie kaum nein sagen konnte. »Wenn Sie möchten. Die Feier beginnt um zwei Uhr nachmittags.«

»Dann treffen wir uns um halb zwei unten in der Eingangshalle und gehen gemeinsam durch den Park zur Kirche.« Er schaute zu dem Koffer, der auf dem Bett lag. »Sie packen?«

Olivia nickte. »Ja, ich fahre morgen zu meinen Eltern nach Surrey. Anschließend möchte ich nach London, um mich bei den Wrens zu melden. Ich hoffe, die Marine nimmt mich.«

»Sehr schön, Olivia. Doch Sie werden uns fehlen.«

»Das bezweifle ich«, widersprach Olivia.

»Ich versichere Ihnen, wir wären alle traurig über Ihre Abreise. Bis um halb zwei dann?«

»Ja.« Sie nickte und widmete sich wieder ihrem Koffer. Olivia fand Harrys Verhalten höchst verwirrend.

Olivia und Harry beobachteten vom hinteren Teil der Kirche aus, wie Elsie, in ihrem hübschen Spitzenkleid vor Stolz und Glück strahlend, den Mittelgang auf ihren künftigen Ehemann zuschritt. Es gab keinen, der nicht weinen musste, als sie einander das Jawort gaben; alle Anwesenden wussten, dass ihr Eheleben bald ein Ende haben würde. Dieser Gedanke ernüchterte Olivia, und auch Harry schien gerührt zu sein.

Beim anschließenden Empfang im Gemeindesaal sah Olivia, wie Harry mit seinen Arbeitern einen Tapeziertisch aufstellte und mit ihnen scherzte, als wäre er einer von ihnen. Es lag auf der Hand, dass sie den jungen Mann achteten, der eines Tages ihr Herr sein würde. Hier offenbarte sich Olivia eine Seite von ihm, die sie noch nicht kannte und die sie für ihn einnahm.

Nach dem Hochzeitsmahl wurden Reden gehalten, und Bills Vater Jack fragte, ob Master Harry bereit sei vorzutreten und einen Toast auf das glückliche Paar auszubringen.

Die Gäste jubelten, als Harry nach vorn zum Podium kam.

»Verehrte Anwesende, ich kenne Bill und Elsie bereits mein ganzes Leben«, begann er. »Wer konnte ahnen, dass die beiden unartigen Kinder von damals, die schon mal Äpfel aus dem Obstgarten mopsten, eines Tages heiraten würden? Und sie haben mir nie einen Apfel angeboten!«

Gelächter.

»Aufgrund der alles andere als angenehmen Umstände, mit denen wir uns momentan konfrontiert sehen, hatte ich Gelegenheit, Bill in den vergangenen Wochen besser kennenzulernen. Ich darf seiner Frau versichern, dass er inzwischen ziemlich gut mit dem Besen umgehen kann«, erklärte Harry mit einem Lächeln in Richtung Elsie. »Und ich möchte ihr des Weiteren sagen, dass ich mich, sobald der Besen durch eine echte Waffe ersetzt wird, hinter keinem lieber verstecken würde als hinter ihm. Elsie, du hast einen ordentlichen, mutigen Mann geheiratet. Behandle ihn gut und erfreue dich an ihm, solange du kannst.«

Elsies Augen wurden feucht; sie ergriff die Hand ihres frischgebackenen Ehemannes. »Versprochen, Master Harry.«

Harry hob das Glas. »Auf Bill und Elsie.«

»Auf Bill und Elsie«, wiederholten die Gäste, während Harry unter lautem Jubel vom Podium kletterte.

Jack klatschte in die Hände, um sie zum Verstummen zu bringen. »Dreimal hoch auf Master Harry, den wir eines Tages stolz Seine Lordschaft nennen werden, und auf die junge Miss Olivia, die so freundlich zu unserer Elsie ist. Danke Ihnen beiden, dass Sie gekommen sind. Vielleicht sollten wir noch fragen« – Jack grinste hinterlistig –, »wann bei Ihnen der große Tag sein wird.« Weitere Jubelrufe, während Harry sich wieder zu Olivia gesellte.

»Meine Damen und Herren, suchen Sie sich einen Partner und begeben Sie sich auf die Tanzfläche«, forderte Bill die Anwesenden auf.

Harry setzte sich neben Olivia und zwinkerte ihr zu. »Sie scheinen Sie zu mögen.«

»Und Sie auch, Harry. Eine wunderbare Rede«, versuchte sie von Jacks Bemerkung abzulenken.

Harry reichte ihr die Hand. »Lust auf einen Tanz?«

Sie lächelte. »Warum nicht?«

Eine Stunde später traten Harry und Olivia aus dem heißen Saal hinaus in die sich rasch abkühlende Nachtluft.

Olivia war von allen aufgefordert worden und hatte mit Jack, Bill und sogar dem Butler Sable getanzt.

Harry ergriff ihre Hand, als sie zum Haus gingen. Olivias Herz machte vor Freude einen Sprung.

»Sie können wirklich gut mit dem Personal umgehen, Olivia. Das ist eine Gabe, die auch meine Mutter besitzt.«

»Danke. Ich verlasse Wharton Park nur ungern«, gestand sie. »Dieser Ort ist mir ans Herz gewachsen.«

Die Sonne versank gerade am Horizont, als sie über die frisch abgeernteten Maisfelder zum Park gingen.

»Wissen Sie, Olivia«, begann Harry mit leiser Stimme, »manchmal sieht man den Wald vor lauter Bäumen nicht.«

Olivia wandte sich ihm erstaunt zu. »Was genau meinen Sie?«

»Als ich Sie heute Morgen beim Kofferpacken beobachtet habe, ist mir plötzlich klar geworden, wie sehr ich Ihre Gesellschaft genieße. Und wie sehr Sie mir fehlen werden, wenn Sie uns verlassen.«

Olivia hob eine Augenbraue. »Vielen Dank, Harry, aber wir haben doch kaum Zeit miteinander verbracht.«

»Stimmt, allerdings wusste ich immer, dass Sie hier sind.«

Was sollte sie darauf antworten? Sie betraten den französisch angelegten Garten und näherten sich dem Springbrunnen. Plötzlich wandte Harry sich ihr zu, nahm sie in den Arm und küsste sie leidenschaftlich auf den Mund.

Damit hatte Olivia nun wirklich nicht gerechnet.

Erst nach einer ganzen Weile löste er sich von ihr und legte die Hände auf ihre Schultern, um ihr in die Augen zu blicken. »Olivia, ich möchte, dass du hier bei mir in Wharton Park bleibst.«

»Ich ... Harry ... Ich kann nicht«, stotterte sie.

»Warum nicht?«

»Was soll ich denn in Wharton machen? Ich muss nach London und mich zum Kriegsdienst melden.«

»Olivia, auch in Norfolk kann man unserem Land nützen.«

»Harry, darum geht's nicht. Ich ...«

»Heirate mich.«

Sie starrte ihn an, als hätte er den Verstand verloren.

Harry kniete nieder und nahm ihre Hände in die seinen. »Olivia, ich weiß nicht, welche Gefühle du für mich hegst, aber wenn du meine Gesellschaft ertragen könntest, würde ich dich bitten, den Rest deines Lebens hier in Wharton Park zu verbringen.«

Endlich gelang es Olivia, etwas zu sagen. »Entschuldige,

Harry, ich bin völlig aus der Fassung. Ich hatte nicht den Eindruck, dass du« – sie schluckte – »etwas für mich empfindest. Wie kommt das so plötzlich?«

»Vielleicht sind mir meine Gefühle erst bei einem Gespräch mit meiner Mutter gestern Abend klar geworden und als ich dich heute Morgen beim Packen gesehen habe. Bitte sag ja. Ich verspreche dir, für dich zu sorgen und dich zu ehren, soweit es in meinen Fähigkeiten steht. Gemeinsam können wir Wharton Park für die nächste Generation sichern.«

Da flammte all die Liebe, die sie so verzweifelt zu unterdrücken versucht hatte, wieder auf.

»Bitte sag ja, bevor meine Kniescheiben auf dem Kies kaputt gehen«, scherzte er mit einem jungenhaften Grinsen. »Bitte?«, wiederholte er.

Olivia kam zu dem Schluss, dass es keinen Grund gab, seinen Antrag auszuschlagen. Sie liebte ihn. Alles andere war nebensächlich.

»Ja, Harry«, antwortete sie. »Ich heirate dich.«

Er erhob sich, nahm sie in die Arme und küsste sie noch einmal. »Schatz, du machst mich sehr glücklich. Lass uns zu meiner Mutter gehen. Ich kann es nicht erwarten, es ihr zu sagen.«

Erst später, als sie, erschöpft von den Ereignissen des Tages und der kleinen Champagnerfeier mit Adrienne, im Bett lag, merkte Olivia, dass Harry nicht von Liebe gesprochen hatte.

20

Die Hochzeit von Harry Crawford und Olivia Drew-Norris war für Anfang Dezember geplant. Harry hielt sich mit seinem Bataillon an der Küste von Norfolk auf, wo seine Männer die ungeschützte Küste sichern, Beobachtungsposten und Stacheldrahtbarrikaden errichten sowie Minen verlegen sollten. Das würde bis mindestens Januar dauern, bis neue Befehle an sie ergingen. Da andere Bataillone bereits nach Übersee beordert worden waren, dankten Harry und alle in Wharton Park, die Angehörige bei den 5th Royal Norfolk's hatten, dem Schicksal für die Aufschiebung des Todesurteils.

Adrienne hatte Olivia geraten, mit der Verpflichtung bei den Wrens bis nach der Hochzeit zu warten. »Dann ist immer noch Zeit, *ma chérie*. Jetzt solltest du dich erst einmal darauf konzentrieren, Braut und zukünftige Lady Crawford zu sein! Freue dich mit mir an den Vorbereitungen.«

Die bevorstehende Hochzeit forderte Adriennes ganze Energie und verhinderte dramatische Stimmungsschwankungen. Trotz der bedenklicher werdenden Nachrichten aus dem Ausland war sie entschlossen, die Feier so schön wie nur irgend möglich zu gestalten.

Olivia kam sich vor wie am Anfang der Saison; wieder wurde sie von einer Schneiderin an die nächste weitergereicht, und ein London-Ausflug mit Adrienne bescherte ihr ein Couture-Kleid von Norman Hartnell persönlich. Außerdem mussten die Gästelisten für die Verlobungsfeier sowie die Hochzeit erstellt und die Einladungen verschickt werden. Ein gesellschaftliches Ereignis dieser Größenordnung erforderte für gewöhnlich ein Jahr Planung, doch gemeinsam hatten Olivia und Adrienne alles im Griff.

Olivias Eltern, die ganz aus dem Häuschen waren, verbrachten zur Feier des Tages ein Wochenende in Wharton Park. Nach dem Abendessen hielten Olivias Vater und Christopher Reden, in denen sie ihre Freude über die Verbindung der beiden jungen Leute ausdrückten.

Olivia hatte fast Mitleid mit ihrer Mutter, die erneut um

die Planung des Ereignisses gebracht wurde, dies jedoch mit ihrer üblichen Gelassenheit hinnahm und Olivia gegenüber bemerkte, zum Glück kämen Lord und Lady Crawford für alles auf, denn Daddys Pension vom Militär hätte nicht einmal für die Kleider der Brautjungfern gereicht.

Am Vorabend der Vermählung fand in Wharton Park ein Dinner für Freunde und enge Verwandte beider Familien statt. Venetia reiste mit ihrer und Olivias Clique aus London an. Sie beobachtete von Olivias Bett aus, wie diese am Frisiertisch Make-up auflegte.

»Ich fühle mich schon ein bisschen auf den Schlips getreten, weil du mich im Stich lässt, Darling. Ich dachte, wir hätten einen ›Nichtheiratspakt‹ geschlossen, und ein paar Monate später marschierst du einfach vor den Altar! Bist du dir sicher, dass Harry der Richtige ist?«

»Ich liebe ihn und Wharton Park.«

»Dir ist schon klar, dass du den Rest deines Lebens an dieses Haus gekettet sein wirst, oder? Und mindestens einen Erben gebären musst?«

»Ich liebe Kinder«, erklärte Olivia. »Und möchte auch welche.«

»Weißt du eigentlich, ob Harry dich liebt?«

»Natürlich tut er das«, antwortete Olivia ein wenig zu schnell. »Warum um Himmels willen sollte er mich sonst heiraten?«

Nach dem Abendessen trottete Olivia erschöpft in ihr Zimmer und zuckte erschreckt zusammen, als sich auf dem Treppenabsatz zwei Hände um ihre Taille schlossen. »Hallo, Schatz, wie fühlst du dich?«

Harry schmiegte sein Gesicht an ihren Nacken. Olivia roch, dass er getrunken hatte.

»Ich bin ein bisschen nervös«, gab sie zu. »Und du?«

»Ich glaube, ich bin froh, wenn alles vorbei ist und wir einfach Mr. und Mrs. Crawford sein dürfen. Geht's dir nicht ähnlich?«

»Ja.«

Er küsste sie sanft auf die Stirn. »Genieße deine letzte Nacht der Freiheit, Schatz. Wir sehen uns morgen in der Kirche.«

Als Olivia kurz darauf im Bett lag, hatte sie Schmetterlinge im Bauch. Es war nicht die Trauungszeremonie, die sie nervös machte, sondern die darauf folgende Nacht, die sie zum ersten Mal mit Harry im großen Schlafzimmer mit Blick auf den Park verbringen würde.

Ihr war klar, was sie erwartete – Venetia hatte sie nur zu gern in den körperlichen Aspekt des Ganzen eingeweiht. Doch sosehr Olivia sich auch bemühte: Es fiel ihr schwer, sich ein solches Maß an Intimität mit Harry vorzustellen. Und sie wusste nicht, ob er genauso wenig Erfahrung hatte wie sie. Hoffentlich nicht, dachte sie.

Sie tröstete sich mit dem Gedanken, dass es sich um einen Initiationsritus handelte, den alle verheirateten Frauen durchliefen. Und, dachte Olivia noch bevor sie einschlief, um die einzige Methode, mit der sich Kinder zeugen ließen.

Der folgende Morgen dämmerte hell und kühl herauf.

Elsie betrat um acht Uhr mit einem Frühstückstablett ihr Zimmer.

»Immer mit der Ruhe, Miss, ich habe alles im Griff. Schauen Sie« – sie deutete auf einen Zettel –, »ich habe einen Zeitplan für den Morgen gemacht.«

Elsies Anwesenheit beruhigte Olivia ungemein. »Du bist ein Schatz. Danke«, sagte sie, als Elsie das Tablett aufs Bett stellte.

»Ich kann's kaum noch erwarten, Sie in dem Kleid zu sehen«, sagte Elsie und deutete auf die herrliche Satinkreation an der Schneiderpuppe in einer Ecke von Olivias Schlafzimmer. »Lady Crawford meint, sie kommt nach dem Frühstück rauf zu Ihnen. Danach lasse ich Ihnen ein Bad ein und mache Ihnen die Haare.«

Um neun Uhr klopfte es an Olivias Tür.

»Herein.«

Adrienne trat mit einem großen Lederetui ein und küsste Olivia auf beide Wangen. »*Chérie*, heute ist der glücklichste Tag meines Lebens. Zu sehen, wie mein Sohn eine Frau heiratet, die ich liebe wie meine eigene Tochter … Was mehr könnte eine Mutter sich wünschen? Komm, ich möchte dir etwas zeigen.«

Adrienne ging zu einem Hocker, setzte sich darauf und winkte Olivia heran. Dann öffnete sie das Etui, in dem sich eine prächtige Diamanthalskette sowie dazu passende Ohrhänger befanden.

»Die sind für dich, Olivia. Du sollst sie heute tragen. Alle Crawford-Bräute der letzten zweihundert Jahre haben sie getragen. Du wirst sie behalten und der Braut deines Sohnes am Tag ihrer Hochzeit geben.«

»Sie sind wunderschön«, hauchte Olivia. »Danke, Adrienne.«

»Danke nicht mir, *chérie*«, sagte Adrienne und erhob sich. »Ich verlange nur, dass wir weiter gute Freundinnen bleiben. Aber jetzt muss ich los und mich um alles kümmern. Ich freue mich schon darauf, dich später am Tag offiziell in der Familie willkommen zu heißen.«

Um halb zwölf war Olivia angezogen und fertig. Elsie betrachtete sie voller Bewunderung.

»Miss Olivia, Sie sind so schön … Ich glaube, ich könnte Sie auch heiraten«, bemerkte sie kichernd, als sie Olivia die langen weißen Satinhandschuhe reichte.

»Danke. Ich bin schrecklich nervös.« Olivia breitete die Arme aus. »Komm, lass dich umarmen. Das brauche ich jetzt.«

»Natürlich, Miss.« Elsie legte vorsichtig die Arme um Olivia, um das Kleid nicht zu zerdrücken.

»Danke, dass du dich in den vergangenen Wochen so gut um mich gekümmert hast. Ich habe Adrienne gefragt, ob wir das Arrangement in Zukunft beibehalten könnten.«

»Heißt das, ich soll für immer Ihre Zofe bleiben?«, fragte Elsie mit großen Augen.

»Ja. Ich könnte mir keine bessere vorstellen. Natürlich nur, wenn dir das auch recht ist. Das würde dir ein paar Shilling mehr einbringen.«

»Ach, Miss, nichts lieber als das! Ganz herzlichen Dank«, antwortete Elsie gerührt. »Aber jetzt sollten Sie hinuntergehen. Sie werden erwartet.«

Olivia nahm sich ein paar Sekunden Zeit, um sich zu sammeln. »Wünsch mir Glück, Elsie.«

Elsie sah Olivia nach, als sie zur Tür ging. »Viel Glück, Miss«, sagte sie, als Olivia den Raum verließ.

Wann immer Olivia später an ihren Hochzeitstag zurückdachte, hatte sie Mühe, sich richtig daran zu erinnern. Vor ihrem geistigen Auge sah sie Harry, wie er sie in seiner Paradeuniform vor der Kirche erwartete, und die Ehrengarde aus seinem Bataillon, als sie das Gotteshaus als Frischvermählte verließen.

Vom Empfang im Ballsaal hatte Olivia ein Meer aus Gesichtern im Kopf, von denen sie nur manche aus London kannte. Sie wusste nicht mehr, was sie gegessen hatte – vermutlich aufgrund ihres Korsetts nicht allzu viel – oder was in den Reden gesagt worden war.

An den ersten Tanz mit Harry erinnerte sie sich sehr gut, wie alle geklatscht hatten, und auch an den mit Lord Crawford, ihrem Vater, Angus und Archie.

Um zehn Uhr hatten die Gäste sich im Eingangsbereich versammelt, um das glückliche Paar mit den besten Wünschen nach oben zu verabschieden. Harrys Rückkehr zu seinem Bataillon wegen waren die Flitterwochenpläne aufgeschoben. An jenem Abend küsste Harry Olivia auf die Wange, bevor sie den Brautstrauß von der Treppe warf. Und alle jubelten, als Adriennes fünfjährige Nichte ihn fing.

»Alles in Ordnung, Schatz?«, fragte Harry auf dem Flur.

»Ich glaube schon«, antwortete sie nervös.

Er öffnete die Tür zu ihren neuen Gemächern, und sie traten ein.

Nachdem er die Tür hinter ihnen geschlossen hatte, warf er sich auf das große Bett mit der zurückgeschlagenen Decke.

»Puh«, sagte er und verschränkte die Hände hinter dem Kopf, »Gott sei Dank ist der Zirkus vorbei. Ich bin hundemüde!«

Auch Olivia war erschöpft, fühlte sich aber unwohl bei dem Gedanken, sich zu ihm aufs Bett zu gesellen. Am Ende sank sie in einen Sessel am Kamin.

Harry sah sie an. »Soll Elsie dir helfen, das ganze Zeug auszuziehen? Ich glaube nicht, dass ich dafür der Richtige bin.«

»Vielleicht könntest du es lernen«, meinte sie vorsichtig und ein wenig erstaunt über sein pragmatisches Herangehen an das Problem.

Er sprang vom Bett auf. »Dann steh mal auf und lass mich sehen.«

Sie drehte ihm den Rücken zu, damit er einen Blick auf die Staubperlenknöpfe werfen konnte, für deren Schließen Elsie am Morgen zwanzig Minuten gebraucht hatte.

Er schüttelte den Kopf. »Ich fürchte, das kann ich nicht. Weißt du was, Schatz? Ich hole Elsie und komme wieder, wenn sie dich ausgepackt hat.« Er verließ das Zimmer mit einem Lächeln.

Olivia wusste nicht, ob sie lachen oder weinen sollte über seinen Mangel an Sensibilität. Wenig später klopfte Elsie an der Tür.

»Master Harry sagt, Sie bräuchten meine Hilfe. Das wundert mich nicht. Diese Knöpfe sind selbst für die geschicktesten Finger ein Albtraum.«

Olivia bewegte sich nicht, während Elsie das Kleid aufknöpfte.

»Alles in Ordnung, Miss?«, erkundigte Elsie sich. »Sie sind so still.«

»Ich … ach, Elsie …« Zu ihrem Entsetzen wurden ihre Augen feucht.

»Miss, bitte nicht weinen. Sie sind müde, das ist alles, und aufgewühlt. Ich habe an meinem Hochzeitsabend auch geweint.« Elsie reichte Olivia ein Taschentuch. »Verderben Sie nicht mit Tränen Ihr hübsches Gesicht für Master Harry. Ich beeile mich, damit Sie so schnell wie möglich wieder in seinen Armen liegen können.«

»Danke, Elsie, wahrscheinlich hast du recht.« Olivia putzte sich die Nase. »Ich bin wirklich albern.«

»Jeder ist nervös in der Hochzeitsnacht, Miss«, stellte Elsie fest, als sie den letzten Knopf öffnete und Olivia aus dem Kleid schlüpfte. »Aber Master Harry wird sanft sein, da bin ich mir sicher.« Sie reichte Olivia das Nachthemd. »Ziehen Sie das mal an. Das Kleid hänge ich in Ihr altes Zimmer. Auf dem Weg hinunter sage ich Master Harry, dass Sie auf ihn warten. Einverstanden, Miss?«

»Ja.« Olivia nickte. »Danke, Elsie.«

Elsie hob das Brautkleid vom Boden auf, legte es über den Arm und ging zur Tür, wo sie sich mit einem scheuen Lächeln zu Olivia umdrehte. »Ich verspreche Ihnen, es ist nicht so schlimm, wie Sie vielleicht befürchten. Bis morgen, Miss Olivia. Gute Nacht.«

Ein wenig ruhiger setzte Olivia sich wieder in den Sessel, um auf Harry zu warten. Zehn Minuten später legte sie sich gähnend ins Bett. Wo blieb er nur? Sie konnte ja wohl kaum das Zimmer verlassen und nach ihm suchen.

Eine halbe Stunde später war er immer noch nicht da. Der Tag hatte Olivia so müde gemacht, dass sie die Augen schloss und einschlief.

Irgendwann in der Nacht hörte sie die Tür aufgehen und spürte, wie die Matratze nachgab, als Harry sich neben sie legte. Voller Anspannung wartete sie, ob er sich zu ihr herüberbeugen und sie berühren würde. Wenig später begann er leise zu schnarchen.

Am folgenden Morgen wachte Olivia mit einem unguten Gefühl auf. Sie war davon überzeugt, dass die vergangene Nacht nicht so verlaufen war, wie sie es hätte sollen.

Da Harry neben ihr tief und fest schlief, schlüpfte sie aus dem Bett und schlich auf Zehenspitzen ins Zimmer nebenan. Ihre privaten Gemächer umfassten ein Bad, einen Schlaf- und Wohnraum sowie jeweils ein Ankleidezimmer für jeden von ihnen. In dem ihren befand sich ein Schrank, in dem von Harry ein schmales Bett.

Olivia wusste, dass es für Eheleute als normal erachtet wurde, in getrennten Zimmern zu schlafen, auch wenn ihre Eltern sich diesen Luxus in dem kleinen Haus in Poona nicht hatten erlauben können. Sie setzte sich auf das schmale Bett und überlegte, ob Harry die Nacht lieber hier verbracht hätte.

Sie kleidete sich hastig an, weil der Gedanke, dass Harry hereinplatzen und sie halb nackt sehen könnte, sie beunruhigte. Als sie leise ins Schlafzimmer zurückkehrte, schlief Harry noch immer. Sie verharrte, unsicher darüber, was sie tun sollte, an der Tür. Wenn sie nach unten ging, würde sie fragende Blicke ernten, warum sie am ersten Morgen ihres Ehelebens so früh auf den Beinen war. Und wenn sie blieb, musste sie sich auf eine peinliche Begegnung mit Harry gefasst machen.

Die Entscheidung wurde ihr abgenommen, als Harry sich zu regen begann.

Er rieb sich die Augen und begrüßte sie mit einem Lächeln. »Hallo, Schatz, hast du gut geschlafen?«

Sie zuckte stumm mit den Achseln; die Verzweiflung stand ihr ins Gesicht geschrieben.

Er breitete die Arme aus. »Komm her und lass dich umarmen.«

Olivia rührte sich nicht von der Stelle.

»Bitte komm, Schatz. Ich beiße nicht.«

Sie setzte sich vorsichtig auf die Bettkante.

»Wahrscheinlich fragst du dich, wo ich gestern Abend abgeblieben bin, oder?«

»Ja.«

»Ich bin auf dem Flur ein paar Kumpels begegnet, die zur Feier des Tages noch einen Brandy mit mir trinken wollten. Da ich wusste, dass du müde bist, habe ich dich schlafen lassen.« Er griff nach ihrer Hand und drückte sie. »Schatz, du bist verstimmt, nicht wahr?«

»Natürlich, Harry! Es war schließlich unsere Hochzeitsnacht!«, rief sie aus, unfähig, ihre Frustration noch länger zu verbergen.

»Es tut mir leid.« Er setzte sich auf und streichelte ihren Rücken. »Schatz, wir haben noch viel Zeit, einander kennenzulernen. Wir sind nicht in Eile.«

»Wahrscheinlich hast du recht«, sagte sie, alles andere als überzeugt. »Ich möchte nur nicht, dass irgendjemand davon erfährt.«

»Von mir erfährt niemand was, das verspreche ich dir. Gehen wir's einfach langsam an, ja?«

Irgendwie überstand Olivia den Tag, indem sie sich mit allerlei Dingen beschäftigte, neugierigen Fragen von Venetia und Adrienne auswich und versuchte, so zufrieden und erfüllt auszusehen wie eine junge Braut.

Am Abend, als alle Gäste sich verabschiedet hatten, trat Harry ins Schlafzimmer, setzte sich aufs Bett und nahm Olivias Hand.

»Schatz, ich glaube, es ist besser, wenn ich heute Nacht in meinem Ankleidezimmer schlafe. Ich muss morgen sehr früh aufstehen und möchte dich nicht wecken.« Er küsste sie auf die Wange und stand auf. »Gute Nacht, schlaf gut.«

Olivia lag bis zum Morgen wach. Nun wusste sie sicher, dass etwas nicht stimmte.

21

In den zwei Wochen vor Weihnachten versuchte Harry nicht, sich Olivia im Schlafzimmer zu nähern. Sie sah ihren Mann kaum. Manchmal kam er erst nach Mitternacht nach Hause, schlief ein paar Stunden in seinem Ankleidezimmer und war am folgenden Morgen bereits um sechs Uhr wieder weg. Er arbeitete auch an den Wochenenden.

Olivia hatte das Gefühl, sich nicht beklagen zu können, weil der Krieg nun in vollem Gange war. Ein deutsches U-Boot hatte das britische Schlachtschiff HMS Royal Oak versenkt, und immer mehr junge Männer des Anwesens mussten ganz zu ihren Bataillonen.

Olivia konnte nur hoffen, dass sich, wenn Harry an Weihnachten zwei Tage frei hatte, Gelegenheit ergeben würde, Zeit miteinander zu verbringen und über ihre Beziehung und die damit verbundenen Probleme zu sprechen.

Zum Glück gab es für Olivia viel zu tun auf dem Gut, weil es an Männern mangelte. Da Bill Jack nicht mehr beistehen konnte, half Olivia bei der Pflege des Küchengartens und beim Gießen der Blumen im Gewächshaus. Die Arbeit in der bitteren Kälte hinderte sie am Grübeln. Doch manchmal fiel es ihr schwer, die gute Laune zu bewahren. Letztlich konnte sie sich in dieser Situation, in der sie dringend Rat gebraucht hätte, an niemanden wenden.

Adrienne, die den Kummer ihrer Schwiegertochter spürte, ihn aber der Tatsache zuschrieb, dass Harry in den ersten Wochen ihres Ehelebens nicht da war, schlug ihr kurz vor Weihnachten vor, ihre Londoner Freunde zu einem Fest einzuladen.

Sogar Harrys Miene hellte sich ob dieses Plans auf. »Ich halte das für eine großartige Idee, Schatz. Venetia muss auf jeden Fall kommen, weil sie Stimmung in jede Party bringt. Und wie wär's mit diesem Dichter, Archie? Und Angus, deinem Freund aus Schottland?«

Olivias Clique brachte Schreckensmeldungen aus London über bevorstehende Rationierungen mit. Venetia, die die schicke Uniform der Wrens trug, erzählte Olivia, sie durchlaufe gerade eine Ausbildung der höchst geheimen Art und könne ihr leider nichts Näheres verraten.

Nach dem Essen setzten die beiden sich vor den Kamin in der Bibliothek, um sich über die vergangenen Monate zu unterhalten. Venetia musterte Olivia kritisch.

»Darling, für jemanden, der auf dem Land lebt, wirkst du ziemlich blass. Du bist doch nicht etwa schon schwanger, oder?«, fragte sie kichernd.

Venetias Bemerkung trieb Olivia Tränen in die Augen.

»Du gütiger Himmel! Tut mir leid, hab ich was Falsches gesagt?«

»Nein … Ja … Ach, Venetia, es ist einfach zu schrecklich!«

Venetia legte den Arm um Olivias Schultern. »So schlimm kann's gar nicht sein. Du bist doch nicht krank, oder, Darling?«

»Nein.… Ich …« Olivia wusste nicht, wo sie beginnen sollte. »Venetia, ich … bin … noch … Jungfrau!«

Venetia sah sie verblüfft an. »Wie das? Sag, was ist los? Vielleicht kann ich dir helfen«, bemühte sie sich, Olivia zu beruhigen.

Also erzählte Olivia ihr schluchzend die ganze traurige Geschichte.

»Ich begreife das nicht«, erklärte Venetia. »Meiner Erfahrung nach versuchen die meisten Männer den größten Teil ihres Lebens genau das zu bekommen, was Harry bei seiner Frau jede Nacht haben könnte.«

»Das weiß ich. Mich würde eher interessieren, warum er so zurückhaltend ist.«

»Hast du ihn gefragt?«

»Ich kann mich nicht dazu überwinden.«

»Du musst, Darling, weil das nicht normal ist«, stellte Venetia fest. »Du bist so verführerisch, dass dir meiner Ansicht nach kein Mann widerstehen kann.«

Olivia lächelte matt. »Danke für das Kompliment, Venetia,

aber ich bin mit meinem Latein am Ende. Meine Schwiegermutter fragt ständig, wann mit dem nächsten Erben von Wharton Park zu rechnen ist. Möglicherweise bin ich einfach nicht sein Typ.«

»Sei nicht albern, Darling«, widersprach Venetia. »Du bist der Typ von jedem Mann. Und außerdem ist das Harrys Problem, nicht deines.« Venetia begann in der Bibliothek auf und ab zu gehen. Nach einer Weile blieb sie stehen und wandte sich Olivia zu. »Am Ende ist er einfach nur schüchtern. Du wirst dich auf ihn stürzen müssen.«

»Gütiger Himmel, nein! Das kann ich nicht.«

Venetia gähnte. »Wenn alle Stricke reißen, kannst du dich immerhin damit trösten, dass er sowieso nicht mehr lange da sein wird. Die mobilisieren alles, was Beine hat, und die Wahrscheinlichkeit ist groß, dass Harry bald nach Frankreich muss. Dann suchst du dir einen Liebhaber. Bei verheirateten Frauen ist das ganz normal. Aber jetzt, meine liebe Olivia, muss ich mich aufs Ohr legen. Ich habe eine besonders wilde Nacht mit meinem neuen Liebhaber in London hinter mir und bin hundemüde. Morgen reden wir weiter. Gute Nacht, Darling, träum was Schönes.«

Olivia dachte über das nach, was ihre Freundin gesagt hatte, und kam zu dem Schluss, dass Harry vielleicht tatsächlich nur sehr schüchtern war. Also nahm sie sich vor, Venetias Rat zu befolgen und sich auf ihren Mann »zu stürzen«.

Nach Mitternacht ging Olivia in ihrem hübschesten *peignoir* und voller Angst, dass der Mut sie verlassen könnte, durch den Wohnraum zu Harrys Ankleidezimmer, wo sie feststellte, dass sein Bett leer war. Neugierig, wo er sich seit dem Abendessen aufhielt, schlich sie auf Zehenspitzen die Treppe hinunter.

Sable hatte alle Lichter gelöscht, was normalerweise bedeutete, dass sämtliche Mitglieder des Haushalts im Bett lagen. Doch von der Eingangshalle aus sah Olivia einen Lichtstreifen unter der Bibliothekstür.

Sie drückte leise die Klinke herunter.

Olivia blieb der Mund offen stehen. Harry stand mit dem Rücken zu ihr am Kamin; Archie küsste ihn mit geschlossenen Augen und drückte ihn voller Leidenschaft an sich.

Olivia hastete den Flur entlang zur nächstgelegenen Toilette, um sich zu übergeben.

Nach einer schlaflosen Nacht erwachte Olivia am Morgen des 24. Dezember froh darüber, dass sie sich ablenken konnte, indem sie Adrienne half, den Weihnachtsbaum in der Eingangshalle zu schmücken, der aus den Wäldern von Wharton Park stammte. Aus dem Radio erklangen Weihnachtslieder, und alle außer Olivia schienen sich auf das Fest zu freuen.

Venetia, Archie und Angus wollten mittags nach London zurückfahren. Olivia verbarg sich oben in ihrem Schlafzimmer, weil sie den Gedanken daran, sich höflich von Archie zu verabschieden, nicht ertrug. Venetia kam zu ihr.

»Darling, ich mache mir Sorgen um dich. Du siehst einfach schrecklich aus heute. Falls du mich brauchen solltest, weißt du, wo du mich finden kannst«, sagte Venetia, als sie Olivia zum Abschied auf die Wange küsste.

»Danke«, antwortete Olivia, die es nicht schaffte, ihr zu erzählen, was sie in der Nacht beobachtet hatte.

Irgendwie gelang es ihr, den Tag einschließlich des Geschenkeauspackens am Abend zu überstehen. Sobald die Etikette es erlaubte, zog Olivia sich in ihr Zimmer zurück und verkroch sich im Bett, um sich vor der Kälte zu schützen, die ihr bis in die Knochen zu kriechen schien.

Eine Stunde später betrat Harry das Schlafzimmer.

»Schatz, bist du wach?«

Als sie nicht antwortete, ging er ums Bett herum. Sie spürte, wie sein Gesicht sich dem ihren näherte.

Da richtete sie sich kerzengerade auf und kreischte: »Rühr mich nicht an!«

Harry trat, bestürzt über ihren Ausbruch, einen Schritt zurück.

»Schatz, was ist denn los?«

Sie sprang aus dem Bett, um nur ja nicht in seiner Nähe zu sein.

»Ich weiß, dass ich nichts mehr daran ändern kann, dich geheiratet zu haben. Aber bitte versprich mir, mich nie wieder anzufassen. Du … ekelst mich an!«

Harry folgte ihr, als sie, vor Kälte und Wut bebend, zum Kamin ging. »Schatz, sei nicht hysterisch. Was, in Gottes Namen redest du denn da?«

»Ich habe dich … mit *ihm* gesehen«, zischte sie. »Heute Nacht in der Bibliothek.«

Harry wandte den Blick ab und nickte. »Verstehe.«

»All die Wochen habe ich mich gefragt, warum du mich nicht begehrst wie ein Ehemann und mich nicht berühren willst. Ich war verzweifelt, weil ich dachte, es liegt an mir, ich mache etwas falsch. Aber letztlich« – Olivia lachte rau – »hättest du mich nie begehrt, oder? Ich gehöre einfach dem falschen Geschlecht an.«

Sie musterte ihn ohne Mitleid, als er in einen Sessel beim Kamin sank und den Kopf in den Händen vergrub.

»Olivia, es tut mir schrecklich leid. Du hättest das nicht sehen sollen.«

»Und du hättest es nicht *tun* sollen! Wie konntest du, Harry? Hier in diesem Haus! Jeder hätte dich dabei beobachten können … Wie ich!«

»Olivia, ich schwöre dir, es war das erste Mal und wird nie wieder passieren. Ich … Wir waren betrunken …«

»Bitte erspar mir die Ausreden, Harry. Willst du wirklich behaupten, du wärst nicht in der Lage gewesen, den Avancen eines anderen MANNES zu widerstehen?«

»Schatz …«

»Nenn mich nicht Schatz! Ich bin nicht dein Schatz, sondern *er*!« Hemmungslos schluchzend ging sie zum Bett und sank auf das Fußende. »Harry, wie konntest du so grausam sein, mich zu heiraten, wenn du wusstest, wie du veranlagt bist?«

»Ich wusste nicht … weiß nicht … Olivia, vielleicht verstehst du das nicht, aber in der Schule …«

»Es ist mir egal, was in der Schule war! Jetzt bist du verheiratet! Wie konntest du meinen Kummer mit ansehen, wenn dir klar war, dass du Männer liebst und nie wirklich etwas für mich empfinden würdest? Ich weiß, du bist schüchtern, Harry, aber für grausam hatte ich dich bisher nicht gehalten …«

»Bitte, Olivia, ich schwöre dir, ich empfinde etwas für dich, und nach dieser Nacht weiß ich, dass das, was du gesehen hast, nichts für mich ist.«

»Wie einfach, das jetzt zu behaupten, wo ich dich ertappt habe. Ist dir klar, dass man dich deswegen unehrenhaft aus der Armee entlassen könnte? Und deine Eltern, deine armen Eltern.« Sie schüttelte den Kopf. »Deine Mutter fragt die ganze Zeit, wann ich gedenke, den nächsten Erben in die Welt zu setzen. Harry, wie soll ich das ertragen?«, stöhnte sie.

»Schatz, bitte nicht weinen.« Er wollte auf sie zugehen, doch sie hob abwehrend die Arme.

»Fass mich nicht an!«

Sie blieben eine ganze Weile stumm sitzen.

»Olivia«, begann Harry schließlich, »es ist nichts Ungewöhnliches, wenn Männer … gegen ihre Natur ankämpfen. Ich schwöre dir, nach heute Nacht weiß ich, wer ich bin. Wenn du es zulässt, werde ich mich bemühen, zum Gelingen unserer Ehe beizutragen. Ich gebe zu, dass das in der Bibliothek falsch war, aber ich habe mich mit den besten Absichten darauf eingelassen. Wenn du es dir nur erklären lassen würdest …«

»Bitte erspar mir die Einzelheiten.« Olivia seufzte tief. »Ich denke, wenn wir uns beide beruhigt haben, sollten wir darüber sprechen, was wir tun. Ich muss entscheiden, ob ich mit den Gegebenheiten leben kann.« Sie hob den Blick. »Willigst du, wenn ich es nicht kann, in die Scheidung ein, Harry?«

Harry sah sie entsetzt an. »In unserer Familie hat es noch nie eine Scheidung gegeben.«

»Vielleicht hat es in deiner Familie ja auch noch nie einen Homosexuellen gegeben!«

Harry zuckte zusammen. »Bitte hör auf damit, Olivia!«, flehte er sie an. »Das bin ich nicht. Ich habe tatsächlich eine Weile mit der Möglichkeit geliebäugelt, weswegen ich es ja herausfinden musste. Aber glaube mir, Schatz, ich bin nicht homosexuell. Heute ist mir vieles klarer. Deswegen bin ich zu dir gekommen. Ich wollte endlich die Ehe vollziehen.«

»Sehr großmütig von dir, Harry, doch leider kann ich dir nicht glauben. Ich habe nicht den Eindruck, dass du mich liebst, und wünschte, ich hätte mich nie in dich verliebt. Wenn du mich jetzt bitte schlafen lassen würdest. Wir haben morgen einen anstrengenden Tag vor uns.« Sie schaute ihn an. »Und ich möchte, dass du mir eines versprichst.«

»Alles, Olivia, Schatz.«

»Versprich mir, dass du dich von mir fernhältst, solange ich nicht zu einem Entschluss gelangt bin.«

»Selbstverständlich«, antwortete er traurig. »Das kann ich verstehen.«

22

In den folgenden Wochen hätte Olivia keine Angst haben müssen, dass Harry sie anfassen würde, weil dieser kaum jemals zu Hause war.

Er arbeitete mit seinen Männern rund um die Uhr an der Küstenbefestigung von North Norfolk. Lebensmittel waren inzwischen rationiert, und ein Vertreter des Landwirtschaftsministeriums hatte in Wharton Park nachgefragt, wie sich die brachliegenden Felder nutzen ließen.

Olivia hatte die örtliche Rekrutierungsstelle aufgesucht, um sich als Wren zur Marine zu melden. Als die Frau dort jedoch hörte, dass Olivia in Wharton Park wohnte, riet sie ihr, mit der Leiterin der Women's Land Army zu sprechen, um herauszufinden, ob diese nicht besser für sie geeignet wäre.

»Etliche junge Frauen sollen auf den Gütern im Bezirk – auch auf dem Ihren – einquartiert werden, was bedeutet, dass Sie aufgrund Ihrer Referenzen vermutlich genau das sind, was die WLA benötigt.«

Olivia suchte die Leiterin auf, die begeistert war über die Aussicht, eine Frau zu bekommen, die etwa im gleichen Alter war wie die Mädchen und bereits auf einem Gut lebte. Olivia übernahm die Aufgabe der Organisationssekretärin für das Gebiet und war als solche zuständig für die Verhandlungen mit den örtlichen Farmen darüber, wie viele Mädchen zur Arbeit gebraucht wurden und wo man sie am besten einquartierte.

Diese Aufgabe sowie ihr Versuch, Adrienne trotz des drastisch reduzierten Personals bei der Führung des Haushalts unter die Arme zu greifen, füllten Olivias gesamte Zeit.

Dass ihr kein freier Moment zum Nachdenken blieb, half ihr, den Schmerz über die Geschehnisse zu verdrängen. Jetzt war nicht der richtige Zeitpunkt, über sich selbst oder ihre Zukunft nachzugrübeln. Ironischerweise spendete die allgemeine Lage ihr Trost, und es gelang ihr, jeden Tag so zu nehmen, wie er kam. Außerdem beruhigte es sie, endlich den Grund für Harrys merkwürdiges Verhalten ihr gegenüber zu kennen.

Harry tat in der wenigen Zeit, die er mit ihr verbrachte, alles, um sie von seiner Liebe zu überzeugen. Er schrieb in seiner schönen Schrift ihre Lieblingsgedichte aus der Romantik für sie ab und schob sie ihr unter der Schlafzimmertür durch, ließ ihr jeden Tag frische Blumen aus dem Gewächshaus bringen, die ihre Räume in angenehmen Duft hüllten, und bestellte ihr Bücher aus London, von denen er wusste, dass sie ihr gefallen würden.

Genau so hatte sie sich früher sein Werben um sie gewünscht; jetzt bedeutete es ihr nichts mehr.

Die Wharton Park zugeteilten Land Girls trafen Anfang März mit dem Bus ein. Olivia war von der Vertreterin der WLA vorgewarnt worden, dass viele der Mädchen aus Industriestädten stammten und keine Ahnung von der Arbeit hatten, die sie auf dem Land erwartete.

Olivia hatte drei Arbeitercottages im Geviert für ihre Unterkunft abgestellt. Diese feuchten und dunklen Häuschen waren jahrelang nicht genutzt worden und bedurften der Renovierung, weswegen Olivia sich mit Elsie und anderen daran machte, sie zu putzen und wieder bewohnbar zu machen.

Als die Land Girls die Küche von Wharton Park betraten, waren sie beeindruckt von der Größe des Hauses. Olivia aß mit ihnen, ließ sie erzählen, woher sie kamen und wie grässlich sie die Uniform fanden, die sie tragen mussten.

»Probieren Sie mal eine von diesen Airtex-Blusen, Mrs. Crawford«, sagte eine junge Frau mit starkem Birminghamer Akzent. »Die kratzen wie Hölle.«

»Und sie sind zu groß für uns«, fügte ein anderes Mädchen hinzu. »Ich glaube, die Hosen sind für Männer, nicht für Frauen. Das wird ein Anblick morgen früh, was, Mädels?«

Alle kicherten, und Olivia freute sich, dass es sich offenbar um einen fröhlichen Haufen handelte. Die Vertreterin der WLA hatte sie gewarnt, es könne Probleme geben mit den jungen Frauen, die sich nicht kannten. Sie würden sich möglicherweise in die Haare geraten.

Nach dem Abendessen erhob sich Olivia und klatschte in die Hände. »Zunächst einmal willkommen in Wharton Park, Mädchen«, begann sie. »Dieses wunderbare Anwesen liegt in einem hübschen Teil des Landes. Ihr könnt euch glücklich schätzen, hier gelandet zu sein. Mr. Combe wird euch erklären, wie ihr für die Landarbeit eingesetzt werdet, und von mir erfahrt ihr mehr über die häuslichen Arrangements während eures Aufenthalts. Zum Frühstück bekommt ihr in den Cottages Brot, Milch und Eier. Die Arbeit beginnt um acht Uhr. Ihr versammelt euch im Geviert, wo Mr. Combe und seine Leute euch eure Aufgaben für den Tag zuweisen. Mittags gibt es eine Pause von fünfzehn Minuten; das Sandwich wird euch vom Haus geschickt. Der Nachmittag beginnt um ein Uhr und endet um fünf; Abendessen um sechs hier in der Küche. Es wäre schön, wenn ihr euch zwischen fünf und sechs wascht und umzieht und nicht in euren verdreckten Uniformen erscheint«, erklärte Olivia mit einem Lächeln.

»Keine Sorge, Missus, ich ziehe mein Ballkleid und mein Diadem zum Essen an«, rief eine der jungen Frauen und erntete schallendes Gelächter.

»Ihr kriegt einen Tag in der Woche frei«, fuhr Olivia fort, »und zwar nach einem bestimmten Plan. Täglich fährt jeweils um elf ein Bus von der Auffahrt aus nach Cromer, falls ihr zum Einkaufen in die Stadt wollt. Er kehrt um halb fünf zurück. All diese Informationen findet ihr auf einem Zettel in jedem der Cottages. Viele von euch werden das Leben auf dem Land nicht gewöhnt sein. Wir verfügen hier über keine Lichtspielhäuser und kein Nachtleben. Folglich würde ich euch raten, eure Abendunterhaltung selbst zu organisieren – mit Quizveranstaltungen, Brettspielen und Ähnlichem.«

Sonderlich begeistert wirkten die Mädchen nicht.

»Wir wollen in Wharton Park einen Strickwettbewerb durchführen. Meine Schwiegermutter Lady Crawford sorgt dafür, dass die fertigen Socken, Mützen und Schals an unsere Jungs im Ausland geschickt werden. Wenn ihr nicht stricken könnt, bringt man es euch bei. Diejenige von euch, die innerhalb eines Monats die meisten Stücke fertigt, bekommt« – sie griff in eine Papiertüte auf dem Tisch – »ein Paar von diesen hier.«

Die Mädchen stießen Ah- und Oh-Laute aus, als Olivia die Nylonstrümpfe hochhielt. Sie war erleichtert, dass ihre Zuckerbrot-und-Peitsche-Strategie sich als richtig erwies.

Nach dem Verlassen der Küche begegnete Olivia Adrienne, die die ganze Woche über kaum das Schlafzimmer verlassen hatte, in der Eingangshalle. »Kommst du auf einen Drink mit in die Bibliothek, Olivia?«, fragte sie. »Ich könnte einen gebrauchen.«

»Gern«, antwortete Olivia, obwohl sie nach dem langen Tag müde war.

Da Sable tagsüber den Traktor lenkte, musste Adrienne die Drinks selbst servieren. »Gin?«

»Ja, prima«, erwiderte Olivia und ließ sich in einen Sessel plumpsen.

»Wie läuft's mit den Mädchen? Wie sind sie?«, erkundigte sich Adrienne, als sie Olivia das Glas reichte und ihr gegenüber Platz nahm.

»Sie scheinen ganz nett zu sein, aber wahrscheinlich kann man das nach so kurzer Zeit noch nicht beurteilen. Sie besitzen keinerlei Erfahrung und müssen lernen«, erklärte Olivia. »Außerdem ist in einem Sturm ein jeder Hafen recht ...«

»Stimmt«, pflichtete Adrienne ihr bei. »Und verglichen mit dem, was unsere Jungs durchmachen, ist das hier nichts. Immerhin hattest du mit Harry länger Zeit als die meisten.«

»Ja.«

Adrienne sah ihre Schwiegertochter an. »*Chérie*, ich möchte ja nicht aufdringlich wirken, aber ist mit dir und Harry alles, wie es sein sollte?«

»Ja.« Olivia nickte, obwohl sie eine Gänsehaut bekam. »Wir genießen die Zeit, die uns vergönnt ist.«

Adrienne musterte Olivia genauer. »Möglicherweise liegt es daran, dass ihr euch so selten seht. Ich glaube, eine gewisse ... Distanz zwischen euch zu erkennen.«

»Wahrscheinlich hast du recht, Adrienne. In den letzten Wochen hatten wir nie mehr als ein paar Stunden für uns.«

»Vielleicht solltet ihr, sobald Harry Urlaub erhält, zusammen wegfahren. Schließlich hattet ihr keine Flitterwochen.«

Die Vorstellung, allein mit Harry zu sein, verursachte Olivia körperliches Unbehagen. »Adrienne, wir wissen beide, dass unsere Priorität der Einsatz im Krieg ist. Wir haben noch ein ganzes Leben miteinander vor uns.«

»Wie großmütig von euch«, bemerkte Adrienne mit leichtem Schaudern. »Hoffen wir nur, dass es auch tatsächlich so kommt.«

Im April 1940 marschierte Deutschland in Dänemark und Norwegen ein, und gleichzeitig begann der britische Feldzug.

Trotz des Krieges und der Angst vor einer Landung der Deutschen auf den Britischen Inseln stellte Olivia fest, dass ihr das neue Leben gefiel. Die WLA hielt sie auf Trab; mittlerweile war sie zu einer Expertin der »Willkommenstreffen« für die Mädchen geworden und verstand, deren Probleme zu lösen.

Die Wharton Land Girls waren im Großen und Ganzen eine lustige Truppe, und wenn Olivia ihnen mittags die Sandwiches auf die Felder brachte, setzte sie sich oft zu ihnen und beteiligte sich an ihrem fröhlichen Geplänkel. Kümmerte sie sich nicht gerade um die Mädchen, einen kaputten Traktor oder ein ausgerissenes Schwein, blieb sie bei Adrienne im Haus. Den Ballsaal hatte man zu einer Sammelstelle für die zahllosen Kapuzenmützen, Schals und Socken umfunktioniert, die die Frauen in Norfolk für die Männer an der Front strickten.

Ironischerweise herrschte nun in Wharton Park regeres Leben als vor dem Krieg.

Inzwischen wusste Olivia, dass Adrienne ausgesprochen zart besaitet war. Beim geringsten Anzeichen eines Problems schützte sie Kopfschmerzen vor und zog sich in ihr Zimmer zurück, manchmal tagelang. Gar nicht auszudenken, was ohne Olivia mit Wharton Park passiert wäre. Auch die Bediensteten wandten sich bei Schwierigkeiten immer häufiger an sie.

Im Frühjahr wurde aus dem »*Drôle de guerre*«, dem »komischen Krieg«, ein richtiger, und Deutschland startete die Offensive gegen Frankreich durch Belgien und die Niederlande.

Harry zog mit seinem Bataillon in das örtliche Internat in Holt. Aufgrund der inzwischen sehr realen Gefahr einer deutschen Invasion der Britischen Inseln wurden alle Kräfte entlang der Küste von Norfolk in Alarmbereitschaft versetzt.

Ende Mai verlagerten sich die Kämpfe in Richtung Dünkirchen. Olivia verbrachte die Abende in den Cottages der Land Girls vor dem Radio und hörte Nachrichten. Von zweien der Mädchen – Bridge und May – befanden sich die Verlobten an der Front. Kurze Zeit später hieß es im Rundfunk, die britischen Truppen würden aus Dünkirchen abgezogen. Nun verstummten die Scherze und das fröhliche Geplauder; alle in Wharton Park warteten mit angehaltenem Atem auf Nachrichten über den Ausgang der Aktion.

Als der neue Premierminister Winston Churchill in seiner allabendlichen Rede an die Nation verkündete, dass fast dreihundertvierzigtausend Männer aus dem Gebiet um Dünkirchen gerettet worden seien, gab es Jubelrufe und Tränen – auch wenn klar war, dass es sich um eine empfindliche Niederlage handelte.

»Hoffentlich ist Charlie unter den Geretteten«, schluchzte Mary an Olivias Schulter. »Ich würde alles dafür geben, wenn er gesund und heil wiederkommt.«

Olivia brachte zur Aufmunterung der Mädchen zwei Krüge Apfelwein. Elsie, deren Bill auch weg war, hatte sich mit Mary angefreundet und schloss sich den Land Girls als inoffizielle Führerin bei deren Ausflügen nach Cromer an.

Als Olivia Elsie stumm in einer Ecke sitzen sah, gesellte sie sich zu ihr.

»Elsie, du wirkst betrübt. Alles in Ordnung?«

»Offen gestanden: nein. Wenn ich die Nachrichten im Radio höre, denke ich, dass es bald meinen Bill und Ihren Harry treffen wird. Wie ich zurechtkommen soll, wenn er nicht zurückkehrt, weiß ich nicht.« Elsie wischte sich eine Träne aus den Augen.

Olivia nahm sie in den Arm. »Versuch, dir keine Sorgen zu machen, Elsie«, tröstete sie sie. Fast hatte sie ein schlechtes Gewissen, dass der Gedanke an ihren eigenen Ehemann kaum Emotionen in ihr hervorrief. »Harry sagt, Bill ist so ziemlich der beste Soldat in seinem Bataillon, und ein Vögelchen hat mir gezwitschert, dass er bald zum Feldwebel befördert wird. Aber«, Olivia legte den Finger an die Lippen, »das darfst du niemandem verraten.«

Elsies Miene hellte sich auf. »Wirklich, Miss Olivia? Wenn das stimmt, wäre dies der stolzeste Tag meines Lebens«, verkündete sie glücklich.

23

Als Olivia eines Morgens Mitte Juni – alle Pflanzen in Wharton Park standen in voller Blüte – aufwachte, hörte sie im Radio, dass die Deutschen in Paris einmarschiert waren.

Olivia fragte sich, wie lange es dauern würde, bis die Schlacht um England, wie Mr. Churchill die Auseinandersetzungen am Morgen im Rundfunk genannt hatte, begann.

Beim Einsammeln der täglichen Ration Obst und Gemüse für die hungrigen Mäuler auf dem Gut dachte sie über die Zerstörung und die unzähligen Toten nach, über die die Wochenschauen berichteten, und konnte sich nur schwer vorstellen, dass ein solches Elend auch England heimsuchen würde.

Als sie mit ihren beiden schweren Körben die Küche betrat, sah sie Harry mit einer Tasse Tee am Tisch sitzen. Er wirkte ausgemergelt und erschöpft.

»Hallo, Schatz.« Er begrüßte sie mit einem matten Lächeln. »Stell dir vor, ich habe einen Tag frei.«

»Na so was!« Olivia nahm die Lebensmittel aus dem Korb. Die Aussicht, dass Harry zu Hause sein würde, versetzte sie keineswegs in freudige Erregung, sondern weckte eher gegenteilige Gefühle in ihr. »Du bist bestimmt müde und möchtest einmal richtig ausschlafen.«

»Eigentlich hatte ich gedacht, wir könnten zusammen etwas unternehmen. Hättest du Lust auf ein Picknick am Strand?«

Mrs. Combe, die gerade Geschirr spülte, bemerkte mit einem Lächeln: »Ja, Master Harry, unternehmen Sie etwas mit Ihrer Frau. Sie leitet Wharton Park seit Wochen praktisch ganz allein und könnte eine Pause genausogut gebrauchen wie Sie.« Sie bedachte Olivia mit einem anerkennenden Blick. »Sie ist einfach wunderbar, das finden wir alle.«

Olivia, die ob des Lobs errötete, suchte verzweifelt nach Ausflüchten. »Ich muss den Mädchen die Sandwiches bringen und …«

»Ach was! Überlassen Sie das mir, Mrs. Crawford, und gönnen Sie sich einen freien Tag mit Ihrem Mann.«

Olivia gab sich geschlagen. »Ich gehe nur schnell rauf und ziehe mich um.«

»Bis in zehn Minuten am Wagen, Schatz«, rief Harry ihr nach.

»Mein Gott, was bin ich froh, ein paar Stunden Pause zu haben«, stöhnte Harry, als sie sich vom Haus entfernten. »Heute ist so ein schöner Tag, und Mrs. Jenks hat uns ein köstliches Picknick in den Kofferraum gepackt. Ich dachte, wir fahren nach Holkham. Das ist der einzige Strand, der nicht durch Stacheldraht und Abwehrballons versaut ist.« Er sah Olivia fragend an.

Sie nickte schweigend.

Sie stellten den Wagen ein paar Gehminuten vom Strand entfernt ab und liefen die Dünen hinauf, Harry mit dem Picknickkorb in der Hand. Der Strand war menschenleer. Harry ließ sich in den Sand fallen und schloss die Augen zum Schutz gegen die Sonne.

»Mein Gott, wie schön!«, seufzte er. »Hier könnte man den Krieg glatt für einen schlechten Traum halten.«

Olivia setzte sich ein Stück von ihm entfernt in den Sand, blickte schweigend hinaus aufs Meer und wünschte sich nur, dass der Tag so schnell wie möglich vorübergehen möge. Als sie sich Harry zuwandte, sah sie, dass er sie betrachtete.

»Hast du Lust auf einen Spaziergang durch die Brandung?«, fragte er.

»Wenn du möchtest.«

Sie standen auf und gingen zum Wasser.

»Olivia, danke, dass du dich so phantastisch um alles kümmerst. Ich weiß wirklich nicht, wie Mutter das allein hätte schaffen sollen. Sie ist gesundheitlich labil und gerät leicht aus der Fassung. Ich weiß, dass der größte Teil der Arbeit auf dir lastet.«

»Es macht mir Spaß, und es ist schön, etwas tun zu können.«

»Anscheinend bist du ein Naturtalent, und alle in Wharton Park lieben dich. Genau wie ich.«

»Ach, Harry. Du musst mir wirklich nichts mehr vorspielen.«

Sie gingen schweigend weiter. Kurz bevor sie das Wasser erreichten, blieb Harry stehen. »Olivia, ich habe mir viele Gedanken über unsere erste Begegnung und die Zeit danach gemacht. Bevor alles passiert ist. Ich habe dich immer für die klügste Frau gehalten, die ich kenne. Nicht albern, dumm und eitel wie viele, die ich vor dir kannte, sondern intelligent und anständig. Und ich hatte damals den Eindruck, dass du mich auch magst.«

»Natürlich.«

»Weißt du noch, wie wir uns anfangs gegenseitig geneckt und miteinander gelacht haben?«

»Ja ...«

»Vielleicht hätte ich dir da sofort sagen sollen, dass du das hübscheste Mädchen bist, das mir je über den Weg gelaufen ist.«

Olivia schüttelte frustriert den Kopf. »Harry, bitte hör auf damit! Meinst du, ich weiß nicht, was du vorhast? Aber es ist zu spät!«

»Liebes, so wie die Dinge im Moment stehen, ist es eher unwahrscheinlich, dass wir je wieder Gelegenheit haben werden, wie heute zusammen zu sein. Ich bitte dich, Olivia ... Lass mich wenigstens erklären, was mit mir passiert ist. Können wir uns setzen?«

Als Olivia die Verzweiflung in seinem Blick sah, gab sie nach. »Na schön. Ich höre!«

Sie ließen sich in den Sand fallen. »Ich erzähle dir alles von Anfang an, ohne Hoffnung, dass das irgendeinen Unterschied macht. Aber ich finde, du hast das Recht, die Wahrheit zu erfahren.«

»Bitte, Harry, sprich einfach.«

»Gut. Glaube mir: Ich erwarte kein Mitleid von dir.« Harry sammelte seine Gedanken. »Ich habe dir neulich zu erklären versucht, dass Jungen in Internaten – dort kann es ganz schön grausam zugehen – manchmal aus Einsamkeit und Verzweiflung füreinander zu schwärmen beginnen.«

Olivia schwieg.

»Ich hatte schreckliches Heimweh nach meiner Mutter. Da

war ein anderer Junge in meinem Jahrgang, mit dem sich ein sehr enges Verhältnis entwickelte, mein einziges. Übrigens nicht auf körperlicher Ebene. Er mochte mich und schien sich etwas aus mir zu machen. Ich habe damals überlegt, ob ich in ihn verliebt bin, und mich den Rest meiner Teenagerzeit gefragt, ob ich, wie du es einmal so unverblümt ausgedrückt hast, homosexuell sein könnte.«

Er sah Olivia an, die den Blick senkte.

»Natürlich hat sich dieses Gefühl in Sandhurst noch verstärkt. Wie du weißt, bin ich nicht gerade der geborene Soldat, und allmählich begann ich zu glauben, dass mein geringer Kampfwille sowie meine Liebe zur Musik durch einen Mangel an Männlichkeit bedingt sind. Als ich dich kennenlernte, war ich verwirrt«, gestand Harry. »Bis dahin hatte ich kaum etwas mit Frauen zu tun gehabt, schon gar nicht auf körperlicher Ebene. Sie machten mir schreckliche Angst. Ich begriff nicht, was sie von mir erwarteten, und wusste nicht, wie ich ihre Wünsche befriedigen sollte. Dann« – Harry seufzte – »ist mir bei Penelopes Ball Archie über den Weg gelaufen. Er schien mir in so vieler Hinsicht ähnlich zu sein; seine Sensibilität, seine Liebe zur Kunst ... Und natürlich spürte ich gleich, dass er homosexuell ist. Ich bin ein paarmal zu ihm nach London gefahren ...«

»Wusste ich doch, dass ich dich einmal in London gesehen habe«, fiel Olivia ihm ins Wort. »Es war ziemlich spät am Abend, im Ritz.«

»Ja. Archie hatte mich einigen seiner Freunde vorgestellt, weil er davon ausging, dass ich einer der ihren sei. Er hat sich jedenfalls große Mühe gegeben, mich davon zu überzeugen. Während seines Besuchs in Wharton Park hat er versucht, mich von der Hochzeit abzuhalten, und gesagt, sie sei ein schrecklicher Irrtum. In meiner Verwirrung wusste ich nicht, was ich denken sollte. Archie hat mir Horrorgeschichten darüber erzählt, dass ich in der Hochzeitsnacht meine ehelichen Pflichten nicht würde erfüllen können.« Er sah Olivia in die Augen. »Olivia, bitte glaub mir: Das, was in jener Nacht passiert ist, tut mir entsetzlich leid. Ich hatte furchtbare Angst.«

Obwohl Olivia entschlossen war, Harry kein Wort zu glauben, erkannte sie die Ehrlichkeit in seinem Blick. Wenn er ihr tatsächlich nicht die Wahrheit sagte, war er ein ausgezeichneter Lügner.

»An dem Abend, als ich dich mit Elsie allein gelassen habe, bin ich in die Bibliothek gegangen, um mir mit einem Brandy Mut anzutrinken. Archie hat mich dort aufgespürt und mir seine Liebe gestanden. Ich war wütend und verwirrt und habe ihn gebeten, mich in Ruhe zu lassen.« Harry seufzte. »Während du im Schlafzimmer auf mich gewartet hast, bin ich mit einer Flasche Brandy im Park herumgewandert. Das schwöre ich beim Leben meiner Mutter.«

»Verstehe.« Olivia ließ eine Handvoll Sand durch ihre Finger rieseln.

»Wie du weißt, ist Archie drei Wochen später, an Weihnachten, noch einmal aufgetaucht. Zu dem Zeitpunkt war meine Verwirrung vollkommen. Ich sah dich, deine Anmut, Sanftheit und Schönheit, und wie verletzt du warst über mein Verhalten.«

»Dann wusstest du also, dass das, was du getan hattest, falsch war?«

»Natürlich, Schatz! Ich wusste nur nicht, wie ich es wieder ins Lot bringen sollte. An dem Abend hast du mich gerade in dem Moment erwischt, als ich Archie gesagt hatte, ich wolle ihn nicht wiedersehen, ich sei nun überzeugt davon, dich zu lieben, und werde dir ein guter Ehemann sein. Da hat er mich an sich gedrückt und geküsst.«

»Soweit ich das beurteilen konnte, hast du dich nicht gerade gewehrt«, warf Olivia ein.

»Ein paar Sekunden später hättest du gesehen, wie ich mich aus seiner Umarmung zu befreien versuchte. Er hat mich fast erdrückt. Ich« – Harry traten Tränen in die Augen – »fand es schrecklich! Es fühlte sich falsch und unnatürlich an, und ob du es glaubst oder nicht: Ich bin ein *Mann*!«

Olivia schwieg.

Es dauerte einige Sekunden, bis Harry sich gefasst hatte. Dann ergriff er ihre Hand und zwang sie, ihm in die Augen zu sehen. »Noch eines möchte ich dir sagen, Liebes: In den vergangenen Monaten ist nicht nur meine Bewunderung für dich gewachsen, sondern auch meine Liebe zu dir. Weil ich mir jetzt über meine Natur im Klaren bin und Archie keinen Einfluss mehr auf mich hat, sind meine Triebe zum Leben erwacht. Olivia, ich kann verstehen, wenn du mich widerwärtig findest, aber ich begehre dich. Wie jeder normale Mann seine Frau begehrt.«

Er strich ihr sanft über die Wange, und sie zuckte nicht zurück. »Du bist so schön. Es tut mir alles so leid.«

»Ach, Harry, ich …« Sie fand seine Berührung bestürzend angenehm und tröstlich. »Es hat mich fast kaputt gemacht«, flüsterte sie. Harry rückte näher zu ihr und legte einen Arm um ihre Schulter.

»Ich weiß, Schatz. Mir ist klar, wie sehr ich dich verletzt habe und dass ich es vielleicht nie schaffen werde, die Sache wieder zurechtzurücken. Doch wenn du mir verzeihst und mir eine Chance gibst, würde ich es wirklich gern versuchen«, flehte er. »Ich schwöre dir bei allem, was mir heilig ist: Ich enttäusche dich nicht.«

Da begann sie hemmungslos zu weinen. Er legte beide Arme um sie. »Liebes, du bist stark und mutig und schön. Was mehr könnte ein Mann sich von seiner Frau wünschen? Ich weiß, was für ein unglaubliches Glück ich habe, und werde alles tun, um dich nicht zu verlieren.«

»Harry, ich habe dich so sehr geliebt. Wie soll ich dir je glauben, dass du meine Liebe erwiderst? Dass du nicht nur deine Haut retten willst? Wie kann ich dir vertrauen?«

Er strich ihr übers Haar. »Du weißt doch, dass ich ein schlechter Lügner bin.«

Sie musste lachen. »Stimmt. Es war von Anfang an klar, dass etwas nicht stimmt, schon vor der Hochzeit.«

»Siehst du! Ich trage das Herz auf der Zunge; daran wird sich nichts ändern. Olivia, ich weiß nicht, wie viel Zeit mir bis zu meinem Einsatz an der Front bleibt. Bestenfalls ein paar Monate, im ungünstigsten Fall ein paar Tage. Ich wollte keinen Druck auf dich ausüben, dich jedoch auch nicht im Unklaren lassen. Der Gedanke, dass ich dein Leben ruiniert habe und du, falls ich nicht zurückkehre, keinem anderen Mann mehr vertrauen kannst, war mir unerträglich. Nun reise ich immerhin mit dem Gefühl ab, dir die Wahrheit gesagt zu haben. Egal was du glauben magst: Ich liebe dich. Von ganzem Herzen.«

Nun war es an Harry zu weinen, und Olivia legte seinen Kopf in ihren Schoß, wo er ihr seine Angst vor dem Fronteinsatz gestand.

»Meinen Männern mache ich Mut, aber ich weiß, wie es im Krieg wirklich zugeht. Es ist nicht der Tod selbst, vor dem ich mich fürchte, sondern das Wissen, dass er jeden Augenblick da sein kann. Im besten Fall wird man in die Luft gejagt und merkt nichts davon. Im schlimmsten dauert es Tage, unter Schmerzen zu sterben. Egal wie, man verschwindet von der Erde und ist nur noch ein Name unter vielen auf einem Gedenkstein. Ich habe schreckliche Angst, Olivia. Und ich bin es müde, tapfer für alle anderen zu sein.«

Als er endlich aufhörte zu weinen, schlug Olivia vor, in die Dünen zurückzuwandern und die Sachen zu verspeisen, die sie mitgebracht hatten. Harry öffnete die Flasche Wein aus Adriennes französischem Gut, die Mrs. Jenks eingepackt hatte, und reichte Olivia ein Glas.

»Bitte trink nicht auf mein Wohl. Im Moment würde ich viel dafür geben, schlecht zu sehen, Plattfüße oder Asthma zu haben«, sagte er lächelnd. »Vielleicht bin ich feige.«

»Nein, Harry, du sprichst nur aus, was jeder andere Mann in deiner Lage empfindet.«

»Ich liebe dich, Olivia. Die Frage ist nur: Kannst du mir das glauben?«

Olivia suchte in seinen Augen nach der Wahrheit. Sie war überrascht, sie darin zu entdecken.

Schließlich antwortete sie: »Ja, Harry, das kann ich.«

24

Southwold

Ich blicke den Schneeflocken nach, die wie feiste Engel vom Himmel fallen. Sie aktivieren Elsies Bewegungsmelder, der die dicken weißen Flocken wie einen surrealen Hintergrund zu Elsies Geschichte erhellt.

Obwohl diese Geschichte bis jetzt nicht allzu viel mit mir zu tun zu haben scheint und mir ihre Bedeutung noch nicht klar ist, tröstet sie mich. Zu hören, wie andere – unter ihnen meine Großmutter – mit der Furcht, geliebte Menschen zu verlieren, umgingen, und wie komplex ihr Dasein in Wharton Park sich gestaltete, zeigt mir, dass ich nicht die Einzige bin, die Leid ertragen musste.

Vielleicht liegt der Unterschied darin, dass ich keine Vorwarnung erhielt und mir kein Moment an einem windgepeitschten Strand ver-

gönnt war, in dem ich Fehler korrigieren und mich von ihnen hätte verabschieden können …

Anders als die Frauen, die ihre Männer in den Krieg ziehen sahen, jedoch Trost aus der gemeinsamen Erfahrung mit ihren Leidensgenossinnen schöpften, habe ich das Gefühl, mich an niemanden wenden zu können.

Ich fühle mich allein.

Die Welt um mich herum dreht sich weiter, als wäre nichts geschehen. Zwei Leben, einfach ausgelöscht, ohne »Volkstrauertag« für sie. Nur eine Ehefrau und Mutter in einsamer Trauer.

Und doch habe ich nicht das Elend des Krieges durchlebt, und meine Jungs mussten nicht die grässliche Angst vor dem Marsch in den Tod durchmachen wie Harry Crawford und Großvater Bill.

Jemand hat mir einmal gesagt, der Tod sei genauso natürlich wie die Geburt, Teil des endlosen Kreislaufs menschlicher Freude und menschlichen Schmerzes. Er wird uns alle ereilen, und unsere Unfähigkeit, die eigene Sterblichkeit wie auch die der Menschen, die wir lieben, einfach so hinzunehmen, gehört zum menschlichen Dasein.

Egal wie der Tod kommt: Die Hinterbliebenen können den Verlust nicht akzeptieren.

Julia befreite sich aus ihren morbiden Gedanken. »Und was ist dann passiert, Oma?«

»Olivia kehrte als anderer Mensch vom Strand in Holkham zurück; sie konnte wieder lachen … Es war, als wäre die Sonne hinter den Wolken hervorgekommen«, erinnerte sich Elsie. »Man sah den beiden ihr Glück an. Wenn Harry zu Hause war, schlief er nicht mehr im Ankleidezimmer, und sie gingen Händchen haltend im Park spazieren. Sie waren wie jedes andere junge, verliebte Paar. Leider währte ihr Glück nicht lange, aber immerhin hatten sie ein paar gemeinsame

Wochen. Und als Harry mit Bill ins Ausland aufbrach, war Olivia schwanger.«

Julia hob fragend eine Augenbraue. »Er war also nicht schwul?«

Elsie schüttelte seufzend den Kopf. »Nein, dafür lege ich meine Hand ins Feuer, weil ich weiß, was später passierte. Für Olivia wäre das vielleicht sogar besser gewesen; dann hätte die tragische Geschichte schon damals ein Ende gefunden.«

»Wie meinst du das, Oma? Ihnen war doch sicher ein Happy End vergönnt, oder?«

»Ach, Julia. Wie du weißt, kriegt das nicht jeder. Auf mehr als ein paar Momente des Glücks, die wir genießen sollten, solange es möglich ist, können wir nicht hoffen. Olivia und Harry hatten sie, wenn auch nur kurz.« Elsie gähnte. »Entschuldige. Nach dem vielen Reden bin ich so müde, dass ich mich ausruhen muss.«

»Klar. Soll ich dir etwas zu trinken machen?«, fragte Julia, als Elsie vom Sofa aufstand und den Gaskamin ausschaltete.

»Ja, das wäre schön. Im Küchenschrank ist Kakao«, antwortete sie und machte sich auf den Weg zum Schlafzimmer.

»Ich bringe ihn dir«, sagte Julia und ging in die Küche. Wenig später trug sie die heiße Schokolade in Elsies Zimmer, wo diese mittlerweile unter einer rosafarbenen Satindecke lag. Elsie bedankte sich, als Julia die Tasse mit dem Kakao auf das Nachtkästchen stellte. »Passiert nicht mehr oft, dass mir jemand was Heißes zu trinken ans Bett bringt.«

Julia beugte sich über Elsie und küsste sie auf die Stirn. »Gute Nacht, Oma, und danke, dass du mir die Geschichte erzählt hast.«

»Leider war das erst der Anfang. Aber wir können morgen weiterreden. Ich habe dir das Bett im Zimmer nebenan bezogen. Schlaf gut, Liebes, und träum was Schönes.«

Julia ging nach nebenan, wo sie sich auszog und unter das geblümte Oberbett schlüpfte. Sie ließ die Vorhänge offen, damit sie weiter zusehen konnte, wie der Schnee fiel, weil ihr das ein Gefühl der Stille und Ruhe vermittelte.

Für Xavier, aufgewachsen in Moskau, war der Schnee gewesen wie Regen in Norfolk: etwas Alltägliches, Ärgerliches. Er hatte sie einmal in diese Stadt mitgenommen ... Julia zwang sich, an etwas anderes zu denken.

Julia wachte vom Duft in der Pfanne brutzelnden Specks auf. Sie nahm das Handy vom Nachtkästchen und warf einen Blick auf die Uhr. Fast zehn. Mit einem Seufzer sank sie in die Kissen zurück. Kaum zu glauben, dass sie so lange geschlafen hatte und nicht mitten in der Nacht aufgewacht war.

Da klopfte es an der Tür.

»Herein.«

Elsie streckte den Kopf herein. »Guten Morgen, Liebes. Englisches Frühstück für dich; ist in zehn Minuten fertig. Komm in die Küche, wenn du geduscht und angezogen bist.«

Julia machte sich fertig und ging in die Küche, um sich über das Frühstück herzumachen, das sie sich selbst nie zubereitet hätte. Bereits fünf Minuten später war der Teller leer, und Elsie gab eine zweite Portion Speck darauf. »Du liebst das große Frühstück, stimmt's?« Sie lächelte.

»In Wharton Park habe ich es jedenfalls immer genossen. Das muss an der frischen Luft dort liegen«, pflichtete Julia ihr bei.

»Im Moment kannst du es vertragen.« Elsie deutete auf Julias dünne Arme.

»Wirklich, Oma, mir geht's schon viel besser.« Julia sah an Elsie vorbei hinaus ins Freie und stellte fest, dass der Schnee zu schmelzen begann.

»Vielleicht sollte ich mich auf den Weg machen, solange die Straßen noch einigermaßen befahrbar sind«, meinte Julia.

»Ja.« Elsie spülte gerade das Geschirr.

»Bist du zu müde, um mir den Rest der Geschichte zu erzählen?«, fragte Julia.

Elsie dachte kurz nach. »Das Erzählen hat mich tatsächlich angestrengt. Könntest du ein andermal wiederkommen, um dir den Rest anzuhören?«

»Natürlich. Nur noch eine Frage, Oma: Was ist mit dem Baby passiert, das Olivia bekam, nachdem Harry in den Krieg gezogen war?«

Elsie hörte mit dem Spülen auf. »Die Arme hatte im fünften Monat eine Fehlgeburt, die ihr das Herz brach. Ich habe ihr die ganze Zeit gesagt, sie soll sich schonen. Adrienne – Lady Crawford – war völlig durch den Wind nach Harrys Abreise, und Olivia hat den größten Teil der Arbeit auf dem Anwesen erledigt. Natürlich gibt es Frauen, die sofort nach der Geburt Rüben ernten gehen, aber Olivia war trotz ihrer Stärke eben doch eine Dame. Das Kind hatte ihr alles bedeutet. Es war der Erbe für Wharton Park, den sie so dringend benötigten.«

»Als Harry aus dem Krieg zurückkehrte, war Olivia doch erst Mitte zwanzig und hätte ohne Weiteres noch einmal schwanger werden können, oder?«

Elsie wandte sich ihrer Enkelin zu und schüttelte den Kopf. »Tut mir leid, Liebes, aber diese Fragen beantworte ich dir ein andermal.«

»Natürlich«, sagte Julia mit schlechtem Gewissen.

»Das Tagebuch würde ich gern behalten, wenn es dir nichts ausmacht. Ich habe es nie gelesen«, murmelte Elsie.

»Es gehört dir; du musst es behalten.«

»Das stimmt nicht ganz, Liebes …« Julia sah, dass Elsie sich zusammenreißen musste. »Aber wie gesagt: Darüber sprechen wir bei deinem nächsten Besuch. Jetzt solltest du dich lieber auf den Weg machen. Ich hole dir deine Jacke.«

Von der Tür aus beobachtete Elsie, wie Julia mit dem Wagen zurückstieß. Sie winkte ihr fröhlich nach, bis sie nicht mehr zu sehen war. Dann schloss sie die Tür und ging ins Wohnzimmer, wo sie das Tagebuch vom Beistelltischchen nahm.

Sie hob den Blick wie zum Gebet.

»Ach, Bill«, flüsterte sie. »Ich wünschte, du wärst hier und könntest mir sagen, was ich tun soll. Ich weiß wirklich nicht, was ich ihr erzählen darf.«

Sie sank in einen Sessel, schlug das Tagebuch auf und fing an zu lesen.

Während der Heimfahrt begann Julia sich unwohl zu fühlen, und als sie das Cottage erreichte, hatte sie Glieder- und Kopfschmerzen.

Julia stellte den Wagen ab, schloss die Haustür auf, trat ein und ließ sich aufs Sofa plumpsen. Es war bitterkalt im Cottage, und sie wusste, dass sie die Speicherheizung voll aufdrehen und den Kamin einschalten musste, besaß aber nicht die Energie dazu. Sie fand gerade noch die Kraft, sich die Stufen hinaufzuschleppen und ein Aspirin aus dem Schränkchen im Bad zu holen, das sie mit dem abgestandenen Wasser aus dem Glas auf dem Nachtkästchen hinunterspülte, bevor sie ins Bett fiel.

In jener Nacht wurde Julia von wirren Fieberträumen heimgesucht. Als sie aufwachte, wusste sie nicht, wo sie sich befand … in Frankreich, in Moskau … in Wharton, mit Großvater Bill in den Gewächshäusern …

Es gelang ihr nur mit Mühe, ins Bad zu stolpern und ihren

heftigen Durst mit etwas Wasser zu stillen. Danach war sie so erschöpft, dass sie auf dem Boden zum Bett zurückkriechen musste.

Sie spürte, dass sie Alicia oder ihren Vater anrufen sollte, doch in ihren Träumen konnte sie das Handy nicht erreichen. Und wenn doch, fiel es in einen tiefen Abgrund. Xavier war da, ja …

»Julia, Julia, wach auf!«

Jemand rüttelte sie sanft, und sie schlug die Augen auf. Das Gesicht über ihr verschwamm, aber sie kannte die Stimme.

»Julia, was ist los? Bitte sprich mit mir!«, forderte die Stimme sie besorgt auf.

Julia versuchte, sich zu konzentrieren, und nach einer Weile gelang es ihr, den Mann an ihrem Bett zu erkennen. Mit großer Anstrengung formten ihre Lippen seinen Namen: »Kit.«

»Gott sei Dank!« Er klang erleichtert. »Julia, hast du was genommen? Sag mir, was; es ist wichtig.«

Julia schloss erneut die Augen und schüttelte den Kopf. »Nein, nein, nichts … Ich fühle mich schrecklich, und mir ist heiß …«

Eine kühle Hand legte sich auf ihre Stirn. »Mein Gott, du glühst ja. Seit wann geht das so?«

»Seit gestern Abend«, antwortete Julia. »Da hab ich mich plötzlich schrecklich gefühlt.«

»Hast du Schmerzen?«

»Ja … schwindlig … Kopfweh …«

»Okay.« Kit holte sein Handy aus der Tasche. »Ich bin mir ziemlich sicher, dass das eine Grippe ist, aber sicherheitshalber rufe ich den Arzt.«

»Mach dir keine Gedanken … Ich komm schon wieder auf die Beine … Ich …« Dann verstummte Julia erschöpft.

Eine halbe Stunde später hatte ein älterer Arzt Julia untersucht.

»Tja, meine Liebe, Lord Crawford vermutet ganz richtig: Sie haben sich eine schwere Grippe eingefangen. Ich gehe runter und spreche mit ihm«, sagte der Arzt und verstaute sein Thermometer in der Tasche. »Er wirkt ziemlich besorgt.«

Kit lief im Wohnzimmer unruhig auf und ab.

»Es ist tatsächlich eine Grippe, Lord Crawford. Allerdings hat sie sehr hohes Fieber. Gibt es jemanden, der sich um sie kümmern kann? Sie darf nicht allein bleiben, solange das Fieber nicht unter Kontrolle ist.«

»Sie hat eine Schwester. Ich setze mich mit ihr in Verbindung. Vermutlich empfehlen Sie das Übliche: alle vier Stunden Paracetamol, und wenn die Temperatur nicht runtergeht, die bewährte Methode, sie immer wieder mit lauwarmem Wasser abzuwaschen«, meinte Kit. »Außerdem werden wir ihr so viel Flüssigkeit wie möglich einflößen.«

»Genau. Sie besitzen medizinische Kenntnisse, Lord Crawford?«

»Ja, ich habe ein bestimmtes Grundwissen. Danke, dass Sie so schnell gekommen sind.«

»Immer gern, Lord Crawford. Das bin ich Lady Crawford schuldig. Wie traurig, dass sie nicht mehr unter uns weilt, aber vielleicht war es so das Beste. Am Ende konnte man nicht mehr von Lebensqualität sprechen.«

»Stimmt«, pflichtete Kit ihm bei, den das schlechte Gewissen plagte, weil er sich nicht die Mühe gemacht hatte, zu ihrer Beerdigung nach Hause zu kommen.

»Ich überlasse die junge Dame jetzt Ihnen und Ihren fähigen Händen. Auf Wiedersehen, Lord Crawford.«

Als Julia schließlich aufwachte, hatte sie keinerlei Gefühl dafür, wie viel Zeit vergangen war. Sie spürte nur, dass es ihr etwas besser ging, sie wieder deutlich sah und die Gliederschmerzen nachgelassen hatten.

Da sie Druck auf der Blase spürte, schob sie mit zitternder Hand das Oberbett zurück und stand auf. Sie schaffte es bis zur Schlafzimmertür, wo sie vor Schwäche auf den Boden sank.

Da hörte sie Schritte auf der Treppe und ein Klopfen an der Tür.

»Julia? Alles in Ordnung?«

Als die Tür aufging, berührte sie Julias Knie. Mit Mühe gelang es ihr, ein wenig wegzurutschen, so dass Kit den Raum betreten konnte.

»Was machst du denn auf dem Boden?«, fragte er und legte ihr die Hand auf die Stirn.

»Ich wollte zur Toilette«, murmelte sie verlegen.

»Hm. Wenigstens scheinst du kein Fieber mehr zu haben. Komm, ich helf dir auf die Beine.«

Julia blieb nichts anderes übrig, als sich von Kit auf die Füße stellen und wie eine Schwerkranke über den Treppenabsatz zur Toilette führen zu lassen.

Als er Anstalten machte, sie hineinzubegleiten, sagte sie: »Ich komme schon zurecht, danke.«

»Ich warte hier. Dann kann ich dir helfen, wenn du fertig bist. Und sperr die Tür nicht zu, für den Fall, dass du in Ohnmacht fällst.«

»Ja, danke«, murmelte Julia und schloss die Toilettentür hinter sich.

Als sie wieder herauskam, trat Kit, der sich diskret zum Schlafzimmer zurückgezogen hatte, sofort zu ihr und half ihr zum Bett.

Sobald sie lag, setzte Kit sich auf die Bettkante. »Doktor Crawford stellt fest, dass seine Patientin über den Berg ist«, erklärte er lächelnd, nahm ein Glas vom Nachtkästchen und hielt es ihr an die Lippen. »Bitte trinken Sie das, Miss Forrester. Es enthält jede Menge Glukose und sorgt dafür, dass Sie wieder zu Kräften kommen.«

Julia wurde fast übel von dem süßen Getränk. »Igitt«, sagte sie. »Widerlich.« Sie ließ den Kopf in die Kissen sinken. »Was für ein Tag ist heute?«

»Ich glaube Donnerstag, weil gestern Mittwoch war.«

Julia schnappte nach Luft. »Heißt das, ich war drei Tage im Bett?«

»Ja, Miss Forrester. Und Sie haben darin getobt wie eine Wahnsinnige.«

Julia wurde rot. »Mein Gott, Kit, tut mir leid. Warst du etwa die ganze Zeit über hier?«

»Nein. Alicia konnte wegen der Kinder nicht bleiben. Natürlich hätte ich dich zu den alten Leuten ins Cottage-Hospital stecken können, aber das erschien mir zu grausam.«

»Ach, Kit«, stöhnte Julia. »Für mich die Krankenschwester zu spielen, bei allem, was du sonst noch um die Ohren hast, war nun wirklich das Letzte, was du brauchst.«

»Um die Wahrheit zu sagen: Es war eine prima Ausrede, um mal ein paar Tage aus Wharton Park rauszukommen. Außerdem habe ich drei Jahre Medizin in Edinburgh studiert, wenn auch ohne Abschluss. Vielleicht beruhigt es dich zu hören, dass du dich nicht in den Händen eines völligen Laien befunden hast.«

»Danke …« Julia fielen die Augen zu.

Kit strich ihr eine Haarsträhne aus der Stirn, ging auf Zehenspitzen zur Tür und schloss sie leise hinter sich.

25

Am Abend war Julia wieder in der Lage, sich im Bett aufrecht hinzusetzen und ein wenig Suppe aus der Schale zu schlürfen, die Kit ihr hinhielt.

»Gut, nicht?«, fragte er, als er sie fütterte. »Alicia hat sie vorbeigebracht. Sie sagt, sie besucht dich heute Abend. Dann kann Max auf die Kinder aufpassen, während sie weg ist. Sie macht sich große Sorgen um dich. Das tun wir alle.«

»Du kannst wirklich nach Hause«, sagte Julia schuldbewusst. »Mir geht's schon viel besser.«

»Wie bitte?« Kit hob eine Augenbraue. »Soll ich etwa auf die erste sinnvolle Unterhaltung mit dir seit vier Tagen verzichten?« Er schüttelte den Kopf. »Ich fürchte, du wirst dich mit meiner Gesellschaft abfinden müssen, bis du wieder auf den Beinen bist.«

Da klopfte es an der Haustür. »Das wird Alicia sein. Willst du sie sehen?«

»Ja! Ich hab dir doch gesagt, dass ich mich besser fühle.«

»Okay.« Kit ging zur Tür. »Ich lass deine Schwester herein.«

Wenige Sekunden später stand Alicia vor ihr.

»Julia! Gott sei Dank geht's dir wieder gut! Wir haben uns alle solche Sorgen um dich gemacht.« Sie trat ans Bett, beugte sich über sie und nahm sie in den Arm. »Wie fühlst du dich?«

»Besser.« Julia nickte. »Deutlich besser.«

Alicia setzte sich auf die Bettkante und umschloss Julias Hand mit der ihren. »Ich bin ja so froh. Du warst ganz schön krank, du Arme. Wahrscheinlich ist dein Immunsystem nach … deinen traumatischen Erfahrungen angeschlagen.«

»Wahrscheinlich«, pflichtete Julia ihr bei. »Danke für die Suppe. Nett von dir, sie mir zu bringen.«

»Nicht der Rede wert. Bedank dich lieber bei Kit. Er war einfach phantastisch. Weil er wusste, dass ich wegen der Kinder nicht immer da sein konnte, hat er sich erboten, bei dir zu bleiben. Ich war sozusagen nur seine Assistentin.«

»Ich habe ein schlechtes Gewissen, dass ich euch solche Umstände gemacht habe.« Julia seufzte. »Im Moment scheine ich für so was prädestiniert zu sein, was?«

»Schluss mit dem Selbstmitleid«, rügte Alicia sie. »Man kann nichts dafür, wenn man krank wird. Du bist uns wichtig, und wir wollten uns um dich kümmern. Außerdem hoffe ich, dass du mir, wenn du dich ein bisschen erholt hast, erzählst, was Oma über das Tagebuch sagt.«

Julia nickte. Es erschien ihr wie eine Ewigkeit, dass sie bei Elsie in Southwold gewesen und mit ihr ins Wharton Park des Jahres 1939 zurückgereist war. »Klar. Eine packende Geschichte.«

»Ich kann's kaum erwarten, alles zu erfahren. Soll ich dir morgen etwas vorbeibringen? Worauf hast du Appetit?«, erkundigte sich Alicia.

»Nicht viel.« Alicia schüttelte den Kopf. »Was anderes als Suppe krieg ich noch nicht runter. Und vielleicht irgendwann mal wieder ein Stück Brot.«

»Ich backe dir einen frischen Laib«, versprach Alicia. »Kit braucht auch was zu essen. Ich bringe das Brot morgen vorbei.« Sie beugte sich vor, um Julia einen Kuss zu geben. »Schön, dass es dir besser geht, Liebes. Weiter so.«

»Ich gebe mir Mühe«, sagte Julia und winkte Alicia matt nach, als diese das Zimmer verließ.

Alicia ging nach unten, wo Kit gerade ein Feuer im Kamin entfachte.

»Sie macht gute Fortschritte. Das hat sie Ihnen zu verdanken. Sie waren wirklich ein Schatz, Kit.«

»Keine Ursache. Ein Gläschen Wein, bevor Sie uns verlassen?«

Alicia warf einen Blick auf ihre Uhr. »Ja. Eigentlich sollte ich nach Hause, aber Max schafft das mit den Kindern schon.«

»Prima.« Als das Feuer im Kamin zu lodern begann, richtete Kit sich auf. »Ich hole uns Gläser.«

Alicia setzte sich in den Sessel beim Kamin, während Kit eine Flasche hereinbrachte, sie entkorkte, ein Glas einschenkte und es Alicia reichte.

»Zum Wohl«, sagte er und hob das seine. »Auf Julias Genesung.«

»Ja. Die Arme hat in letzter Zeit viel durchmachen müssen.«

»Das habe ich gemerkt. Darf ich fragen, was genau passiert ist?«

Alicia nahm einen Schluck Wein. »Julias Mann und Sohn sind letzten Sommer in Südfrankreich bei einem Verkehrsunfall gestorben. Ihr Wagen ist von der Straße abgekommen, am Fuß eines Hügels explodiert und hat einen Waldbrand ausgelöst. Ihre sterblichen Überreste konnten nicht identifiziert werden. Das bedeutet, dass der Fall für sie nicht abgeschlossen ist. Keine Leichen, kein Begräbnis.«

»O je«, stöhnte Kit. »Arme Julia. Wie alt war ihr Sohn?«

»Fast drei. Er hieß Gabriel und war« – Alicia traten die Tränen in die Augen – »ein Engel. Den Ehemann zu verlieren, ist schrecklich, aber auch noch das Kind … Keine Ahnung, wie Julia das verkraftet. Sie lässt niemanden an sich heran und vergräbt sich in ihrem Kummer. Ich komme mir so … überflüssig vor und weiß nicht, was ich sagen oder tun soll. Entschuldigung.« Alicia wischte sich die Tränen weg. »Eigentlich steht es mir nicht zu zu weinen. Es ist Julias Tragödie. Wie soll ich ihr nur helfen oder sie trösten?«

»Das geht nicht.« Kit schenkte Alicia nach. »Alle wollen ihr helfen, doch das ist unmöglich. Allein schon das Angebot erzeugt ein so schlechtes Gewissen beim Betroffenen, dass er es nicht annehmen kann, und Druck, über seinen Kummer hinwegzukommen. Das schafft er natürlich auch nicht und zieht sich noch weiter zurück.« Kit blickte ins Feuer. »Alicia, glauben Sie mir: Sie können zwar für Julia da sein, aber helfen kann sie sich nur selbst.«

»Das klingt, als wüssten Sie, wovon Sie sprechen.«

»Ja. Sie müssen ihr Zeit lassen. Meiner Ansicht nach ist sie auf einem guten Weg. Julia besitzt einen starken Überlebenswillen, Alicia. Sie wird die Krise bewältigen, da bin ich mir sicher.«

»Das Problem ist nur, dass Julia ihren Mann Xavier abgöttisch geliebt hat. Ich persönlich«, gestand Alicia, »fand ihn eher eingebildet und arrogant. Er war auch Pianist, eine richtige Primadonna, und Julia hat sich seinen Bedürfnissen untergeordnet, obwohl er längst nicht so viel Talent besaß wie sie. Vermutlich lässt sich über Geschmack nicht streiten, oder?«

»Nein. Klingt ganz, als hätte er Julia glücklich gemacht.«

»Es schien so, ja. Ich war froh, als es ihr nach dem Verlust unserer Mutter endlich gelang, sich jemandem emotional zu öffnen. Nach ihrem Tod hat Julia sich sehr verändert, sich zurückgezogen. Von mir, von Dad, von allem, nur nicht von ihrem geliebten Klavier. Und jetzt schaut sie nicht mal mehr das an.«

»Haben Sie sie gefragt, warum?«

»Ich glaube, ich weiß es«, antwortete Alicia. »Sie hatte gerade einen Auftritt in Paris mit einem Klavierkonzert von Rachmaninow absolviert, als sie telefonisch vom Tod der beiden erfuhr.« Alicia zuckte mit den Achseln. »Vermutlich stellt sie nun innerlich eine Verbindung zwischen Klavier und Schmerz her.«

»Und Schuld«, fügte Kit hinzu. »Wahrscheinlich glaubt sie, sie hätte bei ihnen sein müssen.«

»Ja, möglich. Ich weiß, dass Julia Gabriel nur ungern zurückgelassen hat, wenn sie zu einem Auftritt musste. Sie war, wie viele berufstätige Mütter, zwischen Kind und Karriere hin- und hergerissen.«

»Warum ist sie nach Norfolk gekommen?«, erkundigte sich Kit.

»Ich bin gleich am nächsten Tag nach Paris geflogen, obwohl ich nicht wusste, was mich dort erwartete. Ich konnte sie nicht allein in Frankreich lassen, aber genausowenig bei ihr bleiben, weil ich mich ja um meine eigenen Kinder kümmern musste. Julia stand unter Schock und war nicht in der Lage, rationale Entscheidungen zu treffen, also habe ich sie mit zu mir genommen. Doch sie hat darauf bestanden, in dieses Cottage zu ziehen.«

»Sie brauchte die Einsamkeit. Das kann ich verstehen. Menschen reagieren unterschiedlich auf Tragödien. Ich habe auch einmal jemanden verloren, und die Zeit danach war, gelinde gesagt, alles andere als schön. Wie hat John Lennon es ausgedrückt?« Kit dachte nach. »Ja: ›Das Leben passiert, während man damit beschäftigt ist, andere Pläne zu schmieden.‹ Wie wahr. Man kann das Schicksal nicht lenken. Das müssen wir meist auf schmerzhafte Weise lernen. Je früher uns das gelingt, desto früher sind wir in der Lage, jeden Tag so zu nehmen, wie er kommt, und das Beste aus dem Leben zu machen.«

»Sie sind sehr weise, Kit«, bemerkte Alicia. »Mir macht es Angst, keine Kontrolle zu haben. Aber lassen wir das. Ich muss jetzt los, zurück ans Ruder.« Sie stand auf. »Sonst tanzen die Kinder Max auf dem Kopf herum.«

Kit erhob sich ebenfalls. »Danke, dass Sie mir mehr über meine Patientin verraten haben. Ich werde mein Möglichstes tun, sie wieder auf die Beine zu kriegen, doch die seelische Arbeit muss sie selbst leisten.«

»Ich weiß«, sagte Alicia und ging zur Tür. »Danke, Kit, für Ihre Hilfe.«

»Es war mir ein Vergnügen.«

Eine Stunde später, nachdem Julia die Toilette benutzt und festgestellt hatte, dass sie nicht mehr so wacklig auf den Beinen war, wagte sie sich zum ersten Mal seit Tagen die Treppe hinunter.

Kit saß bei zugezogenen Vorhängen mit einem Buch vor dem Kamin. Das Wohnzimmer wirkte sehr viel einladender und behaglicher als sonst.

»Hallo«, begrüßte sie ihn von der Treppe aus, um ihn nicht zu erschrecken.

Er wandte sich zu ihr um und stand sofort auf. »Julia! Was machst du denn hier unten? Du holst dir noch den Tod.«

Er schickte sich an, sie wieder die Treppe hochzuscheuchen, doch sie schüttelte den Kopf. »Wie soll das gehen? Hier drin ist eine Bullenhitze. Außerdem langweile ich mich oben. Ich brauche Tapetenwechsel.«

»Na schön, aber nicht lange.« Er nahm ihren Arm und führte sie zum Sofa. »Leg dich hin; ich hole dir von oben ein paar Decken.«

»Wirklich, Kit, es ist angenehm warm hier, und ich habe die Nase voll davon, in meinem eigenen Saft zu braten«, widersprach sie, während sie den Kopf auf die Kissen legte, die er ihr darunterschob.

»Hast du Hunger oder Durst?«, erkundigte er sich. »Soll ich dir etwas bringen?«

»Nein danke. Bitte setz dich. Alles bestens.«

»Soll heißen: Hör auf, mich zu bemuttern«, sagte Kit und nahm im Sessel beim Kamin Platz. »Sorry.«

»Du brauchst dich nicht zu entschuldigen, Kit«, meinte Julia zerknirscht. »Du hast mich aufopfernd gepflegt, und dafür bin ich dir dankbar. Ich habe nur einfach ein schlechtes Gewissen. Tut mir leid, wenn ich mürrisch war.«

»Entschuldigung angenommen.« Kit nickte. »Mir ist mürrisch lieber als krank und verwirrt.«

»Wie du siehst, geht's mir besser. Es steht Ihnen also frei, mich morgen meinem Schicksal zu überlassen, Dr. Crawford.«

»Das muss ich sowieso, weil ich in Wharton Park gebraucht werde. Aber da man sich mit dir nun wieder vernünftig unterhalten kann: Erzähl mir, wie deine Großmutter auf das Changi-Tagebuch reagiert hat.«

»Ja ... Wie viel weißt du über die Wharton-Crawfords?«

»Heute mehr als früher. Vergiss nicht: Mein Urgroßvater Henry war Lord Christopher Crawfords jüngerer Bruder und wuchs in Wharton Park auf. Leider ist er 1918 in einem Schützengraben in die Luft geflogen, so dass seine Frau Leonora Witwe und seine beiden kleinen Kinder, eines davon mein Großvater, Waisen wurden.«

»Das war vor Elsies Zeit. Über Lord Christopher habe ich viel gehört ...«

»Mein Namenspatron«, sagte Kit. »Entschuldige, ich unterbreche dich nicht mehr. Bitte fang an zu erzählen.« Er lehnte sich in seinem Sessel zurück.

Julia gab sich alle Mühe, die Welt vor seinen Augen erstehen zu lassen, die Elsie so lebhaft geschildert hatte.

Kit lauschte stumm, bis Julia fertig war. »Was für eine Geschichte«, lautete sein Kommentar. »Penelope, die junge Frau, zu deren Ehren der Ball in Wharton Park veranstaltet wurde, war meine Großtante, die Schwester meines Großvaters Hugo, der im Zweiten Weltkrieg gefallen ist. Seine Frau Christina, meine Großmutter, brachte 1943 meinen Vater Charles zur Welt, der Wharton Park von Harry Crawford kurz vor meiner Geburt erbte. Wir zogen nicht in das Haus, das mein Vater hasste und zu dessen Renovierung ihm die finanziellen Mittel gefehlt hätten. Außerdem war Tante Crawford damals noch am Leben und fühlte sich als Hausherrin. Danke, dass du mir alles erzählt hast, Julia. Es ist interessant, die Fäden der Familiengeschichte zu verknüpfen.«

»Das glaube ich gern. Bisher hat Elsie mir weit mehr über die Crawfords berichtet als über meine eigene Familiengeschichte.«

»Es besteht sicher irgendeine Verbindung«, meinte Kit, »auch wenn ich sie momentan nicht erkenne. Möglicherweise darüber, dass Harry und Bill während des Krieges im selben Bataillon kämpften. Ja.« Kit nickte. »Ich wette, das ist es. Vielleicht verbirgt sich ein dunkles Crawford-Geheimnis auf den Seiten von Bills Tagebuch.«

»Möglich«, pflichtete Julia ihm bei. »Doch ich werde keine Spekulationen anstellen, bevor ich nicht die gesamte Story kenne. Die Vorstellung, dass meine Großmutter Dienstmädchen bei deiner Familie war und mein Großvater noch in meiner Kinderzeit für euch arbeitete, ist merkwürdig für mich. So vieles kann sich innerhalb von zwei Generationen verändern, nicht?«

»Du meinst, dass die Enkelin eines einfachen Gärtners zu Ruhm und Reichtum gelangt, von denen Elsie noch nicht einmal zu träumen wagte?«, neckte Kit sie.

Julia wurde rot. »Die Geschichte um Wharton Park hat mich in eine völlig andere Ära zurückgeworfen, obwohl alles erst fünfundsiebzig Jahre her ist. Das finde ich viel beeindruckender.«

»Dieses Gefühl hatte ich auch, als ich den Sommer dort verbrachte. Olivia, die genaugenommen eine Cousine von mir war, innerhalb der Familie jedoch ›Tante‹ genannt wurde, hat Wharton Park bis zu ihrem Tod nie wieder verlassen«, erzählte Kit. »Ich glaube, ihre Anwesenheit hat Wharton Park in einer Art Zeitblase gehalten.«

»O je«, stöhnte Julia. »Mir ist gerade etwas klar geworden …«

»Was?«, fragte Kit.

»Dass die furchteinflößende alte Dame mit den kalten blauen Augen, die mir an dem Tag, als ich dich kennenlernte, das Klavierspielen verboten hat, Olivia Crawford war!«

»Ja«, bestätigte Kit. »Die Arme. Der Himmel allein weiß, was ihr im Leben widerfahren ist. Es muss ziemlich schrecklich gewesen sein, wenn aus dem reizenden jungen Mädchen, das du gerade beschrieben hast, der alte Sauertopf werden konnte, den ich kannte.«

»Achte auf deine Worte, Kit«, ermahnte Julia ihn lachend.

»Stimmt doch! Ich hatte immer Angst vor ihr.«

»Es war sicher nicht leicht zu verkraften, dass sie ihren Mann dabei ertappte, wie er einen anderen Mann küsste«, gab Julia zu bedenken.

»Nach allem, was du erzählt hast, ist es Olivia und Harry doch gelungen, ihre Probleme zu lösen, bevor er an die Front musste.«

»Ja, anscheinend.«

Da bemerkte Kit, wie Julia gähnte. »Zeit fürs Bett, junge Frau«, sagte er. »Du darfst dich nicht überanstrengen. Komm, ich helfe dir die Treppe hinauf.« Er reichte ihr seinen Arm.

Als er die Bettdecke über sie breitete, lächelte sie ihn an.

»Schade, dass du nicht Arzt geworden bist. Du wärst sicher gut gewesen.«

»Anscheinend hatte das Leben etwas anderes mit mir vor.« Achselzuckend reichte er Julia ein Aspirin und ein Glas Wasser. »Bitte nimm das.«

»Warum warst du so lange im Ausland?«, fragte sie unvermittelt, als sie ihm das Glas zurückgab.

»Das ist eine lange Geschichte«, antwortete Kit. »Du solltest jetzt schlafen.«

»Na schön.« Julia sah ihm bis zur Tür nach, wo er stehen blieb. »Ich kann es verstehen.«

»Was?«

»Deinen Schmerz. Gute Nacht, Julia.«

»Gute Nacht, Kit.«

26

Am folgenden Tag nahm Julia ein Bad und zog das erste Mal seit Tagen wieder Jeans und Pullover an. Dann legte sie sich erschöpft aufs Bett und schaute zum Fenster hinaus: Während ihrer Krankheit war es Frühling geworden. Sie hörte Vögel zwitschern und roch einen Hauch von Frische, von neuem Leben.

Julia fühlte sich, obgleich körperlich noch geschwächt, seelisch stabiler. Wenn sie nicht mehr die ganze Zeit an Gabriel und Xavier dachte, bedeutete das nicht, dass sie sie nicht liebte oder sie ihr nicht fehlten. Ähnlich wie der Frühling die Natur erweckte, half er ihr, sich zu erholen.

Sie hörte, wie Kit die Treppe heraufkam und die Tür zum Bad hinter sich schloss. Er schlief auf einem der schmalen Stockbetten, die eigentlich für Kinder, nicht für über eins achtzig große Erwachsene gedacht waren. Kit hatte ihr wie ein echter Samariter in der Not beigestanden. Erst jetzt wurde ihr bewusst, wie angenehm ihr seine Fürsorge gewesen war.

Obwohl Julia nicht an Xaviers Liebe zweifelte, war sie in ihrer Beziehung für die Gefühle zuständig gewesen. Er hatte sich viel zu sehr auf seine Musik konzentriert, um sich Gedanken über Julias Bedürfnisse zu machen. Und wie ein Kind hatte er ständig Rückversicherung und Lob von ihr gebraucht.

Julia schob das schlechte Gewissen darüber beiseite, dass sie Negatives über ihren Mann dachte.

Es klopfte leise an der Tür. »Herein!«, rief sie.

Kit streckte seinen Lockenkopf herein. Als er sah, dass sie voll bekleidet war, lächelte er.

»Ich muss wohl nicht fragen, ob es dir besser geht. Bald werde ich hier überflüssig.«

»Darüber bist du sicher froh«, meinte Julia und deutete zum Fenster. »Ich hätte richtig Lust, ein bisschen frische Luft zu schnappen nach fast einer Woche im Haus... Du liebe Güte!«, rief sie aus. »Ist heute Freitag?«

»Ja.«

»O nein!« Sie sank aufs Kissen zurück. »Gestern hatte ich im Claridges einen Termin mit meinem Agenten. Olav Stein versetzt man nicht. Ich muss ihn sofort anrufen und alles erklären.«

»Nicht nötig, er weiß Bescheid.«

»Wie das?«, fragte Julia erstaunt.

»Mit Erlaubnis deiner Schwester habe ich deine Mailbox abgehört. Dieser Olav hatte am Mittwoch draufgesprochen, um sich zu vergewissern, dass es bei dem Termin bleibt. Ich habe ihn angerufen und ihm gesagt, dass du sterbenskrank bist. Er war sehr verständnisvoll, hat dir gute Besserung gewünscht und gebeten, ihn zu kontaktieren, sobald du wieder auf den Beinen bist. Da waren auch noch ein paar andere Botschaften.«

»Von denen erzählst du mir später. Danke, Kit, ich weiß deine Hilfe wirklich zu schätzen.«

»Ganz wohl war mir nicht dabei, deine privaten Nachrichten abzuhören, aber unter den gegebenen Umständen blieb mir keine andere Wahl.« Er zuckte mit den Achseln. »Jetzt mache ich uns Frühstück, und anschließend gehen wir zum Hafen, ein bisschen frische Luft schnappen. Wir sehen uns unten.«

Nach einem kräftigenden Frühstück aus Porridge, Sahne und braunem Zucker machten Kit und Julia einen Spaziergang durch den Hafen und zur Landzunge dahinter. Julia erinnerte sich gut an ihren letzten Aufenthalt dort und an ihre Verzweiflung. An einem sonnigen Frühlingstag, in Gesellschaft von Kit, erschien ihr, obwohl körperlich nach wie vor geschwächt, die Welt bedeutend freundlicher.

»Ich fürchte, ich muss dich bald verlassen«, stellte Kit fest. »Unter anderem habe ich einen Termin mit dem Verwalter des Guts. Es gibt Probleme beim Verkauf von Wharton Park. Der Käufer versucht, noch bessere Konditionen herauszuhandeln, als ich ihm sowieso schon eingeräumt habe.«

»Das tut mir leid. Hoffentlich gelingt es dir, eine Lösung zu finden.«

»Bestimmt. Schon merkwürdig, wie das Leben spielt, nicht? Damit, dass ich mich irgendwann mit der Veräußerung von Wharton Park beschäftigen müsste, hatte ich nun wirklich nicht gerechnet«, sagte er, als sie wieder in Richtung Cottage wanderten.

»Aber du hast doch sicher gewusst, dass du das Anwesen eines Tages erben würdest, oder?«

»Ja, irgendwann in ferner Zukunft; eine Pflicht, die ich gern verdrängt habe. Letztlich wickle ich das Ganze nur ab, weil die Wharton-Park-Hauptlinie der Crawfords in meiner Generation keinen Erben hervorgebracht hat.«

»Allmählich kriege ich den Eindruck, dass du es gar nicht erwarten kannst, Wharton Park loszuwerden.«

»Nein, das stimmt nicht. Ich …« Da klingelte Kits Handy. »Entschuldige kurz, Julia. Hallo? Ach, hallo, Annie. Alles in Ordnung?«

Julia ging weiter, damit Kit sich ungestört unterhalten konnte. An der Tür zum Cottage holte er sie wieder ein. »Entschuldige. Sieht fast so aus, als müsste ich gleich los«, teilte er ihr mit. »Bist du sicher, dass du zurechtkommst?«

»Natürlich. In den sieben Monaten, die ich allein hier verbracht habe, ist mir auch nichts passiert. Kein Problem, wirklich.«

»Soll ich dir was zum Mittagessen bringen?«, fragte er.

»Ich glaube, ich schaffe es schon, mir ein Sandwich zu machen. Lauf mal lieber los.«

»Gut. Du hast meine Telefonnummern, sowohl die vom Handy als auch die vom Festnetz, und Alicia hat mir versprochen, später nachzusehen, ob alles in Ordnung ist.«

»Na wunderbar.« Julia verdrehte die Augen und ließ sich aufs Sofa fallen.

»Alicia will dir nur helfen. Du bist ihr wichtig.«

»Das weiß ich. Aber sie vermittelt mir das Gefühl, selbst nichts zustande zu bringen. Sie ist so schrecklich organisiert.«

»Ihre Art und Weise, mit dem Leben fertig zu werden. Irgendeine Methode haben wir uns alle zurechtgelegt, sogar du.« Kit küsste sie auf die Stirn. »Melde dich, ja? Und lass mich wissen, wie es dir geht.«

»Mache ich«, versprach sie und stand auf. Plötzlich fühlte sie sich sehr verletzlich. »Danke. Für alles.«

»Nicht der Rede wert. Bis bald.« Kit öffnete die Tür.

Julia nickte. »Ja, bis bald.«

Julia ging nach oben, um ein Nickerchen zu machen, konnte jedoch nicht einschlafen. Sie versuchte, ein Buch zu lesen, das seit Ewigkeiten auf ihrem Nachtkästchen lag, war jedoch nicht in der Lage, sich darauf zu konzentrieren. Irgendwann döste sie dann aber doch ein, denn als sie aufwachte, war es sechs Uhr.

Sie hatte Hunger und ging nach unten, um sich etwas zu essen zu machen. Der Frühlingstag war nur noch eine ferne Erinnerung; der Abend hatte Kälte gebracht. Sie entzündete den Kamin, wie Kit es ihr gezeigt hatte, doch es gelang ihr nicht, die Flammen genauso zum Lodern zu bringen wie er.

Nach dem Verzehren des Käsetoasts wusste sie nicht so recht, was sie mit dem Abend anfangen sollte. Sie beschloss, gleich am nächsten Tag einen Fernseher zu besorgen, um die Stille zu vertreiben.

Später im Schlafzimmer, als die Kirchenglocke zwölf schlug, merkte sie, wie sehr Kit ihr fehlte.

Einige Tage danach saß Julia in der ungewöhnlich warmen Frühlingssonne auf der Bank vor ihrem Cottage und dachte über ihre Zukunft nach. Dass sie überhaupt glaubte, eine zu haben, erschien ihr wie eine Offenbarung. Was sie bringen würde, wusste sie aber nicht.

Eins wusste sie jedoch sicher, nämlich dass sie nicht länger in dem Cottage bleiben wollte. Seit sie wieder allein war, zogen die Stunden sich endlos dahin, und sie hatte zu viel Zeit zum Grübeln. Außerdem fühlte sie sich – so ungern sie das zugab – emotional labil. Immerhin hatte Kits Abschied ihr die Kraft verliehen, endlich Entscheidungen zu treffen.

»Genug«, murmelte sie. Sie würde alles für ihre baldige Rückkehr nach Frankreich organisieren, auch wenn dort schmerzliche Erinnerungen auf sie warteten.

Da klingelte ihr Handy. Sie ging, froh über die Ablenkung, ran.

»Hallo?«

»Hallo, Julia. Ich bin's, Kit.«

Sie wurde unwillkürlich rot.

»Ich wollte nur fragen, wie es meiner Patientin geht.«

»Deutlich besser, danke.«

»Prima. Meinst du, du könntest morgen Abend zu mir nach Wharton Park zum Abendessen kommen?«

»Ich glaube schon.« Julia lächelte.

»So gegen acht?«

»Okay. Soll ich was mitbringen?«

»Nur dich.«

»Bis morgen dann.«

»Ich freu mich. Tschüs, Julia.«

»Tschüs.«

Julia legte das Handy, bestürzt darüber, wie glücklich sie sich plötzlich fühlte, auf die Bank. Konnte es sein, dass sie sich wieder für einen Mann interessierte? Nur wenige Monate nach dem Tod von Xavier?

Ja.

Nach dem Mittagessen fuhr sie nach Holt, um eine Seidenbluse, Jeans, zwei weiche Kaschmirpullover und ein Paar Schuhe zu kaufen. Zu der Einladung würde sie Bluse und Jeans tragen, dachte sie, als sie die Highstreet entlangging. Sofort schalt sie sich für diese Überlegungen. Schließlich handelte es sich nicht um eine Verabredung.... Oder doch? Nun, die Jeans und das Sommertop, die sie während der Fahrt von

Frankreich nach England getragen hatte, sowie die Sachen, die sie sich in der Folgezeit von Alicia geborgt hatte, waren nicht gerade eine üppige Garderobe.

Als sie den Parkplatz betreten wollte, hörte sie jemanden ihren Namen rufen. Sie drehte sich um und sah, wie Alicia ihr zuwinkte.

»Hallo, Julia«, begrüßte ihre Schwester sie. »Du ersparst mir eine Fahrt zum Cottage. Ich wollte dich gerade besuchen.« Sie warf einen Blick auf Julias Tüten. »Warst du beim Einkaufen?«

»Ja.«

»Dann geht's dir also wieder besser?«

»Ja, viel besser. Danke.«

»Gut.« Alicia nickte. »Julia, hättest du Lust, morgen Abend zum Essen zu kommen? Wir haben Freunde eingeladen. Du könntest ein paar Leute aus der Gegend kennenlernen.«

»Danke, aber ich kann nicht.«

Alicia musterte ihre Schwester argwöhnisch. »Du kannst oder du willst nicht?«

»Ich kann nicht.«

»Warum?«, hakte Alicia nach.

Julia seufzte. »Weil ich bereits eine andere Einladung angenommen habe.«

»Ach.« Soweit Alicia wusste, kannte Julia niemanden und war seit ihrer Ankunft nicht aus dem Cottage herausgekommen. »Von wem?«

»Alicia!«, herrschte Julia ihre Schwester an. »Kit hat mich zum Abendessen nach Wharton Park eingeladen, okay?«

»Ist ja schon gut. Entschuldige die Neugier. Ich …« Sie deutete schmunzelnd auf Julias Einkaufstüten. »Hast du vor, dich in Schale zu werfen?«

»Könnte sein.« Julia hoffte, dass sie nicht rot wurde. »Alicia, ich muss jetzt wirklich los und einen Fernseher kaufen, bevor die Läden um fünf zumachen. Ich ruf dich an.«

»Versprochen?«, fragte Alicia Julia, die bereits in Richtung Wagen verschwand.

»Ja. Tschüs.«

»Viel Spaß morgen Abend«, rief sie ihr nach, bevor sie sich auf den Weg zur Reinigung machte, um Max' Hemden abzuholen.

27

Julia stellte den Wagen vor den bröckelnden Steinstufen zu der prächtigen Eichenholztür von Wharton Park ab. Das Haus war dunkel, die Tür geschlossen. Erst jetzt fiel Julia ein, dass sie Kit nicht gefragt hatte, welchen Eingang sie benutzen solle. Sie stieg, die Flasche Wein in der Hand, aus, sperrte das Auto zu und ging um das Gebäude herum zu dem ihr vertrauteren Dienstboteneingang. Julia war froh, Licht dahinter zu sehen. Sie holte tief Luft und klopfte.

Wenige Sekunden später tauchte Kit auf.

»Hallo, Julia«, begrüßte er sie und küsste sie auf beide Wangen. »Komm doch rein.«

Julia folgte ihm durch den Vorraum in die Küche. »Ich habe Wein mitgebracht«, sagte sie und stellte die Flasche auf dem Kiefernholztisch ab, den sie aus Kindertagen kannte.

Kit bedankte sich. »Du siehst schon viel besser aus. Und die Farbe, die du heute trägst, steht dir ausgesprochen gut«, fügte er mit einem bewundernden Blick auf ihre neue Bluse hinzu. »Offenbar haben Dr. Crawfords Behandlungsmethoden Wunder gewirkt. Weiß oder rot?«, fragte er auf dem Weg zur Vorratskammer.

»Egal«, antwortete Julia, die Kit mit den Augen verfolgte, wie er zum Kühlschrank ging, die langen Beine mit einer Jeans bekleidet, dazu ein frisch gebügeltes rosafarbenes Hemd.

»Dann fangen wir mit Weiß an.« Er nahm eine Flasche aus dem Kühlschrank und kehrte in die Küche zurück, um sie zu öffnen. »Ich fürchte, das wird für dich eine Reise in deine Wahlheimat, denn der Keller ist voll mit französischen Weinen, manche schon ziemlich alt. Einige Flaschen haben die Zeit besser überdauert als andere. Was heißt, dass wir hier entweder Nektar oder Essig haben.« Er zog den Korken aus der Flasche und roch daran. »Weder noch, aber immerhin trinkbar.«

»Du solltest einen Fachmann bitten, sich den Weinkeller anzusehen. Möglicherweise befinden sich da unten Schätze. Xavier – mein Mann – hat einmal bei einer Auktion eine Flasche für zweitausend Euro ersteigert.«

»Hat der Wein auch nach zweitausend Euro geschmeckt?«, erkundigte sich Kit und reichte ihr ein Glas.

»Gut, aber nicht außergewöhnlich. Wahrscheinlich hatte er einen Schwips, als er ihn gekauft hat«, erzählte Julia schmunzelnd.

»Meiner Meinung nach ist das wie bei des Kaisers neuen Kleidern«, erklärte Kit und nippte an seinem Wein. »Oder wie bei Kaviar und Trüffeln. Du magst mich für einen Banausen halten, aber ich begreife einfach nicht, was Fischeier und einen schlichten Pilz so begehrenswert macht. Ich esse, um zu leben, nicht umgekehrt. Möglicherweise bin ich nur neidisch auf das viele Geld, das nötig ist, um sich solchen Luxus leisten zu können. Mir sind solche Dinge einfach nicht wichtig. Zum Wohl, Julia. Willkommen zurück in Wharton Park.«

»Danke für die Einladung«, sagte Julia und nahm einen Schluck Wein. »Wie ist der Termin mit dem Verwalter gelaufen?«

»Deswegen habe ich dich heute Abend hergebeten – weil ich dich um deinen Rat bitten möchte. Wer würde sich dafür besser eignen als jemand, der dieses alte Gemäuer seit jeher liebt?« Er trat an den alten schwarzen Herd. »Während ich den Sugo zubereite, schütte ich dir mein Herz aus.«

»Schieß los«, forderte Julia ihn auf. »Es tut gut, sich mal die Sorgen eines anderen anzuhören.«

»Der Verkauf von Wharton Park ist geplatzt.«

»O nein! Warum?«

»Wieder so eine Geschichte aus der modernen Zeit. Eigentlich wollten wir am Freitag den Vertrag unterzeichnen, doch der Käufer hat mir mitteilen lassen, dass er eine Preissenkung um eine Million erwartet, wegen der drastisch gesunkenen Immobilienpreise seit Beginn der Verhandlungen. Allem Anschein nach hat Mr. Hedge-Fonds sich Verluste eingehandelt und ist nicht mehr so flüssig.«

»Glaubst du ihm das?«, fragte Julia.

»Keine Ahnung, ob er böse und durchtrieben ist oder nicht«, murmelte Kit und rührte mit einer Gabel in der vor sich hin köchelnden Pasta. »Leider weiß er, dass ich in der gegenwärtigen Marktsituation Mühe haben werde, einen anderen Käufer zu finden. Er hat alle Trümpfe in der Hand.«

»Verstehe. Könntest du es dir leisten, das Anwesen für einen geringeren Betrag zu veräußern?«

»Wegen der darauf lastenden Schulden nicht. Dazu kommt die Erbschaftssteuer auf das, was nach deren Begleichung übrig bleibt. Zu allem Überfluss fordert Mr. Hedge-Fonds auch noch das Geviert, weil er keine unmittelbaren Nachbarn möchte. Ehrlich gesagt ärgert mich das am meisten.«

»Das kann ich mir vorstellen. Besonders weil er bis zum letzten Augenblick gewartet hat, dir das mitzuteilen.«

»Tja«, Kit runzelte die Stirn, »so werden die Reichen wohl

reicher. Dass ich das Geviert für mich behalten und mich hier niederlassen könnte, hatte mir den Gedanken, das Anwesen zu verkaufen, erträglicher gemacht. Und … dieser Ort beginnt mich für sich einzunehmen. Was mich überrascht, weil ich als Kind nie eine enge Bindung dazu hatte. Je länger ich mich hier aufhalte, desto schwerer fällt mir der Verkauf von Wharton Park.«

»Was hast du nun vor?«

Kit goss die Nudeln ab und verteilte sie auf zwei Teller. »Das ist die Million-Dollar-Frage. Das Essen wäre fertig.« Kit füllte ihre Weingläser neu und setzte sich Julia gegenüber an den Tisch.

»Danke fürs Kochen, Kit. Riecht wunderbar.«

»Prima. Ich koche gern. Oder probiere zumindest gern Dinge aus. Fang an, bevor's kalt wird.«

»Leider kann ich nicht sonderlich gut kochen«, gestand Julia.

»Das ist eine Frage der Übung, und zum Üben hattest du aufgrund deines Lebensstils vermutlich nicht viel Gelegenheit. Außerdem wäre es für dich eine Katastrophe, wenn du dir beim Gemüseschälen einen Finger verletzt«, fügte er mit einem Augenzwinkern hinzu. »Da hätten Chopins *Études* gleich ein paar Noten weniger.«

»Was willst du nun mit Wharton Park machen?«

»Keine Ahnung. Was würdest du tun?«

Julia schüttelte den Kopf. »Da fragst du die Falsche. Du weißt, dass ich Wharton Park liebe. Überdies würde mein Gerechtigkeitssinn bestimmt die Entscheidung beeinflussen. Ich würde ihm höchstwahrscheinlich sagen, er soll sich zum Teufel scheren. Aber eine solche Reaktion hat nichts mit den finanziellen Gegebenheiten zu tun. Was willst du machen, wenn du Wharton Park nicht an Mr. Hedge-Fonds verkaufst? Kannst du es dir leisten, das Anwesen zu halten, bis du einen neuen Interessenten findest?«

»Gestern Abend bin ich die Bücher durchgegangen, und heute Morgen habe ich mich mit meinem Buchhalter getroffen. Die Einnahmen, die Farm und Pächter der Cottages abwerfen, eingerechnet, ergibt sich gegenwärtig offenbar ein kleiner Verlust. Das liegt hauptsächlich daran, dass sämtliche Gewinne in die Bezahlung der Zinsen für die Schulden fließen.« Kit schenkte sich Wein nach. »Der Buchhalter meint, die Situation ließe sich leicht verändern. Man könnte beispielsweise die Darlehen in einer einzigen Hypothek zu einem niedrigeren Zinssatz zusammenführen und somit Mittel freisetzen für den Erwerb moderner Geräte und die Beschäftigung eines Verwalters, der sein Handwerk versteht.«

»Das klingt alles sehr positiv.«

»Ja, aber dann wäre noch kein Penny übrig, um das Gebäude selbst wieder auf Vordermann zu bringen. Der Gutachter, der sich das Anwesen angeschaut hat, schätzt, dass es mehrere Millionen kosten würde, das Haus halbwegs zu sanieren. Ohne Veränderungen im Innern wie eine neue Küche oder ein Bad, das sich tatsächlich nutzen ließe. Hier gibt es insgesamt sechzehn Bäder, keins davon renoviert.«

»Wäre es denn möglich, ein paar Monate durchzuhalten, bis ein neuer Interessent gefunden ist?«

Kit nickte. »Ja, wenn ich die Verwaltung selbst übernähme, was hieße, dass ich andere Dinge, die ich eigentlich vorhabe, auf Eis legen müsste. Je länger ich hier bin, desto weniger möchte ich mich von Wharton Park trennen. Du warst mir in dieser Hinsicht auch keine besondere Hilfe«, fügte er hinzu.

Julia sah ihn verwundert an. »Was willst du damit sagen?«

»Die Familienhistorie zu hören, hat Wharton Park Bedeutung und Wert verliehen, die es zuvor nicht besaß. Dazu kommt unsere gemeinsame Geschichte. Wenn es Wharton Park nicht gäbe, hätten wir uns damals nicht kennengelernt.«

»Nun«, sagte Julia, die ob seines intensiven Blicks nervös wurde, forscher, als sie eigentlich beabsichtigte, »das wird eine schwere Entscheidung.«

»In der Tat. Und mir bleibt nicht viel Zeit, sie zu treffen. Außerdem muss ich zugeben, dass ich heute Abend nicht nur sehen wollte, wie es dir geht, sondern mir deine Gesellschaft gewünscht habe. Es fehlt mir, dir dabei zuzuschauen, wie du deine Suppe schlürfst und dir die fieberheiße Stirn abwischst.«

»Tatsächlich! Eine sonderlich gute Gesprächspartnerin kann ich in meinem Zustand nicht gewesen sein.«

Kit legte die Gabel auf seinen leeren Teller.

»Mir ist Schweigen von jemandem, dessen Gesellschaft ich genieße, deutlich lieber als ständiges Geplapper von jemandem, der mich nervt.«

Julia aß stumm ihre Nudeln auf, legte die Gabel beiseite und hielt den Blick auf den Teller gerichtet.

»Jedenfalls«, fuhr Kit nach einer Weile fort, »war es schön, dich wiederzutreffen. Ich habe den Tag damals, als ich dich zum ersten Mal spielen hörte, nie vergessen … Wirst du in Norfolk bleiben?«

»Ich weiß es noch nicht. Letztlich habe ich erst vor zwei Wochen angefangen, über meine Zukunft nachzudenken.«

»Verstehe. Mir ist vor langer Zeit etwas Ähnliches passiert. Das verändert das Leben und die Persönlichkeit. Bei mir hatte es zur Folge, dass ich praktisch unfähig war, eine langfristige Beziehung einzugehen. Ich muss der wahre Albtraum gewesen sein. Bis vor ein paar Jahren.« Er grinste.

»Hm«, murmelte Julia, der keine bessere Antwort einfiel.

»Ich hoffe, inzwischen ein besserer Mann geworden zu sein.

Möglicherweise kam erschwerend hinzu, dass ich nicht der Richtigen begegnet bin. Allzu viele verwandte Seelen trifft man nicht im Leben, stimmt's?«

»Stimmt.« Julia spürte, wie ihr Tränen in die Augen traten. Sie sah auf die Uhr. »Kit, ich muss nach Hause. Ich bin … müde.«

»Natürlich.« Kit legte seine Hand auf die ihre. »Sehen wir uns wieder?«

»Ja.« Julia entzog ihm die Hand, stand auf und ging zur Tür.

Kit folgte ihr. »Wie wär's mit Montagabend?«

»Ich … weiß nicht.«

Kit verstellte ihr den Weg und küsste sie. Die Berührung traf sie wie ein Stromstoß. Sie drehte den Kopf zur Seite, doch er schlang die Arme um sie.

»Julia, tut mir leid, wenn ich das Falsche gesagt habe, wenn dir alles zu schnell geht. Du hast mir gefehlt. Ich lasse dir Zeit, das verspreche ich dir. Ich kann dich verstehen, wirklich.«

»Ich …« Julia löste sich aus seiner Umarmung, verwirrt über die widersprüchlichen Gefühle, die Kit in ihr weckte. »Gute Nacht, Kit.«

»Ich rufe dich in den nächsten Tagen an. Vielleicht können wir am Montag …«

Doch da war sie schon aus der Tür und hastete zu ihrem Wagen.

28

Die folgenden beiden Tage gammelte Julia im Cottage herum, unfähig, sich vor dem nagelneuen Flachbildschirmfernseher zu entspannen, der geliefert und in einer Ecke des Wohnzimmers aufgestellt worden war. Sie machte lange Spaziergänge durch die Marschen und versuchte den Grund für ihre innere Unruhe herauszufinden.

Es war alles so verwirrend; *Kit* verwirrte sie. In der einen Minute warnte er sie, was für ein »Albtraum« er sei, in der nächsten behauptete er, er wolle sie wiedersehen, und küsste sie. Wieso machte er sich überhaupt die Mühe? Sie war frisch verwitwet und trauerte um ihren Mann; noch zwei Wochen zuvor hatte sie nichts mit der Welt zu tun haben wollen. Im Bett dachte sie daran, wie er sie geküsst hatte und ... stellte sich mehr vor.

Alle paar Minuten überprüfte sie, ob Nachrichten auf der Mailbox eingegangen waren. Ergebnis: seit vier Tagen nichts.

Nach einer Woche ohne ein Wort von ihm erwachte Julia aus unruhigem Schlaf und wusste, dass sie Kit vergessen und sich auf ihr zukünftiges Leben konzentrieren musste.

Als sie duschte, klingelte das Handy, das sie auf den Rand der Badewanne gelegt hatte.

»Hallo?«

»Ich bin's, Alicia. Wie geht's dir?«

»Gut, danke. Und dir?«, erkundigte sie sich, während sie, das Handy unters Kinn geklemmt, begann, sich abzutrocknen.

»Auch gut. Tut mir leid, dass ich mich so lange nicht gemeldet habe, aber diese Woche hatte ich ziemlich viel zu tun. Wie war dein Abendessen bei Kit?«

»Schön, danke.«

»Prima. Hast du ihn seitdem gesehen?«

»Nein.«

»Dann kann man also nicht auf eine romantische Geschichte hoffen?«, fragte Alicia.

»Gütiger Himmel, nein. Wir sind Freunde, weiter nichts.«

»Gott sei Dank.«

»Warum das? Ich dachte, du magst ihn?«

»Natürlich mag ich ihn, auch wenn … Nein, es ist nichts. Ich glaube nur …«

»Was? Nun sag schon, Alicia, lass dir nicht jedes Wort aus der Nase ziehen.«

»Beruhige dich, Julia. Ich wollte dich nur warnen, dass die Welt von Lord Crawford vielleicht doch nicht so klar strukturiert ist, wie sie auf den ersten Blick erscheint. Aber das geht mich nichts an.«

»Stimmt«, zischte Julia und wandte sich einem anderen Thema zu. »Wie läuft's mit den Kindern?«

»Sie sind in bester Kampflaune.« Alicia seufzte. »Max und ich wollten dich für morgen zum Mittagessen einladen.«

»Danke, Alicia, nein. Ich …« Julia suchte verzweifelt nach einer Ausrede. »Ich möchte spazieren gehen.«

»Spazieren gehen?«

»Ja.« Julia wechselte ins Schlafzimmer, wo sie fast keinen Empfang mehr hatte. »Ich melde mich bald wieder bei dir. Tschüs.«

Sie warf das Handy frustriert aufs Bett. Julia hasste Alicia und Kit dafür, dass es ihnen gelang, sie aus der Fassung zu bringen, doch noch mehr hasste sie sich selbst für ihre Reaktion.

In ihrer Verzweiflung fuhr Julia nach Holt, um eine oder zwei Stunden zu verbummeln. Sie kaufte Lebensmittel, auf die sie keinen Appetit hatte, und eine Duftkerze, die sie mit ziemlicher Sicherheit nie verwenden würde. Lustlos trottete sie die Highstreet entlang zu der kleinen Boutique, in der sie eine Woche zuvor ihre neue Kleidung erworben hatte. Diesmal fand sie nichts, und der Laden erinnerte sie schmerzlich an die Vorfreude, die sie das letzte Mal dort empfunden hatte. Zu allem Überfluss entdeckte sie einen kleinen Jungen, ungefähr so alt wie Gabriel, mit ähnlichem Lockenkopf und ähnlich großen, blauen Augen …

Julia verließ die Boutique mit Tränen in den Augen und kehrte zu ihrem Wagen zurück.

Da entdeckte sie ihn, wie er um sein Auto herum zur Beifahrertür ging, um sie zu öffnen, und seine Begleiterin, die ihm zulächelte, bevor er ein sehr kleines Baby vom Rücksitz holte. Er küsste das Kleine sanft auf den Kopf, reichte es seiner Mutter und holte den Kinderwagen aus dem Kofferraum. Sobald das Baby darin lag, setzten sie sich in Richtung Julia in Bewegung.

Julia duckte sich instinktiv hinter das nächste Auto, als sie an ihr vorbeikamen, so nahe, dass sie Annies amerikanischen Akzent und Kits Lachen hören konnte.

Julia holte tief Luft. Sobald die drei außer Sichtweite waren, lief sie zu ihrem eigenen Wagen und stieg ein.

»Wie konnte er nur?«, kreischte sie und hämmerte gegen das Lenkrad. Als sie sich halbwegs gefasst hatte, ließ sie den Motor an und verließ den Parkplatz.

An jenem Abend trank sie eine ganze Flasche Wein und wurde von Glas zu Glas wütender. Kit hatte mit ihren Gefühlen gespielt, so einfach war das. Dieses ganze verständnisvolle Gerede: Schauspielerei. Er war schlicht ein Schürzenjäger, wenn auch mit beeindruckendem Stammbaum.

»Armes Baby, arme Annie«, flüsterte sie, als sie die Treppe hinaufwankte und in ihrem Schlafzimmer voll bekleidet aufs Bett fiel.

Doch während ihrer Krankheit hatte er sich so aufopfernd um sie gekümmert …

Eine Träne rollte über ihre Wange. Sie konnte einfach nicht mehr wütend sein.

Er fehlte ihr …

»Mein Gott …«, stöhnte sie, denn der Alkohol offenbarte ihr die Wahrheit: Sie hatte sich in Kit Crawford verliebt.

Am Montagmorgen fand Julia sich im Reisebüro ein, wo sie einen Flug nach Frankreich buchte. Den Sonntag hatte sie mit einem Kater begonnen, dann stundenlang ferngesehen, sich etwas zu essen gemacht und beschlossen, sich zusammenzureißen. Es konnte nicht angehen, dass Kit ihr den Weg zurück ins Leben verbaute. Sie durfte sich auf nichts einlassen, bevor sie nicht wirklich dazu bereit war.

Das Flugticket in der Handtasche und bedeutend optimistischer als zuvor, fuhr Julia nach Hause. Bis zum Abflugtermin am Mittwoch blieben ihr noch ein paar Tage Zeit, sich von ihrer Familie zu verabschieden, zu packen und sich innerlich auf die Reise vorzubereiten.

Als sie den Wagen durch Blakeney lenkte, klingelte ihr Handy. Und wenig später noch einmal. Ein Blick aufs Display verriet Julia, dass jemand auf die Mailbox gesprochen hatte. Wahrscheinlich Alicia, dachte sie, ging in den Supermarkt, um Milch zu kaufen, und hörte die Nachricht ab.

»Hallo, Julia, ich bin's, Kit. Entschuldige vielmals, dass ich nicht früher angerufen habe. Die letzte Woche hat sich als unerwartet hektisch entpuppt. Hättest du Lust auf ein gemeinsames Mittagessen morgen? Ich hoffe, dir geht es wieder besser. Bitte ruf mich doch zurück. Tschüs.«

»Ha!«, rief Julia aus. Der Rentner, der gerade neben ihr Butter aus dem Kühlfach nahm, zuckte zusammen. Sie entschuldigte sich, ging zur Kasse, zahlte und verließ den Laden.

Als sie das Cottage erreichte, warf Julia den Kopf in den Nacken und lachte laut auf.

»Ha! Von wegen hektische Woche! War es wohl, wenn deine Freundin, vielleicht sogar deine *Angetraute* ... wer weiß? ... euer Baby zur Welt bringt! Ha, ha!«

Wütend packte sie die wenigen Habseligkeiten, die sie mit nach Frankreich nehmen wollte, ein.

Fünfzehn Minuten später war sie fertig und sank erschöpft aufs Sofa, wo sie den Kopf über Kits Nachricht schüttelte.

Kaum zu fassen, dass sie ihn beinahe mit Xavier, ihrem toten Mann, verglichen hatte!

»O Gott«, murmelte sie, stand auf und verließ das Cottage, um zu Alicia zu fahren und sich von ihr zu verabschieden.

»Du wirst mir fehlen, Liebes«, sagte Alicia. »Aber ich bin froh, dass du die Reise jetzt machen willst. Ich weiß, wie schwierig es in den ersten Wochen sein wird. Falls du irgendwann reden möchtest: Ich bin immer für dich da.«

»Diesmal werde ich versuchen, mit euch in Verbindung zu bleiben«, versprach Julia. »Früher ist mir das nicht besonders gut gelungen. Ich war ja ständig auf Achse und musste immerzu auftreten, und dazu noch Xavier und Gabriel …« Fast versagte ihr die Stimme. »Ich glaube, am meisten fürchte ich mich davor, das Haus in dem Wissen zu betreten, dass sie nicht da sind.« Julia biss sich auf die Lippe, um nicht zu weinen. »Aber du hast recht: Mit der Zeit wird es sicher besser. Ich muss nur die Kraft finden, den Schmerz zu ertragen.«

»Das wirst du, Julia.« Alicia setzte sich neben sie. »Ich wollte nur sagen … wie sehr ich dich bewundere.«

Julia sah sie erstaunt an. »Du bewunderst mich? Ich hör wohl nicht richtig. Alicia, du bist so organisiert und hilfst mir immer wieder aus meinem Chaos heraus.«

»Wir sind eben unterschiedlich. Ich muss dir eins sagen: Ich glaube nicht, dass ich durchgestanden hätte, was dir passiert ist. Ja, ich bin organisiert und kann einen Haushalt und eine Familie führen. Aber an deiner Stelle wäre ich jetzt eine gebrochene Frau.«

»Tatsächlich?«

»Ja. Ich weiß, dass ich mit ungewöhnlichen Ereignissen

nicht umgehen kann. Allein schon der Gedanke daran versetzt mich manchmal in Panik …«

»Du warst einfach wunderbar, Alicia. Danke für alles. Falls du jemals Lust auf einen spontanen Trip nach Frankreich haben solltest, weißt du, dass du jederzeit willkommen bist.«

»Liebend gern, aber wann?« Alicia zuckte mit den Achseln. »Was? Mum will weg? Ihre kleine Kinderwelt würde doch zusammenbrechen.« Sie schmunzelte.

»Das Angebot steht jedenfalls.«

»Danke. Hast du schon gepackt?«

»Ja. Ich hab gerade mal zehn Minuten dazu gebraucht. Ist Dad noch in Norfolk? Ich würde mich gern von ihm verabschieden.«

»Als ich das letzte Mal mit ihm gesprochen habe, war er in London, um seine Reise zu den Galapagosinseln vorzubereiten, aber ruf ihn doch an«, riet Alicia ihr. »Und was ist mit Elsie und der zweiten Hälfte der Geschichte?«

»Ich dachte, die überlasse ich dir. Warum besuchst du sie nicht mal? Das würde sie freuen.« Julia hatte im Augenblick keinerlei Lust auf Schilderungen weiterer Crawford-Ränke.

»Mach ich. Wirst du dich von Kit verabschieden?«

Julias Augen begannen zu funkeln. »Nein. Ich habe den Eindruck, dass er im Moment ziemlich beschäftigt ist, oder?«

»Ich … weiß es nicht«, antwortete Alicia. »Aber egal. *Bon voyage*, kleine Schwester.« Julia ließ sich von ihr umarmen. »Bitte halt diesmal wirklich Kontakt.«

»Ja. Und noch mal danke für alles.«

»Du weißt, dass ich da bin, wenn du mich brauchst, Julia.«

»Ja. Tschüs, Alicia. Grüß mir die Kinder.«

Auf dem Weg zum Cottage hörte Julia sich die Hälfte einer neuen Nachricht von Kit an, lachte wieder laut auf, löschte sie und schaltete ihr Handy aus.

Am folgenden Tag saß Julia in der Sonne des Pub-Gartens und rief Elsie und ihren Vater an, um ihnen mitzuteilen, dass sie nach Hause zurückkehren wolle. Elsie, die sich gerade von einer leichten Grippe erholte, krächzte noch, und George schien in Gedanken bereits auf den Galapagosinseln zu weilen.

»Du willst nach Hause, Liebes? Ins Cottage? Gut, gut. Freut mich, von dir zu hören.«

»Nein, nach Frankreich, Dad«, erklärte Julia geduldig, die seine Geistesabwesenheit vor großen Reisen kannte.

»Ach so. Prima! Irgendwann musst du wieder in den Sattel. Und ans Klavier.«

»Eins nach dem anderen, Dad.«

»Ja, natürlich. Ich breche jedenfalls dieses Wochenende auf. Wenn du wieder per E-Mail zu erreichen bist, melde ich mich wie üblich. Wie die Kommunikationsmöglichkeiten dort sind, weiß ich allerdings nicht.«

»Pass auf dich auf, Dad.«

»Und du auf dich. Vergiss nicht: Ich bin stolz auf dich.«

»Danke, Dad. Tschüs.«

»Auf Wiedersehen, Liebes.«

Als Julia das Gespräch beendet hatte, sah sie, dass eine SMS von Kit hereingekommen war. Sie löschte sie ungelesen, leerte ihr Glas Wein und aß ihr Sandwich auf, dachte an den folgenden Tag und den nächsten schwierigen Schritt ihrer Reise. Nun, da sie so kurz davorstand, bekam sie es mit der Angst zu tun. Während sie zum Cottage zurückschlenderte, überlegte sie, ob sie tatsächlich bereit dazu war. Egal wie sehr Alicias ständige Sorge ihr auf die Nerven gegangen war: Immerhin hatte sie ihr ein Gefühl der Sicherheit gegeben.

In Frankreich wäre sie allein mit ihren Erinnerungen.

Aber es gab keine Alternative. Hier hielt sie nichts.

29

Um acht Uhr abends war der Mietwagen, den sie in den vergangenen Monaten benutzt hatte, abgeholt, das Cottage sauber geputzt und ordentlich aufgeräumt und das Taxi zum Flughafen für halb acht am folgenden Morgen bestellt. Julias Tasche stand neben der Tür – sie war bereit zum Aufbruch.

Als sie sich im Wohnzimmer umsah, empfand sie plötzlich ein Gefühl der Zuneigung für diese vier Wände, die Zeuge ihres Kummers geworden waren und ihr Zuflucht geboten hatten.

Julia ging zur Haustür, um den kühlen, sauberen Geruch der Nordsee einzuatmen und einen letzten Blick auf die Boote zu werfen, die im Hafen schaukelten.

»Hallo, Julia«, ertönte da eine Stimme aus der Dunkelheit, und sie machte vor Schreck einen Satz.

»Ich bin's, Kit«, sagte die Stimme, und eine Gestalt bewegte sich auf den Lichtschein zu, der aus dem Haus drang.

Julia erstarrte.

»Ich weiß, dass du morgen abreist …«

»Woher?«

»Ich hab mit deiner Schwester telefoniert, weil ich mir Sorgen um dich mache.«

»Ach.«

»Julia …« Kit tat ein paar Schritte auf sie zu. Julias Hand wanderte instinktiv in Richtung Tür, um sie zu schließen.

»Ich glaube, es liegt ein Missverständnis vor. Darf ich reinkommen und dir alles erklären?«

»Nicht nötig. Ich denke, ich begreife dieses sogenannte Missverständnis nur zu gut, Kit. Wenn du mich jetzt entschuldigen würdest – ich muss morgen früh raus. Gute Nacht.«

Julia trat ins Haus.

»Bitte, Julia.« Kit hinderte sie daran, die Tür zu schließen. »Bitte lass es mich erklären, damit wir nicht im Zwist auseinandergehen. Das würde ich wirklich nicht wollen.«

Julia zuckte mit den Achseln. »Wenn du meinst. Aber nur fünf Minuten.« Sie ging zum Sofa und ließ sich darauf nieder.

Kit folgte ihr hinein und blieb beim Kamin stehen.

»Ich habe dich letzte Woche nicht angerufen, weil Annies Baby zur Welt gekommen ist.«

»Ja, ich weiß. Gratuliere.« Julia zwang sich zu einem Lächeln.

»Danke. Ich richte es ihr aus, wenn ich das nächste Mal mit ihr rede.«

»Bitte mach dich nicht lustig über mich, Kit. Ich habe euch drei in Holt gesehen, eure hübsche kleine Familie. Es ist schon in Ordnung.«

Kit kratzte sich nervös am Kopf. »Möchtest du die Wahrheit erfahren, oder begnügst du dich mit der Version, die North Norfolk sich in den vergangenen Wochen für mich ausgedacht hat? Es liegt bei dir.«

Julia zuckte mit den Achseln. »Schildere mir deine Version.«

»Annie ist eine sehr alte und liebe Freundin von mir. Sie hat mir vor zwölf Jahren über eine schwierige Zeit hinweggeholfen. Danach ist sie in die Staaten übergesiedelt, wo ich sie mehrmals besucht habe. Letztes Jahr hat sie mir dann ganz glücklich erzählt, dass sie der Liebe ihres Lebens begegnet ist. Leider war sie an einen Bindungsphobiker geraten. Dass er sie liebte, wusste sie, aber er schaffte es nicht, mit ihr zusammenzuziehen, geschweige denn sie zu heiraten. Mit vierunddreißig stellte sie fest, dass sie schwanger war von dem Mann, den sie liebte, und sie wollte das Kind behalten.«

»Das hätte ich an ihrer Stelle auch getan«, bemerkte Julia.

»Natürlich flippte Jed, der Bindungsphobiker, aus und trennte sich von ihr. Annie, obwohl am Boden zerstört, kam zu dem Schluss, dass es das Beste sei, sich von der Vergangenheit zu distanzieren und auf die Schwangerschaft zu konzentrieren. Also hat sie mich gefragt, ob sie bei mir bleiben könnte, bis das Baby auf der Welt wäre. Selbstverständlich habe ich ja gesagt. Ich war gerade nach Wharton Park gezogen, wo, wie du weißt, mehr als genug Platz ist. Ehrlich gesagt, war ich froh über ihre Gesellschaft«, erklärte Kit. »Letzte Woche setzten dann vierzehn Tage zu früh die Wehen ein, und ich musste die Rolle des fürsorglichen Partners spielen.«

»Sehr aufmerksam von dir.«

»Es war das Mindeste, was ich für sie tun konnte, nachdem sie mir damals geholfen hatte«, sagte Kit. »Obwohl ich mir vorkam wie ein Betrüger. Eine der Schwestern im Krankenhaus meinte sogar, das Kind sähe mir ähnlich!« Kit kicherte. »Nach der Geburt von Charlie habe ich Jed eine E-Mail geschickt, um ihm mitzuteilen, dass er einen sehr hübschen Sohn hat – mit einem Foto von dem Kleinen gleich nach der Geburt.«

»Wusste Annie davon?«, fiel Julia ihm ins Wort.

»Nein. Aber mir war klar, dass Jed es erfahren sollte. Ich habe einfach darauf gesetzt, dass so ein kleiner Kerl das härteste Herz erweicht. Und so war es dann auch. Vor zwei Tagen ist der echte Daddy in Wharton Park aufgetaucht, hat sich sofort in seinen Sohn verliebt und nimmt Mutter und Kind mit in die Staaten, um fürderhin glücklich mit ihnen zusammenzuleben.«

»Wow!«, rief Julia aus. »Was für eine Geschichte.«

»Ausnahmsweise mal mit einem spektakulären Happy End. Zumindest fürs Erste.«

»Kann sich ein Mensch wirklich ändern?«, fragte Julia. »Ich

weiß nicht, ob ich es hätte verzeihen können, wenn ich so im Stich gelassen worden wäre. Wie soll Annie ihm je wieder vertrauen?«

»Das muss sie, denn sie liebt ihn. Und falls er überhaupt in der Lage ist, sich zu ändern, dann mit Hilfe eines Kindes. Dazu ein üppiger Diamantring und eine Hochzeit, sobald Annie dazu bereit ist, sowie eine Liste mit Terminen bei Immobilienmaklern in Greenwich, und schon hat man einen denkbar positiven Neuanfang. Sie hat den Sprung gewagt. Ich kann nur hoffen, dass sich ihre Entscheidung als richtig erweist. Annie hätte es verdient. Sie ist in den vergangenen Monaten durch die Hölle gegangen. Ich habe sie unterstützt, so gut ich konnte, war aber natürlich nur ein schlechter Ersatz für den echten Vater.«

»Was für ein Glück, dass sie dich hatte, Kit.«

»Obwohl ich dir deswegen unnötig Schmerz zufügen und dich im Stich lassen musste. Aber es war meine Pflicht, mich um sie zu kümmern, Julia.«

»Ja.« Julia starrte eine Weile ins Feuer, bevor sie den Blick wieder hob. »Kit, warum hast du mir nicht gesagt, wo du bist? Ich dachte, wir wären befreundet.«

»Julia …« Kit schüttelte den Kopf. »Begreifst du denn nicht?«

»Nein, tut mir leid.«

»Dann erkläre ich es dir: Ich erinnere mich nur zu gut an deinen gequälten Gesichtsausdruck, als du die hochschwangere Annie vor ein paar Wochen im Geviert gesehen hast. Da dachte ich, was du nach dem Verlust deines Sohnes sicher nicht gebrauchen kannst, sind Berichte über eine glückliche Mutter und ein Neugeborenes, wenn du mich in Wharton Park besuchst. Davor wollte ich dich bewahren, Julia.«

Julia traten Tränen in die Augen.

Kit setzte sich neben sie aufs Sofa und nahm ihre Hand. »Ich gebe zu, dass ich naiv war und unterschätzt habe, wie schnell Neuigkeiten sich herumsprechen, und auch, wie sehr die Leute hier sich für mein Leben interessieren. Ich bin die Anonymität gewohnt, habe nie lange an einem Ort gelebt, war sozusagen immer nur ein Besucher. Ich werde eine Weile brauchen, mich an dieses neue Dasein zu gewöhnen. Halb North Norfolk fragt sich wohl im Augenblick, wo meine ›Frau‹ und mein neugeborenes Kind abgeblieben sind.«

»Stimmt«, pflichtete Julia ihm bei. »Ihr wart wirklich ein hübsches Paar. Ich fürchte, ich habe den gleichen voreiligen Schluss gezogen.«

»Genau wie deine Schwester, die mit mir geredet hat, als hätte sie einen besonders unangenehmen Geruch in der Nase. Es war alles meine Schuld. Ich hätte dich einweihen sollen, habe es aber in der besten Absicht nicht getan. Ich wollte nicht lügen, also war Schweigen die beste Lösung. Es tut mir leid, Julia. Ich habe die Sache ziemlich ungeschickt angepackt. Du musst mich für einen Mistkerl gehalten haben, weil ich dich im einen Moment küsse und im nächsten stolz mit einem Neugeborenen in Holt herummarschiere.«

»Ja, so könnte man es ausdrücken.« Wenn seine Geschichte stimmte, dachte Julia, war er ein ziemlich guter Mensch. »Hattest du je was mit Annie?«, fragte sie mit leiser Stimme.

»Nein. Uns ist das seltene Glück einer engen Freundschaft zwischen Mann und Frau ohne Sex vergönnt. Annie ist wie eine Schwester für mich – oder sollte ich sagen, wie die Schwester, die ich gern anstelle von Bella hätte? Ich fürchte, ich war nie Annies Typ. Ihr sind sportliche Kerle mit Muskelpaketen lieber.« Kit blickte an seinem eigenen, eher schmalen Körper hinunter und grinste. »Und sie ist auch nicht der meine; ich finde sie zu draufgängerisch. Ich habe beobachtet, wie sie die Männer aufgefressen und wieder ausgespuckt hat, bis sie der Liebe ihres Lebens begegnete. Jetzt ist sie sanft wie ein Lamm.«

»Woher kennst du sie?«

»Von der Uni. Wir haben in meinem dritten Studienjahr in Edinburgh in einer WG gewohnt, vor meinem Abschied von der Medizin.«

»Warum hast du das Studium hingeschmissen?«

Kit seufzte. »Darüber rede ich nicht gern. Interessiert dich das wirklich? Es ist keine sehr schöne Geschichte.«

»Ja. Aber nur, wenn du es mir erzählen möchtest.«

»Okay. Ist noch Wein im Haus? Ich könnte ein Glas vertragen.«

»Im Kühlschrank steht eine angebrochene Flasche, aber die ist schon ein paar Tage alt.«

»Besser als gar nichts. Ich kümmere mich um das Feuer im Kamin, während du den Wein und die Gläser holst.«

Julia ging in die Küche. Nachdem sie sich so bemüht hatte, alle Gedanken an Kit zu verdrängen, versuchte sie nun, seine augenscheinlich plausible Geschichte zu glauben. Und auch ihr Körper hatte wieder eindeutig auf seine Berührung reagiert.

»Da wären wir. Wahrscheinlich schmeckt er nicht mehr«, sagte sie, als sie den Wein in zwei Gläser füllte und ihm eines reichte. »Also, schieß los.«

»Ja, widerlich«, bestätigte Kit nach einem Schluck, »aber egal. Wenn's dir nichts ausmacht, erzähle ich dir nur das grobe Gerüst, das macht es einfacher. Wie gesagt: Im dritten Studienjahr habe ich mit Annie, die für Architektur eingeschrieben war, und ein paar anderen Studenten in einem Haus gewohnt. In Annies erstem Semester kam ihre beste Freundin Milla aus London zu Besuch. Ich war zweiundzwanzig und habe mich

Hals über Kopf in Milla verliebt. Sie war der temperamentvollste, attraktivste, charismatischste Mensch, den ich kannte. Jeder Raum, den sie betrat, erwachte sofort zum Leben. Sie absolvierte eine Schauspielausbildung …« Kit schüttelte den Kopf. »Sie wäre sehr erfolgreich gewesen, wenn …«

»Wenn was?«, fragte Julia.

»Dazu komme ich gleich. Obwohl Annie mich gewarnt hatte, mich mit der flatterhaften, geheimnisvollen Milla einzulassen, war ich rettungslos verloren. Trotz unserer unterschiedlichen Persönlichkeiten schien Milla mich ihrerseits zu mögen, und so wurden wir ein Paar. Im folgenden Jahr verbrachte ich mehr Zeit auf der Autobahn zwischen Edinburgh und London als an der Uni. Sie war wie eine Droge … Ich konnte einfach nicht ohne sie sein.«

»Die erste große Liebe«, murmelte Julia, die an Xavier denken musste.

»Ja, genau. Natürlich habe ich mich ausgerechnet in die komplizierteste, anstrengendste Frau überhaupt verliebt. Heute weiß ich, dass das Teil des Reizes war, wie eine Achterbahnfahrt, die ständige Unsicherheit, ob sie tatsächlich mir gehörte. Im einen Augenblick sagte sie mir, sie liebe mich über alles, und dann hörte ich eine Woche oder länger nichts von ihr. Ich muss wohl kaum erwähnen, dass das Studium darunter litt, aber das war mir damals egal.« Kit rang sich ein gequältes Lächeln ab. »Ich hatte den Verstand verloren.«

»Und was geschah dann?«

»Ich pendelte also ständig zwischen Edinburgh und London hin und her. Nach etwa einem Jahr bemerkte sogar ich Millas merkwürdiges Verhalten. Sie hatte immer schon viel Energie besessen und die ganze Nacht aufbleiben, tanzen und feiern können, doch da bekam diese Energie allmählich etwas Manisches. Wenn ich das Wochenende bei ihr verbrachte, schlief sie manchmal überhaupt nicht. Sie schien in ziemlich zwielichtigen Londoner Cliquen zu verkehren und wurde immer dünner. Eines Tages habe ich sie dann im Bad erwischt, wie sie sich einen Schuss Heroin setzte.«

»O je. Hat sie's zugegeben?«

»Das musste sie, denn ich hatte sie ja auf frischer Tat ertappt. Dass sie manchmal Koks nahm, wusste ich, aber das war nun etwas völlig Neues. Sie schwor mir, dass sie damit aufhören könne, jedoch meine Unterstützung brauche.«

»Und darauf hast du dich eingelassen?«

»Ja. Ich habe das Medizinstudium geschmissen und bin nach London gegangen, um sie zu retten.«

»Kit! Und das nach drei Jahren harter Arbeit! Vermutlich warst du kurz vor dem Abschluss.«

»Ja, ich hätte noch ein Jahr gehabt.« Kit seufzte. »Wie gesagt: Ich war verrückt.«

»Ist es dir gelungen, Milla zu retten?«

»Nein. Hätte ich damals bloß gewusst, dass ein Süchtiger sich nur selbst retten kann. Milla hat's versucht und ist ein paar Wochen auf kalten Entzug gegangen, hat dann aber wieder angefangen. Natürlich war ich irgendwann der ›Feind‹, der ihr Geld konfiszierte, sie nicht mehr allein auf die Straße ließ und ihre Anrufe mithörte, damit sie keinen Kontakt mit Dealern aufnehmen konnte … Sie hat mich gehasst.« Kit strich sich eine Haarsträhne aus dem Gesicht. »Das ging monatelang so, bis ich einmal vom Einkaufen in die Wohnung zurückkam und sie nicht mehr da war. Am nächsten Tag hat die Polizei sie bewusstlos in der Gosse aufgelesen. Sie hatte sich eine Überdosis gespritzt und wurde in den Entzug gesteckt. Sie versprach mir durchzuhalten und hatte schreckliche Angst, dass ich sie im Stich lassen würde. Ich versprach ihr, bei ihr zu bleiben, unter der Bedingung, dass sie nicht aufgab. Und ich sagte ihr, ich würde ein für alle Mal verschwinden, wenn sie wieder Drogen nähme.«

»Dir blieb keine andere Wahl, oder?«

»Das behaupteten zumindest die Fachleute. Die letzte gute Zeit hatten wir miteinander, als sie aus der Reha kam, drei wunderbare Monate mit meiner alten Milla. Sie sprach sogar davon, zurück an die Schauspielschule zu gehen, und ich wollte mein Medizinstudium in London wiederaufnehmen.« Kit zuckte mit den Achseln. »Ein ganz normales Leben, und deshalb so schön.«

»Doch irgendwann war es zu Ende?«

»Ja. Inzwischen kannte ich ja die Zeichen: das manische Verhalten, die dunklen Ringe unter den Augen, den Gewichtsverlust … Ich hatte so etwas wie einen Doktor in Milla- und Suchtstudien. Obwohl Milla alles leugnete, wusste ich, dass sie wieder an der Nadel hing. Also machte ich meine Drohung wahr in der Hoffnung, dass sie das zur Vernunft brächte. Julia, es war schrecklich. Sie hat gekreischt und geweint, mich angefleht zu bleiben und mir gedroht, sich umzubringen, wenn ich ginge …« Kit legte den Kopf in die Hände. »Das war die schlimmste Entscheidung meines Lebens.«

Julia streckte die Hand aus, um ihn zu trösten. »Hat's was genützt?«

»Nein, natürlich nicht. Ich bin ihr eine Woche lang ferngeblieben, habe mich mindestens zwanzigmal am Tag gezwungen, standhaft zu bleiben, bin dann aber wieder zu ihr, habe die Wohnung leer vorgefunden und die Polizei gerufen. Drei Wochen später wurde sie in der Unterkunft eines stadtbekannten Dealers tot aufgefunden.«

»Das tut mir leid, Kit«, murmelte Julia.

»Tja.« Er hob den Kopf. »Sie hatte gedroht, sich umzubringen, wenn ich sie verließe … Und genau das hat sie am Ende getan. Die Obduktion ergab, dass sie an einer Überdosis gestorben ist und vor ihrem Tod wiederholt vergewaltigt worden war. Um sich das Geld für die Drogen zu verdienen, hatte sie sich offenbar prostituiert. Das erklärte die blauen Flecken, die ich schon früher an ihr bemerkt hatte. Vermutlich war sie bereits in der Zeit mit mir auf den Strich gegangen.«

»Kit, ich weiß nicht, was ich sagen soll.«

»Wie du aus eigener Erfahrung weißt, gibt es in einem solchen Fall nichts zu sagen. Ich hatte Schuldgefühle, war wütend, dass sie ihr Leben vergeudet, und verbittert darüber, dass ihr das Heroin wichtiger gewesen war als ich. Ich verlor den Glauben an den Menschen. Dieses ganze Gerede von wegen ›das Richtige tun‹ oder ›Liebe überwindet alle Probleme‹… Es gab kein Happy End, nur die Leiche einer jungen Frau und das Wrack eines unglücklichen Mannes.«

»Du meinst, du musstest akzeptieren, dass du nicht alles unter Kontrolle hattest? Dass es manchmal egal ist, wie viel Mühe man sich gibt und wie viel Liebe man investiert? Dass am Ende doch das Gleiche herauskommt? Das habe ich in den vergangenen Monaten gelernt«, sagte Julia mit leiser Stimme.

»Ja. Ich habe Jahre gebraucht, um auch das Gegenteil zu lernen: dass die Mühe sich manchmal doch lohnt und man den Glauben nicht verlieren darf. Unmittelbar nach der Geschichte damals hatte ich wohl so etwas wie einen Zusammenbruch.«

»Und da hat Annie dir geholfen?«

»Ja. Sie war großartig, hat mich sofort nach Edinburgh mitgenommen und sich um mich gekümmert wie in einem Kitschroman. Sie hat mir wieder und wieder erklärt, dass Milla seit jeher seelisch labil war, dass ich nicht mehr hätte tun können und ich mich nicht für das Geschehene verantwortlich fühlen dürfe. Natürlich habe ich nicht auf sie gehört und bin weiter den Weg der Selbstzerfleischung gegangen. Eines ist sicher, Julia« – er sah ihr in die Augen – »in puncto Selbstmitleid und Wut stehe ich dir in nichts nach.«

»Selbstmitleid würde ich das nicht nennen, Kit. Schließlich bist du durch die Hölle gegangen. Wie kam es, dass die Wut aufhörte?«

»Vor ein paar Jahren hatte ich so etwas wie ein Erweckungserlebnis. Auf meinen Reisen habe ich mal drei Monate lang in einem Lager an der thailändischen Grenze birmesischen Kindern Englisch beigebracht«, erzählte er. »Die Situation dort ist mir wirklich zu Herzen gegangen. Die meisten von ihnen besaßen nur die Kleidung, die sie am Leib trugen. Ihre Eltern waren verschwunden, in Birma erschossen oder in Thailand unterwegs, um Arbeit zu finden, die Kinder im Niemandsland gestrandet. Die thailändische Regierung wollte sie nicht ins Land lassen, und wenn sie nach Hause zurückkehrten, begaben sie sich in Lebensgefahr. Sie hatten im wörtlichen Sinn keine Zukunft. Trotzdem waren sie so dankbar für die kleinsten Dinge, die man ihnen gab. Ein neuer Fußball bedeutete für sie ein Ticket zum WM-Finale. Sie hatten Hoffnungen und Zukunftsträume und gaben nie auf. Ich weiß, es ist ein Klischee, doch der Anblick dieser Kinder versetzte mir den Tritt in den Hintern, den ich brauchte. Damals wurde mir klar, dass ich die vergangenen zehn Jahre mit Selbstmitleid vergeudet hatte. Wenn sie es schafften, optimistisch in die Zukunft zu blicken und an das Gute im Menschen zu glauben, konnte ich das in meiner privilegierten Stellung doch sicher auch, oder?«

»Als ich ein Mädchen war…«, sagte Julia nach kurzem Schweigen, »hat meine Mutter mir ein Spiel beigebracht, bei dem man an das denken muss, was man hat, nicht an das, was man nicht hat.«

»Ja. Genau so sahen diese birmesischen Kinder das Leben.« Plötzlich lächelte Kit. »Wir sind schon ein Pärchen, was?« Er suchte nach Worten. »Tut mir leid, wenn mein Verhalten in den vergangenen Tagen dazu beigetragen hat, dein Misstrauen gegenüber der Menschheit zu verstärken. Ich schwöre dir, ich wollte dich nur schützen.«

»Ist okay, Kit. Ich glaube dir«, versicherte ihm Julia.

»Siehst du?«, meinte Kit mit einem Achselzucken. »Das ist der Unterschied zwischen dir und mir: Ich wäre früher nicht bereit gewesen, mir eine Erklärung anzuhören, und hätte sie sofort beiseitegewischt. Aber jetzt bin ich anders. Besonders bei dir, Julia.«

»Kit, geh nicht so hart mit dir selbst ins Gericht. Du hast dich schließlich um Annie gekümmert, als sie dich brauchte.«

»Ja, ich glaube, ich bin auf dem richtigen Weg. Zumindest …«, Kit schwieg kurz, »… ist dies das erste Mal, dass ich das Bedürfnis verspüre, einer Frau mein Verhalten zu erklären, bevor sie in den Sonnenuntergang verschwindet.«

»Ich weiß es zu schätzen, Kit.«

»Willst du wirklich weg, Julia? Bitte bleib hier.«

Julia brauchte ein paar Sekunden, um zu verdauen, was Kit gerade gesagt hatte. Plötzlich wurde ihr heiß, und sie fühlte sich unbehaglich.

»Bitte nicht, Kit«, flüsterte sie. »Das packe ich nicht.«

»Du misstraust mir, stimmt's? Wegen Annie und dem Baby?«

»Sorry.«

»So was kann nur mir passieren!«, rief Kit aus, stand auf und begann, in dem kleinen Raum auf und ab zu marschieren. »Da empfinde ich nun zum ersten Mal seit Milla wirklich etwas und verderbe es gleich wieder. Entschuldige. Na, was habe ich dir über meinen Hang zum Selbstmitleid erklärt? Ausreden, nichts als Ausreden. Julia, ich muss dir etwas gestehen … Ich glaube, ich liebe dich. Das wurde mir klar, als ich mich während deiner Krankheit um dich gekümmert habe, ohne dass ich mich innerlich dagegen gesträubt hätte. Zum ersten Mal seit Jahren habe ich in einer solchen Situation nicht Reißaus genommen. Es war ein … erstaunliches Gefühl!«

Julia wollte etwas sagen, doch Kit kam ihr zuvor.

»Natürlich hat Annie es als Erste gemerkt, die Zeichen richtig gedeutet und gegrinst, als ich ständig von dir redete … Und sie hat mich gedrängt, dir meine Gefühle zu gestehen. Ich war der Ansicht, dass du noch nicht so weit bist, aber sie meint, du würdest schon damit zurechtkommen.«

»Ich bin noch nicht bereit, Kit.« Die Worte waren heraus, bevor Julia sie zurückhalten konnte. Julia biss sich auf die Lippe.

Kit senkte den Blick. »Okay.« Er räusperte sich. »Geschieht mir vermutlich recht. Das ist übrigens kein Selbstmitleid, sondern die Wahrheit. Scheiße! Egal, ich werde dich jedenfalls in Ruhe lassen.«

»Es tut mir leid. … Ich kann einfach nicht.«

»Das verstehe ich.« Kit schob die Hände in die Taschen, ging zur Tür, kehrte zu Julia zurück und holte tief Luft. »Noch eins: Falls du dich jemals in der Lage fühlen solltest, es mit mir zu wagen, verspreche ich dir, für dich da zu sein.«

»Danke, Kit.«

»Weißt du, was merkwürdig ist? *Du* warst immer da.«

Julia bekam feuchte Augen.

»Du weißt, wo du mich finden kannst«, sagte Kit. »Versuch, für mich auf dich aufzupassen, ja? Auf Wiedersehen.«

Die Tür schloss sich hinter ihm.

30

Am folgenden Morgen ging Julia erschöpft von einer schlaflosen Nacht die Treppe hinunter, um auf das Taxi zu warten. Die Hände um einen Becher Kaffee gewölbt, starrte sie in den kalten, mit Asche gefüllten Kamin. In ihrem Gehirn herrschte Leere; sie war nicht in der Lage, das zu verarbeiten, was Kit ihr am vergangenen Abend gesagt hatte.

Nein. Julia gebot sich selbst Einhalt. Vielleicht würde sich in Frankreich Gelegenheit ergeben, über alles nachzudenken und sich mit den Gefühlen auseinanderzusetzen, die sich in ihr regten.

Sie konnte einfach nicht zulassen, dass sie sich wieder verliebte.

Als Julia hörte, wie sich Schritte der Haustür näherten, stand sie auf und nahm die Tasche. Es war der Briefträger. Sie stellte die Tasche wieder ab und begrüßte ihn: »Gut, dass ich Sie noch sehe. Ich reise nach Frankreich ab und habe einen Nachsendeauftrag gestellt ...«

»Alles klar, Miss Forrester. Ich bringe die Briefe, die vielleicht noch kommen, zum Postamt zurück und sorge dafür, dass sie Ihnen nach Frankreich geschickt werden.« Er reichte ihr einen Umschlag, in dem sich offensichtlich eine Rechnung befand, sowie ein cremefarbenes Kuvert, in einer Handschrift an sie adressiert, die sie nicht kannte.

»Danke.«

»*Bon voyage*, Miss Forrester.«

Julia schloss die Tür, setzte sich aufs Sofa und öffnete den cremefarbenen Umschlag.

FLUGHAFEN HEATHROW
American Airways Abflughalle

Montag, 16. März

Liebe Julia,
In Eile!
Ich heiße Annie; wir haben uns vor ein paar Wochen kennengelernt. Von Kit habe ich erfahren, welchen Schmerz Sie durchleiden mussten. Auch er hat Schmerz erlebt. Er versteht Sie und wird alles tun, Ihnen bei der Genesung zu helfen, weil er sich – zum ersten Mal seit Jahren – verliebt hat. Sie brauchen keinerlei Zweifel an ihm zu haben. Ich schwöre Ihnen: Er gehört ganz und gar Ihnen!

Ich selbst bin auf dem Sprung in ein neues Leben; das habe ich hauptsächlich Kit zu verdanken. Er war einfach wunderbar – immer für mich da, wenn niemand sonst sich um mich kümmern konnte. Er ist wirklich ein guter Mensch. Vor meiner Abreise möchte ich nun meinerseits etwas für ihn tun. Das Leben ist kurz. Wir denken heutzutage zu viel nach und analysieren alles. Vergessen Sie Ihre Gedanken, folgen Sie Ihrem Herzen. Ich habe es getan und fühle mich sehr glücklich!

Schmerz lässt sich nur durch Liebe heilen. Und die, meine ich, könnten Sie jetzt beide gebrauchen.

Jeder verdient eine zweite Chance.

Mit den allerbesten Wünschen,
Annie

Da klopfte es an der Tür. Julia stand auf.

»Hallo«, begrüßte sie den Taxifahrer nachdenklich, »ich komme gleich.«

»Gut, Madam. Ich warte oben links auf dem Hügel. Leider müssen Sie ein Stück zu Fuß gehen. Hier in der Gegend sind Parkplätze Mangelware.«

»Danke.«

Julia versicherte sich noch einmal, dass alle elektrischen Geräte ausgeschaltet waren, bevor sie die Tasche wieder in die Hand nahm, hinaustrat und die Tür hinter sich verschloss. Dann ging sie zum Taxi, das sie von Norfolk … und Kit … wegbringen würde.

»Da wären wir, Madam.« Der Fahrer verstaute ihre Tasche im Kofferraum. »Bereit?«

»Ja.«

»Wenn wir gut durchkommen, schaffen wir es in zwei Stunden zum Flughafen.« Kurz darauf fuhr er den Hügel hinunter und die schmale Straße zum Hafen entlang. Durchs Fenster warf Julia einen letzten Blick auf die im Wasser schaukelnden Boote. Der Hafen war menschenleer, bis auf eine einsame Gestalt auf einer Bank …

»Stopp! Entschuldigung, könnten Sie kurz anhalten? Ich … Warten Sie hier.«

Julia stieg aus und ging zu der Gestalt. Als sie näher kam, bestätigte sich ihr Verdacht. Sie blieb nicht weit von der Bank entfernt stehen. Er hatte sie noch nicht bemerkt.

»Kit. Was machst du denn hier?«

Er drehte sich überrascht um.

»Ach. Ich dachte, du wärst schon weg. Ich war gerade oben beim Cottage.«

»Offenbar haben wir uns knapp verpasst«, erklärte sie.

»Wahrscheinlich.« Kit nickte. »Dann reist du also ab?«

»Ja.«

»Okay. Ich wollte nur noch mal vorbeischauen, mich verabschieden.« Er zuckte mit den Achseln. »Und mich für mein unsensibles Verhalten entschuldigen.«

Julia setzte sich neben ihn auf die Bank. »Kit, bitte. Ich kann dich verstehen.«

»Ja?«

»Ja.«

Kit betrachtete seine Finger. »Eigentlich bin ich gar nicht gekommen, um mich zu verabschieden.«

»Nein?«

»Nein.« Er hob lächelnd den Blick. »Eigentlich wollte ich mich dir vor die Füße werfen und dich anflehen, dass du bleibst.«

»Oh.«

»Ja. Ich hatte mir einen schönen Text zurechtgelegt, weil der Gedanke, dich ziehen zu lassen, mich umbringt. Ich weiß, das ist egoistisch. Heute Morgen habe ich beschlossen, nicht kampflos aufzugeben. Und hier bin ich. Gerade habe ich über mein übliches Pech gejammert, dich nicht rechtzeitig erreicht zu haben. Völlig unnötigerweise, wie es scheint.«

»Ja. Sieht ganz so aus, als würdest du eine zweite Chance kriegen, Kit«, sagte sie mit leiser Stimme.

Kit ging vor ihr auf die Knie und nahm ihre Hand. »Also dann: Julia, bitte kehre nicht zurück nach Frankreich, sondern bleib hier bei mir. Ich liebe dich.«

»Mein Gott, Kit … Ich …« Sie sah ihn an und folgte Annies Rat, analysierte nicht, sondern fragte ihr Herz.

»Gut.«

»Gut?«

»Ja.«

»Das heißt, du bleibst?«

»Ja, zumindest vorerst. Vielleicht sollten wir es tatsächlich miteinander versuchen. Was haben wir schon zu verlieren?«

»Ist das dein Ernst?«

»Mein voller Ernst.«

»Dann stehe ich jetzt auf, denn mir tun die Knie weh.«

Als Kit wieder stand, schloss er Julia in die Arme. »Ich verspreche dir, dass ich mich um dich kümmern werde, solange du das möchtest.«

»Und ich kümmere mich um dich.«

»Wirklich?« Er hob ihr Kinn mit einem Finger an, um ihr in die Augen zu sehen. »Das ist doch mal was Neues.« Er küsste sie sanft auf die Nase. »Meinst du, wir schaffen das?«

»Ja. Wir scheinen ja unter den gleichen … Malaisen zu leiden.«

»Zwei Verrückte tun sich zusammen?«

»So ähnlich«, murmelte sie, als er begann, ihr Gesicht mit Küssen zu bedecken. Nach einer Weile löste sie sich aus seiner Umarmung. Dabei fiel ihr Blick auf den Taxifahrer, der mit verschränkten Armen an seinem Wagen lehnte und sie beobachtete. »Hol mal lieber meine Tasche und sag ihm, dass ich ihn nicht mehr brauche.«

»Und dann, liebste Julia, bringe ich dich nach Hause.«

»Wo ist das?«, fragte sie verwirrt.

»In Wharton Park. Wo du hingehörst.«

Teil zwei

Wharton Park

Sommer

31

Wenn ich aufwache und die frühmorgendliche Sonne durch die Fenster von Wharton Park hereinströmt, fällt es mir bisweilen schwer zu glauben, dass ich wieder jene Ruhe und Zufriedenheit empfinde, die ich glaubte, für immer verloren zu haben.

Und doch bin ich hier, räkle mich wie eine Katze in der Wärme und drehe den Kopf, um Kits Gesicht auf dem Kissen neben mir zu betrachten. Seine Haare, die er sich auf meinen Wunsch hat schneiden lassen, damit ich seine Augen besser sehen kann, sträuben sich gegen die Versuche des Friseurs, sie zu bändigen; eine Locke ist ihm in die Stirn gerutscht. Ein Arm ruht entspannt über seinem Kopf.

Ich liebe es, ihn am Morgen beim Schlafen zu beobachten, und die Gelegenheit dazu bietet sich mir oft, weil ich normalerweise als Erste aufwache. Das ist die Zeit ganz für mich, in der ich meine Ängste wegschieben und mich ganz auf Kit konzentrieren kann. Er weiß nichts von diesen Momenten und ahnt nicht, dass ich mir alle Einzelheiten seines Gesichts einpräge.

Es ist noch nicht lange her, dass ich lernen musste, wie wichtig das ist. Das Gesicht meines Mannes habe ich nicht mehr vor Augen – lediglich die groben Linien; die Einzelheiten beginnen zu verschwimmen.

Wenn ich Kit lange genug angeschaut habe, lehne ich mich zurück und sehe mich in dem Raum um, in dem so viele Generationen von Crawfords die Nächte verbracht haben. Vermutlich hat er sich nicht verändert seit damals, als Olivia Crawford ihn vor fast siebzig Jahren in ihrer Hochzeitsnacht betrat. Die früher einmal prächtige, hand-

bemalte chinesische Tapete ist von warmem, buttrigem Gelb zu einem düster-gräulichen Ton verblasst. Die Schmetterlinge und Blumen, die sie zieren, sind nun Schattenbilder ihrer selbst.

Die schwere Mahagonifrisierkommode mit dem dreiteiligen Spiegel steht an einer Wand. Sie ist so hässlich, dass sie bei der Versteigerung niemand wollte, also habe ich sie wieder an ihren alten Platz gestellt. Manchmal male ich mir aus, wie Olivia davor sitzt und die Schminke auflegt, die eine junge Frau damals tragen musste, während Elsie ihr die Haare frisiert.

Ich schlüpfe leise aus dem Bett, um Kit nicht zu stören. Der Teppich unter meinen Füßen ist abgetreten, doch an den Rändern kann man noch erkennen, wie dick er einst war.

Ich gehe zum Bad mit dem rissigen Linoleum und der Wanne, in der sich hinter dem stumpfen Wasserhahn grüne Kalkspuren befinden.

Beim Anziehen lächle ich, einfach nur, weil ich in Wharton Park sein darf. In seiner Pflegebedürftigkeit und Unberechenbarkeit erinnert das Anwesen mich an ein Kleinkind, das nicht genug Aufmerksamkeit von seiner Mutter erhält, aber so reizend ist, dass niemand sich seinem Charme entziehen kann.

Während ich auf Zehenspitzen zurück ins Schlafzimmer und nach unten schleiche, um den Wasserkessel aufzusetzen, spüre ich, wie sehr es mir bei Kit gefällt. Und wie sehr ich das Gefühl habe, zu Hause zu sein.

Julia blickte in der warmen Morgensonne von der Terrasse in Wharton Park auf den Garten hinunter. Der Juni war ihr Lieblingsmonat, weil die Blumen in dieser Jahreszeit zu ihrer ganzen Schönheit erblühten und die Blätter an den Bäumen im Park in den unterschiedlichsten Grüntönen leuchteten, die sich deutlich von dem klaren blauen Himmel des englischen Sommers abhoben.

Sie ging, den Kaffee in der Hand, zu den bröckeligen Stufen, die zum Garten – Adrienne Crawfords Schöpfung – hinabführten, wo ihr der süßliche Duft des entlang der Terrasse gepflanzten Jasmin in die Nase stieg. Er war wie der übrige Garten jahrelang vernachlässigt worden. Lediglich der Rasen wurde hin und wieder von dem Gärtner gemäht, der sich allein um viel zu große Flächen kümmern musste, als dass er sich Gedanken über das Zurückschneiden einzelner Pflanzen hätte machen können. Die Rosen in den Beeten rund um den Springbrunnen wucherten wild mit riesigen rosafarbenen Blüten vor sich hin.

Gabriel hatte Blumen geliebt …

Julia lächelte traurig bei dem Gedanken daran, wie er in ihr Arbeitszimmer gelaufen kam, in der Hand einen Strauß aus welkenden wilden Orchideen und Lavendel, die Agnes und er bei einem Spaziergang in der Umgebung gepflückt hatten. »*Pour toi, Maman.*« Er hatte sie ihr stolz überreicht, damit Julia sie in eine Vase steckte.

Sie konnte sich vorstellen, wie gut es Gabriel in Wharton Park gefallen hätte. Er war wie seine Mutter gern draußen gewesen, und manchmal hatte sie ihm Geschichten von dem schönen Haus in England erzählt, das sie ihm eines Tages zeigen wollte.

Julia stieß einen tiefen Seufzer aus. Das würde nun nie geschehen.

Es reizte sie, diesem wunderbaren Hort der Ruhe die Schönheit zurückzugeben, die er früher besessen hatte.

»Großvater Bill würde sich im Grab umdrehen«, teilte sie dem Putto mit, der ziemlich lustlos auf dem Springbrunnen hockte, aus dem kein Wasser mehr sprudelte.

Auf dem Weg zurück zum Haus hatte Julia das Gefühl, als wäre sie durch einen Spiegel getreten. Sie trug nach wie vor den Schmerz über den Verlust ihres Mannes und ihres kleinen Sohns sowie die Angst davor im Herzen, glücklich zu sein, doch Kits Liebe verlangte ihr so viel weniger ab als die von Xavier.

»Liebling«, hatte Kit nach ihrem ersten Mal miteinander gemurmelt. »Ich weiß, dass du Zeit brauchst, die Vergangenheit zu bewältigen. Falls du irgendwann das Gefühl haben solltest, dass du mehr Raum benötigst oder ich dich einenge, bin ich nicht beleidigt, wenn du dich zurückziehst.«

Jetzt, drei Monate später, verspürte Julia dieses Bedürfnis immer noch nicht. Im Haus gab es genug Platz, und da Kit das Angebot von Mr. Hedge-Fonds ausgeschlagen hatte und fast jeden Tag auf dem Gut arbeiten musste, war sie oft genug allein, um sich nicht eingeengt zu fühlen.

Trotzdem fühlte sie sich nie einsam, dachte sie, als sie in die Küche trat. Obwohl sie früher kaum je einen Fuß in dieses Haus gesetzt hatte und niemals im ersten Stock gewesen war, erschien ihr alles vertraut.

Vielleicht lag es daran, dass Elsie ihr so lebhaft von der Vergangenheit erzählt und das Gebäude sich seit damals so wenig verändert hatte. Julia liebte die Atmosphäre und brachte Stunden damit zu, die Flure entlangzugehen, sich mit allen Winkeln und Ecken, mit jeder verblichenen Quiltdecke und jedem verstaubten Ornament vertraut zu machen, die die Geschichte heraufbeschworen.

Außerdem war Sommer, und vieles, was im Haus der Reparatur bedurfte, fiel nicht so sehr auf wie im Winter: das undichte Dach zum Beispiel oder die uralte Heizungsanlage, die die gusseisernen Heizkörper und das Badewasser bestenfalls lauwarm werden ließ.

Dass sie praktisch zu Kit gezogen war, hatten sie nie ausführlich besprochen. Es hatte sich halt so ergeben, in beiderseitigem Einverständnis. Nach den schwierigen Anfängen ihrer Beziehung war alles zwischen ihnen ganz einfach. Alles lief nach einem lockeren Ritual ab: Kit kam immer gegen sechs Uhr abends in die Küche, wo sie sich bei einem Abendtrunk über den Tag unterhielten, während sie gemeinsam das Essen zubereiteten. Julia freute sich über ihre neu erworbenen Kochkünste. Danach zogen sie sich oft schon früh ins Bett zurück, um sich zu lieben. Sie gingen nur selten aus, weil es keiner Anregung Dritter bedurfte und sie lieber Zeit miteinander oder allein verbrachten.

Kit schien tatsächlich zu verstehen, dass der Kummer über Julias Verlust sich hin und wieder unerwartet meldete. Eine Erinnerung, ausgelöst durch eine Bemerkung, machte sie nachdenklich und schweigsam. Er ließ sich nicht von ihrer Vergangenheit einschüchtern, akzeptierte sie und drängte sie nie, darüber zu reden, wenn sie das nicht selbst wollte.

Ihre Beziehung mit Kit unterschied sich völlig von der mit Xavier: Bei Kit gab es keine Großspurigkeit wie bei ihrem Mann, keine Auseinandersetzungen und nur selten emotionale Unsicherheit und jähe Stimmungsumschwünge, die das Leben mit Xavier so anstrengend, aber auch so aufregend gemacht hatten.

Die Beziehung mit Kit besaß Stabilität, dachte Julia, als sie nach oben ging, um das Bett zu machen, Zufriedenheit und Ruhe, die zu ihrem Genesungsprozess beitrugen. Sie konnte nur hoffen, dass ihre Anwesenheit in Kits Leben die gleiche Wirkung auf ihn hatte wie die seine auf ihres.

Seit Kurzem wusste sie, dass er die vergangenen zehn Jahre durchaus nicht damit verbracht hatte, sich in »Selbstmitleid zu suhlen«, sondern sie vielmehr dazu genutzt hatte, seine Fähigkeiten unermüdlich in den Dienst von Wohltätigkeitsorganisationen auf der ganzen Welt zu stellen.

»Dass ich mein eigenes Leben nicht mehr allzu hoch schätzte, ermöglichte es mir, an Orte zu reisen, an die sich die meisten anderen nicht wagten«, erklärte Kit, als er von seinen Abenteuern in den Krisengebieten der Erde erzählte. »Aber bitte lob mich jetzt nicht, Julia, denn ich bin nur vor mir selber weggelaufen.«

Seine Erfahrungen hatten ihn zu einem klugen, mutigen und überdies bescheidenen Mann gemacht. Erst ganz allmählich offenbarte er ihr seine Pläne für die Zukunft: Er wolle traumatisierten Kindern helfen und sie behandeln.

»Ich habe so viele Unschuldige leiden sehen«, sagte er eines Abends beim Essen. »Vermutlich war mein Einsatz für die Kinder der Ausgleich dafür, dass ich mich auf der privaten Ebene nicht mehr traute, mich auf etwas einzulassen. Sie brauchten mich, aber ich hatte immer die Freiheit, einfach zu gehen. Daran war nichts Altruistisches.«

»Auf jeden Fall haben sie von deiner Hilfe profitiert, Kit«, antwortete Julia.

»Ich habe gelernt, dass Kinder die Bausteine der Menschheit sind. Wenn sie missraten, missrät auch die nächste Generation. Unterm Strich kann ich behaupten, trotz des Elends etwas gefunden zu haben, wofür ich mich wirklich interessiere.«

Also ermutigte Julia ihn, sich über Kurse zu informieren, die es ihm, aufbauend auf seinem dreijährigen Medizinstudium, erlauben würden, als Kinderpsychologe zu praktizieren.

»Sobald ich dieses Haus auf Vordermann gebracht habe, mache ich das vielleicht wirklich. Ist ganz schön lange her, dass ich mir etwas von einer Frau habe vorschlagen lassen.«

»Kit! Ich …«

Er rollte im Bett zu ihr hinüber und kitzelte sie, bevor er sie plötzlich sehr ernst ansah. »Danke, Julia, dafür, dass du dir genug aus mir machst, um mir überhaupt etwas vorzuschlagen.«

»Wir teilen einen Augenblick der Zeit«, verkündete Kit eines Abends, als sie nebeneinander im Park lagen und zum Vollmond emporblickten. »Wie beim Universum gibt es keinen Anfang und kein Ende. Wir sind einfach.«

Julia gefiel diese Idee. Sie hielt sich daran fest, wenn ihre Gedanken sich anderen Problemen zuwandten. Die Ruhe von Wharton Park und Kits selbstlose Liebe hatten viel zu ihrem Genesungsprozess beigetragen, doch jedes Mal, wenn sie sich dem Salon näherte und die Messingklinke herunterdrücken wollte, um zum Flügel zu gehen, verließ sie der Mut.

Zwei Wochen zuvor war sie mit dem Zug nach London gefahren, um sich mit ihrem Agenten Olav zum Lunch zu treffen.

»Da wären etliche Anfragen von Konzertsälen, zum Beispiel …«, Olav machte eine dramatische Pause, »… der Carnegie Hall.«

»Ach«, rief Julia, ihre Unsicherheit kurzzeitig vergessend, begeistert aus. In der Carnegie Hall hatte sie schon immer auftreten wollen.

»Ja. Die Zeitungen in den Staaten haben groß über deine Geschichte berichtet – die Amis lieben dramatische Storys. Die Carnegie Hall bietet dir die Möglichkeit zum Comeback. Aber machen wir uns nichts vor, Schätzchen: Das hat weniger mit deinem Können zu tun als mit der Tatsache, dass das ein gefundenes Fressen für die Presse wäre.«

»Wann wäre der Termin?«, fragte Julia.

»In zehn Monaten, Ende April nächsten Jahres. Was dir genug Zeit ließe zum Üben und um dein Selbstvertrauen aufzubauen. Was hältst du von der Idee, Julia? So ein Angebot kommt nie wieder.«

Ein Kissen an die Brust gepresst, trat Julia ans Schlafzimmerfenster und blickte auf den Garten hinaus. Ihr blieb weniger als eine Woche, Olav ihre Entscheidung mitzuteilen.

Würde sie das schaffen?, fragte sie sich schon zum tausendsten Mal. Julia schloss die Augen und stellte sich vor zu spielen. Kalter Schweiß trat auf ihre Stirn.

Mit Kit hatte sie noch nicht über dieses Thema gesprochen. Wie sollte sie ihm erklären, dass das Instrument, das sie früher so geliebt hatte, ihr jetzt Angst machte? Vielleicht hielt er sie für albern und versuchte, sie zum Spielen zu drängen, und sie konnte seine Erwartungen nicht erfüllen.

Andererseits, dachte Julia, als sie das Kissen wieder aufs Bett legte, war er möglicherweise in der Lage, ihr zu helfen. Sie musste einfach darauf vertrauen, dass er ihre Situation verstand.

Am Abend erwähnte sie das Angebot der Carnegie Hall beim Essen.

»Wow!«, rief er aus. »Der Wahnsinn. Was für eine Ehre. Darf ich mitkommen, in der ersten Reihe sitzen und dir bei einem besonders schwierigen Crescendo die Zunge herausstrecken?«

Sie lächelte gequält. »Ich weiß nicht, ob ich das schaffe, Kit. Warum ich solche Angst habe und wieso mein Körper so heftig reagiert, wenn ich in die Nähe eines Klaviers komme, kann ich nicht erklären …«

Seine Miene wurde ernst, und er legte seine Hand auf die ihre. »Wie lange hast du Zeit für die Antwort?«

»Ein paar Tage.«

»Ich wünschte, ich könnte dir helfen, einfach mit einem Zauberstaub in der Luft herumfuchteln, und alle Probleme würden sich in Wohlgefallen auflösen. Aber leider kann dir diese Entscheidung niemand abnehmen.«

Julia nickte und löste ihre Hand von der seinen. »Wenn's dir nichts ausmacht, würde ich gern einen Spaziergang im Park machen und nachdenken.«

»Gute Idee.« Kit sah ihr nach, wie sie die Küche verließ, bevor er tief in Gedanken versunken das Geschirr abräumte, spülte und abtrocknete.

Einige Tage später brachte Kit, bevor er sich morgens mit dem Verwalter der Farm traf, Julia eine Tasse Tee ans Bett und setzte sich zu ihr.

»Ich muss gleich los«, sagte er, beugte sich über sie und küsste sie. »Du wirkst müde. Alles in Ordnung?«

»Ja«, log sie. »Ich wünsche dir eine erfolgreiche Besprechung.«

»Danke.« Kit stand vom Bett auf. »Übrigens habe ich einem Freund erlaubt, in unserem Bach zu angeln. Er will uns am Nachmittag ein paar Forellen fürs Abendessen bringen.«

»Forelle hab ich noch nie zubereitet. Wie macht man die?«, fragte Julia.

»Ich zeig dir später, wie man sie ausnimmt«, antwortete er, bereits auf dem Weg zur Tür. »Ach, fast hätte ich's vergessen: Für den Fall, dass ich bis dahin noch nicht zurück bin – heute Morgen um elf kommt jemand, der den Flügel stimmt. Ich bezweifle, dass er seit damals, als du mir etwas darauf vorgespielt hast, je wieder benutzt wurde. Weil es sich um ein wertvolles Stück handelt, möchte ich ihn auf Vordermann bringen lassen. Bis später.« Er warf ihr eine Kusshand zu und verschwand.

Pünktlich um elf Uhr klingelte es an der Haustür, und Julia ließ den Klavierstimmer herein.

»Danke, Madam«, sagte der alte Mann. »Würden Sie mir zeigen, wo der Flügel steht? Das letzte Mal war ich vor über fünfundfünfzig Jahren mit meinem Vater hier, der ihn für Lady Olivia gestimmt hat, bevor Lord Harry aus dem Krieg zurückgekommen ist.«

Julia musterte ihn erstaunt. »Wie die Zeit vergeht … Hier lang, bitte.« Sie führte ihn zum Salon, legte die Hand auf die Messingklinke und begann sofort zu zittern.

»Lassen Sie mich machen, Madam.«

»Danke. Meine Glieder sind im Moment ein bisschen … steif«, erklärte sie verlegen, als der Klavierstimmer die Klinke ohne Mühe herunterdrückte.

Julia blieb keine andere Wahl, als mit ihm einzutreten. Von der Tür aus beobachtete sie, wie er zum Flügel ging und die Schutzhülle abnahm.

»Schönes Instrument«, bemerkte er voller Bewunderung. »Mein Vater sagte immer, dieser Flügel hätte den reinsten Klang, den er je bei einem Klavier gehört hat. Und er kannte sich aus, das können Sie mir glauben.« Er schmunzelte. »Tja, dann.« Er klappte den Deckel auf, betrachtete die vergilbten Tasten und legte vorsichtig die Finger darauf.

Dann spielte er ein schnelles Arpeggio, seufzte und schüttelte den Kopf. »O je, das klingt übel.« Er wandte sich Julia zu. »Es wird eine Weile dauern, aber ich kriege das schon hin, Madam, keine Sorge.«

»Danke.«

Der Klavierstimmer beugte sich über seine Werkzeugtasche. »Von meinem Vater weiß ich auch, dass Lord Harry nie wieder Klavier gespielt hat, als er nach Hause kam. Wie traurig …«

»Tatsächlich? Er soll ein ausgezeichneter Pianist gewesen sein.«

»Ja, aber aus irgendeinem Grund …«, der Klavierstimmer fing an, die ersten Takte einer Sonate von Liszt zu spielen,

»… hat er sich nicht mehr an das Instrument gesetzt. Vielleicht ist ihm im Krieg etwas Schreckliches widerfahren. Schade um sein Talent.«

»Ich lasse Sie dann mal allein«, sagte Julia unvermittelt. »Schicken Sie die Rechnung bitte an Lord Crawford.« Mit diesen Worten kehrte sie dem Salon den Rücken.

Später erntete Julia das letzte Gemüse im Küchengarten, das sie am Abend mit der Forelle zubereiten wollte. Am liebsten hätte sie alles umgegraben und neu bepflanzt, aber da sie nicht wusste, wie lange sie noch hierbleiben würden, ließ sie es bleiben.

Da erklang aus dem Salon Rachmaninow.

Im Unkraut kniend, hielt sie sich die Ohren zu.

»Aufhören! Stopp!«

Durch die Finger hörte sie die Musik, genau die Noten, die sie nicht ertragen konnte zu spielen. Nach einigen Sekunden gab sie den Versuch auf, die Töne zu ersticken; ihre Hände sanken herab, und sie begann zu schluchzen.

»Warum musst du ausgerechnet das spielen?« Kopfschüttelnd wischte sie sich die laufende Nase mit dem Handrücken ab.

Die Kennmelodie ihres Kummers …

An jenem Abend, an dem sie vor einem verzückten Publikum gespielt hatte, an dem sie sich an Applaus, Jubel, Blumensträußen und ihrem eigenen Stolz auf ihre Leistung ergötzt hatte, waren ihr kleiner Junge und ihr Mann gestorben.

Immer wieder quälte sich Julia mit dem Gedanken herum, an welcher Stelle des Konzerts sie aus dem Leben geschieden waren. Hatte Gabriel in seiner Angst nach ihr gerufen und sich gefragt, warum seine *Maman* nicht bei ihm war, um ihn zu beschützen und zu trösten …?

Sie hatte ihn in der höchsten Not im Stich gelassen.

Das Klavier – ein lebloses Instrument ohne Herz oder Seele – hatte ihre Liebe und Aufmerksamkeit auf sich gezogen. Es war ihr wichtiger gewesen als Kind und Mann; nun symbolisierte es ihren Egoismus und ihre Unfähigkeit.

Julia sank in sich zusammen, nur getröstet durch den Gedanken, dass die mickrigen Karotten und der eine Salatkopf, die sie gefunden hatte, Nachkommen der Pflanzen ihres geliebten Großvaters waren.

»Ach, Großvater Bill!«, seufzte sie. »Was würdest du mir sagen, wenn wir wie früher im Gewächshaus sitzen könnten?«

Sie wusste, dass er sich ihr Problem ganz ruhig angehört und versucht hätte, die Emotionen erst einmal auszuklammern. Er glaubte an das Schicksal und an Gott, das war ihr klar. Nach der Beerdigung ihrer Mutter hatte Großvater Bill Julia in den Arm genommen, damit sie sich an seiner Schulter ausweinen konnte, denn die Vorstellung, dass ihre Mutter nun allein in dem kalten, harten Boden liegen musste, ertrug sie nicht.

»Sie hat jetzt ihre Ruhe da oben. Da bin ich mir sicher«, hatte er sie getröstet. »Es sind wir Hinterbliebenen, die leiden müssen ohne sie.«

»Warum konnten die Ärzte ihr nicht helfen?«

»Weil die Zeit des Abschieds für sie gekommen war, Liebes. Und wenn die da ist, kann man nichts mehr machen.«

»Aber ich wollte sie retten …«

»Mach dir keine Vorwürfe, Julia. Wir konnten nicht mehr für sie tun. Wir Menschen glauben, wir hätten alles im Griff, doch dem ist nicht so. Ich bin alt genug, um zu wissen, dass sich daran nichts ändern lässt.«

Julia dachte über das nach, was Großvater Bill damals gesagt hatte. Galt das auch für Xavier und Gabriel? War ihre Zeit gekommen? Hätte sie etwas ändern können, wenn sie bei ihnen gewesen wäre?

Die Frage ließ sich nicht beantworten.

Und dass sie Klavier gespielt hatte … Sie hätte genauso gut zu Hause sein und auf die beiden warten können.

Bestrafte sie sich nur selbst und brachte sie sich bewusst um das Einzige in ihrem Leben, das ihr und ihrer gequälten Seele Trost spenden konnte?

Du besitzt eine Gottesgabe. Vergeude sie nicht, Julia …

Diese Sätze ihres Großvaters fielen ihr ein, als der Klavierstimmer die letzten Takte spielte.

In der folgenden Stille kam Julia ein Gedanke, der ihr wieder Mut machte: Sie hatte so viele Menschen verloren, die sie liebte … Das Einzige, was man ihr nicht nehmen konnte, war ihre Begabung.

Als sie hörte, wie der Wagen des Klavierstimmers sich entfernte, stand Julia auf und ging zum Haus zurück.

Auf der Terrasse erhellte ein Hoffnungsschimmer ihr Gesicht. Auf ihr Talent konnte sie sich verlassen; es würde ihr bleiben bis zum Tag ihres Todes; es war Teil ihrer Persönlichkeit.

Deshalb durfte sie es nicht vergeuden.

Hatten Xavier und Gabriel etwas davon, wenn sie sich nie wieder ans Klavier setzte?

Nein.

Julia hob unwillkürlich die Hand zum Mund. Ihr wurde bewusst, dass Trauer und Selbstvorwürfe sie an der Nase herumgeführt, dass Dämonen von ihr Besitz ergriffen hatten.

Sie musste sie bannen.

Entschlossenen Schrittes machte sie sich auf den Weg zum

Salon, setzte sich ans Klavier und legte die zitternden Hände auf die Tasten.

Sie würde für alle, die sie liebten, spielen. *Und für sich selbst.*

Als Kit eine Stunde später von seiner Besprechung nach Hause kam und aus dem Salon Chopins *Études* hörte, traten ihm Tränen in die Augen. Er setzte sich auf die Treppe, genau an der Stelle, von der aus er Julia zum ersten Mal gesehen hatte, und lauschte voller Andacht.

»Ich bin stolz auf dich«, murmelte er. »Du besitzt nicht nur eine seltene Gabe, sondern bist auch mutig und schön und stark.« Er wischte sich die Tränen mit dem Unterarm weg. »Hoffentlich kann ich mich deiner als würdig erweisen und dich auf ewig bei mir halten.«

32

Das war das Ende der jahrelangen Stille in Wharton Park. Musik erfüllte das Haus, wenn Julia Stunde um Stunde auf dem herrlichen Flügel im Salon übte, ihre Dämonen bannte und sich über ihre Rückkehr an das Instrument freute, das Teil ihrer Seele war.

»Danke, dass du mir geholfen hast, den Weg zurückzufinden«, flüsterte sie Kit an dem Abend des Tages im Bett zu, als ihre Finger zum ersten Mal wieder die Tasten berührt hatten.

»Danke nicht mir. Du selbst warst so mutig, den Bann zu brechen. Außerdem musste der Flügel wirklich mal gestimmt werden.«

Doch Julia wusste, dass sie es ohne Kits sanfte Unterstützung nicht geschafft hätte.

»Ich habe heute mit Elsie gesprochen«, sagte Julia einige Wochen später beim Abendessen. »Sie meint, jetzt, wo ich in Wharton Park lebe, würde sie uns gerne einmal besuchen. Sie hat das kommende Wochenende vorgeschlagen. Hättest du was dagegen, wenn sie ein paar Tage bleibt?«

»Aber nein. Das musst du doch nicht fragen. Dies ist auch dein Zuhause. Ich soll am Wochenende im Kricketteam des Ortes mitmachen, was bedeutet, dass ich zumindest am Samstag nicht da bin.«

»Ich möchte am Sonntag Alicia und ihre Familie zum Mittagessen einladen. Sie haben Elsie Ewigkeiten nicht mehr gesehen.«

»Gute Idee«, sagte Kit. »Und wenn Elsie Lust hat, den Rest der Geschichte zu erzählen, ist hier genau der richtige Ort dafür. In diesem Haus zu wohnen, macht es noch faszinierender zu erfahren, was meine Vorfahren so getrieben haben.«

Nach dem Essen gingen sie hinaus auf die Terrasse, in Julias Lieblingsecke, von der aus man den besten Blick auf den Park hatte.

»Was für ein wunderbarer Abend«, stellte Kit fest, der die laue Luft genoss. »Ich habe den größten Teil meines Erwachsenenlebens damit verbracht, neue Ausblicke zu suchen. Und nun sitze ich auf dieser Terrasse und denke, dass es kaum ein hübscheres Fleckchen Erde geben kann. Endlich bin ich sesshaft geworden. Und glücklich. Es gefällt mir hier mit dir. Danke, dass du mir geholfen hast, zur Ruhe zu kommen.«

»Kit, wie du mir die ganze Zeit vorbetest: Du hast die Entscheidung selbst getroffen.« Julia nahm einen Schluck von dem alten Armagnac, den Kit in einem verstaubten Regal im Keller entdeckt hatte. »Übrigens wollte ich mit dir über etwas reden.«

Er runzelte die Stirn. »Klingt ernst. Worum geht's?«

»Ich muss nach Frankreich«, antwortete Julia mit leiser Stimme.

Kurzes Schweigen, während Kit diese Information verdaute. »Ich wusste, dass das irgendwann käme«, sagte er schließlich.

»Ich habe dort einiges zu erledigen. Wenn ich einen Schlussstrich unter die Vergangenheit ziehen möchte, muss ich zurück.«

»Ja. Soll ich mitkommen?«

»Nein. Ich glaube, das sollte ich allein machen. Außerdem bist du in den nächsten Wochen mit der Ernte beschäftigt.«

»Ja, das stimmt. Ich hätte nicht gedacht, dass ich je lernen würde, einen Mähdrescher zu lenken, aber uns fehlen einfach Leute. Wie lange wirst du weg sein?«

Julia zuckte mit den Achseln. »Das weiß ich nicht so genau. So lange, wie ich brauche, um alles zu erledigen und ein paar Entscheidungen zu treffen.«

»Ja.« Kit blickte eine Weile in die Dunkelheit hinaus, bevor er seine Hand nach der ihren ausstreckte. »Ich warte hier auf dich, egal wie lange es dauert.«

»Danke.«

In jener Nacht liebten sie sich voller Leidenschaft. Als Julia längst schon schlief, betrachtete Kit sie, unfähig, sein ungutes Gefühl zu verdrängen.

Julia verbrachte den Sonntagvormittag damit, eines der Zimmer für Elsie herzurichten, die zum ersten Mal als Gast und nicht als Bedienstete in dieses Haus kommen würde. Julia wollte sicherstellen, dass ihre Großmutter sich in Wharton Park wohlfühlte.

Dann fuhr sie nach Holt, um Lebensmittel zu besorgen. Es war ein warmer, sonniger Tag, und in dem hübschen Ort wimmelte es von Touristen und Ferienhausbesitzern, die die Sommermonate in der Region verbrachten.

Als Julia ihre Einkäufe in den Kofferraum lud, beschloss sie – obwohl sie nun glaubte, für den Auftritt in der Carnegie Hall bereit zu sein –, sich nicht mehr auf so volle Zeitpläne wie früher einzulassen. In den vergangenen Monaten hatte sie gelernt, dass man sich auch an den einfachen Dingen des Lebens erfreuen konnte.

Die Aussicht, nach Frankreich zurückzukehren, machte ihr Angst, denn sie wollte dieses neue Gefühl der Ruhe und Stärke nicht verlieren, zu dem Kit ihr verholfen hatte. Doch es handelte sich um eine Reise, die sie allein antreten musste, wenn sie vollkommen frei sein wollte, ihn so zu lieben, wie er es verdiente.

Um halb vier Uhr nachmittags hörte Julia einen Wagen die Auffahrt heraufkommen. Während der Fahrer ihrer Großmutter noch aus dem Auto half, eilte sie die Stufen hinunter, um sie zu begrüßen.

»Julia, Liebes, lass dich von deiner alten Oma in den Arm nehmen.«

Julia tat ihr den Gefallen, dann trat Elsie einen Schritt zurück, um sie genauer zu betrachten.

»Alle Achtung!«, rief sie aus. »Die Luft von Wharton Park scheint dir gutzutun.«

Julia trug eine vom Kochen mehlbestäubte Schürze. »Hör auf mit den Komplimenten, Oma. Jedenfalls geht es mir deutlich besser als bei unserem letzten Treffen.«

Julia bezahlte den Fahrer, nahm Elsies kleine Reisetasche und ging mit ihr zum Haus.

Elsie blieb vor den Stufen stehen, um den Blick zu heben. »Es ist genau wie früher. Seltsam, nicht? Unser aller Leben hat sich so sehr verändert, aber dieses Gemäuer bleibt immer gleich.«

»Ich wünschte, das wäre so«, seufzte Julia, als sie ihrer Großmutter die Treppe hinaufhalf. »Vielleicht sieht das Haus aus wie früher, doch wenn es nicht zusammenkrachen soll, muss vieles erneuert werden.«

»Hat ein bisschen Ähnlichkeit mit mir, was?« Elsie schmunzelte. »Weißt du was? Nach all den Jahren in Wharton Park betrete ich es heute zum ersten Mal durch den Vordereingang.«

»Ich habe mir heute Morgen gedacht, dass es merkwürdig für dich sein könnte hierherzukommen. Gehen wir nach oben in dein Zimmer, damit du dich frisch machen kannst. Und hinterher trinken wir eine schöne Tasse Tee, ja?«

Als sie das Zimmer erreichten, war Elsie völlig außer Atem.

»Gütiger Himmel! Meine Beine sind nicht mehr das, was sie mal waren«, keuchte sie. »Früher bin ich die Treppe hundertmal am Tag rauf- und runtergelaufen und hab's gar nicht gemerkt.«

»Ich habe dir dieses Zimmer hergerichtet, Oma«, sagte Julia und öffnete die Tür. »Weil ich es hübsch finde und es nicht so groß ist.«

Als Elsie über die Schwelle trat, stieß sie vor Überraschung und Freude einen kleinen Schrei aus. »Na so was! Du hast doch tatsächlich das Zimmer von Lady Olivia bei ihrem Besuch in Wharton Park ausgesucht. Hier habe ich sie das erste Mal gesehen.« Elsie schaute sich um. »Ich glaube nicht, dass sich seit damals etwas verändert hat.« Sie ging zu dem ausgefransten, mit Gobelinstoff bezogenen Hocker am Fußende des Betts und setzte sich darauf, um Luft zu schöpfen. »Tut mir leid, Julia, aber diese Grippe hat mir sehr zu schaffen gemacht. Ich bin noch nicht wieder die Alte.«

Julia musterte sie besorgt. »Möchtest du dich ausruhen? Soll ich dir den Tee raufbringen?«

»Genau das habe ich immer zu Lady Olivia gesagt.« Elsie lächelte. »Ich bin tatsächlich ein bisschen müde. Vermutlich hat das mit der Wiedersehensfreude zu tun.«

»Ruh dich aus, und komm runter, wenn du so weit bist. Wir werden noch genug Zeit zum Reden haben, denn Kit spielt heute mit der Mannschaft aus dem Ort Kricket und kommt erst nach sieben nach Hause.«

»Der junge Christopher ... Dass du nun mit ihm zusammen bist! Die Köchin und ich haben immer gescherzt, dass er aussieht wie ein Lutscher, nur Haut und Knochen, darauf ein großer Kopf und diese Lockenmähne.«

Julia musste lachen. »Er hat sich nicht verändert. Und er freut sich darauf, dich wiederzusehen.«

»Ich freu mich auch auf ihn«, meinte Elsie und sank aufs Bett. »Tja, da wären wir nun alle wieder in Wharton. Geh nach unten. Den Tee musst du mir nicht bringen. Wenn ich ein Nickerchen gehalten habe, komme ich runter.«

»Bis später«, verabschiedete Julia sich von ihr und küsste sie auf die Stirn. Elsie fielen schon die Augen zu.

Eineinhalb Stunden später betrat Elsie deutlich munterer die Küche.

»Schon besser«, sagte sie. »Wo ist die versprochene Tasse Tee? Und ich würde gern hören, wie du mit Kit zusammengekommen bist.«

Sie setzten sich an den Küchentisch, wo Julia Elsie erzählte, wie Kit sie während ihrer Krankheit gepflegt hatte und wie sie anschließend nach Wharton Park gezogen war.

»Julia, ich freue mich so sehr, denn ich sehe, wie glücklich du bist. Nach allem, was du durchgemacht hast ...« Elsie nahm einen Schluck Tee. »Jetzt, wo du mit Kit zusammen bist, habe ich das Gefühl, dass sich der Kreis schließt. Deshalb sollst du die vollständige Geschichte erfahren. Vielleicht ...«, Elsie schaute sich in der Küche um, »... hilft dieser Ort meinem Gedächtnis auf die Sprünge.«

Zwanzig Minuten später betrat Kit, braun gebrannt von der Sonne und in seiner weißen Kricketkleidung, die Küche.

»Elsie, wie schön, dich wiederzusehen«, begrüßte er sie und küsste sie auf die Wange. »Du hast dich kaum verändert.«

»Schmeichler.« Elsie schmunzelte. »Sie, Master Kit, allerdings schon. Sie sind zu einem attraktiven jungen Mann herangewachsen.«

»Dann hältst du mich also nicht mehr für einen Lutscher?«, fragte Kit mit strenger Miene. Als Elsie rot wurde, musste er lachen. »Ich hab dich und die Köchin gehört. Eure Neckereien haben mir nichts ausgemacht. Ich war dankbar, dass ihr zwei mir immer was zu essen zugesteckt habt.«

»Sie waren ja immer viel zu dünn. Übrigens beide«, fügte sie hinzu.

»Trotzdem ist noch was aus uns geworden«, sagte Kit und legte einen Arm um Julias Schulter. »Ein Gläschen Wein, Elsie? Ich gönne mir eines zur Feier des Tages; wir haben gewonnen, und ich bin Spieler des Tages.«

Elsie nickte Julia anerkennend zu, als Kit die Flasche öffnete. »Hat sich zu einem ziemlich hübschen Kerlchen gemausert, was? Na so was.«

Während Kit sich am Tisch mit Elsie über ihre Jahre in Wharton Park unterhielt, kochte Julia. Am Ende brachte sie eine Hühnchenkasserolle mit neuen Jersey-Kartoffeln auf den Tisch.

»Julia, Julia«, sagte Elsie, »ich hätte nicht gedacht, dass aus dir mal eine gute Köchin wird. Es schmeckt köstlich.«

»Julia besitzt viele verborgene Talente, Elsie«, erklärte Kit mit einem verschmitzten Augenzwinkern.

Wenig später machte Julia Kaffee und schlug vor, in die Bibliothek zu gehen. Sobald Elsie in dem bequemen Sessel am Kamin saß, ließ Julia sich neben Kit auf dem Sofa gegenüber nieder.

Elsie nippte an ihrem Kaffee und stellte die Tasse auf das Tischchen. »Ich habe lange überlegt, ob ich euch das alles erzählen soll. Aber unter den gegebenen Umständen …«

»Was für ›Umstände‹?«, fragte Kit.

»Geduld, junger Mann. Am Ende werden Sie es schon verstehen.« Elsie holte tief Luft. »Letztes Mal, Julia, sind wir doch so weit gekommen, dass Lord Harry und Lady Olivia sich miteinander versöhnt haben, bevor Harry in den Krieg gezogen ist, oder?«

»Ja«, bestätigte Julia.

»Dann erzähle ich jetzt Harrys Geschichte. Selbst wenn das Ende nicht in dem Tagebuch steht, das er geführt hat …«

»*Harry* hat ein Tagebuch geführt?«, fragte Julia erstaunt.

»Ja. Es war Harrys Tagebuch. Er hatte eine sehr schöne Schrift. Mein Bill konnte ja kaum unterschreiben. Aber bitte unterbrich mich jetzt nicht mehr, Liebes. Dein Großvater war im Krieg mit ihm in Malaya. Als Harry nach Hause kam, wurden Bill und ich auf eine Art und Weise in seine Geschichte hineingezogen, wie wir es nie für möglich gehalten hätten. Dieser Teil beginnt nach dem Ende des Krieges, als dein Großvater und Harry nach dreieinhalb langen Jahren aus dem Changi-Gefängnis befreit wurden …«

33

Bangkok, 1945

Als Harry aus seiner Ohnmacht erwachte, war er verwirrt über das ungewohnte Gefühl, lange ohne Störung geschlafen zu haben. Sonst musste er ständig die Lage wechseln, um den Hüftschmerz, den das Liegen auf der Pritsche verursachte, zu lindern. Auch erinnerte er sich nicht daran, die immerzu um ihn herumschwirrenden Moskitos verscheucht oder die juckenden Stellen an seinem Körper gekratzt zu haben.

Und er spürte nicht den Schweiß, der üblicherweise beim Aufwachen an seinem Körper klebte. Ihm war angenehm kühl, doch vielleicht bildete er sich die leichte Brise, die sein Gesicht sanft zu berühren schien, nur ein.

Kurzum: Er fühlte sich wohl, ein Gefühl, das er kaum noch kannte.

Halluzinierte er? In den langen dreieinhalb Jahren seiner Gefangenschaft hatte er oft von Wharton Park und anderen seltsamen Dingen geträumt, zum Beispiel, dass sein Vater ihm eine Dose Sardinen gab, oder dass er ins kühle, klare Wasser des Springbrunnens in der Mitte des Gartens sprang, oder von Olivia, die ihm seinen Sohn entgegenstreckte …

Meist drehten seine Träume sich um Essbares. Er und seine Leidensgenossen brachten viele schwüle Nächte damit zu, über die besten Rezepte ihrer Mütter zu reden. Das hielt sie davon ab, den Verstand zu verlieren, falls das überhaupt möglich war im Changi-Gefängnis.

Viel war von ihnen allen nicht mehr übrig, weder körperlich noch seelisch, und Harry wachte jeden Morgen erstaunt darüber auf, dass er noch lebte.

Er hielt die Augen geschlossen und gab sich ganz dem Genuss hin, während er darüber nachdachte, wie sein Körper in dieser brutalen Hitze wunderbarerweise Belastungen getrotzt hatte, die schon für einen gesunden Mann in gemäßigtem Klima schwer zu ertragen gewesen wären.

Viele seiner Mitgefangenen hatten es nicht geschafft: Über tausend waren auf dem Friedhof von Changi begraben; bisweilen beneidete er sie um ihre ewige Ruhe. Während der wiederkehrenden Anfälle von Denguefieber, das hier der grässlichen Schmerzen wegen, das es verursachte, »Knochenbrecherfieber« genannt wurde, hatte Harry jeden Moment erwartet, sich zu ihnen zu gesellen. Doch das Glück – vorausgesetzt, man konnte weitere Zeit an diesem Ort als Glück bezeichnen – war ihm hold gewesen. Bis jetzt hatte er überlebt.

Harry wusste nun, dass die Entscheidung über Leben und Tod dem Zufall unterlag: Viele der Männer im Lager waren kräftiger gewesen als er und doch reihenweise von Malaria und Ruhr dahingerafft worden. Die Kost aus Reis und Tee, hin und wieder versetzt mit Reishülsen und proteinhaltigen Maden, erforderte einen starken Magen. Offenbar hatte Harry, der sich so gar nicht zum Soldaten berufen fühlte und fürchtete, kein richtiger Mann zu sein, die Gene mitbekommen, die nötig waren, um unter solchen Umständen am Leben zu bleiben.

Harry, der sich sonderbarerweise immer noch wohlfühlte, versuchte, sich über die Geschehnisse der vergangenen Tage klar zu werden.

Er erinnerte sich, mit hohem Fieber im Krankenhaus von Changi gelegen zu haben. Außerdem meinte er, sich an ein vertrautes Gesicht zu erinnern: Sebastian Ainsley, sein alter Freund aus Eton, der für die Reederei seines Vaters in Asien arbeitete. Und dann fiel ihm ein, dass er auf einer Tragbahre auf die Ladefläche eines Lastwagens geschoben worden war…

Die Stille, das körperliche Wohlbefinden und der saubere Geruch wiesen darauf hin, dass sich definitiv etwas geändert hatte. Befand er sich am Ende im Himmel? Harry rang sich dazu durch, die Augen aufzuschlagen.

Die grellen weißen Wände, die er durch das Moskitonetz nur verschwommen wahrnahm, unterschieden sich deutlich von denen der dunklen, schmutzigen Holzhütten, in denen der Gestank von ungewaschenen menschlichen Leibern in der schwülen Luft hing.

Er sah eine weiß gekleidete Frau… *eine Frau*!, die sich seinem Bett näherte.

»Hauptmann Crawford, wir haben beschlossen, Sie aufzuwecken. Es wurde allmählich Zeit. Bitte den Mund weit öffnen.«

Bevor Harry etwas sagen konnte, wurde ihm ein Thermometer unter die Zunge geschoben. Dann nahm die Frau sein schmales Handgelenk zwischen ihre weichen Finger und überprüfte seinen Puls.

»Viel besser«, stellte sie fest und nickte anerkennend. »Wahrscheinlich haben Sie keine Ahnung, wo Sie sich befinden, oder?«

Er schüttelte den Kopf, weil das Thermometer ihn am Sprechen hinderte.

»In Bangkok, in einem privaten Krankenhaus. Im staatlichen Hospital wollten sie Sie wegen dem Denguefieber nicht. Also hat Ihr Freund Mr. Ainsley Sie zu uns gebracht. Er kommt Sie bestimmt bald besuchen. Bis jetzt war er jeden Tag hier.«

Sie nahm ihm das Thermometer aus dem Mund. Harry leckte sich die Lippen und versuchte zu schlucken.

»Könnte ich ein Glas Wasser haben?«, krächzte er.

»Natürlich. Aber zuerst sollten Sie sich aufsetzen.« Die Frau fasste Harry unter den Achseln und zog ihn in eine sitzende Position hoch. Ihm brach vor Anstrengung der Schweiß aus.

»Gut gemacht.«

Die Frau, die Harry nun als Krankenschwester erkannte, hielt ihm ein Glas mit Strohhalm vor den Mund. »Trinken Sie langsam. Ihr Magen ist seit ein paar Tagen leer, weil wir Sie intravenös ernähren mussten. Das Fieber wäre sonst nicht zurückgegangen.« Sie warf einen Blick auf das Thermometer. »Es ist gesunken. Eine Weile dachten wir, wir bringen Sie nicht durch, aber Sie sind offenbar ziemlich hart im Nehmen.«

Als Harry zu schlucken versuchte, hatte er das Gefühl, noch nie schwächer gewesen zu sein.

»Sie können stolz auf sich sein, junger Mann«, sagte die Schwester mit einem Lächeln. »Sie haben es überstanden. Nicht nur den Krieg, sondern auch dieses Höllenlager in Singapur, über das wir so viel hören. Machen Sie weiter so, dann sind Sie bald wieder im guten alten England. Na, wie hört sich das an?«

Harry, dem schwindlig wurde, sank in die Kissen zurück. Ihm war das alles zu viel. Wenn er sich sehr konzentrierte, meinte er sich zu erinnern, gehört zu haben, dass die Japaner kapituliert hatten und das Lager befreit worden war. Doch nach Jahren der Gerüchte wagte er kaum noch etwas zu glauben.

»Wir haben gesiegt? Wirklich? Es ist vorbei?« Mehr brachte er nicht heraus.

»Ja, Hauptmann Crawford. Es ist vorbei. Sie sind ein freier Mann. Ich würde vorschlagen, dass Sie sich jetzt ein Stündchen ausruhen, und dann bringe ich Ihnen Hühnerbrühe zum Mittagessen.«

Hühnerbrühe – danach hatten sich in Changi alle gesehnt. Wenn es einem Gefangenen gelang, an ein lebendes Huhn zu kommen, das Eier für ihn legte, überlebte es nie länger als vierundzwanzig Stunden, weil es unweigerlich in einem Topf landete. Harry seufzte. Nachdem er jahrelang von der Suppe geträumt hatte, war er fast ein wenig traurig, so wenig Appetit zu verspüren.

»Danke«, sagte er heiser.

»Bis bald«, verabschiedete sich die Schwester an der Tür.

Harry sah ihr nach. Irgendwann ging ihm auf, dass er, wäre er nicht so wacklig auf den Beinen gewesen, einfach aufstehen und ihr hinaus hätte folgen können. Vor dem Krankenhaus hätte er stehen bleiben können, so lange er wollte, ohne dass jemand eine Waffe auf ihn richtete. Und er hätte die Straße entlangschlendern und vor sich hin pfeifen können, ohne aufzufallen. Ein unglaublicher Gedanke!

Fünf Minuten später klopfte es an der Tür, und jemand streckte seinen kahlen Kopf mit der dicken Brille herein.

»Harry, alter Junge, Gott sei Dank bist du wieder bei Bewusstsein! Wir hatten uns schreckliche Sorgen gemacht. Wäre wirklich sehr schade gewesen, wenn du uns jetzt noch abgenippelt wärst.«

»Tja, Pech gehabt, Sebastian«, krächzte Harry. »Wie du siehst, lebe ich.«

»Freut mich. Changi scheint die Hölle gewesen zu sein, nach allem, was ich dort gesehen habe.«

»Woher wusstest du, dass ich dort bin?«, fragte Harry.

»Deine Mutter hat es mir in einem Brief geschrieben. Als Changi befreit wurde, dachte ich mir, das Mindeste, das ich tun kann, ist hingehen, dich in der Freiheit begrüßen und dir als Ortskundiger meine Hilfe anbieten. Natürlich hatte ich nicht erwartet, dich in einem solchen Zustand vorzufinden.

Ich musste einen Malayen bestechen, dass er dich zur thailändischen Grenze bringt, wo mein Wagen und Fahrer standen.«

»Gott sei Dank bist du gekommen.«

»Keine Ursache. Wofür hat man alte Freunde?«, sagte Sebastian errötend. »Außerdem habe ich so einen unverfälschten Eindruck von den Ereignissen bekommen. Unterwegs sind wir in ein paar ziemlich brenzlige Situationen geraten. Singapur versank im Chaos. Eigentlich wollte ich dort bleiben, weil es dir so schlecht ging, aber die Krankenhäuser waren samt und sonders voll. Ich musste beten, dass du bis nach Bangkok durchhältst, wo du eine ordentliche medizinische Behandlung kriegen würdest.«

»Danke«, keuchte Harry, nach Luft ringend.

»Hier in Thailand ist es auch ziemlich schrecklich, das kann ich dir flüstern«, fuhr Sebastian fort. »Die Japsen haben das Land übernommen. War ganz schön beeindruckend, wie ganze Horden von denen anfangs noch in Zivil anmarschiert sind, angeblich als Arbeiter für ihre neuen Fabriken. Sie waren überall und haben Fotos gemacht wie Touristen. Plötzlich haben sie ihre Frauen und Kinder auf Boote entlang der Küste verfrachtet, sich selbst ihre Militäruniformen angezogen und sind in allen Städten des Landes aus ihren Löchern gekrochen. Anscheinend hatten sie die Bilder ins Tokioter Hauptquartier gesandt, damit die dort die Truppenstationierung koordinieren konnten, um das ganze Land unter Kontrolle zu bekommen.«

»Gütiger Himmel«, stöhnte Harry.

»Ja. Eins muss man ihnen lassen: Sie haben wirklich alles perfekt geplant. Dazu kam natürlich das Überraschungsmoment. Sie wollten Thailand, damit sie ungehindert von Birma nach Malaya gelangen konnten. So waren die Siamesen oder Thais, wie wir sie jetzt wohl nennen müssen, gezwungen, Großbritannien und Amerika den Krieg zu erklären.«

»Das wusste ich nicht«, erklärte Harry mit schwacher Stimme.

»Viel ist daraus nicht geworden, aber immerhin müssen wir uns mit unangenehmen kleinen Schlitzaugen rumschlagen, die seit zwei Jahren das Sagen haben. Ich persönlich bin froh, wenn sie endlich verschwinden. Momentan verlassen sie Bangkok in Scharen, mit gesenktem Blick oder einen Kopf kürzer im Chao-Phraya-Fluss. Bisher sind mindestens sechzig angespült worden.« Sebastian schnaubte amüsiert. »Weg mit den kleinen Biestern, das ist meine Meinung!«

Harry nickte zustimmend.

Sebastian rückte einen Stuhl ans Bett. »Ich weiß, dass du durch die Hölle gegangen bist, alter Junge. Sobald du kräftig genug bist, setze ich dich in ein Schiff nach Hause, natürlich erster Klasse. Damit du wieder den grünen englischen Rasen unter deinen Füßen spürst. Oder zumindest das, was noch davon übrig ist, nachdem die Krauts ihre Bomben darauf abgeworfen haben.«

»Ich weiß so wenig über das, was dort passiert ist«, presste Harry hervor.

»Im Augenblick brauchst du nur zu wissen, dass wir gesiegt haben, es deinen Eltern und Olivia gut geht und sie es kaum erwarten können, dich wieder daheimzuhaben.«

»Das ist mal eine gute Nachricht«, murmelte Harry. Sebastian beugte sich vor, um ihn besser zu verstehen. »In Changi habe ich nur Briefe von meiner Mutter erhalten, nicht von meiner Frau.«

Sebastian runzelte die Stirn. »Olivia hat dir bestimmt geschrieben. Aber die Zensur war sehr streng.«

»Meinst du? Bin ich …? Meine Mutter hat nichts von dem Kind erwähnt. Olivia war schwanger, als ich in den Krieg gezogen bin. Weißt du etwas darüber?«

Sebastian suchte nach geeigneten Worten.

»Tut mir leid, alter Junge«, sagte er schließlich mit rauer Stimme. »Sie hatte eine Fehlgeburt. Aber jetzt hindert dich ja nichts mehr daran, nach Hause zu fahren, eine ganze Horde Kinder zu zeugen und sie aufwachsen zu sehen.«

Harry schloss kurz die Augen, um die Nachricht zu verarbeiten. Die Vorstellung, überhaupt nach Wharton Park zurückzukehren, war ihm sehr fremd.

»Wo du gerade erst von den Toten auferstanden bist, solltest du dir nicht den Kopf darüber zerbrechen, was hätte sein können«, versuchte Sebastian, ihn zu trösten. »Sobald es dir besser geht, hole ich dich hier raus. Also werd so schnell wie möglich wieder gesund. Dann zeige ich dir, dass das Leben auch seine schönen Seiten hat, besonders hier in Bangkok.«

»Ich tue mein Bestes, Sebastian, das verspreche ich dir.«

»So ist's recht, alter Junge«, sagte Sebastian und erhob sich. »Ich schaue morgen so gegen elf wieder bei dir vorbei. Und ich schicke ein Telegramm nach Wharton Park, um sie zu informieren, dass du auf dem Weg der Besserung bist.«

»Danke.«

Sebastian nickte und machte sich auf den Weg zur Tür. »Werd wieder gesund, ja?«

Harry erwiderte sein Nicken und bedachte Sebastian mit einem matten Lächeln, bevor dieser hinausging. Dann lehnte er sich, enttäuscht darüber, dass er kein Gefühl der Euphorie empfand, zurück. Wahrscheinlich, dachte er, war er einfach zu müde und musste sich von seiner Krankheit erholen.

Keiner in Changi hatte je überlegt, wie es wäre, tatsächlich wieder frei zu sein. Unterhalten hatte man sich dort ausschließlich über zu Hause, die Familie und das Essen, weil das Hoffnung gab. Wer die nicht besaß, resignierte und hängte sich an dem auf, was sich zusammenbinden ließ: an Socken, Resten von Schnürsenkeln oder Hemdfetzen.

Einen Augenblick lang sehnte Harry sich nach der Vertrautheit von Changi, nach der Routine, dem geteilten Leid, den gemeinsamen Träumen und dem Verständnis für die allgemeine Not.

Würde diese Erfahrung ihn für immer zeichnen? Würde er je in ein normales Leben zurückkehren können?

Harry döste mit der Hoffnung ein, in positiverer Stimmung zu erwachen.

Eine Woche später durfte Harry das Krankenhaus verlassen. Sebastian holte ihn mit seinem Rolls-Royce ab, einem Wagen, den sein Vater zwanzig Jahre zuvor nach Bangkok verschifft hatte.

Auf der Schwelle des Hospitals freute Harry sich kurz über das Gefühl, etwas hinter sich lassen zu können. Es war das erste Mal seit dreieinhalb Jahren, dass er das bewusst tat.

Sebastians thailändischer Chauffeur hielt Harry die Tür auf und half ihm, auf den Rücksitz zu klettern. Sebastian setzte sich neben ihn. Sie fuhren durch das Gewimmel auf den Straßen, wo der Chauffeur Rikschas, Ochsen und Elefanten anhupte, die einen Verkehrsstau verursachten.

Zum ersten Mal, seitdem sein Bataillon von der Duchess of Athol marschiert war, dem Schiff, das die 5th Royal Norfolk's nach Singapur gebracht hatte, konnte Harry das exotische Leben eher mit Interesse als mit Angst beobachten.

»Am besten sieht man die Stadt vom Boot aus, auf den schmalen Kanälen, die man hier *klongs* nennt«, erklärte Sebastian. »Die Menschen leben in auf Stelzen in den Fluss gebauten Häusern. Sehr malerisch. Vielleicht mieten wir uns, bevor du nach England zurückkehrst, ein Boot, dann zeige ich sie dir. Es gibt auch ein paar prächtige Tempel. Da wären wir. Giselle erwartet uns schon.« Sebastian wandte sich Harry zu. »Harry, alter Junge, willkommen im Oriental Hotel.«

Harry nahm kaum etwas wahr, als er durchs Foyer geführt wurde und Sebastian sich mit Giselle, der Besitzerin des Hotels, unterhielt. Harry fühlte sich von all den Reizen überfordert und hatte die Fahrt durch die geschäftigen Straßen als klaustrophobisch empfunden. Während ein thailändischer Gepäckträger, der keine Koffer tragen musste, weil Harry nichts besaß, auf dem Flur vor ihm herging, fragte Harry sich, ob er den Rest seines Lebens unter Klaustrophobie leiden würde.

Lebhaft vor Augen hatte er noch die Zeit in der Selarang-Kaserne, die die Japaner mit Changi-Gefangenen besetzten, weil die britischen Offiziere sich weigerten, einen »Nicht-Flucht«-Pakt zu unterzeichnen. Ursprünglich war Selarang für tausend Männer geplant gewesen; am Ende hatten sich dort achtzehntausend Gefangene aus Changi aufgehalten, die zwei Tage lang in glühender Hitze auf dem Hof stehen mussten, so eng nebeneinander, dass man nicht einmal die Hand heben konnte, um sich an der Nase zu kratzen. Und nachts schliefen sie, Kopf an Fuß, auf dem Betonboden.

Um die Männer vor einer Ruhrepidemie und massenhaftem Sterben aufgrund der entsetzlichen Bedingungen zu bewahren, hatte Oberst Holmes, der Befehlshaber der Truppen in Changi, den »Nicht-Flucht«-Pakt dann schließlich doch unterzeichnet.

Seitdem litt Harry unter Albträumen und hatte Probleme mit größeren Menschenansammlungen.

Als der Gepäckträger die Tür zu seinem Zimmer öffnete, stellte Harry erfreut fest, dass es hinter den geschlossenen Fensterläden angenehm kühl war, es ein Moskitonetz über dem Bett sowie schlichte, aber bequeme Möbel gab. Er drückte dem Bediensteten die letzten paar Cent, die er noch besaß, in die Hand, schloss die Tür hinter ihm, und legte sich aufs Bett.

Beim Aufwachen einige Stunden später glaubte Harry, es sei Nacht, doch ein Blick auf die Uhr neben dem Bett zeigte ihm, dass es gerade Zeit für den Tee war. Die Fensterläden hüllten den Raum in Dunkelheit. Er stand auf, um sie zu öffnen. Der Anblick verschlug ihm den Atem: Vor ihm erstreckte sich ein grüner Rasen mit Liegestühlen und Sonnenschirmen, dahinter ein über dreißig Meter breiter Fluss, auf dem Holzboote dahinglitten. Die Schönheit und Weite ließen Harrys Augen feucht werden.

Aus dem Hahn des kleinen Waschbeckens in der Zimmerecke tröpfelte ein Rinnsal, das ihm wie Nektar erschien nach all den Jahren, in denen er sich nur bei Regen hatte waschen können. Harry schlüpfte in das Hemd und die Hose, die Sebastian ihm freundlicherweise geliehen hatte, bis er selbst wieder Kleidung besäße. Harry mühte sich ab, die Hose über den »Reisbauch« zu ziehen, den er und alle seine Mitgefangenen hatten und der sie aussehen ließ, als wären sie im sechsten Monat schwanger. Dann machte er sich auf den Weg zur Terrasse über dem Fluss.

Dort ließ er sich auf einen Stuhl unter einem Sonnenschirm sinken. Sofort eilte ein thailändischer Boy heran. »Darf ich Ihnen einen Tee bringen, Sir?«, fragte er.

Fast hätte Harry laut gelacht. In Changi wäre der Gedanke, auf einem bequemen Stuhl unter einem Sonnenschirm Tee serviert zu bekommen, absurd gewesen.

»Danke. Das wäre nett«, antwortete er, und der Boy verschwand.

Vielleicht, dachte Harry, hatte er sich daran zu gewöhnen,

dass ihm alles Normale als unnormal erschiene, bis er sich in der Freiheit wieder zurechtfinden würde. Und möglicherweise musste er auch akzeptieren, dass nur seine Leidensgenossen verstanden, was er durchgemacht hatte.

»Sir, Ihr Tee, mit Milch und Zucker.« Der Boy stellte das Tablett auf dem Tischchen neben Harry ab.

Harry konnte sich nur mit Mühe zurückhalten, den gesamten Inhalt der Zuckerschale in seinen Mund zu kippen. Zum ersten Mal seit dreieinhalb Jahren bekam er wieder Zucker zu Gesicht.

Eine halbe Stunde später, als die Sonne bereits über dem Fluss unterging, stieß Sebastian zu ihm, der zwei Gin-Tonic bestellte. Harry probierte einen Schluck und winkte ab. Auch Alkohol hatte er seit seiner Abreise aus England nicht mehr getrunken. In seinem gegenwärtigen Zustand würde er ihn schlicht und ergreifend umwerfen.

»Übrigens, bevor ich's vergesse: Ich glaube, das gehört dir.« Sebastian legte ein kleines, ledergebundenes Tagebuch auf den Tisch. »Das hat die Schwester im Krankenhaus in deiner langen Unterhose gefunden. Sie hat es mir zur Aufbewahrung gegeben.«

Es handelte sich um das Tagebuch, das Harry seit der Abreise aus England gewissenhaft geführt hatte. Wenn die Japaner es in Changi gefunden hätten, wäre er möglicherweise erschossen worden, weswegen er es in seine Unterwäsche einnähte. Das allabendliche Niederschreiben seiner Gedanken und Gefühle hatte ihm geholfen zu überleben.

»Danke, Sebastian. Allerdings werde ich in der nächsten Zeit wohl nicht darin blättern.«

»Das kann ich verstehen, alter Junge. In drei Wochen legt ein Schiff hier ab, das dich nach Felixstowe bringen wird.

Du solltest deiner Familie ein Telegramm schicken, dass du kommst. Sie wollen dich sicher alle am Dock begrüßen.«

»Klingt gut. Danke, dass du alles für mich organisiert hast, aber würde es dir etwas ausmachen, wenn wir ein andermal über die Zukunft reden? Es ist meine erste Nacht in Freiheit, und ich möchte einfach nur den Augenblick genießen.«

»Natürlich, alter Junge! Wir haben keine Eile. Ich dachte nur, dass du dich so schnell wie möglich auf den Weg in die Heimat machen willst«, erklärte Sebastian.

»Darüber sprechen wir morgen. Und jetzt erzähl mir alles über diese schöne Stadt.«

»Es wundert mich, dass es dich gar nicht so sehr interessiert, was im guten alten England passiert ist«, meinte Sebastian, als er sich über ein großes australisches Steak hermachte. Harry betrachtete sein Fleisch auf dem Teller, aus dem das Blut sickerte, und wusste, dass er es nicht würde essen können. Verlegen ließ er es zurückgehen und bestellte stattdessen eine Schale wässrigen Reis.

»Natürlich interessiere ich mich dafür, Sebastian«, widersprach Harry. »Aber ich habe das Gefühl, erst ein paar Stunden frei zu sein. Gespräche über den Krieg sind mir heute Abend einfach zu viel.«

Sebastian betrachtete ihn durch seine dicke Brille. »Du hast alle Zeit der Welt, alter Junge. Morgen kommt mein Schneider zu dir und stattet dich mit Zivilkleidung aus. Die Leute hier können gut mit Nadel und Faden umgehen. Sag, was du möchtest, und er näht es dir.«

»Das ist schrecklich nett von dir. Aber was trägt man heutzutage denn so?«

»Ich nehme an, dass sich in dieser Hinsicht nicht viel getan hat. Vermutlich laufen die Jungs zu Hause nicht plötzlich in Röcken rum wie die hier«, meinte Sebastian schmunzelnd.

»Bis ich aus dem Kriegsdienst entlassen bin, sollte ich wahrscheinlich der Form halber Uniform anziehen«, meinte Harry. »Aber in Changi waren von der bloß noch mit Zeltleinwand geflickte Shorts und eine Socke übrig.«

»Darüber musst du dir nun wirklich nicht den Kopf zerbrechen. Die Behörden haben alle Hände voll damit zu tun, die Tausenden von Kriegsgefangenen zurück nach Hause zu transportieren. Ich an deiner Stelle würde das Ganze als Urlaub betrachten. Den hast du dir verdient, alter Junge. Und wenn dir danach ist, zeige ich dir ein paar Dinge. Na, wie wär's? Die Mädels hier sind … wie soll ich das ausdrücken? Ein bisschen entspannter als die daheim.«

»Du könntest mir die Stadt zeigen, wenn ich wieder halbwegs bei Kräften bin.«

»Ja. Du bist sicher noch erschöpft. War es … schlimm?«

»Unvorstellbar«, antwortete Harry. »Dabei hatte ich Glück, weil ich als Offizier besser behandelt wurde als die unteren Ränge. Außerdem kann ich Klavier spielen, und das gefiel den Japanern. Das Piano hat mir letztlich das Leben gerettet.«

Sebastians Miene hellte sich auf. »Natürlich! Bei dem Durcheinander in der letzten Zeit habe ich doch glatt vergessen, dass du Klavierspielen kannst. Ich muss mit Giselle reden. Sie hat vor, für die Ausländergemeinde eine kleine Bar zu eröffnen, und sucht nach Mitgliedern für die Band. Vielleicht gelingt es ihr, in den nächsten Tagen ein paar Leute zusammenzutrommeln; dann könntest du uns was vorspielen.«

»Hm«, brummte Harry. »Was ist eigentlich aus Bill geworden?«

Sebastian runzelte die Stirn über den unvermittelten Themenwechsel. »Wer, zum Teufel, ist Bill?«

»Mein Feldwebel im Bataillon. Er stammt aus Wharton Park und war die ganze Gefangenschaft über bei mir. Bei der Einnahme von Singapur hat er mir das Leben gerettet, und als ich mit Denguefieber im Krankenhaus von Changi lag, hat er mich regelmäßig besucht. Es würde mich freuen zu hören, dass er sicher zu Hause gelandet ist. Ich werde ein Telegramm nach Wharton Park schicken und fragen.« Harry hatte plötzlich Mühe, die Augen offen zu halten. »Entschuldige, Sebastian, aber ich bin hundemüde und muss schlafen.«

»Natürlich. Geh hoch und leg dich hin. Mein Schneider kommt morgen um zehn zu dir.«

Harry stand mit wackligen Beinen auf. »Ganz herzlichen Dank für alles, Sebastian. Du musst mir sagen, was ich dir schulde. Ich lasse dir das Geld aus England anweisen.«

»Fasse das als meinen Beitrag fürs Vaterland auf«, erwiderte Sebastian und winkte ab. »Schön, dass ich dir helfen konnte, alter Junge.«

Harry wünschte ihm eine gute Nacht und ging langsam auf sein Zimmer. Er freute sich darauf, seine schmerzenden Knochen unter der kühlenden Luft des Deckenventilators in saubere weiße Laken zu betten. Sein letzter Gedanke vor dem Einschlafen galt seinem Freund Bill.

34

In der folgenden Woche hatte Harry genug Zeit zum Ausruhen und Kraftschöpfen, und sein gequälter Magen begann allmählich wieder, die nahrhaften Lebensmittel zu vertragen, von denen Harry in Changi nur hatte träumen können.

In der Nacht wurde er nach wie vor von Albträumen heimgesucht. Er wachte schweißgebadet auf und streckte die

Hand nach dem Licht aus, das häufig wegen der Verdunkelung in Bangkok nicht anging. Dann mühte er sich hektisch ab, eine Kerze anzuzünden, um sich zu vergewissern, dass er sich in seinem Zimmer befand und tatsächlich alles vorüber war.

Morgens frühstückte er auf der Veranda und setzte sich anschließend mit einer Zeitung in den Schatten der großen Palmen in den Garten. Das Brummen der Dieselmotoren an den Holzbooten, die im Fluss dahintuckerten, beruhigte ihn. Hinter seiner Zeitung hervor beobachtete er die anderen Gäste, manche frühere Kriegsgefangene der birmesischen Eisenbahn, mit denen er jedoch nicht das Gespräch suchte.

Sebastian kam oft von seinem nahe gelegenen Büro herüber, um mit Harry zu Mittag zu essen, bevor dieser sich zu einem Schläfchen zurückzog. Harry wagte nicht, das Hotel zu verlassen. Die Ruhe dieses Ortes sowie die freundlichen, höflichen thailändischen Bediensteten gaben ihm ein Gefühl der Sicherheit. Das Oriental Hotel war seine Zuflucht.

Sebastian fragte ihn jeden Tag, ob er ein Telegramm nach Wharton Park schicken und den Daheimgebliebenen mitteilen wolle, wann er zurückkehren werde, doch Harry schwieg sich aus. Der Gedanke an die Heimreise und die Pflichten, die ihn dort erwarteten, war ihm zu viel. In der gelassenen Atmosphäre des Hotels konnte Harry sich besser erholen.

Eines Nachmittags, als Harry nach dem Lunch das Foyer durchquerte, beobachtete er, wie Giselle thailändischen Bediensteten, die ein altes Klavier vorsichtig den Flur entlang in einen Raum trugen, Anweisungen gab.

Nach seinem Nachmittagsschläfchen ging Harry nach unten und warf einen Blick in diesen Raum. An der Decke hingen Bambusventilatoren, Tische und Stühle warteten auf Gäste. In der einen Ecke wurde noch an einer Holztheke gearbeitet, in der anderen standen das Klavier und ein Schlagzeug. Harry hob den Klavierdeckel, rückte einen Stuhl heran, setzte sich und legte die Finger auf die Tasten.

In Changi hatten die Japaner ironischerweise nur populäre amerikanische Melodien hören wollen. Seine Finger fühlten sich steif an, als er die ersten Takte von Chopins Polonaise in As-Dur spielte. Er zwang sie, sich über die Tasten zu bewegen wie früher. Nach einer Weile schienen sie sich zu erinnern, und die vertrauten Tonfolgen erklangen in einem Sturzbach bis dahin zurückgehaltenen Schmerzes. Zum ersten Mal, seit er in den Krieg gezogen war, fand Harry Frieden in der Musik.

Am Ende blieb er vor emotionaler Erschöpfung schwitzend sitzen. Von der Tür hörte er ein Klatschen. Eine junge thailändische Bedienstete stand verlegen dort, Besen in der Hand, Erstaunen im Blick.

Harry, der sie anlächelte, fiel auf, wie schön sie war in ihrer schlichten Uniform.

»Sorry, Sir, dass ich Sie störe. Ich höre die Musik, als ich die Terrasse sauber mache, und komme, um zuzuhören.«

»Gern.« Harry sah ihren kleinen, fast kindlichen, jedoch vollkommen proportionierten Körper und ihr hübsches Gesicht. »Sie mögen Musik?«

»Sehr.« Sie nickte. »Vor dem Krieg lerne ich auch.«

»Sie haben die Musikschule besucht?«

Die junge Frau schüttelte den Kopf. »Nein. Nur Stunden, einmal die Woche. Aber ich liebe Chopin«, erklärte sie voller Inbrunst.

»Möchten Sie spielen?«, bot Harry ihr an und erhob sich.

»Nein, Madame würde das nicht wollen. Außerdem bin ich …« Sie suchte nach dem passenden englischen Wort und lächelte, als sie es fand. »Laie. Ich glaube, Sie sind Profi.«

»Wohl kaum«, murmelte Harry. »Aber ich spiele gern.«

»Für die neue Bar, ja?« Wieder lächelte sie, und dabei kamen ihre ebenmäßigen, perlweißen Zähne zum Vorschein.

»Möglich, wenn sie mich bittet«, antwortete Harry. »Jedoch mit Sicherheit nicht Chopin. Sind Sie als Dienstmädchen hier beschäftigt?«

Die junge Frau nickte. »Ja.«

»Ungewöhnlich, ein Dienstmädchen, das gut Englisch spricht und Klavier spielt«, meinte er.

Sie zuckte mit den Achseln. »Im Krieg ist vieles anders.«

»Ja«, pflichtete Harry ihr bei. »Sie sind gebildet. Warum arbeiten Sie hier?«

Ihr Blick wurde traurig. »Mein Vater war in thailändischer Befreiungsbewegung und wurde von japanischer Armee verschleppt. Vor einem Jahr.«

»Verstehe.«

»Zuvor war er Herausgeber von Zeitung«, fuhr sie fort. »Wir hatten gutes Leben. Ich lerne in britischer Schule in Bangkok. Meine Mutter hat drei kleine Kinder und kann sie nicht allein lassen, um Geld zu verdienen. Also arbeite ich, um meine Familie zu ernähren«, stellte sie sachlich fest.

»Madame Giselle war früher doch auch Journalistin, oder?«, fragte Harry.

»Ja. Französische Kriegskorrespondentin. Sie gibt mir diese Arbeit, weil sie meinen Vater kennt und achtet.«

Harry nickte. »Vielleicht können Sie Ihre Ausbildung nach dem Krieg nutzen.«

»Sir, Sie erleben viel Schlimmeres als ich. Madame sagt, Sie waren gefangen in Changi. Ich höre, dass das ein sehr schlimmer Ort ist.«

Ihr Mitleid rührte ihn.

Nach kurzem Schweigen sagte sie: »Ich muss gehen.«

»Ja.«

Sie legte die Hände wie zum Gebet vor der Nasenspitze zusammen und verneigte sich, eine traditionelle thailändische Geste, die Harry inzwischen kannte.

»*Kop khun ka*, Sir. Mir gefällt Ihr Spiel sehr.« Sie wandte sich zum Gehen.

»Ich heiße Harry«, rief er ihr nach.

»Harry«, wiederholte sie.

»Und Sie?«

»Lidia.«

Auch er wiederholte ihren Namen.

»Auf Wiedersehen, Harry, bis bald.«

»Auf Wiedersehen, Lidia.«

Nach dieser Begegnung beobachtete Harry Lidia jeden Tag und genoss die anmutige Art, wie sie ihre Arbeit verrichtete. Er saß mit einem Roman von Somerset Maugham auf seinem Lieblingsplatz auf der Terrasse. Doch statt zu lesen, folgte er Lidia mit den Augen, fasziniert aus Gründen, die er sich nicht erklären konnte. Alles an ihr war zart, zerbrechlich und sehr feminin. Neben ihr hätte Olivia gewirkt wie ein Zugpferd, obwohl auch sie schlank war.

Er schmunzelte bei dem Gedanken, sein ganz persönliches Aschenputtel gefunden zu haben. Natürlich ahnte Lidia nicht, dass er – zumindest fast – ein Prinz war. Bisweilen lächelte sie ihm zu, ohne sich ihm jedoch zu nähern. Und er hielt es nicht für schicklich, von sich aus auf sie zuzugehen.

Harry wusste nicht, wie alt sie war. Sie konnte jedes Alter zwischen vierzehn und vierundzwanzig haben.

Harry fand heraus, wann sie Veranda und Terrasse fegte, und stellte sicher, dass er sich zur selben Zeit dort aufhielt. Je öfter er sie sah, desto hübscher erschien sie ihm. Er brachte, auf dem Bett liegend, Stunden damit zu zu überlegen, wie er wieder ein Gespräch mit ihr anknüpfen und sie besser kennenlernen könnte.

Als er eines Morgens das Foyer durchquerte, sah er Lidia am Empfang sitzen. Sie trug nicht mehr ihre Dienstmädchenuniform, sondern Bluse und Rock im westlichen Stil.

Ermutigt durch ein Lächeln von ihr, trat er zu ihr und sagte: »Hallo. Sind Sie befördert worden?«

»Ja.« Sie strahlte. »Jetzt helfe ich Madame in Büro und Rezeption. Außerdem habe ich neue Stellung bei Gästebetreuung.«

»Wie schön!«, rief Harry aus. »Offenbar hat Madame Ihre Fähigkeiten erkannt.«

»Es ist, weil ich Englisch und Thai spreche, und Madame kann Französisch. Wir sind gutes Team.« Ihre großen bernsteinfarbenen Augen blitzten. »Ich bekomme Lohnerhöhung, das freut meine Familie sehr. Die Bar eröffnet morgen Abend. Ich hoffe, es ist Ihnen recht: Ich sage Madame, dass wir Gast haben, der sehr gut Klavier spielt. Ich glaube, sie will später mit Ihnen darüber reden.«

»Natürlich. Werden Sie auch da sein?«

»Natürlich«, ahmte Lidia seinen Tonfall nach. »Bis bald, Harry.« Sie nickte und wandte sich wieder ihrer Arbeit zu.

Beim Frühstück auf der Veranda lächelte Harry aus Freude über diese unerwartete Begegnung mit Lidia in sich hinein. Wenn sie am folgenden Tag in der Bar war, spielte er. Für sie.

An jenem Morgen ging es ihm körperlich so gut wie seit Jahren nicht mehr. Überdies regte sich eine Kraft in ihm, an die er sich aus der Zeit vor Changi nur vage erinnerte.

Er nahm die Schönheit seiner tropischen Umgebung nun noch intensiver wahr als sonst. Alles, was er sah oder berührte, hatte einen ganz eigenen Glanz. Er befand sich auf dem Weg der Besserung.

Was bedeutete, dass er sich über seine Rückkehr Gedanken machen musste.

Harry zündete sich eine Zigarette an und nippte an seinem Kaffee. Beim Verlassen von Wharton Park vier Jahre zuvor hatte er beruhigt sein können, sein Fehlverhalten Olivia gegenüber korrigiert zu haben. Ziemlich sicher hatte sie begriffen, was zwischen ihm und Archie vorgefallen war, und in ihren wenigen gemeinsamen Wochen war es ihnen seiner Ansicht nach gelungen, ihre Probleme hinter sich zu lassen.

Ihre Schwangerschaft war ihm Trost und Beweis dafür gewesen, dass es sich um eine völlig normale Ehe handelte. Er trauerte um das verlorene Kind, wusste jedoch, dass der Kummer seiner Frau noch viel größer sein musste.

Harry hatte in zahlreichen schwülen Nächten genug Zeit gehabt, über seine Gefühle für Olivia nachzudenken. Manche der anderen Gefangenen weinten aus Schmerz darüber, von ihrer Frau getrennt zu sein, und sprachen mit allen, die bereit waren, ihnen zuzuhören, über sie, oder sie bewahrten abgegriffene, vergilbte Fotos nahe ihrem Herzen auf. Sie schwärmten von ihrer Liebe und davon, wie sehr sie das Körperliche in ihrer Beziehung genossen hatten, das ihnen jetzt umso mehr fehlte. Harry war ein geduldiger Zuhörer, hatte aber ein schlechtes Gewissen, weil er nichts von alledem für seine Frau empfand.

Er mochte Olivia sehr und schätzte ihre Klugheit, Kraft und Schönheit sowie die Art und Weise, wie sie Wharton Park geleitet hatte, als Adrienne ihre Hilfe brauchte. Sie war die perfekte Herrin des Guts und ein geeigneter Ersatz für seine Mutter.

Aber …

Liebte er sie?

Harry nahm einen weiteren Schluck Kaffee und zündete sich die nächste Zigarette an. Ein wenig tröstete es ihn, dass die Männer, die ihm ihr Herz ausgeschüttet hatten, ihre Ehefrauen selbst hatten aussuchen können, denn bei ihm war es anders gewesen. Wenn seine Mutter nichts von einer Heirat und den damit verbundenen Vorteilen erwähnt hätte, wäre Harry zweifellos unverheiratet in den Krieg gezogen. Die Idee, Olivia oder irgendeine andere Frau zu heiraten, wäre ihm überhaupt nicht gekommen.

Doch er wusste, dass seine Situation alles andere als ungewöhnlich war. Arrangierte Ehen gab es seit Jahrhunderten auf der ganzen Welt. Seine Gefühle mussten hinter seinen Verpflichtungen gegenüber der Familie zurückstehen. Für manche Menschen war das Leben nun einmal so.

Harry drückte seine Zigarette aus. Vielleicht verlangte er zu viel. Möglicherweise liebte er sie doch ... Woher sollte er wissen, wie die Liebe zwischen Mann und Frau aussah? Er war ein emotionaler Spätentwickler und sexuell unsicher, Olivia die erste Frau, mit der er geschlafen hatte. Sobald sie sich aneinander gewöhnt hatten, war es auf diesem Gebiet sogar ganz gut gelaufen, fand er.

Dazu kam, dass seine Ängste hinsichtlich seiner latenten Neigung zum eigenen Geschlecht sich in den vergangenen dreieinhalb Jahren als unbegründet erwiesen hatten. Er hatte beobachtet, wie andere Männer im Lager sich gegenseitig befriedigten. Keiner hatte daran Anstoß genommen, denn alles, was half, die Hölle zu überstehen und am Leben zu bleiben, wurde akzeptiert.

Harry war klar, dass er sich nicht mehr drücken konnte. Er musste nach Hause zurückkehren und sich den Tatsachen stellen. Beim Mittagessen mit Sebastian erklärte er diesem, er fühle sich körperlich stark genug für die Heimreise nach England.

»Prima, alter Junge. Anfang nächster Woche geht ein Schiff. Lass mich sehen, was ich tun kann, um dich an Bord zu kriegen. Je früher, desto besser, oder?«

Da Harry Sebastians Begeisterung darüber, wieder englischen Boden zu betreten, nicht teilte, ertränkte er seine Sorgen in Alkohol.

Nach dem Lunch beschloss Harry, die kurze Zeit, die ihm noch in Bangkok blieb, zu genießen. Ermutigt durch den Alkohol, holte er tief Luft und ging zur Rezeption, wo Lidia ihn mit einem Lächeln begrüßte.

»Ja, bitte, wie kann ich Ihnen helfen?«

»Nun …« Harry räusperte sich. »Ich würde gern noch etwas von der Stadt sehen, bevor ich nach England fahre. Da Sie jetzt für die Gästebetreuung zuständig sind, habe ich mich gefragt, ob es in Ihren Aufgabenbereich fallen würde, mich bei einer Tour auf dem Fluss zu begleiten.«

»Entschuldigung, Harry«, antwortete Lidia verwirrt, »was heißt ›Aufgabenbereich‹?«

»Ich würde gern wissen, ob Sie meine Fremdenführerin spielen würden«, erklärte Harry.

»Ich … », Lidia zögerte, »… muss Madame fragen.«

»Madame steht direkt hinter dir. Was möchtest du fragen?«, sagte eine Stimme mit starkem französischem Akzent, und Giselle trat aus ihrem Büro.

Harry wiederholte seine Bitte. »Ich wäre sehr dankbar für einen Führer, der sich in der Stadt auskennt und … gut Englisch kann.«

Giselle überlegte einen Augenblick, bevor sie antwortete: »Hauptmann Crawford, ich denke, wir könnten uns auf eine für alle Beteiligten befriedigende Lösung einigen, *n'est-*

ce pas? Von Lidia und Monsieur Ainsley weiß ich, dass Sie sehr gut Klavier spielen. Morgen Abend wird hier im Hotel die Bar eröffnet. Und dafür brauche ich einen Pianisten. Wenn Sie für mich spielen, erlaube ich Lidia, Ihnen Bangkok zu zeigen.«

Harry reichte ihr erfreut die Hand. »Abgemacht.«

»*C'est parfait*, Hauptmann Crawford.« Sie schlug ein. »Ich habe einen Saxophonisten und einen Schlagzeuger, die sich morgen Abend um sechs in der Bar treffen. Vielleicht könnten Sie zur Probe zu ihnen stoßen. Wie Sie die Tour mit der jungen Dame gestalten, überlasse ich Ihnen.«

»*Merci*, Madame.«

Als Giselle wieder im Büro verschwand, blickte Harry zufrieden in Lidias bernsteinfarbene Augen und sagte: »Das wäre also geregelt. Und wohin wollen Sie mich führen?«

35

Der Eröffnung der Bamboo Bar wohnten zahlreiche Angehörige der Ausländergemeinde bei, die sich nach Jahren japanischer Herrschaft über diesen Anlass zum Feiern freuten. Sie kippten jede Menge des örtlichen Mekong-Whisky und gaben sich dem *sanuk* – thailändisch für »Spaß« – hin.

Da zu den Proben weniger als eine Stunde Zeit blieb, war Harry froh über die Übung, die ihm die Jazzabende für die Japaner in Changi verschafft hatten. Er spielte mit einem niederländischen Schlagzeuger, Exkriegsgefangener wie er, sowie einem russischen Saxophonisten, den es aus unbekannten Gründen nach Bangkok verschlagen hatte; gemeinsam gelang es ihnen, eine Liste von Stücken zusammenzustellen, die alle kannten.

In der schwülen, verrauchten Bar herrschte eine lebhafte Stimmung. Harry, der zum ersten Mal mit anderen Musikern zusammenarbeitete, fand großen Gefallen an der Kameradschaftlichkeit seiner Kollegen. Und der begeisterte Applaus für ein virtuoses Solo stimmte ihn fast euphorisch. Dazu kam die schöne Lidia, die in ihrem Seidensarong mit einem Tablett voller Getränke durch den Raum glitt.

Nachdem die drei Musiker die letzte Zugabe gespielt hatten, verließ Harry die Bar und ging über die Terrasse hinaus auf den Rasen am Fluss.

Aufgrund der Verdunkelung hatte der letzte Teil des Abends bei Kerzenlicht stattgefunden, und das einzig Helle war nun der Schein des Vollmonds über dem Fluss.

Harry zündete sich eine Zigarette an. An diesem Abend hatte er, wenn auch nur ein paar Stunden lang, das Gefühl gehabt dazuzugehören. Da spielte es keine Rolle, dass er ein Heimatloser unter Heimatlosen war, in einer durch unbekannte Tragödien bunt zusammengewürfelten Gruppe aus allen Weltgegenden. Hier war er kein Hauptmann der Armee, kein britischer Adliger und auch kein Erbe eines riesigen Gutes, sondern lediglich ein Pianist, dessen Können die Anwesenden unterhielt und erfreute.

Und er hatte einfach nur er selbst sein können.

Am folgenden Tag traf er sich wie vereinbart mit Lidia im Foyer.

Madame hatte einen Holzkahn inklusive Bootsmann für sie organisiert. Als Harry einstieg, fühlten sich seine Beine aufgrund der kurzen Nacht und der vier Whiskys, die er getrunken hatte, wackliger an als in den vergangenen Tagen.

»Hauptmann Crawford, ich glaube, wir sollten zuerst den Fluss hinauffahren, am Großen Tempel vorbei«, erklärte Lidia, die auf der Holzbank ihm gegenüber saß. »Dann weiter zum schwimmenden Markt, okay?«

Wie merkwürdig, dieses amerikanische Wort aus ihrem Mund zu hören!

»Gut. Und bitte sagen Sie Harry zu mir.«

»Okay, Harry.«

Sie legten vom Hotelpier ab und ordneten sich in den Verkehr auf dem Fluss ein. Der Chao-Phraya diente als Durchgangsstraße für Bangkok. Harry staunte, dass sich nicht mehr Kollisionen ereigneten, denn die Bootsführer kamen ihren Kollegen bisweilen gefährlich nahe. Riesige schwarze Frachtkähne, manchmal vier oder fünf hintereinander, verbunden durch Seile und gezogen von einem winzigen Fahrzeug davor, tauchten am Horizont auf wie bedrohliche Wale. Nach einigen Beinahezusammenstößen sah Harry, dass seine Hände zitterten.

Lidia bemerkte seine Anspannung. »Keine Sorge, Harry. Sing-tu steuert dieses Boot schon dreißig Jahre und hatte noch nie Unfall, okay?«

Sie beugte sich vor und tätschelte ihm die Hand.

Lidia bedeutete diese sanfte Geste sicher nichts, dachte Harry, doch für einen Mann, der jahrelang keine Zuneigung erfahren hatte, handelte es sich um einen Schatz, den es im Herzen zu bewahren galt.

»Harry, schauen Sie.«

Er folgte ihrer ausgestreckten Hand mit dem Blick und entdeckte ein Gebäude, das die Bezeichnung »Palast« verdiente. Mit seinen im Thai-Stil umgedrehten V-förmigen goldenen Dächern, die mit im Sonnenlicht glänzenden riesigen Smaragden und Rubinen bedeckt zu sein schienen, kam es ihm vor wie aus einem der Bilderbücher seiner Kindheit.

»Hier wohnen unser König und unsere Königin. Wir haben jetzt neuen König, weil alter erschossen wurde.«

Harry musste laut lachen über Lidias Direktheit, die sicher eher mit ihrem Mangel an englischen Wörtern als mit ihrer Persönlichkeit zu tun hatte.

»Wollen Sie hineingehen, den Jadebuddha im *wat* anschauen? Er ist sehr schön und sehr berühmt. Viele Mönche kümmern sich darum.«

»Warum nicht. Darf ich fragen, was ein *wat* ist?«, erkundigte er sich amüsiert, als der Bootsmann zum Pier steuerte und den Kahn mit einem Seil daran festmachte.

»Ein Tempel«, erklärte Lidia, die leichtfüßig aus dem Kahn sprang und Harry heraushalf.

Die Gärten um den Palast und den Tempel mit dem Jadebuddha waren atemberaubend schön, voll bunter Farben und duftendem Jasmin.

Harry blieb vor einer Pflanze mit zarten weißen und rosafarbenen Blüten stehen. »Orchideen«, stellte er fest. »Die gab es auch um Changi, und seit meiner Ankunft in Bangkok sehe ich sie überall. In England kennt man sie kaum.«

»Hier sind sie wie Unkraut«, erklärte Lidia.

»Ach. Ich wünschte, wir hätten zu Hause solches Unkraut«, sagte Harry und beschloss, eine der Pflanzen für seine Mutter mit nach Hause zu nehmen.

Dann folgte er Lidia die Stufen zum Tempel hinauf und schlüpfte wie sie aus den Schuhen. Im Innern war es dunkel und kühl; vor dem herrlichen, überraschend kleinen Jadebuddha knieten betende Mönche in safranfarbenen Roben. Auch Lidia kniete nieder und faltete, den Kopf gesenkt, die Hände zum Gebet. Harry tat es ihr gleich.

Er genoss die Ruhe und Stille des Tempels. In Changi hatte er einigen Vorträgen über Religion gelauscht. In einem war es um den Buddhismus gegangen. Er erinnerte sich, dass er gedacht hatte, dessen Grundüberzeugungen kämen seinen eigenen Gefühlen und Gedanken über die Welt näher als die anderer Glaubensgemeinschaften.

Nach einer Weile verließen sie den Tempel und traten hinaus ins helle Licht der Sonne.

»Wollen Sie jetzt zum schwimmenden Markt?«, fragte Lidia, als sie wieder an Bord gingen. »Es ist eine lange Fahrt, aber ich glaube, es gefällt Ihnen.«

»Ganz wie Sie meinen«, antwortete Harry.

»Okay.« Lidia instruierte den Bootsmann in schnellem Thai, und dann machten sie sich auf den Weg. Harry lehnte sich im Heck zurück und beobachtete, wie Bangkok an ihm vorüberglitt. Trotz der leichten Brise vom Fluss war es ein sehr heißer Tag, und er wünschte, er hätte einen Hut dabei gehabt, um seinen Kopf zu schützen.

Wenig später bog der Bootsmann in einen schmalen *klong* ein und lenkte den Kahn durch den belebten Kanal. Als sie den schwimmenden Markt erreichten, hielten sie inmitten von Holzbooten mit Waren und Händlern, die sich durch Rufe mit ihren Kunden verständigten.

Was für ein Anblick! Farbenprächtige Seidenstoffe, gemahlene Gewürze in Jutesäcken, der Geruch von Hühnchen, die an Spießen brieten, und dazu der Duft frisch geschnittener Blumen – alles verband sich zur exotischen Atmosphäre dieses Ortes.

»Sie wollen etwas essen, Harry?«, fragte Lidia.

»Ja«, antwortete Harry, obwohl ihm, vielleicht von der Sonne, schwindlig war. Lidia rief einem Bootsmann, der Hühnchen am Spieß verkaufte, etwas zu. Harry schloss die Augen. Schweiß trat auf seine Stirn, und das Dröhnen in seinen Ohren wurde unerträglich. Die hohen lauten Stimmen, die intensiven Gerüche und die Hitze… Gütiger Himmel, die Hitze!… Er brauchte unbedingt etwas zu trinken…

»Harry … Harry, wachen Sie auf.«

Als er die Augen aufschlug, sah er, dass Lidia seine Stirn mit einem Tuch kühlte.

Sie befanden sich in einem abgedunkelten Raum; er lag auf einer schmalen Pritsche am Boden. »Wo bin ich?«, fragte er. »Was ist passiert?«

»Sie fallen im Boot in Ohnmacht und schlagen sich Kopf an Holz an. Sind Sie okay?«, erkundigte sich Lidia besorgt.

»Aha. Entschuldigung.« Er versuchte, sich aufzusetzen. »Könnte ich etwas zu trinken haben?« Seine trockene Kehle und der brennende Durst brachten die düsteren Erinnerungen an Changi zurück.

Lidia reichte ihm eine Flasche, aus der er gierig trank.

»Wir bringen Sie in Krankenhaus, ja?«, schlug Lidia vor. »Ihnen geht es nicht gut.«

»Nein, nein. Ich erhole mich schon wieder, wenn ich etwas getrunken habe. Es war zu viel Sonne; ich bin ausgetrocknet, das ist alles.«

»Sicher?« Lidia wirkte nicht überzeugt. »Sie haben Denguefieber. Vielleicht ist es zurück.«

»Sicher, wirklich, Lidia.«

»Dann fahren wir jetzt in Hotel zurück. Können Sie stehen?«

»Natürlich.« Harry zwang sich aufzustehen, verließ mit Hilfe von Lidia und dem Bootsmann den kleinen Schuppen, in dem Lidia ihn vor der Sonne geschützt hatte, und kletterte in den Kahn zurück. Ironie des Schicksals, dachte Harry, dass er auf dem schwimmenden Markt ohnmächtig geworden war, jedoch nie in Changi, nicht einmal unter den schlimmsten Bedingungen.

»Setzen Sie den auf«, wies Lidia ihn an und nahm ihren Hut ab. »Ich bin gern braun und hässlich für Sie. Und trinken Sie Wasser.« Sie reichte ihm die Flasche.

»Was soll das heißen: braun und hässlich?«, fragte Harry, dankbar für den Schatten, den der Hut spendete.

»Das ist in Thailand Zeichen für die Schicht«, erklärte Lidia. »Wer blasse Haut hat, gehört zu guter Schicht. Mit dunkler Haut ist man … Bauer!«

»Verstehe«, sagte Harry schmunzelnd, während der Bootsmann den Kahn aus dem schwimmenden Markt hinaus auf den Chao-Phraya-Fluss manövrierte. Lidia behielt Harry, der die Augen schloss, im Blick.

Im Hotel half Lidia ihm aus dem Boot und die Veranda hinauf.

»Gehen Sie in Ihr Zimmer, und ruhen Sie sich aus, Harry. Ich sage Madame, dass Sie krank sind.«

Harry verbrachte den Nachmittag schlafend und wurde von einem Boy geweckt, der an seine Tür klopfte, um ihm mitzuteilen, dass Mr. Ainsley ihn besuchen wolle.

»Schicken Sie ihn rein«, sagte Harry, der wieder die vertrauten Schmerzen in den Knochen spürte.

»Mein guter Junge. Giselle sagt, dir ist heute auf dem schwimmenden Markt ein Malheur passiert«, begrüßte Sebastian ihn, als er eintrat. »Geht's dir wieder schlechter?«

»Ich fürchte ja«, antwortete Harry. »Anfangs dachte ich, die vielen Menschen sind schuld, aber jetzt spüre ich, es ist etwas anderes.«

»Vermaledeit!« Sebastian ließ sich in einen Korbsessel fallen. »Dann wirst du in ein paar Tagen noch nicht heimreisen können. Ich wollte dir gerade sagen, dass ich auch für mich einen Platz auf dem Schiff reserviert habe und mit dir ins gute alte England zurückkehren möchte.«

»Tut mir leid, alter Junge.«

»Verdammt schade. Ich hatte mich schon darauf gefreut, mit dir auf hoher See zu sein. Nach den vier Jahren hier möchte ich die Gelegenheit ergreifen und meine Eltern besuchen. Mutter ist nicht mehr die Jüngste. Egal.« Sebastian erhob sich. »Ich schicke dir den Arzt. Wirst du ohne mich in Bangkok zurechtkommen?«

»Natürlich«, versicherte Harry ihm.

»Schon komisch, dass ich jetzt an deiner Stelle nach Hause fahre, nicht? Tja, wie das Schicksal so spielt .... Selbstverständlich lasse ich dir Geld da. Das kannst du mir dann in England wiedergeben. Ich schaue bei deinen Verwandten vorbei und sage ihnen, dass du dich schon noch irgendwann auf den Weg machen wirst. Sie sollen doch nicht glauben, du hättest dich unerlaubt von der Truppe entfernt, oder?«

»Nein«, murmelte Harry, der sich elend fühlte.

»Noch eins.« Sebastian blieb an der Tür stehen. »Dieses Land kann sehr verführerisch sein, und je länger man sich hier aufhält, desto attraktiver wird es. Verlieb dich nicht in Thailand, alter Junge, ja? Sonst kehrst du nie wieder nach Hause zurück.«

Der Arzt bestätigte Harry, dass er erneut unter einem Anfall von Denguefieber litt.

»Sie haben sich zu schnell zu viel zugemutet, mein Lieber«, erklärte er und verabreichte Harry eine hohe Dosis Chinin, um das Fieber zu senken. »Ich habe Sie neulich Abend in der Bar spielen hören. Sie waren ziemlich gut. Das ist fürs Erste genauso gestrichen wie Alkohol. Sie kennen ja die Regeln: viel Ruhe, viel trinken und Chinin, wann immer es nötig ist. Wollen wir hoffen, dass Sie diesmal nicht ins Krankenhaus müssen.«

»Ja, Doktor.«

»Außerdem verschreibe ich Ihnen Vitamine. Einer der Boys soll Sie Ihnen besorgen. Ich sehe morgen wieder nach Ihnen und sage Madame Bescheid, dass sich jemand um Sie kümmert.«

»Was schulde ich Ihnen, Doktor?«

Der Arzt winkte ab. »Ich schulde *Ihnen* etwas, mein Junge. Tapfere Soldaten wie Sie haben diesen verdammten Krieg für uns gewonnen. Einen schönen Tag noch, Hauptmann Crawford.«

Harry erwachte immer wieder aus fiebrigem Schlaf; irgendwann am Abend hörte er ein leises Klopfen an der Tür.

»Herein«, sagte er. Lidia trat mit besorgtem Blick ein.

»Madame sagt, Sie fühlen sich nicht gut und haben Denguefieber. Es ist meine Schuld. Ich hätte Sie nicht zu so einem heißen, geschäftigen Ort bringen sollen, wenn Sie noch nicht kräftig sind.«

»Lidia, ich habe Sie doch gebeten, mit mir hinzufahren.«

Obwohl er sich so elend fühlte, nahm er ihre Schönheit im sanften Licht der Lampe noch intensiver wahr als sonst. Völlig unerwartet verspürte er ein starkes Begehren.

»Darf ich Ihre Stirn fühlen?«, fragte sie.

»Natürlich.« Er genoss die Berührung ihrer kühlen Hand.

»Ja, Sie sind zu heiß«, verkündete sie und zog einen kleinen Beutel Kräuter aus ihrer Rocktasche. »Zu Hause verwenden wir chinesische Medizin. Diese hier ist besonders für Fieber und schmerzende Knochen. Wollen Sie probieren? Ich kann Tee daraus für Sie kochen.«

»Lidia, in meinem Zustand würde ich alles probieren«, antwortete Harry. »Ich habe es satt, krank zu sein.«

»Morgen früh fühlen Sie sich besser, das verspreche ich. Es ist Wundermittel.«

»Das hoffe ich.« Harry rang sich ein Lächeln ab.

»Ich gehe jetzt Tee machen.«

»Danke.«

Harry sank in die Kissen zurück. Als sein Blick zum Deckenventilator wanderte, wurde ihm bewusst, dass sein Pech auch gute Seiten haben könnte.

Zehn Minuten später kehrte Lidia mit dem Tee zurück.

»Ich warne Sie, Harry, schmeckt ziemlich schlecht«, sagte sie und half ihm, sich aufzusetzen.

»Dann wirkt es bestimmt. Hat zumindest meine Mutter gesagt, wenn ich als Junge krank war«, scherzte Harry.

»Sehr schlecht«, betonte sie, als sie ihm die Tasse an die Lippen hielt.

Beim ersten Schluck musste Harry würgen, doch dann rief er sich ins Gedächtnis, dass er in Changi lebende Maden gegessen hatte, riss sich zusammen und leerte die Tasse.

»Puh. Sie hatten recht.«

Lidia füllte die Tasse mit Wasser, damit er den üblen Geschmack loswurde.

»Und nun, Harry, müssen Sie ausruhen. Wenn Sie etwas brauchen, läuten Sie. Madame sagt, ich soll heute Nacht in Zimmer nebenan schlafen. Ich schaue in einer Stunde nach Ihnen. Bald ist Ihnen sehr, sehr heiß. Das machen die Kräuter, die Fieber enden. Danach ist es vorbei.«

»Darauf freue ich mich schon«, sagte er würgend, als sie zur Tür ging. Bereits jetzt fragte er sich, wie er so dumm sein konnte, ihr zu vertrauen.

»Keine Sorge, Harry. Ich bin hier.«

Lidias Vorhersage erwies sich als richtig: Nach einer Stunde hatte Harry das Gefühl, in Flammen zu stehen. Lidia kühlte seine Stirn mit feuchten Tüchern, während er sich im Bett hin und her warf. Einige Stunden später ging seine Temperatur zurück, und Harry schlief erschöpft ein.

36

Als Harry spät am folgenden Morgen erwachte, ging es ihm viel besser, als er erwartet hatte. Die Gliederschmerzen waren längst nicht mehr so stark wie zuvor, und der Arzt äußerte sich überrascht über Harrys gesunkene Körpertemperatur.

»Bemerkenswert«, stellte der Arzt fest. »Ich dachte, Sie müssten noch eine schlimme Fieberphase durchstehen, aber anscheinend habe ich mich getäuscht. Gut gemacht, weiter so.«

Als der Arzt gegangen war, streckte Lidia den Kopf herein. Wieder hatte sie eine Tasse mit übelriechendem Kräutersud in der Hand.

»Wie geht's, Harry?«

»Besser, danke.« Er betrachtete die Tasse argwöhnisch. »Wollen Sie mich wieder in Brand stecken?«

Lidia lachte; dabei entblößte sie ihre ebenmäßigen Zähne. »Nein«, antwortete sie. »Das hier ist für große Kraft, damit das Denguefieber nicht wiederkommt. Es gibt Energie und Appetit, aber kein Feuer, das verspreche ich.«

»Schmeckt's so scheußlich wie der letzte Trunk?«, erkundigte sich Harry und setzte sich, aufs Schlimmste gefasst, auf.

»Schlimmer. Also ist noch besser.«

Harry trank die übelschmeckende Mixtur und lehnte sich, bemüht, nicht zu würgen, zurück. »Sind Sie eine Hexe?«, fragte er. »Der Arzt konnte kaum glauben, wie sehr sich mein Zustand verbessert hat.«

»Vielleicht.« Sie lächelte. »Aber gute. Jetzt muss ich gehen, mich um andere Gäste kümmern. Ich komme später zurück, sehen, wie stark Sie geworden sind.«

Harry machte es Spaß zu beobachten, wie ihre wahre Persönlichkeit immer deutlicher zutage trat, je selbstbewusster sie ihm gegenüber wurde. Und was sie da auch zusammenbraute – es wirkte.

Am Abend bekam Harry Hunger, und er bestellte Nudeln aufs Zimmer. Als er sich zum Essen im Bett aufsetzte, stellte er fest, dass er gar nicht so unglücklich darüber war, hin und wieder Denguefieberanfälle erleiden zu müssen, wenn Lidia Krankenschwester für ihn spielte.

In den folgenden Tagen schlief Harry viel und aß alles, was man ihm brachte. In den Wachphasen dachte er an Lidia. Sie besuchte ihn, so oft sie konnte, erfreut darüber, dass er auf dem Weg der Besserung war.

Jeden Tag erschien sie ihm schöner.

Harry begann, auf ihre Besuche hinzufiebern, malte sich aus, wie er sie zu sich herwinkte, ihren zierlichen Körper in die Arme schloss, ihre wunderschön geformten Lippen küsste und seine Zunge über ihre kleinen, perlweißen Zähne gleiten ließ … In rationaleren Momenten versuchte er, sich einzureden, dass sie nur deshalb eine so starke Wirkung auf ihn ausübte, weil er lange nicht mehr die Gesellschaft einer Frau genossen hatte. Andererseits konnte er sich nicht erinnern, je für eine ihrer Geschlechtsgenossinnen ähnliche Gefühle gehegt zu haben.

Er wusste fast nichts über ihr Leben. Trotzdem schien er sie schon lange zu kennen. Sie war freundlich und klug und besaß Sinn für Humor. Wie sie sich trotz ihres begrenzten Wortschatzes im Englischen verständlich machen konnte, beeindruckte ihn. Harry, gewöhnt an die Rätselhaftigkeit englischer Mädchen, die die Sprache perfekt beherrschten, fand es erfrischend, dass Lidia nicht lange um den heißen Brei herumredete.

Und ihre Schönheit… Harry war körperlich nie leicht erregbar gewesen, am allerwenigsten durch bloße Phantasie. Doch jetzt führte schon der Gedanke an sie zu einer Erektion. Er deutete es als gutes Zeichen, dass nach den physischen und psychischen Qualen von Changi alle seine Körperteile noch funktionierten und eine Frau seinen Zweifeln zum Trotz eine so starke körperliche Reaktion bei ihm hervorrufen konnte – ganz anders als Olivia.

Seine Frau…

Harry musste daran denken, wie seine Mitgefangenen in Changi über Leidenschaft und Liebe gesprochen hatten…

War es das, was er für Lidia empfand? *Liebe*?

Am vierten Tag seiner Bettlägerigkeit, an dem Lidia nicht wie üblich den Kopf hereingestreckt hatte, um nachzusehen, wie es ihm ging, wagte Harry sich bei Sonnenuntergang aus seinem Zimmer. Er schlenderte durchs Foyer zur Bamboo Bar und an der Rezeption vorbei.

»Fühlen Sie sich besser?«, erkundigte sich Giselle.

»Ja, deutlich, danke. Wo ist Lidia?«

»Sie hat einen Tag frei genommen«, antwortete Giselle. »Familienprobleme, soweit ich weiß.«

»Aber es geht ihr gut, oder?«

»Ich weiß es nicht, Hauptmann Crawford. Ich bin nur ihre Arbeitgeberin, nicht ihre Mutter, auch wenn ich sie mag. Sie führt ein schwieriges Leben.«

Verwirrt machte Harry sich auf den Weg zur Bamboo Bar, die erst eine Stunde später öffnen sollte und noch menschenleer war. Dort setzte er sich ans Klavier, hob den Deckel und begann zu spielen.

Bald gesellten sich die anderen Musiker und der Barkeeper zu ihm.

»Wo warst du denn?«, erkundigte sich Yogi, der niederländische Schlagzeuger. »Wir brauchen dich.«

»Ich war krank.«

»Machst du heute Abend wieder mit?«, fragte Yogi.

Harry nickte. Vielleicht half ihm das, ihn von seinen Gedanken an Lidia abzulenken.

Harry spielte bis Mitternacht und trank jede Menge Wasser, während man den Gästen allmählich den Whisky anmerkte. Zwei beschwipste Frauen mittleren Alters machten ihm Avancen und erboten sich, ihm die Sehenswürdigkeiten von Bangkok zu zeigen, wenn er nackt für sie spielen würde. Harry amüsierte sich prächtig über diesen absurden Scherz, denn er war nach wie vor klapperdürr, hatte einen Reisbauch und aufgrund seines Vitaminmangels eine schuppige Haut.

Als er am folgenden Morgen erwachte, galt sein erster Gedanke Lidia. Ob sie ihn wieder besuchen würde? Er stand auf und ging zum Frühstück hinunter auf die Veranda. An der Rezeption entdeckte er sie nicht.

Die Stunden zogen sich dahin, lediglich unterbrochen vom Besuch des Schneiders, der ihm seine neue Kleidung anpassen wollte und leise vor sich hin fluchte, weil er den Bund der Hose wegen Harrys schrumpfendem Reisbauch ändern musste.

Harry durchquerte das Foyer mehrfach, um nach Lidia zu suchen. Beim dritten Mal trat Giselle zu ihm und schüttelte den Kopf. »Heute ist sie auch nicht da. Ich kann nur hoffen, dass sie nicht das Gleiche macht wie viele der Einheimischen hier und einfach nicht mehr auftaucht.«

Harry bekam ein flaues Gefühl im Magen. Er kehrte auf sein Zimmer zurück, legte sich aufs Bett und versuchte zu dösen. Nach einer Weile gab er auf und fing an, im Raum auf und ab zu gehen. Hatte Giselle Lidias Adresse?, fragte er sich. Wenn sie am folgenden Tag nicht erschien, würde er sich auf die Suche nach ihr begeben.

»Mach dich nicht lächerlich!«, schalt er sich laut. »Du bist nur einer von vielen Gästen. Es schickt sich nicht, in Bangkok nach Mädchen zu fahnden, die du kaum kennst!« Trotzdem konnte Harry an nichts anderes denken. Den Rest des Tages verbrachte er in höchster Anspannung und malte sich all die grässlichen Dinge aus, die ihr zugestoßen sein konnten. Noch um drei Uhr morgens lag er schlaflos in seinem Bett, und allmählich wurde ihm klar, dass dies mehr war als eine Schwärmerei.

Er liebte sie.

Die Erleichterung darüber, dass Lidia am nächsten Morgen wieder an der Rezeption saß, war ihm deutlich anzusehen. Es kostete ihn Mühe, nicht zu ihr zu laufen und sie in die Arme zu schließen.

»Lidia, Sie sind zurück! Alles in Ordnung?«

»Ja, Harry.« Ihre Augen wirkten dunkler als sonst, und ihre Stimmung war gedämpft.

Er musterte sie. »Sicher?«

»Ja.«

»Gut, das freut mich.«

Wieder marschierte Harry in seinem Zimmer auf und ab, beunruhigt über seine innere Unruhe.

Vor Lidias unerwartetem Verschwinden hatte er sich gut gefühlt. Die Panik über ihre Abwesenheit machte ihm Angst. Wie konnte er eine Frau lieben, die er kaum kannte?

Unfähig, länger in seinem Zimmer zu bleiben, schlenderte

Harry über die Veranda zum Fluss hinunter. Dort zündete er sich eine Zigarette an und dachte an Sebastian, der sich wohl schon auf hoher See befand. Wie sehr er es sich gewünscht hätte, ihn zu begleiten! Sein emotionaler Aufruhr wegen Lidia würde zu nichts führen. Er war Hauptmann der britischen Armee, Adliger, Erbe eines riesigen Anwesens...

Und verheiratet.

Harry warf die Kippe in den Fluss, wo sie sich in den vorbeitreibenden Pflanzen verfing. Vielleicht hatte das Denguefieber sein Gehirn angegriffen... oder die Zeit in Changi. Weswegen er sein Herz an die erstbeste Frau verlor, die ihm Trost spendete.

Harry kehrte zum Hotel zurück und marschierte entschlossen ins Foyer, um eine Schiffspassage nach Hause zu buchen.

Als er Lidia an der Rezeption entdeckte, versuchte er heroisch, ihr keine Beachtung zu schenken. Doch aus den Augenwinkeln nahm er wahr, wie sie ein Taschentuch aus einem kleinen Korb holte und sich eine Träne wegwischte.

Sofort wandte er sich ihr zu und fragte mit leiser Stimme: »Lidia, stimmt etwas nicht?«

Sie schüttelte stumm den Kopf.

»Was ist passiert?«

»Bitte, Harry«, sagte sie in panischem Tonfall. »Lassen Sie mich. Keine Aufmerksamkeit. Madame ist nicht glücklich, wenn sie mich so sieht an Rezeption.«

»Verstehe. Ich gehe, aber nur, wenn Sie mir versprechen, sich in Ihrer Mittagspause außerhalb des Hotels mit mir zu treffen. Ich warte am Ende der Straße, an der kleinen Garküche an der Ecke.«

Sie hob den Blick. »Ach, Harry, Madame ...«

»Ich sorge dafür, dass wir nicht beobachtet werden. Sagen Sie ja, dann lasse ich Sie in Ruhe.«

»Wir treffen uns Mittag an Garküche.«

»Abgemacht.« Dass er das Foyer betreten hatte, um eine Schiffspassage zu buchen, war ihm völlig entfallen.

Lidia erwartete ihn wie verabredet an der Ecke.

»Ich kenne Ort, wo wir hinkönnen«, sagte sie, gab ihm ein Zeichen, ihr zu folgen, und entfernte sich schnellen Schrittes auf der belebten Straße. Nach einigen Minuten bog sie in eine schmale Gasse ein, in der es von Karren mit allerlei Essbarem wimmelte. Sie ging bis etwa zur Mitte, wo sie auf eine grobe Holzbank deutete, die durch einen zerfransten Schirm vor der Sonne geschützt war.

»Wollen Sie etwas essen?«, fragte Lidia.

Der Geruch von Abwässern, der sich in der engen Gasse mit dem von brutzelndem Fleisch vermischte, verursachte Harry ein Gefühl der Übelkeit. »Lieber nur ein Bier, falls es das hier gibt, danke.«

Lidia bestellte etwas in schnellem Thai, und schon bekamen sie ein Bier und ein Glas Wasser.

Harry versuchte, sich mehr auf Lidia als auf die stickige, klaustrophobische Atmosphäre zu konzentrieren. Als er spürte, wie ihm Schweiß auf die Stirn trat, öffnete er sein Bier und nahm einen großen Schluck.

»Lidia, würden Sie mir bitte verraten, warum Sie heute Morgen geweint haben?«

Lidia bedachte ihn mit einem traurigen Blick. »Es gibt ein sehr schwieriges Problem zu Hause.«

»Ich habe so viele Männer sterben sehen, da werde ich mit den meisten Dingen fertig.«

»Okay, Harry, dann erzähle ich.« Lidia seufzte. »Meine Mutter, sie heiratet.«

»Ist das schlimm?«

Lidia traten Tränen in die Augen. »Ja. Weil … er japanischer General ist.«

»Verstehe.«

»Sie kennen sich von Besetzung hier. Sie erzählt mir nichts davon, weil sie meine Gefühle kennt. Jetzt ist er wieder in Japan und möchte, dass sie zu ihm kommt … mit uns allen.«

Harry schwieg einen Moment, bevor er nickte. »Sie haben recht. Das ist wirklich ein großes Problem.«

»Wie kann sie das tun?«, fragte Lidia mit leiser Stimme. »Sie ist … Verräterin!«, zischte sie. »Mein Vater stirbt, weil er Thailand von Japanern befreien will!«

»Er ist tot?«

»Sie stecken ihn vor einem Jahr in Gefängnis, als sie merken, dass er Untergrundzeitung veröffentlicht. Kurz vor Kriegsende, vor sechs Monaten, hören wir dann … dass sie ihn erschießen.«

Harry streckte unwillkürlich die Hand aus und legte sie auf die von Lidia. Sie fühlte sich sehr klein und zerbrechlich an. »Lidia, mein Beileid.«

Sie wischte sich unwirsch die Tränen aus dem Gesicht. »Danke. Das Schlimmste ist: Ich kann nicht glauben, dass meine Mutter je meinen Vater liebt.«

»Bestimmt hat sie ihn geliebt, Lidia«, versuchte Harry sie zu beschwichtigen. »Es gibt viele Gründe für die Handlungen von Menschen. Sie sagen, Sie sind mehrere Geschwister und haben wenig Geld. Ist dieser General reich?«

»Ja, sehr. Und mächtig. Er lebt in großem Haus in Japan. Meine Mutter ist wunderschön. Alle Männer verlieben sich in sie. Sie haben recht. Sie möchte, dass ihre Kinder neues, gutes Leben haben, besser als hier bei Witwe. So erklärt sie es mir. Sie sagt, sie liebt ihn nicht, muss aber das Richtige tun für Zukunft.«

»Und was werden Sie machen?«

»Sie möchte, dass ich mitkomme. Sie sagt, Japan ist nicht Feind, Besetzung friedlich und nur politische Abmachung.« Lidia schüttelte den Kopf. »Aber sie erschießen meinen Vater, weil sie Angst haben, dass er Ärger macht. Wie kann ich in dieses Land gehen?«

»Ich weiß es nicht, Lidia. Darf ich fragen, wie alt Sie sind?«

»Siebzehn, in sechs Wochen achtzehn.«

»Dann dauert es nicht mehr lange, bis Sie erwachsen sind und selbst Entscheidungen treffen können. Müssen Sie denn gehen?«

»Harry, wenn ich es nicht tue, sehe ich vielleicht meine Mutter und meine Brüder und Schwestern nicht mehr.« Lidia begann, mit ihrem Glas zu spielen. »Ich habe Vater verloren. Ich will sie nicht auch verlieren.«

Harry schüttelte den Kopf. »Sie befinden sich in einer schwierigen Situation.« Er nahm einen Schluck Bier. »Doch Sie sind fast erwachsen, kein Kind mehr. Sie müssen an Ihr Leben denken und daran, was Sie wollen.«

»Meine Mutter sagt, ich muss nach Japan gehen. Ich darf ihr nicht widersprechen.«

»Lidia, das Leben dreht sich nicht ausschließlich um die Familie.«

Ihre bernsteinfarbenen Augen funkelten angriffslustig. »Harry, hier in Thailand ist Familie alles. Man muss seinen Eltern gehorchen.«

»Auch als Erwachsener?«

Lidia begann zu weinen. »Ja.«

»Entschuldigung. Ich wollte Sie nicht aus der Fassung bringen.« Harry reichte ihr ein Taschentuch.

»Nein. Reden ist gut.« Sie putzte sich geräuschvoll die Nase. »Madame sagt auch, ich soll nicht gehen. Dass ich gute Stelle in Hotel habe und noch weiterkomme.«

Harry war Giselle dankbar. »Vergessen Sie nicht, dieser Krieg hat die Regeln geändert, für alle; die Dinge sind nicht mehr, wie sie einmal waren. Sie müssen Ihrer Mutter vergeben. Sie tut nur, was sie für das Beste hält. Aber was sie für sich selbst und für Ihre Geschwister möchte, ist möglicherweise nicht das Richtige für Sie. Haben Sie sonst noch Verwandte in Thailand?«

»Ja. Die Familie meines Vaters, sie kommt von Insel, weit weg…« Plötzlich hellte sich Lidias Gesicht auf. »Sie ist sehr schön; ich bin als Kind oft dort. Sie heißt Elephant Island und liegt im Meer wie ein Juwel.«

»Sie wären also nicht allein in diesem Land?«

»Nein.«

»Und Sie hätten eine Möglichkeit, Geld zu verdienen.«

»Ja.« Sie sah ihn an. »Sie glauben, ich soll hierbleiben?«

»Nur Sie können diese Entscheidung treffen, Lidia. Falls Sie sich fürs Hierbleiben entscheiden, besteht immer noch die Möglichkeit, dass Sie Ihre Mutter und Ihre Geschwister besuchen.«

»Es ist so weit weg, Harry, viele tausend Meilen, und so kalt.« Lidia bekam eine Gänsehaut. »Ich hasse Kälte.«

Harry fragte sich, was Lidia von Norfolk mitten im Winter halten würde. »Es ist einfach«, sagte er und leerte die Flasche Bier. »Sie müssen sich klar darüber sein, was *Sie* wollen.«

Lidia blickte in die Ferne. »Ich will … diese Entscheidung nicht treffen.«

»Sie müssen. Wann reist Ihre Mutter nach Japan ab?«

»In zehn Tagen. Der General hat Plätze für sie und meine Geschwister gebucht. Und für mich«, fügte sie stirnrunzelnd hinzu.

»Dann lassen Sie ein paar Tage vergehen, um den Schock zu überwinden und nachzudenken.«

»Ja, das mache ich. Danke, Harry. Wie spät ist es?«

»Leider ist meine Uhr vor vier Jahren mit meinem Rucksack in die Luft geflogen, und bis jetzt konnte ich noch keine neue besorgen.«

Lidia stand auf. »Ich muss zurück in Hotel. *Kop khun ka*, Harry.«

»Was heißt das?«

»Danke, für alles. Sie haben mir wirklich geholfen.« Mit einem Lächeln eilte sie in Richtung Hotel davon.

Das nächste Mal sah Harry Lidia am Nachmittag im Foyer. Als sie ihm ein Telegramm reichte, wirkte sie merklich gefasster als zuvor. Das Telegramm war von Olivia, die ihm mitteilte, dass in Wharton Park alles in Ordnung sei und sie hofften, er werde bald kräftig genug sein, um die Heimreise anzutreten.

»Von Ihrer Familie in England?«, fragte Lidia.

»Ja.«

»Von Ihrer Mutter?«

»Ja.«

Harry kehrte in sein Zimmer zurück, das Telegramm in der Hand. Und machte sich Vorwürfe, dass er Lidia angelogen hatte.

Am folgenden Morgen sagte der Arzt ihm, seiner Heimreise stehe nichts mehr im Wege. Harry wusste, dass es das Beste war, so schnell wie möglich aufzubrechen, in die Realität zurückzukehren und die Phantasien über ein Leben und eine Frau hinter sich zu lassen, die niemals ihm gehören konnte.

Er schickte ein Telex an Sebastians Büro, in dem er dessen Mitarbeiter bat, die nächste verfügbare Passage nach England für ihn zu buchen.

Als er sich zu seinem Nachmittagsnickerchen hinlegte, klopfte es leise an der Tür.

Es war Lidia.

»Entschuldigung, wenn ich störe, Harry. Ich will sagen, dass ich dieses Wochenende wegfahre und Sie sich keine Sorgen um mich machen müssen. Wegen *songkran*, thailändisches Neujahrsfest. In Ihrem Land würde man es Wasserfest nennen.«

»Wie lange werden Sie weg sein?«, fragte Harry betrübt.

»Drei Tage. Ich denke über das nach, was Sie mir sagen, und ich möchte *songkran* bei Eltern von meinem Vater in Koh Chang verbringen.«

»Wann fahren Sie?«

»Morgen früh. Es ist lange Reise und dauert ganzen Tag.«

»Kann ich mitkommen?«

Sie sah ihn überrascht an.

»Entschuldigung, Lidia.« Harry war sein forsches Verhalten peinlich. »Ein Anhängsel wie mich können Sie sicher nicht gebrauchen. Es ist nur, weil ich so wenig von Thailand gesehen habe. Bitte vergessen Sie meine Frage. Das war aufdringlich.«

Sie dachte nach. »Harry, Sie sind einsam ohne Ihre Familie, ja? *Songkran* geht um Familie und Willkommen. Ich glaube, meine Großeltern begrüßen gern tapferen britischen Soldaten, der geholfen hat, gegen Japaner zu kämpfen. Ja.« Sie nickte. »Kommen Sie mit.«

»Wirklich?«

»Ja. Dann kann ich Ihnen zeigen die schöne Insel, auf der mein Vater geboren wurde. Das ist mein Geschenk, dafür, dass Sie mir helfen zu entscheiden, was ich tue.«

»Sie haben einen Entschluss gefasst?«

»Sie sagen, ich bin erwachsen. Ich kann nicht nach Japan gehen und mit Menschen leben, die meinen Vater und viele andere töten. Ich bleibe hier, in dem Land, das ich liebe.«

»Das freut mich, Lidia. Ich glaube, es ist die richtige Entscheidung.«

»Meine Brüder und Schwestern fehlen mir bestimmt, aber ich kann das nicht einmal für sie tun. Eines Tages, wenn ich viel Geld verdiene, hole ich sie zurück, wenn sie wollen. Treffen wir uns morgen um sechs Uhr bei Garküche? Wir fahren mit *tuk-tuk* zu Bahnhof.«

»Um sechs Uhr morgen früh«, bestätigte Harry.

»Ich muss warnen: Koh Chang ist nicht wie hier. Kein Strom, kein Wasserhahn, aber schönes Meer.«

»Kein Problem für mich, Lidia.« Nach Changi würde Harry mit fast allen Bedingungen zurechtkommen.

»Ich muss gehen«, sagte Lidia. »Bis morgen um sechs.«

Harry teilte Giselle mit, dass er die folgenden drei Abende nicht in der Bar spielen werde.

»Darf ich fragen, wo Sie hinwollen?«

»Ja. Vor meiner Abreise würde ich gern noch etwas vom Land sehen.«

»Natürlich. Es soll sehr schön sein in Koh Chang. Leider bin ich selbst noch nie dort gewesen.«

»Ich komme am Montag wieder.«

»Hauptmann Crawford? Harry?«, rief sie ihm nach, als er sich zum Gehen wandte.

»Ja?«

»Lidia ist ein nettes Mädchen; sie durchlebt gerade eine schwierige Zeit. Ich mag sie sehr und hoffe, dass sie noch viele Jahre bei mir bleibt. Tun Sie ihr nicht weh, ja?«

»Aber nein«, antwortete Harry entrüstet.

»*D'accord.* Viel Spaß am Meer«, wünschte sie ihm, bevor sie mit einem Lächeln in ihrem Büro verschwand.

37

Lidia wartete am verabredeten Treffpunkt auf ihn, wo sie ein *tuk-tuk* heranwinkte. Als sie aufbrachen, war es noch ruhig in Bangkok, was bedeutete, dass Harry die Stadt mit ihren kolonialen Bauwerken, Holzschuppen und Häusern im thailändischen Stil in Ruhe bewundern konnte. Er hätte sich mehr körperliche Kraft gewünscht, um alles genauer zu erkunden.

Kurz darauf erreichten sie den Bahnhof, auf dem es von Menschen wimmelte. Uralte Züge voller Rost, das Ergebnis vieler Jahre Monsunregen, standen auf Rangiergleisen.

Lidia, die die Fahrkarten besorgte, weigerte sich, Geld von Harry anzunehmen. Sie gingen die Gleise entlang, bis sie den richtigen Zug fanden, kletterten in einen bereits überfüllten Wagen, wo laut vor sich hin schnatternde Einheimische Harry fasziniert anstarrten, als er und Lidia sich den schmalen Gang entlang zu einer freien Bank durchkämpften.

Harry wusste von einem Blick auf die Landkarte in Giselles Büro, dass sie entlang der Küste in Richtung Osten fahren würden, in die Region um Trat. Die Insel Koh Chang, einen winzigen Punkt im Meer, erreichte man von dort aus mit dem Boot.

»Wie lange wird die Reise dauern?«, fragte Harry.

»Vier Stunden nach Chantaburi, dann müssen wir umsteigen. Und noch einmal drei Stunden nach Trat«, antwortete Lidia, während sie fachmännisch eine Mango zerteilte und ihm einen Schnitz reichte. »Dort bringt mein Onkel uns mit seinem Fischerboot nach Koh Chang.«

»Weiß Ihre Familie, dass ich mitkomme?«

»Ich kann ihnen nicht sagen, weil es kein Telefon gibt

auf Insel. Aber sie haben nichts dagegen, das verspreche ich, Harry. Und in Chantaburi kaufen wir Kleidung für Sie.«

»Ich habe etwas anzuziehen, Lidia.« Harry deutete auf seinen kleinen Koffer.

»Nein, nein, Harry, Ihre Kleidung ist nicht gut für *songkran*-Fest. Sie sehen schon, was ich meine.« Sie lächelte geheimnisvoll.

Eine riesige Dampfwolke ausstoßend, verließ der Zug die weitläufigen Vororte der Stadt und fuhr an Hunderten riesiger Bananenbäume vorbei. Kinder winkten ihnen mit lachenden Gesichtern zu. Lidia döste neben Harry; wie es ihr gelang, auf der harten Holzbank zu schlafen, war Harry ein Rätsel. Ihren Kopf an seiner Schulter und den süßen Duft ihres Haaröls in der Nase, empfand Harry ein tiefes Gefühl der Ruhe. Er war ihr nahe, drei Tage lang, und konnte sich keinen Ort denken, an dem er lieber gewesen wäre.

Anscheinend war er irgendwann selbst eingedöst, denn plötzlich hielt der Zug, und Lidia rüttelte ihn sanft. Er rappelte sich hoch, nahm seinen Koffer und folgte Lidia auf den Bahnsteig. Sofort waren sie von Straßenhändlern umringt, die Essen, Getränke, Jasmingirlanden und grob geschnitzte Holztiere feilboten. Lidia zog Harry weg und deutete auf eine Bank unter einem Bambusdach.

»Sie bleiben hier. Ich hole etwas zu essen.«

Ein kleines Thaimädchen näherte sich ihm schüchtern-fasziniert. Harry wischte sich gerade den Schweiß von der Stirn und nahm einen Schluck Wasser, als Lidia mit dem Essen zurückkehrte und einen Stapel dünner Baumwolllaken vor ihn hinlegte. »Probieren Sie.«

»Die soll ich tragen?«, fragte Harry erstaunt und hob ein rotes Tischtuch hoch, das sich als Hose mit einer Art kleiner Schürze an der Vorderseite entpuppte.

Lidia deutete auf eine Bambushütte in der Nähe. »Probieren Sie da.«

Er zog seine schwere Köperhose und sein feines Baumwollhemd aus, froh darüber, in die Sachen schlüpfen zu können, die Lidia ihm besorgt hatte. Die Dreiviertelhose gab ihm anfangs Rätsel auf, doch schließlich gelang es ihm, die Schürze vorne so anzubringen, wie die Einheimischen sie trugen. Am Ende wirkte das Ganze, als hätte er einen Rock an.

Die kleine Thai, die vor der Kabine mit Lidia wartete, lachte laut auf, als sie ihn erblickte.

»Ich sehe sicher schrecklich albern aus«, bemerkte er verlegen.

»Nein, Harry«, widersprach Lidia mit sanfter Stimme. »Sie sehen aus wie Thaimann. So ist es besser für Insel und *songkran.* Jetzt ziehe ich mich um.« Lidia verschwand, und Harry vergnügte sich damit, dem Mädchen englische Wörter beizubringen. Er wurde mit einem hübschen Lächeln und einer ziemlich unbeholfenen Aussprache dessen, was er ihr vorsagte, belohnt.

Harry blieb der Mund offen stehen, als Lidia wieder auftauchte. Sie trug nun eine Hose ähnlich der seinen und eine schlichte rosafarbene Baumwollbluse im chinesischen Stil. Am stärksten verändert wirkte ihr Haar: Sie hatte den strengen Knoten gelöst, so dass es sich in seiner ganzen glänzenden dunklen Fülle über die Schultern bis zur Taille ergoss.

Harry streckte unwillkürlich die Hand aus, um sie durch die üppige Pracht gleiten zu lassen. Dann fiel ihm auf, dass Lidia keine Schuhe an den winzigen, zarten Füßen trug. Ihre hübsch geformten Zehen faszinierten ihn, denn von England her kannte er keine nackten Frauenfüße. Der Anblick erschien ihm so intim, dass eine Welle der Begierde ihn überrollte. In diesem Moment war er froh über die seltsame Schürze vor seinem Unterleib.

»Wir müssen in anderen Zug umsteigen«, erklärte Lidia.

Harry verabschiedete sich von dem kleinen Mädchen und folgte Lidia.

Die Kleine rief ihnen nach: »Ihr zwei verliebt! Ihr heiraten!«

Es folgte eine anstrengende dreistündige Zugfahrt, nach der Harry froh war, endlich das Ziel zu erreichen. Ein Bus brachte sie zu einem Pier, vor dem sich das türkisfarbene Meer und in der Ferne eine wolkenverhangene, gebirgige Insel erstreckte.

»Koh Chang«, erklärte Lidia. »Und da ist mein Onkel!«

Harry folgte Lidia zu einem der zahlreichen Fischerboote aus Holz, die sanft auf den Wellen schaukelten. Er hielt sich im Hintergrund, als Lidia ihren Onkel begrüßte. Es folgten eine Unterhaltung in schnellem Thai und wiederholtes Deuten auf Harry, bevor Lidia ihn heranwinkte.

»Harry, das ist mein Onkel Tong. Er kann kein Englisch.«

Onkel Tong verneigte sich zu einem traditionellen Thaigruß und bedachte ihn anschließend mit einem zahnlosen Grinsen und einem kräftigen Händedruck. Lidia übersetzte seine Worte für Harry. Ihr Onkel, sagte sie, freue sich, ihn zur Tradition des *songkran* in der Familie willkommen zu heißen.

»Bitte sagen Sie Ihrem Onkel, ich fühle mich geehrt, hier sein zu dürfen«, erwiderte Harry, während Tong ihm ins Boot half und sie sich auf den Weg nach Koh Chang machten.

Die Sonne ging über dem glatten Meer unter; als sie fünfzehn Minuten später das Ufer erreichten, war es völlig dunkel. Tong kramte zwei Öllampen hervor und zündete sie an. Lidia beobachtete neugierig Harry, wie ihr Onkel ihm auf festen

Boden half und er zum ersten Mal den weichen Sand unter seinen Füßen spürte.

»Willkommen, Harry, auf der Insel von meinem Vater«, sagte Lidia mit einem Lächeln.

Harry konnte aufgrund der Dunkelheit nicht viel erkennen, nur, dass sie einen Strand entlanggingen. Zwischen hohen Palmen befanden sich Holzhütten, die vom sanften Schein der Öllampen erhellt wurden. Als sie sich ihnen näherten, kamen ein paar Kinder und eine ältere Frau über den Sand auf sie zu. Lidia lief ihnen entgegen und umarmte die Frau. Harry vermutete, dass es sich um Lidias Großmutter handelte.

»Kommen Sie, Harry, lernen Sie meine Familie kennen. Sie freuen sich alle, dass Sie hier sind und *songkran* mit uns feiern.«

Harry wurde sämtlichen Verwandten vorgestellt: Lidias Großeltern, Onkel und Tante mit ihren vier Kindern sowie einer weiteren Tante, deren Mann und drei Kindern.

Tong reichte Harry eine Flasche Bier, der sich damit auf eine Matte setzte und sogleich von all den kleinen Nichten und Neffen umringt war. Sie konnten ein wenig Englisch und bombardierten ihn mit Fragen über den Krieg.

Harry antwortete, so gut er es vermochte, obwohl er nicht wusste, ob sie viel von dem verstanden, was er sagte. Deshalb illustrierte er seine Ausführungen mit Gesten. Als er seine imaginäre Waffe auf einen imaginären japanischen Soldaten richtete, begannen die Kinder am Strand herumzulaufen, »Peng! Peng!« zu rufen und ebenfalls mit imaginären Waffen zu zielen.

Lidia trat aus der Dunkelheit und setzte sich neben Harry. »Sie schlafen in Hütte an Strand. Meine Tante richtet sie.«

»Danke. Und wo übernachten Sie?«

»In Haus meiner Großmutter, in Dorf hinter Strand.«

»Wer wohnt hier?«

»Onkel Tong, Tante Kitima und ihre Kinder. Er ist Fischer und gern in Nähe von Arbeit. Sie bauen gerade großes Haus in Dorf und leben später dort.«

»Ich würde hierbleiben«, murmelte Harry und betrachtete den Mond, dessen Zu- und Abnehmen er schon in Changi verfolgt hatte. Deshalb wusste er auch, dass in der folgenden Nacht Vollmond sein würde. Er hörte, wie die Wellen kaum fünfzig Meter von ihm entfernt sanft an den Strand schlugen. »Dieser Ort ist sehr beruhigend«, erklärte er.

»Schön, dass es Ihnen gefällt. Haben Sie Hunger?« Lidia deutete auf das rauchende Feuer und den Grill mit den dicken, frischen Fischen darauf.

Harry nickte und erhob sich.

Sie setzten sich alle an einen langen Holztisch, die Kinder auf Matten um die Erwachsenen herum, und aßen den besten Fisch, den Harry je verspeist hatte. Die Kinder tranken Kokosmilch direkt aus der Nuss. Viel verstand Harry nicht von dem, was um ihn herum gesprochen wurde, aber er fühlte sich wohl in dieser glücklichen und zufriedenen Familie. Lidia, die zwischen ihren Großeltern saß, schaute oft zu ihm herüber, um sich zu vergewissern, dass ihm nichts fehlte.

Und jedes Mal nickte er.

Etwa eine Stunde später spürte Harry mit einem Mal, wie anstrengend der Tag gewesen war. Er versuchte, sein Gähnen zu unterdrücken.

Lidia, die es bemerkte, flüsterte ihrer Tante etwas über den Tisch zu, und diese klatschte in die Hände. Sofort verstummten die Kinder. Sie wussten, dass sie nun nicht mehr am Strand herumtollen durften und ins Bett mussten.

Lidia gesellte sich zu Harry. »Meine Tante zeigt Ihnen, wo Sie schlafen«, teilte sie ihm mit. »Ich komme morgen und hole Sie, okay?«

»Lidia, keine Umstände meinetwegen. Genießen Sie das Zusammensein mit Ihrer Familie. Ich bin vollkommen glücklich hier. Ihre Familie ist wirklich sehr gastfreundlich. Bitte sagen Sie ihnen danke schön von mir.«

»Das können Sie selbst«, ermutigte sie ihn.

»Ja, natürlich. *Kop khun krub*«, murmelte er und verbeugte sich ziemlich steif. Lidias Verwandte lächelten anerkennend. Harry folgte Lidias Tante den Strand entlang, wo sie auf die letzte Hütte zeigte.

»Mister Harry, wir freuen uns … Sie haben«, würdigte sie seine Bemühungen in stockendem Englisch.

»Danke.« Er drückte die hölzerne Klinke der Hütte herunter, trat ein und schloss die Tür. Der Raum war bis auf eine Matratze auf dem Boden, ein frisch gewaschenes Laken und ein Moskitonetz leer. Zu müde, um sich auszuziehen, legte Harry sich auf die Matratze und schlief sofort ein.

38

Als Harry durch einen leichten Schmerz an der Hüfte, die auf der dünnen Matratze auflag, geweckt wurde, erfasste ihn Panik, weil er glaubte, wieder in Changi zu sein. Doch dann erinnerte er sich, wo er war, und öffnete die Augen. Das einzige Licht in dem Raum fiel durch das kleine, mit einem Maschengitter versehene Fenster. Harry streckte sich, stand auf, trat an die Tür und öffnete sie.

Bei dem Anblick, der sich ihm bot, stockte ihm der Atem.

Vor ihm lag ein traumhaft schöner, menschenleerer Strand, der sich seidig-weiß vor dem ruhigen, tiefgrünen Meer erstreckte und in einer hügeligen, bewaldeten Halbinsel endete.

Harry zog sich bis auf seine lange Unterhose aus und lief über den warmen Sand, um im Meer zu baden. Eine Weile schwamm er schnell dahin, dann drehte er sich auf den Rücken, um den azurblauen Himmel und das palmenbestandene Ufer zu betrachten.

Hinter dem Strand ragten in der Ferne von einem Dschungel bedeckte, wolkenverhangene Berge auf, die offenbar eine unüberwindbare Barriere zum Hinterland bildeten.

Harry, der es kaum fassen konnte, dass ihm dieses Paradies allein gehörte, ließ sich einige Zeit im Wasser treiben, bevor er an den Strand zurückschwamm und mit einem Gefühl der Euphorie in den heißen weißen Sand sank.

Als er entdeckte, dass eine kleine Gestalt sich ihm mit einem Sonnenschirm näherte, setzte er sich auf. Es war Lidia, die ihn mit einem besorgten Stirnrunzeln begrüßte. »Alles in Ordnung, Harry?«, rief sie. »Wir dachten, Sie sind weg, aber dann sehen wir Kleider.«

Verlegen darüber, dass sie ihn in seiner nassen langen Unterhose sah, stand Harry auf und ging hastig zur Hütte.

»Ich wollte schwimmen«, erklärte er. »Lidia, dieser Strand ist der schönste Ort, den ich kenne.«

Sie strahlte. »Es freut mich, dass er Ihnen gefällt, Harry. Er ist gut für Ruhe, ja?«

»Ja.« Er drohte ihr spielerisch mit dem Finger. »Ich warne Sie, es könnte sein, dass ich nie wieder hier wegmöchte.«

»Dann müssen Sie Fischer werden«, sagte sie und reichte ihm seine Kleidung.

»Das kann ich lernen.«

»Sie wollen sich waschen?«, fragte sie. »Hinter Hütte von Onkel und Tante sind Wasserleitung und Handtuch für Abtrocknen. Ich warte hier.« Lidia setzte sich auf die Schwelle der Hütte.

Fünf Minuten später kehrte Harry, erfrischt von einer kalten Dusche, zurück.

»Jetzt gehen wir in Dorf, und ich zeige Ihnen Haus von meiner Großmutter, okay?« Sie griff nach seiner Hand und drückte sie. »Gutes *songkran, khun* Harry.«

»Ebenfalls«, erwiderte Harry, der sie am liebsten in die Arme geschlossen und geküsst hätte.

Sie folgten etwa zehn Minuten lang einem schmalen, sandigen Weg zum Dorf. Als sie die staubige Hauptstraße erreichten, wurden sie von einer Schar jauchzender Kinder mit einem Schwall Wasser begrüßt.

»Was war denn das?«, rief Harry erschrocken aus.

Lidia lachte. »*Songkran* geht um Putzen von Schmutz aus Vergangenheit und neu und frisch machen für Zukunft. Schauen Sie …«

Harry folgte ihrem Blick. Entlang der staubigen Straße standen Menschen jeden Alters mit allerlei Gefäßen und übergossen Passanten mit Wasser.

»Heute ist niemand zu heiß«, erklärte Lidia. »Und auch nicht trocken.«

Sie stieg die Stufen zu einem Holzhaus auf Stelzen hinauf. Auf der Veranda befanden sich Eimer voller Wasser.

»Das ist Haus meiner Großeltern. Jetzt müssen Sie Wasser schütten. So, sehen Sie?« Lidia nahm einen Eimer und leerte den Inhalt auf die Straße. Harry tat es ihr gleich und traf einen kleinen Jungen, der sich kreischend und kichernd schüttelte.

»Entschuldigung«, rief Harry ihm schuldbewusst zu.

»Nein! Nicht entschuldigen!«, widersprach Lidia. »Je mehr Menschen Sie treffen, desto besser wird neues Jahr.«

»Verstehe.«

Lidia führte ihn ins Haus und in die Küche, wo Frauen damit beschäftigt waren, Gemüse, Fisch, Nudeln und Suppe für später vorzubereiten.

»Harry ist da!«, teilte Lidia ihrer Großmutter mit, die sich zu ihnen umwandte und Harry mit einem zahnlosen Grinsen begrüßte. »Sie sehen, wir kochen besonderes Festessen. Ist Tradition.«

»Kann ich helfen?«, fragte Harry.

»Nein, Sie sind Gast. Wir Thais bitten nie Männer, Arbeit von Frauen zu machen. Sie ruhen sich aus, wenn Sie hier sind, ja?«

Während Lidia sich zu den Frauen gesellte, setzte Harry sich auf die Veranda, um die Wasserspiele auf der Straße zu verfolgen. Das Lachen und die Atmosphäre, die das Dorf erfüllten, versetzten auch ihn in gute Laune. Obwohl die Insulaner nur wenig besaßen, spürte er ihre menschliche Wärme, die ihn nach den langen Jahren der Gefangenschaft rührte.

Da trat Lidia mit einem großen Korb voller Früchte und Gemüse aus dem Haus.

»Wir machen Besuch, Harry, und bringen Alten und Kranken im Dorf *songkran*-Geschenk. Kommen Sie mit?«

Harry stand auf. »Natürlich. Lassen Sie mich den Korb tragen.« Den schweren Korb über dem Arm, folgte er ihr die Stufen hinunter.

Die nächste Stunde verbrachten sie in den Häusern des Dorfes. Von Lidia lernte Harry, wie man die Hände zur Begrüßung zu einem *wai* zusammenlegte. Sie erklärte ihm, dass sie den älteren Leuten Geschenke brachten, damit diese ihre Seelen reinigten und ihnen die Missetaten des vergangenen Jahres vergaben.

Harry fand diese Tradition bedeutend lebensbejahender als die Heilige Kommunion oder die Beichte der Katholiken. Er sah, wie Lidia neben einem gebrechlichen alten Mann niederkniete, sich angeregt mit ihm unterhielt, seine Hand in die ihre nahm und sie liebevoll streichelte.

Als sie zum Haus von Lidias Großeltern zurückkehrten, wurden für das Fest mitten auf der Straße Tische aufgestellt, an denen sich die Familienmitglieder, die er am Abend zuvor kennengelernt hatte, versammelten. Zwei in safranfarbene Roben gekleidete Mönche vom örtlichen Tempel gesellten sich zu ihnen. Harry ließ den Blick über die Tische wandern, die sich in einer langen Reihe die Straße entlangzogen. Anscheinend hatten sich sämtliche Dorfbewohner eingefunden.

Er kostete alle Gerichte, die man ihm anbot, und spielte auf der Straße Fußball mit den Kindern, wo er Opfer zahlreicher weiterer Wasserduschen wurde.

Bei Einbruch der Dunkelheit erhob sich Lidias Großvater, um eine Rede zu halten. Die Stimmung änderte sich abrupt, als der alte Mann unter Tränen sprach. Auch die anderen bekamen feuchte Augen. Nun stand einer der Mönche auf und begann mit hoher Stimme einen melodischen Singsang.

Das Ganze dauerte etwa fünfzehn Minuten. Als die Dorfbewohner sich anschließend auf den Nachhauseweg machten, gesellte sich Lidia zu Harry.

»*Khun* Harry, Sie sind müde, ja? Ich bringe Sie nach Hause.«

Nach vielen *wais* verließen Lidia und Harry das Dorf und gingen zu der Hütte am Strand.

»Warum hat Ihr Großvater geweint?«, fragte er.

»Er spricht von meinem Vater«, antwortete Lidia traurig. »Wir erinnern uns heute an ihn und wünschen seiner Seele Glück. Der Mönch sagt, ihr geht es gut, weil er Lektion des Leidens in diesem Leben lernt. Wenn er in nächstes Leben zurückkommt, ist seine Lektion vielleicht nicht so schwierig. Das denken wir Buddhisten.«

»Es muss tröstlich sein zu glauben, dass das Leiden einen

Zweck hat, der über unser Leben hinausreicht«, sagte Harry nachdenklich. »Wenn dieser Glaube stimmt, werden viele von denen, die in Changi unter Schmerzen gestorben sind, das nächste Mal mehr Glück haben.«

Lidia sah ihn an. »Sie glauben an Gott?«

»Der Glaube ist mir als Kind nie sonderlich gut erklärt worden«, gestand er. »Zu Hause bin ich jeden Sonntag und in der Schule jeden Tag in die Kirche gegangen. Ich fand es öde, still zu sitzen, langweilige Lieder zu singen und einem alten Mann zuzuhören. Das alles für etwas, das ich weder sehen noch spüren konnte. In Changi haben viele den Glauben für sich entdeckt, vielleicht, um sich daran festzuhalten. Aber ich …« Harry schüttelte den Kopf. »Mir fiel es schwer einzusehen, dass ein *guter* Gott unschuldigen Menschen solches Leid zufügt.«

Lidia nickte. »Mich kann Glaube auch nicht trösten, als mein Vater stirbt. Ich denke: Vielleicht ist er an besserem Ort, aber was ist mit mir? Ich verliere Vater, bevor ich bereit bin. Doch jetzt«, fügte sie mit leiser Stimme hinzu, »akzeptiere ich.«

»Weiß Ihre Familie, dass Ihre Mutter nach Japan gehen wird?«, fragte Harry, als sie den Strand erreichten.

»Nein. Ist besser so. Würde zu viel Schmerz machen, und sie haben schon genug davon. Sie verlieren Sohn. Sind von anderer Welt, hier auf Koh Chang. Sie würden nicht verstehen.« Lidia rang sich ein müdes Lächeln ab. »Manchmal, Harry, ist Leben sehr hart.«

»Stimmt«, pflichtete er ihr bei und blickte zum Mond hinauf, der voll und rund über dem Meer leuchtete und den Wellen einen silbernen Glanz verlieh. »Wenn ich den Glauben an den Menschen verliere, beginne ich, an die Natur zu glauben, das habe ich in Changi gelernt.« Er breitete die

Arme aus. »Irgendjemand muss diese Schönheit doch erschaffen haben.«

»Dann sind Sie schon Buddhist. Natur nährt Seele«, erklärte Lidia.

Sie gingen an der leeren Hütte vorbei, die Lidias Tante und Onkel gehörte, und erreichten die von Harry.

»Ich hoffe, Sie schlafen ruhig und gut heute Nacht, Harry«, sagte sie. »Bis morgen.«

Er zog sie an sich.

»Lidia ...«

Sie wehrte sich nicht, als er sie in die Arme nahm, sondern legte den Kopf an seine Brust.

»Lidia, wenn ich es dir jetzt nicht sage, platze ich. Ich habe mich im Oriental auf den ersten Blick in dich verliebt. Ich liebe dich, Lidia, ich liebe dich sehr.« Er vergrub die Finger in ihren Haaren. »Ich weiß nicht, warum oder wie das geschehen konnte, und mir ist bewusst, dass wir aus unterschiedlichen Welten kommen, aber es hilft nichts. Die Liebe zu dir treibt mich noch in den Wahnsinn.« Er begann zu weinen wie ein Kind und ließ sie los.

»Entschuldige, Lidia ... Ich ...«

»Harry, es ist okay ... komm.« Sie nahm seine Hand, führte ihn zu den Stufen vor der Hütte, wo sie sich setzten. Dann schlang sie ihre Arme um ihn, drückte seinen Kopf an ihre Brust und streichelte sein Gesicht.

Er vergoss Tränen über sein Leiden und das seiner Mitgefangenen, über seine Mutter, Olivia und Wharton Park und das Chaos seines Lebens. Doch hauptsächlich weinte er darüber, dass er etwas so Schönes gefunden hatte, das ihm nicht gehören konnte.

»Harry«, murmelte Lidia. »Ich bin da, ich bin da ... Und ich ...«

Sie flüsterte etwas auf Thai. »Was sagst du?« Er wischte sich die Tränen weg.

Sie senkte verlegen den Blick. »Ich sage … Ich liebe dich auch.«

Er sah sie erstaunt an. »Tatsächlich?«

Lidia nickte und lächelte traurig. »Für mich ist es genauso. Als ich dich das erste Mal sehe … ich …« Sie schüttelte frustriert den Kopf. »Ich habe die Worte nicht zu erklären.«

»Liebes …«, stammelte Harry und küsste sie leidenschaftlich. Sein plötzliches Verlangen machte ihm Angst; ihm war klar, dass er Lidia loslassen musste, um nicht vollends die Kontrolle zu verlieren.

Er wusste nicht, wie lange es dauerte, bis er seinen Körper wieder im Griff hatte und sich damit zufrieden geben konnte, sie in den Armen zu halten.

»Harry, ich muss gehen«, sagte sie schließlich.

»Ich weiß.« Er küsste sie noch einmal.

Als sie aufstand, musterte sie ihn nachdenklich. »Ich denke nicht, dass das mir passieren kann.«

»Was?«

»Die Liebe. Hier …« Sie legte die Hand auf die Brust. »Großmutter sagt, jemanden wirklich lieben, heißt, Himmel auf Erde finden.«

»Oder die Hölle«, murmelte Harry, als er sich erhob, um sie ein letztes Mal in die Arme zu schließen. »Ich kann es fast nicht ertragen, dich ziehen zu lassen.«

Sie löste sich aus seiner Umarmung und verschränkte ihre Finger mit den seinen. Er küsste die zarte Haut ihrer Handfläche.

»Ich komme morgen wieder«, versprach sie und löste sich von ihm. »Gute Nacht, Harry.«

»Gute Nacht, Liebes …«

Harry wachte bei Sonnenaufgang auf, voller Vorfreude auf Lidia. Um die Zeit totzuschlagen bis zum Wiedersehen, unternahm er einen Spaziergang und schwamm lange im ruhigen, türkisfarbenen Meer. Als ihm jede Minute wie eine Ewigkeit erschien, tauchte endlich Lidia auf. Ihr Blick sagte ihm, dass er sie nicht umarmen solle, weil ihre Nichten und Neffen am Strand spielten. Also begrüßte er sie mit einem höflichen Nicken.

»Guten Morgen, Lidia, hast du gut geschlafen?«

»Ja, Harry.« Sie strahlte. »Willst du heute Morgen Wasserfall in Bergen sehen? Ist sehr schön; man kann dort schwimmen in frischem Wasser. Ja?«

»Ja«, sagte er sofort. Er würde jede Gelegenheit wahrnehmen, mit ihr allein zu sein.

Lidia stellte in der Hütte ihrer Tante einen Korb mit Wasser, Bier und frischem Obst zusammen, bevor sie einen unebenen Weg am Dorf vorbei in die Hügel beschritten.

Als Lidia sich im dichten Dschungel sicher sein konnte, von niemandem beobachtet zu werden, gab sie Harry einen zarten Kuss auf die Wange. Harry nahm sie in den Arm und erwiderte ihn.

»Komm«, sagte sie und löste sich aus seiner Umarmung. »Nicht mehr weit, dort ist es bequemer.«

Zwanzig Minuten später betrat Harry mit vom Unterholz zerkratzten und von Insekten zerstochenen Beinen die Lichtung am Wasserfall, der von den Bergen herabstürzte. Am unteren Ende befand sich eine kühle, klare Lagune mit üppiger Vegetation. Lidia holte eine Bambusmatte aus dem Korb, auf die Harry sich sinken ließ.

Er keuchte wie ein alter Mann. »Tut mir leid, ich fürchte, ich bin noch nicht wieder bei Kräften.«

Lidia kniete neben ihm nieder und reichte ihm Obst. »Kein

Problem. Iss das, ich verstehe. Dein armer Körper braucht Ruhe und muss sich erholen.« Sie ließ den Blick schweifen. »Ist Mühe wert, oder?«

Harry nickte. »Ja, wunderschön. Aber jetzt, Liebes, komm her.«

Sie legte den Kopf auf seine Knie, und sie begannen, über ihre Gefühle füreinander zu sprechen. Nach einer Weile streckte er sich auf dem Boden aus, und sie kuschelte sich an ihn. Er küsste ihre Lippen, ihre Augen, ihre Wangen, ihre Haare … und dann wanderte seine Hand nach unten, um die Teile ihres Körpers zu erkunden, die er sich bis dahin nur in der Phantasie vorgestellt hatte.

Als er ihre Bluse aufknöpfte, ließ sie ihn gewähren, ermutigte ihn sogar dazu, ihre winzigen wohlgeformten Brüste zu streicheln und mit dem Mund zu liebkosen. Nun reagierte er nicht so heftig wie am Vorabend; er ließ sich Zeit, ihre weiche, honigfarbene Haut zu erforschen. Nach einer Weile zog er sein Hemd aus, und ihrer beider nackte Haut berührte sich zum ersten Mal.

Harry war, als würde ein Stromstoß seinen Körper durchzucken, und er spürte, wie heiß und feucht sie sich anfühlte. Sie tastete nach dem Bund seiner Hose.

Kurz darauf waren sie vollständig nackt. Sie pressten die Lippen aufeinander und erforschten sich gegenseitig mit den Händen.

Schließlich legte Harry sich auf sie und sah sie an.

»Lidia, bitte sag es, wenn du nicht möchtest …«

Sie hob einen Finger an die Lippen. »Harry, ich möchte. Ich liebe dich. Und ich vertraue dir.«

Da wusste er, dass es für sie das erste Mal war.

Er drang vorsichtig in sie ein, beugte sich über ihr Gesicht, küsste sie sanft und bat sie, ihn zu stoppen, wenn er ihr

Schmerzen zufügte. Wenig später begannen sie, sich im selben leidenschaftlichen Rhythmus zu bewegen, bis Harry vor Lust laut aufschrie.

Als sie hinterher eng umschlungen dalagen, glaubte Harry, tatsächlich das Antlitz Gottes erblickt zu haben.

39

Am folgenden Morgen traten sie die Rückreise nach Bangkok an. Als Harry vom Boot aus noch einmal einen Blick auf die Insel warf, die ihm seinen Glauben an die Schönheit und Heiligkeit des Lebens zurückgegeben hatte, begann er zu beten, dass er sie eines Tages wiedersehen würde.

Im Zug hielt Harry Lidia im Arm, die sich klein und federleicht anfühlte. Er döste mehrfach ein und fuhr jedes Mal mit einem Ruck hoch, weil er keinen der wertvollen Momente versäumen wollte, in denen sie ganz ihm gehörte.

Am Hotel verabschiedeten sie sich wie Fremde voneinander, denn Lidia hatte Angst, jemand könnte sie beobachten.

»Bis morgen, Liebes«, flüsterte er ihr zu.

»Bis morgen«, wiederholte sie und stieg wieder ins *tuk-tuk*, um nach Hause zu fahren.

An jenem Abend war Harry dankbar für die Ablenkung, die das Klavier und die aufgekratzte Stimmung in der Bar ihm boten. Sogar nach Mitternacht war ihm trotz der anstrengenden Reise nicht nach schlafen zumute. Er schlenderte zum Fluss hinunter, rauchte eine Zigarette und ließ vor seinem geistigen Auge die vergangenen drei Tage Revue passieren.

Am Wasser stehend, glaubte er, sein Glücksgefühl noch ein wenig bewahren zu können, obwohl er wusste, dass das Schiff in die Heimat in zehn Tagen ablegte und dann alles hier zu Ende war.

Ein unerträglicher Gedanke.

Harry kehrte in sein Zimmer zurück, legte sich aufs Bett und versuchte zu schlafen. Als draußen der Morgen heraufdämmerte, hatte er noch immer kein Auge zugetan.

Harry ermahnte sich, daran zu denken, dass er verheiratet war und Verantwortung trug – nicht nur für seine Familie, sondern auch für die Beschäftigten des Guts sowie ihre Angehörigen. Trotzdem gelang es ihm nicht, die unglaublichen Veränderungen, die sich mit ihm seit seiner Abreise aus der Heimat vier Jahre zuvor vollzogen hatten, zu ignorieren. Er hatte Entbehrungen und Gewalt erlebt, wie ein Zivilist sie sich nicht vorstellen konnte. Und er hatte sich zum ersten Mal im Leben verliebt, nicht nur in Lidia, sondern in ein Land und seine Menschen.

Wie sollte er ihm den Rücken kehren? Oder ihr?

Voller Schuldgefühle, dass er Lidia nicht die Wahrheit gesagt hatte, wälzte Harry sich herum. Einem verheirateten Mann hätte sie sich vermutlich nicht hingegeben.

»Ich vertraue dir, Harry …«

Er kam sich vor wie ein Schwein.

Als der neue Tag anbrach, döste Harry endlich ein, ohne seinen inneren Aufruhr bewältigt zu haben.

In den folgenden drei Tagen verbrachten Lidia und Harry so viel Zeit miteinander, wie sie erübrigen konnten. Jedoch weigerte sie sich, in sein Zimmer zu kommen, was Harry zur Verzweiflung trieb. Er musste sich mit hastigen Küssen über den Holztisch hinweg zufrieden geben, an dem sie zu Mittag aßen, und mit Händchenhalten, wenn sie nach Arbeitsschluss mit ihm am Fluss entlangspazierte. Die unmittelbar bevorstehende Übersiedlung ihrer Familie nach Japan beschäftigte sie, und Harry wusste nicht, wie er ihr mitteilen sollte, was er ihr sagen musste. Er umarmte sie, so oft es die Umstände erlaubten, hinterlegte Liebesbriefchen für sie an der Rezeption und war verfügbar, wann immer sie Zeit hatte, sich mit ihm zu treffen.

Eines Nachmittags, weniger als eine Woche vor Harrys geplanter Abreise, reichte Giselle ihm im Foyer ein Telegramm.

»Danke«, murmelte er und wandte sich zum Gehen.

»Hauptmann Crawford, auf ein Wort in meinem Büro, *oui*?«

»Natürlich.« Er fühlte sich wie ein unartiger Schuljunge, der von der Lehrerin gerügt wird.

Giselle schloss die Tür. »Es scheint, als hätte Thailand Sie in seinen Bann geschlagen, *n'est-ce pas*? Besonders eine *jeune femme*.« Giselle hielt einen seiner Liebesbriefe an Lidia hoch.

Harry lief rot an und nickte. »Ja. Ich liebe sie«, erklärte er trotzig.

»Das habe ich mir schon gedacht.« Giselle gab ihm den Brief. »Nehmen Sie ihn, schließlich gehört er Ihnen. Hauptmann Crawford …«

»Harry, bitte.« Er schob den Brief in seine Hosentasche.

»Harry. Normalerweise mische ich mich in Liebesdingen nicht ein. Aber ist Ihnen klar, dass Sie Lidias Stelle hier gefährden? Es ist Mitarbeitern streng verboten, mit Gästen privat Umgang zu pflegen.«

»Tut mir leid, Giselle. Das wusste ich nicht. Bitte entlassen Sie sie nicht. Sie braucht die Arbeit. Ihre Mutter ist …«

Giselle winkte ab. »Ich weiß alles über Lidias Familie, weshalb ich eine Lösung des Problems finden muss. Mir ist klar, dass es sinnlos und gemein wäre, zwei junge Erwachsene am Zusammensein zu hindern. Lidia liebt Sie, Harry, das sehe ich.

Sie müssen entschuldigen, aber ich mache mir Sorgen um sie. Sie reisen doch bald nach England ab, oder?«

Harry sank auf einen Stuhl. »Ich weiß es einfach nicht.«

»Verstehe. Lidia ahnt nicht, dass Sie verheiratet sind?«

Er wurde rot. »Hat Sebastian Ihnen das erzählt?«

»*Eh oui.*« Giselle nickte.

»Nein, sie ahnt es nicht, doch glauben Sie mir, meine Ehe existiert nur auf dem Papier. Von Anfang an. Weil…« Harry zuckte mit den Achseln. »Aufgrund meiner Stellung musste ich heiraten, bevor ich in den Krieg zog, um die Zukunft des Anwesens möglichst durch einen Erben zu sichern. Leider hatte meine Frau, die bei meiner Abreise schwanger war, eine Fehlgeburt.«

»Aha. In Frankreich planen adlige Familien die Zukunft ganz ähnlich. Und Lidia weiß nichts von Ihrer… Herkunft?«

»Nein.«

Giselle seufzte. »Ich frage Sie das jetzt, weil Lidia mir etwas bedeutet: Ist sie für Sie nur ein Zeitvertreib, bis Sie nach Hause zurückkehren?«

Harry sah Giselle in die Augen. »Nein. Wenn ich könnte, würde ich den Rest meines Lebens bei ihr verbringen. Aber was soll ich machen?«

»Harry, das kann ich nicht beurteilen. Vielleicht sollten Sie Lidia die Wahrheit sagen.«

»Wie kann ich das? Sie vertraut mir. Und ich habe sie belogen.«

Giselle musterte ihn eine Weile schweigend. »Wenn Sie ihr erklären, welche Verantwortung Sie tragen, versteht sie das möglicherweise, weil sie Sie liebt. Solche Dinge passieren auch hier in Thailand und sonstwo.«

»Ich weiß nicht, wie ich zurückkehren soll. Ich bezweifle,

dass ich ohne sie leben kann«, gestand Harry mit einem hilflosen Achselzucken.

Giselle tätschelte ihm mitfühlend die Schulter. »*C'est un coup de foudre.* Ich bin nicht in der Lage, Ihnen zu sagen, was Sie tun sollen, weil nur Sie das entscheiden können. Aber im Interesse von Lidia und diesem Hotel möchte ich Ihnen einen Vorschlag machen: Den Rest Ihres Aufenthalts stelle ich Sie offiziell als hauseigenen Pianisten an; als Gegenleistung erhalten Sie freies Logis. Essen und Getränke gehen auf Ihre Rechnung. Als Angestellten des Hauses steht es Ihnen frei, Zeit miteinander zu verbringen. Wenn Lidias Familie nach Japan übersiedelt, wohnt Lidia ebenfalls im Oriental, bis sie eine andere Bleibe gefunden hat. Das erleichtert die Situation für alle Beteiligten, *n'est-ce pas*?«

»Danke, Giselle, ganz herzlichen Dank.«

»Dann wäre das also geregelt.« Giselle stand auf. »Sie reisen in einer Woche nach England ab?«

»Ja.« Harry nickte traurig. »Es sei denn …«

»Das können nur Sie entscheiden«, wiederholte Giselle.

»Ich weiß.« Er folgte ihr zur Tür. »Darf ich Sie etwas fragen, Giselle?«

»Ja.«

»Für den Fall, dass ich beschließe zu bleiben: Würden Sie mich weiter beschäftigen?«

Sie lächelte. »Mit größtem Vergnügen. Sie sind ein sehr begabter Pianist und bringen Geld für mich und meine Bar.«

Er bedankte sich noch einmal und folgte ihr ins Foyer.

In den folgenden vierundzwanzig Stunden rang Harry mit seiner Entscheidung. Er war überzeugt davon, dass er den Rest seines Lebens mit Lidia verbringen wollte. Sie war seine zweite Hälfte, der Teil, der ihn besser und stärker machte, seine Rettung, seine Liebe …

Und er wusste, dass alle versuchen würden, ihm diese Liebe auszureden. Sie würden seine traumatischen dreieinhalb Jahre in Changi ins Feld führen, den Reiz der exotischen Frau und die Tatsache, dass er sie schnell vergäße. Schließlich kenne er sie kaum, sie hätten nichts gemein, und es könne keine dauerhafte Beziehung werden, weil sie aus so verschiedenen Welten stammten.

All das stimmte, und die Vernunft akzeptierte diese Argumente, doch nicht seine Seele.

Am Ende gelangte Harry zu folgendem Entschluss: Er musste nach Hause zurückkehren, das verlangte der Anstand von ihm. Er würde seiner Familie die Wahrheit gestehen über die Frau, die er liebte. Und er würde seinem Vater mitteilen, dass er das Anwesen seinem Cousin Hugo, Penelopes Bruder, vererben könne. Außerdem würde er Olivia um die Scheidung bitten.

Anschließend würde er wieder hierherkommen in das Land, das ihn in seinen Bann geschlagen hatte, zu der Frau, die er liebte. Er würde als Pianist arbeiten und zum ersten Mal im Leben die Freiheit besitzen, ganz er selbst zu sein. Lidia und er würden sich zusammen ein Häuschen suchen und ohne viel materiellen Besitz leben, dafür aber aufrichtig und in wahrer Liebe.

Harry machte sich, froh über diese Lösung, auf die Suche nach Giselle. Wenn ihm jemand sechs Wochen zuvor bei seiner Ankunft gesagt hätte, dass er irgendwann bereit wäre, einer jungen Thaifrau wegen sein Erbe, die Liebe seiner Eltern und seiner Frau aufzugeben, hätte er ihm nicht geglaubt. Doch nun stand sein Entschluss fest.

Giselle saß an ihrem Schreibtisch, als er eintrat.

»Sie haben eine Entscheidung getroffen?«

»Ja. Ich fahre nach Hause.«

Giselle seufzte. »Schade, Harry.«

Harry stützte beide Hände auf den Tisch. »Giselle, ich möchte nach England, weil ich persönlich erklären muss, was hier geschehen ist. Dann komme ich, so bald es geht, zurück. Ich wäre Ihnen dankbar, wenn Sie die Stelle des Pianisten für mich freihalten könnten. Ich werde nicht länger als drei Monate weg sein.«

Giselle nahm ihre Lesebrille ab und sah ihn erstaunt an. »Sind Sie sicher? Sie geben ziemlich viel auf.«

»Ich liebe sie, Giselle, und kann Ihnen versichern, dass der Verzicht auf mein Erbe eine Erleichterung für mich sein wird. Ich bin ohnehin nicht für dieses Leben geschaffen.«

»Und Ihre Frau?«, erkundigte sie sich.

»Ich kann keine Lüge leben. Wäre das ihr gegenüber fair? Wie soll ich ihr das geben, was sie verdient, wenn ich eine andere liebe?«

»Sie wollen ihr die Wahrheit sagen?«

»Ja. Ich muss.«

»Sie sind sich schon im Klaren darüber, wie schwierig das sein wird?«

»Ja. Aber ich werde es tun.«

»Dann freue ich mich darauf, Sie wieder hier begrüßen zu dürfen.«

»Danke. Und jetzt muss ich mit Lidia darüber reden.«

Als Lidia am Abend mit der Arbeit fertig war, passte Harry sie vor dem Hotel ab.

»Liebes, wir müssen miteinander reden. Unter vier Augen.«

Lidia schüttelte den Kopf. »Nein, Harry, das geht nicht. Meine Mutter fährt morgen nach Japan. Heute Abend muss ich Abschied nehmen von ihr und meinen Brüdern und Schwestern.«

»Dann morgen?«

»Ja, von morgen an wohne ich im Hotel.« Lidia seufzte. »Ach, Harry, meine Geschwister denken immer noch, ich komme mit nach Japan. Meine Mutter will es ihnen nicht sagen.«

»Ich werde für dich da sein«, versuchte Harry, sie zu trösten. »Aber wir müssen uns unterhalten.«

»Du willst mir etwas Schlimmes sagen?«

»Ja, aber es ist gleichzeitig sehr gut, das verspreche ich dir. Lidia, bitte komm in mein Zimmer. Ich habe mit Giselle geredet, sie drückt ein Auge zu, weil ich jetzt bei ihr angestellt bin«, erklärte er.

»Du bist angestellt?«, wiederholte sie verblüfft. »Wir sprechen morgen. Auf Wiedersehen, Harry.« Sie winkte ihm zum Abschied zu. »Spiel gut heute Abend.«

»Das tue ich«, murmelte er, als er hineinging. Er konnte nur hoffen, dass er sie nicht verlor, wenn sie die Wahrheit erfuhr.

40

Als Harry am folgenden Abend nach dem Auftritt in der Bar in sein Zimmer zurückgekehrt war, klopfte es leise an der Tür.

Er öffnete, und Lidia schlüpfte hastig herein, schloss die Tür hinter sich und schlang die Arme um ihn.

»Liebes, wie mir das gefehlt hat ...«, sagte er. Als er spürte, wie sie tief aufseufzte, trat er einen Schritt zurück, um ihr in die Augen zu sehen. »Ist deine Familie weg?«

»Ja«, antwortete sie mit leiser Stimme.

»War es schlimm?«

»Ja. Meine Brüder und Schwestern können nicht verstehen, warum ich nicht mitkomme. Sie klammern sich an mich und weinen. Es ist eine schwere Entscheidung.«

»Ich weiß, ich weiß. Komm, legen wir uns hin.«

Während er sie auf dem Bett streichelte, erzählte sie ihm alles.

»Harry, ist es richtig, dass ich meine Großeltern weiter anlüge?«

»Manchmal verletzt man mit der Wahrheit und schützt den anderen mit einer Lüge. Doch man trägt die Last des Geheimnisses.« Ihm wurde immer klarer, dass er ihr seine Ehe im Moment verschweigen musste. Möglicherweise brauchte sie auch gar nichts davon zu erfahren …

»*… und schützt den anderen mit einer Lüge …*«

Er konnte nach Hause fahren, erledigen, was zu erledigen war, und als freier Mann zu ihr zurückkehren …

Harry versuchte, die richtigen Worte zu finden.

»Glaubst du mir, dass ich dich liebe?«

Sie hob den Blick. »Ja, Harry.«

»Und weißt du, dass ich bereit bin, alles aufzugeben, um mit dir zusammen zu sein? Für immer?«

Ihr Blick wurde traurig. »Nein, weiß ich nicht. Aber ich habe nicht nach Zukunft gefragt, weil ich die Antwort vielleicht nicht hören möchte. Ich versuche, Schönheit jeden Tag zu genießen. So machen es Buddhisten. Wenn du mir etwas Trauriges sagen willst, Harry, bitte nicht heute Abend«, bat sie ihn.

Er drückte sie an sich. »Tut mir leid, wenn ich jetzt davon anfange. Uns bleibt nicht viel Zeit. Es ist ein bisschen traurig, hat aber ein Happy End. Das verspreche ich.«

»Verstehe. Sag es mir.«

Harry umschloss ihre Hände mit den seinen. »Ich werde dir mehr über mich verraten.«

Lidia nickte ängstlich. »Okay.«

»In England bin ich der Sohn eines Lords, so etwas Ähnliches wie ein thailändischer Prinz.«

Sie bekam große Augen. »Du bist aus Königshaus?«

»Nein, aber meine Familie hat vor vielen hundert Jahren für ihre Tapferkeit und treuen Dienste vom König ein Anwesen und einen Titel erhalten. In dem Teil von England, aus dem ich komme, besitzen wir ein prächtiges Haus, und viele Leute arbeiten für uns und bestellen das Land.«

Sie nickte. »Du bist also adlig.«

»Genau. Und wenn mein Vater stirbt, muss ich als sein einziger Sohn die Verantwortung für alles übernehmen.«

»Ich verstehe.«

»Ich wollte das nie, wurde jedoch nun mal in diese Familie hineingeboren. Bis vor Kurzem habe ich noch hingenommen, dass ich meine Pflicht erfüllen muss.«

»Familie ist alles«, meinte sie.

»Ja, das stimmt, und« – er strich Lidia übers Haar – »es stimmt nicht. In meiner Zeit in Changi hat sich für mich so vieles geändert. Ich weiß jetzt, dass das Leben kurz ist und sehr schnell zu Ende sein kann. Wir müssen das Beste aus den besonderen Dingen machen, die uns begegnen. Und ich bin dir begegnet.« Er sah sie an. »Hast du dich von deiner Mutter und deinen Geschwistern auch meinetwegen verabschiedet?«

»Ja«, antwortete sie, ohne zu zögern. »Natürlich.«

»In einer Woche werde ich das Gleiche tun müssen. Ich kehre nach England zurück und teile meiner Familie mit, dass ich nicht länger bereit bin, die Pflichten, die mein Erbe mit sich bringt, zu erfüllen; dass ich mich in Thailand in eine Frau verliebt habe, mit der ich den Rest meines Lebens verbringen möchte.«

Als er ihren ängstlichen Blick sah, beruhigte Harry sie. »Ich werde höchstens drei Monate weg sein.«

Lidia schwieg einige Sekunden, in denen ihre Miene von Angst zu Trauer, plötzlicher Freude und schließlich Unsicherheit wechselte, bevor sie sagte: »Harry, du musst genau nachdenken. Heimat, Familie und Zuhause aufgeben, ist eine große Entscheidung, das weiß ich. Vielleicht willst du am Ende in England bleiben.«

»Keine Sorge. Ich kann ohne dich nicht leben.«

»Soll ich nach England kommen?«, schlug sie vor.

Harry schüttelte den Kopf. »Liebes, dort würdest du eingehen. Du bist eine ...«, er suchte nach dem richtigen Ausdruck, »... eine Treibhausblume und kannst nur in der Wärme Thailands erblühen. Ich würde dich nie darum bitten, deine Heimat für mich zu opfern.«

»Aber du willst es für mich tun?«

Harry versuchte, es ihr zu erklären. »Für mich ist das etwas anderes. Ich bin seit vier Jahren in Asien, an das Klima und die Menschen gewöhnt. Es ist kein Opfer, sondern das, was ich mir wünsche: hier bei dir sein, dich eines Tages heiraten, wenn du mich willst, und unsere Kinder in ihrer Heimat aufwachsen sehen. Das möchtest du doch auch, oder?«

»Ja, aber ... es ist trotzdem großes Opfer, das du für mich bringst.«

»Liebes, wir gehören zusammen. Und ich kann mich viel leichter in deine Welt einfügen, als du es in meine könntest.«

»Dann musst du nach Hause fahren. Und ich warte, bis du wiederkommst.«

Harry drückte sie noch fester an sich und küsste sie.

»Ich *komme* zurück«, versprach er ihr und wölbte die Hände um ihr Gesicht.

»Ich glaube dir, weil ich muss«, sagte sie seufzend. »Aber erzähl von deinem Leben in England. Ich möchte hören, wer du bist.«

Harry erfüllte ihr den Wunsch. Die Arme um sie geschlungen, berichtete er von seinen Eltern und von seinem Land. Er beschrieb die eisigen Winde, die einem im Winter in die Knochen fuhren, und die seltenen lauen Sommerabende, für die es wert war, die kalten Monate zu ertragen. Er erzählte ihr von seiner Schule, vom Militär und wie sehr er es gehasst hatte.

Olivia erwähnte er nicht.

Lidias Augen wurden immer größer. »Vielleicht kannst du mich einmal mitnehmen und mir Gewächshaus von deiner Mutter und die schönen Blumen darin zeigen. Hat sie Orchideen?«, fragte Lidia.

»Nein, ich glaube nicht.«

»Dann schicke ich ihr, wenn du zu Hause bist, ein Geschenk aus Orchideen. Sag ihr, dass sie von mir sind.«

»Ich liebe dich so sehr …« Er begann, sie zu entkleiden.

Kurz vor Tagesanbruch stand Lidia auf und gab ihm einen sanften Kuss.

»Harry, ich muss gehen.«

»Natürlich.« Er küsste sie noch einmal leidenschaftlich. »Glaub mir, mein Engel, meine schöne Blume, ich werde dich nicht enttäuschen.«

»Ich weiß«, sagte sie und zog sich an.

»Ich liebe dich«, wiederholte er, als sie sich zum Gehen wandte.

»Ich liebe dich auch«, erwiderte sie und schloss die Tür hinter sich.

In den folgenden Tagen verbrachten sie jede freie Minute miteinander. Er traf sich in der Mittagspause mit ihr, und nachts, wenn Harry aus der Bar kam, wartete Lidia in seinem

Zimmer auf ihn. In dem Maß, wie Lidias Selbstbewusstsein sich entwickelte, wuchs auch ihr Einfallsreichtum, ihm körperliches Vergnügen zu bereiten.

Wenn sie ihn am Morgen verließ, döste Harry zufrieden wieder ein. Jetzt begriff er, warum die Mitgefangenen in Changi von den Freuden der Liebe geschwärmt hatten. Beim Gedanken an die hastige, fast mechanische körperliche Vereinigung mit Olivia schoss ihm das Blut in die Wangen. Das war, als würde man einen trüben Januartag in Norfolk mit der Wärme und Farbenvielfalt thailändischer Sonnenstunden vergleichen.

Harry hatte gefunden, wonach er sich sehnte. Früher war ihm das Leben sinnlos erschienen; nun hatte sich seine Welt innerhalb weniger Wochen völlig verändert. Er freute sich auf die Zukunft, und nachdem er die Entscheidung getroffen hatte, nach Thailand zurückzukehren und für immer zu bleiben, fühlte er sich ruhig und akzeptierte den Schmerz, den das für ihn selbst und andere mit sich bringen würde.

Harry hatte nicht mehr das Gefühl, dass jeder neue Sonnenaufgang einen Tag brachte, den es zu ertragen galt. Zum ersten Mal im Leben war er wirklich glücklich.

Am Tag vor seiner Abreise aus Bangkok überwand er seine Klaustrophobie und fuhr mit einem *tuk-tuk* zu einem Straßenmarkt ein paar Kilometer vom Hotel entfernt. Dort erstand er Seidenstoffe für seine Mutter und Olivia und für seinen Vater eine feine chinesische Pfeife aus Elfenbein. Seine letzten Baht gab er für einen kleinen Silberring mit Bernstein aus, der genau zu Lidias Augen passte.

Den letzten Auftritt in der Bar hatte Harry bereits absolviert, so dass er den Abend mit Lidia verbringen konnte. Sie nahmen ein Boot flussaufwärts zu einem kleinen Lokal am anderen Ufer, unter dessen Holzplattform leise das Wasser schwappte. Beim gedämpften Licht der Laternen ergriff Harry Lidias Hand und zog sie zu sich heran.

»Ich habe etwas für dich. Ein Unterpfand meiner Liebe und meines Versprechens, bald wieder bei dir zu sein.« Er steckte ihr den Ring an den Finger. »Ich möchte dich heiraten, so schnell es geht. Willst du meine Frau werden?«

Lidia traten Tränen in die Augen. »Harry, du weißt, dass ich ja sage.« Sie streckte die Hand aus, um den Ring zu bewundern. »Das schönste Geschenk, das ich je bekomme.«

In jener Nacht taten sie kein Auge zu. Sie liebten sich und sprachen über die Zukunft, immer in dem Wissen, dass dies vorerst ihre letzte gemeinsame Nacht sein würde.

»Ich schreibe dir jeden Tag.«

»Und ich dir«, versprach Lidia. »Gib mir deine Adresse.«

Harry holte einen Zettel aus dem Nachtkästchen. »An diese Adresse musst du schreiben.«

Sie las sie und verstaute den Zettel in ihrem Korb.

Er hatte ihr Bills Anschrift gegeben, weil er seinem jungen Feldwebel bedingungslos vertraute. Harry erinnerte sich an die schrecklichen Tage vor ihrer Gefangennahme, an die Umzingelung ihres Bataillons durch japanische Soldaten, die weitaus besser auf den Dschungelkrieg vorbereitet waren als sie. Harry hatte sich gern auf Bills ausgeprägten militärischen Instinkt verlassen.

Eines Morgens hatte Bill in der üppigen Vegetation einen Scharfschützen entdeckt. Fünf Minuten später war eine Salve auf die kleine Truppe erschöpfter britischer Soldaten abgefeuert worden, die sie um vier Männer dezimierte. Als die Lage sich beruhigt hatte, war Harry, fast taub von den Schüssen, aufgestanden, und Bill hatte sich auf ihn geworfen, bevor ihn die nächste Salve niedermähen konnte.

Im Gegenzug hatte Harry Bill den Japanern in Changi

als den richtigen Mann für den stetig wachsenden Friedhof empfohlen, was Bill das Leben rettete. Während Tausende von Gefangenen nach Norden gebracht wurden, um beim Bau der birmesischen Eisenbahn mitzuhelfen, hatte Bill ungestört seiner Arbeit als Leichengräber nachgehen können.

Jetzt brauchte Harry Bills Hilfe erneut. Er war der Einzige, dem er vertrauen konnte, Lidias Briefe entgegenzunehmen und Harrys Antworten für ihn loszuschicken, denn dass Olivia diese Briefe zufällig entdeckte, wollte er nicht.

Harry seufzte tief. »Was ist, Harry?«, fragte Lidia besorgt.

»Nichts, Liebes. Mir graut nur davor, dich zu verlassen.« Er drückte sie fest an sich. »Wenigstens weiß ich, dass du in meiner Abwesenheit hier im Hotel gut aufgehoben bist.«

»Ja, ich träume jeden Tag von deiner Rückkehr.«

Der Morgen der Abreise kam viel zu schnell. Nachdem Harry in seine Kleidung geschlüpft war, umarmte er Lidia.

»Bitte glaub mir, dass ich dich von ganzem Herzen liebe und zu dir zurückkommen werde.«

»Ich warte auf dich.«

41

England 1946

Als die frühmorgendlichen Nebel sich lichteten und die Sonne sich einen Weg durch die Wolken bahnte, ließ Harry die Schlösser seines Koffers zuschnappen und ging an Deck, um zu warten, bis Felixstowe in Sicht kam. Bis zum Andocken sollte es noch eine Stunde dauern – eine Stunde noch, bis Harry sich den grauen Schatten seines früheren Lebens stellen musste, an das er sich kaum mehr erinnerte.

Obwohl es Ende Mai und für englische Verhältnisse ziemlich mild war, fror Harry in der frischen Brise. Er hatte einen quälenden Monat an Bord hinter sich, in dem er ständig darüber nachgrübelte, wie er seinen Eltern und seiner Frau die Neuigkeiten unterbreiten sollte. Als sich die Silhouette von Felixstowe vor ihm abzuzeichnen begann, sank ihm der Mut. Er wusste, dass er ruhig und entschlossen bleiben musste und sich nicht von Flehen erweichen lassen durfte.

Zum Trost stellte er sich Lidias schönes Gesicht und ihren nackten Körper vor. Egal was es kostete: Er konnte sie nicht aufgeben.

Olivia saß in Gesellschaft anderer nervöser Ehefrauen und Eltern, die auf die Rückkehr ihrer Lieben warteten, in einem düsteren Café am Dock. Während sie an ihrem schwachen Tee nippte, fragte sie sich, ob sie ihren Mann überhaupt wiedererkennen würde.

Nach Bills Rückkehr einige Wochen zuvor war Elsie zu Olivia gelaufen und in Tränen ausgebrochen.

»Ach, Miss, seine Haare sind ganz grau geworden, und die Haut hängt ihm herunter wie einem alten Mann. Seine Beine sind spindeldürr, aber dazu hat er einen riesigen Bauch, als wär er mit Zwillingen schwanger. Er sagt, daran ist der Reis schuld; alle Männer in Changi hätten genauso ausgesehen wie er.« Elsie putzte sich die Nase. »Damit werd ich schon fertig… Ich bin ja dankbar, dass er lebend nach Hause gekommen ist. Aber er schaut mich nicht an; es ist, als wär er mit den Gedanken woanders, als würde er mich kaum kennen.«

»Du musst ihm Zeit lassen. Es ist ein Schock für ihn, nach dreieinhalb Jahren an diesem grässlichen Ort zu seiner Familie in England zurückzukehren. Irgendwann findet er sich wieder zurecht.«

»Ich weiß, doch ich hatte mich so darauf gefreut, ihn wiederzusehen. Ich habe die ganze letzte Woche vor Aufregung kein Auge zugetan. Sonderlich begeistert scheint er nicht zu sein über seine Heimkehr.«

»Wir können uns vermutlich gar nicht vorstellen, was sie durchgemacht haben; man hat uns ja gesagt, wir müssten darauf gefasst sein, dass sie verwirrt sind. Bei Harrys Rückkehr wird es genauso sein, da bin ich mir sicher.«

»Mum und Dad und ich, wir haben unsere Lebensmittelmarken aufgespart, damit wir ihm als Willkommensessen eine Lammkeule braten können. Die mag er doch so gern. Er hat sie kaum angerührt, Miss, und im Bett« – Elsie wurde rot – »hat er sich weggedreht und ist sofort eingeschlafen. Ohne Umarmung und nichts!«

Obwohl Olivia sich innerlich so gut wie möglich darauf vorbereitet hatte, einen körperlich und seelisch veränderten Mann zu begrüßen, fürchtete sie den Augenblick des Wiedersehens.

Fünfundvierzig Minuten später legte das Schiff mit lautem Tuten an.

Harry war zu Hause.

Olivia wartete voller Anspannung hinter der Absperrung, die die Familien vom Landungssteg trennte. Es dauerte eine ganze Weile, bis die ersten Männer aus dem Bauch des Schiffs auftauchten. Olivia ließ den Blick über die ausgezehrten Gesichter wandern, ohne Harry zu entdecken.

Sie beobachtete, wie andere Männer von ihren Familien umringt und Freudentränen vergossen wurden. Manche der Heimkehrer saßen in Rollstühlen, andere gingen auf Krücken gestützt, oder ihnen fehlten Gliedmaßen … Es war ein trauriger Anblick. Von Sebastian Ainsley wusste Olivia, dass Harry körperlich nicht versehrt war, obwohl das Denguefieber ihn fast umgebracht und seine Rückkehr hinausgezögert hatte.

Gerade als Olivia zu glauben begann, dass Harry sich nicht auf dem Schiff befand, tauchte sein vertrautes Gesicht auf. Zu ihrem Erstaunen wirkte er aus der Ferne nicht sehr verändert. Im Gegenteil: Sein brauner Teint ließ ihn sogar ziemlich attraktiv erscheinen. Er war sauber rasiert, das dunkle Haar ordentlich gekämmt. In dem marineblauen Blazer und der cremefarbenen Hose sah er noch besser aus, als sie ihn in Erinnerung hatte.

Sie ließ die Absperrung hinter sich und ging auf ihn zu. Verstohlen kniff sie sich in die Wangen, um sie röter zu machen, und überprüfte hastig mit der Hand, ob ihre blonden Haare saßen.

Als er den Landungssteg verließ, rief sie seinen Namen: »Harry! Ich bin hier.«

Er suchte mit leerem Blick nach dem Ursprung der Stimme und fand sie.

Ihre Miene zeigte, wie glücklich sie war, ihn wiederzusehen.

Seine Augen verrieten nichts.

Als sie einander erreichten, schlang sie die Arme um seinen Hals. Harry erwiderte die Umarmung nicht.

»Harry, Gott sei Dank bist du zu Hause!«

Er löste sich von ihr. »Ja«, bestätigte er mit einem kurzen Nicken. »Wo ist der Wagen?«

Obwohl es Olivia die Kehle zuschnürte, riss sie sich zusammen. »Nicht weit weg. Vielleicht fünf Minuten zu Fuß.«

»Gehen wir hin?«

»Ja. Du bist wahrscheinlich müde.«

»Nein, überhaupt nicht. Ich habe einen Monat Untätigkeit auf dem Schiff hinter mir.«

Sobald Harrys Koffer verstaut war und er auf dem Beifahrersitz saß, ließ Olivia den Motor an, und sie machten sich schweigend auf den Weg nach Wharton Park.

Harry blickte aus dem Fenster, den Kopf von Olivia abgewandt.

»Nach Asien wirkt hier alles sehr farblos.«

»Es ist Ende Mai, die schönste Zeit in England, wie du immer sagst«, wandte Olivia ein.

»Ja«, pflichtete er ihr bei. »Aber jetzt, wo ich die Tropen kenne, weiß ich, dass England ihnen nicht das Wasser reichen kann.«

Olivia war verletzt und schockiert über Harrys Reaktion. Sie wusste, dass es ihm schwerfallen würde, sich wieder einzugewöhnen, aber damit, dass er sich nach der Hölle auf Erden zurücksehnen würde, hatte sie nicht gerechnet.

»Wharton Park präsentiert sich gerade von seiner schönsten Seite«, bemühte sie sich tapfer dagegenzuhalten.

»Bestimmt«, erwiderte Harry kühl.

Obwohl Harry äußerlich normal wirkte, erschien er Olivia seelisch nicht gesund. Vielleicht konnte Wharton Park, das Zuhause, das er so sehr liebte, ihm eine Gefühlsregung entlocken.

Olivia richtete sich darauf ein, erst einmal mit seinem seltsamen Verhalten zu leben. Nun begriff sie, was Elsie gemeint hatte mit ihrer Bemerkung, Bill sei »mit den Gedanken woanders« – das Gleiche galt für Harry.

Zwei Stunden später fuhren sie durch das Tor von Wharton Park. Olivia versuchte, Harrys Reaktion zu ergründen, konnte jedoch sein Gesicht nicht sehen.

»Da wären wir«, sagte sie mit fröhlicher Stimme. »Willkommen daheim.«

Harry richtete sich auf und erkundigte sich: »Wie geht's Ma und Pa?«

Olivia wunderte es, dass er zu dieser Frage so lange gebraucht hatte. »Deine Mutter ist kerngesund. Von deinem Vater lässt sich das leider nicht behaupten; er hatte letztes Jahr einen Herzinfarkt. Inzwischen hat er sich ein wenig erholt«, antwortete sie vorsichtig, »aber er soll nicht arbeiten. Die Ärzte sind der Ansicht, dass das sein Herz zu sehr anstrengt. Deine Mutter meint, ihn die ganze Zeit im Haus zu haben, strenge das ihre zu sehr an!«, versuchte Olivia zu scherzen.

»O je.« Harry schaute Olivia besorgt an. »Aber er schwebt nicht in akuter Gefahr, oder?«

»Bei einem schwachen Herzen weiß man das nie so genau. Übrigens möchte ich dich warnen«, wechselte sie das Thema, als sie sich dem Haus näherten. »Alle haben sich versammelt, um dich willkommen zu heißen.«

Sie hielt den Wagen an und hupte dreimal. Sofort ging die Eingangstür auf, und Adrienne lief die Stufen hinunter, um ihn zu begrüßen.

»Harry, *mon chéri*! Du bist zu Hause!«

Harry stieg aus und ließ sich von ihr umarmen. »Ach, Harry!« Sie trat einen Schritt zurück, um ihn von Kopf bis Fuß zu mustern. »*Mon dieu*! Ich habe den Eindruck, dass du besser und gesünder aussiehst als bei deiner Abreise! Findest du nicht auch, Olivia?«

Olivia nickte. »Das habe ich mir auch gedacht, als er vom Schiff kam«, pflichtete sie ihr bei.

»Mir geht es gut, Mutter. Wieder«, fügte er rasch hinzu.

Adrienne legte den Arm um ihren Sohn und führte ihn die Stufen hinauf; Olivia folgte ihnen. Als sie die Tür öffnete, wartete dahinter in zwei langen Reihen das gesamte Personal von Wharton Park in einer Art Ehrengarde.

Beim Betreten der Eingangshalle hörte Harry Bill rufen: »Ein dreifaches Hoch auf Master Harry! Hip hip …«

»Hurra!«

»Hip hip …«

»Hurra!«

»Hip hip …«

»Hurra!«

Dann folgten lauter Applaus und Jubel. Harry schritt die Reihen ab, schüttelte Hände, ließ sich von den Männern auf die Schulter klopfen und von den Frauen mit einem Knicks begrüßen.

»Was für eine Freude, Sie wieder hierzuhaben, Master Harry.«

»Bill hat uns erzählt, wie mutig Sie waren.«

»Schön, Sie gesund wiederzusehen, Sir …«

»Das Haus war nicht dasselbe ohne Sie, Master Harry«, bemerkte Mrs. Jenks, die am Ende der Reihe stand. »Morgen früh mache ich Ihnen das größte englische Frühstück, das Sie sich vorstellen können.«

Trotz seiner Bemühungen, sein Herz zu verschließen, spürte Harry, wie ihm ob der echten Freude aller Anwesenden Tränen in die Augen traten.

»Eine Rede!«, rief jemand.

»Ja, eine Rede!«, fielen die anderen ein.

»Nur ein paar Worte, Master Harry, ja?«

Harry räusperte sich. »Was soll ich sagen? Ich bedanke mich ganz herzlich für den freundlichen Empfang. Es freut mich sehr, euch alle wiederzusehen. Danke auch, dass ihr euch in schweren Zeiten um Wharton Park gekümmert habt.«

Wieder Applaus. Da sah Harry eine gebückte Gestalt auf sich zuschlurfen. Bestürzt erkannte er den alten Mann als seinen Vater. Harry ging ihm entgegen und streckte ihm die Hand hin. »Hallo, Vater.«

Sein Vater bedachte ihn mit einem Lächeln. »Hallo, alter

Junge.« Lord Wharton nahm alle Kraft zusammen, um seinen Sohn zu umarmen und ihm kraftlos auf den Rücken zu klopfen. »Gut gemacht, mein Junge! Ich habe deinen Namen in Kriegsberichten erwähnt gesehen. Ich bin stolz auf dich.«

Zu einem größeren Lob hatte sich sein Vater ihm gegenüber noch nie hinreißen lassen. Harry war gerührt.

»Froh, wieder daheim zu sein, oder? Diese verdammten Japsen scheinen euch in Changi die Hölle heiß gemacht zu haben. Aber am Ende haben wir sie doch kleingekriegt, was?«

»Ja, Vater, das haben wir.«

Adrienne trat an Harrys Seite. »Christopher, Harry möchte sich bestimmt in sein Zimmer zurückziehen und sich nach der langen Reise ein wenig ausruhen.« Sie wandte sich dem Personal zu. »Ihr könnt gehen. Master Harry wird sich später sicher noch die Zeit nehmen, mit jedem Einzelnen von euch zu sprechen.«

Als die Bediensteten sich entfernten, hörte Harry Bills vertraute Stimme neben sich. »Freut mich, dass Sie es nach Hause geschafft haben, Sir. Ich hatte mir schon Sorgen gemacht.«

Sie schüttelten einander die Hand und klopften sich gegenseitig auf den Rücken.

»Ganz schön lange her, unsere letzte Begegnung, was?«, fragte Harry mit leiser Stimme.

»Das kann man wohl sagen, Sir. Man muss sich erst wieder an die Heimat gewöhnen, aber das schaffen Sie schon.«

»Ich schaue später im Gewächshaus vorbei, Bill, weil ich etwas mit dir besprechen möchte. So gegen fünf?«

»Gut, Sir. Ich bin dort, mit einer schönen Tasse Tee für uns beide.«

Harry folgte Olivia die Treppe hinauf und den Flur entlang zu ihren Räumen. Alles in seinem Zimmer war genau so, wie er es verlassen hatte – als wäre die Zeit in Wharton Park stehen geblieben.

Als Olivia die Tür hinter ihnen geschlossen hatte, wandte Harry sich zu ihr. »Wie krank ist Vater wirklich? Er erscheint mir zwanzig Jahre älter.«

Olivia setzte sich seufzend auf den Hocker am Fußende des Betts. »Wie gesagt, er hatte einen schweren Herzinfarkt und kann von Glück sagen, noch zu leben. Vergiss nicht, Harry, er ist sechzig, zehn Jahre älter als deine Mutter. Und die Arbeit im War Office war ziemlich anstrengend.«

»Er sieht schrecklich aus«, stellte Harry fest.

»Er war sehr krank. Aber die Ärzte meinen, solange er es langsam angehen lässt und Aufregungen vermeidet, besteht kein Grund, warum sein Zustand nicht stabil bleiben sollte.«

»Verstehe.«

Olivia erhob sich und legte die Arme um seine Schultern. »Es tut mir leid, Harry. Das muss ein Schock für dich sein. Wir haben gar nicht gemerkt, wie alt er geworden ist. Dass du wieder da bist, gibt ihm sicher neue Kraft. Er kann deine Berichte über die Ereignisse in Malaya kaum erwarten. Er redet seit Wochen von nichts anderem.«

Aus reiner emotionaler Erschöpfung stützte Harry den Kopf auf Olivias Schulter. Sie blieben eine ganze Weile so stehen, bis Olivia sagte: »Ruh dich aus. Mrs. Jenks bricht dir zuliebe mit lebenslangen Traditionen und bringt das Mittagessen erst um halb zwei auf den Tisch.«

»Ja, ich glaube, das mache ich.« Harry wollte allein sein, nicht um zu schlafen, sondern um nachzudenken.

»Ich kann mir vorstellen, dass dir alles noch ziemlich fremd ist«, bemerkte Olivia. »Elsie sagt, Bill hat mit gewissen Dingen nach wie vor Schwierigkeiten, obwohl er seit über vier Monaten zu Hause ist.« Olivia küsste Harry sanft auf die Stirn.

»Ich will dich nicht drängen, Schatz, aber du sollst wissen, dass ich für dich da bin, wenn du mich brauchst.«

»Danke.«

Olivia nickte. »Ruh dich aus«, wiederholte sie, bevor sie das Zimmer verließ und nach unten ging, wo Adrienne auf sie wartete.

»Ich habe uns Kaffee in die Bibliothek bringen lassen. Komm, *chérie*, schildere mir deinen ersten Eindruck von ihm.«

Olivia folgte ihr in die Bibliothek, wo sie sich setzten. »Und?«, fragte Adrienne. »Er sieht sehr gut aus, findest du nicht?«

»Ja, aber es ist genau so, wie Elsie es mir beschrieben hat: Sein Körper scheint hier angekommen zu sein, doch mit dem Kopf ist er woanders. Ich glaube, wir müssen Geduld haben und dürfen nicht zu viel von ihm erwarten.«

»Wir alle.«

»Ja. Aber ich bin auch nur ein Mensch, Adrienne, und ich hätte mir schon gewünscht, dass er mich in der wartenden Menge entdeckt, mir entgegenläuft und mich in die Arme nimmt. Einige der anderen Männer haben das gemacht.«

»Du weißt, dass das nicht Harrys Art ist«, tröstete Adrienne sie. »Obwohl er ziemlich schockiert war, als er seinen Vater gesehen hat, *n'est-ce pas*?«

»Ja.«

Adrienne schüttelte den Kopf. »Er weiß so wenig über das, was sich in den letzten vier Jahren hier abgespielt hat und was uns noch erwartet. Olivia, du und ich, wir haben uns bemüht, dieses Gut zu führen, aber wir brauchen Harry. Er sollte das Ruder so schnell wie möglich übernehmen.« Adrienne fuhr sich mit einer Hand durch die ergrauenden Haare. »*Alors!* Entscheidungen müssen getroffen werden, die nur Christopher oder Harry treffen können. Und eigentlich möchte ich Christopher in seinem Zustand damit nicht belasten.«

»Ich weiß, Adrienne. Gott sei Dank ist Harry wieder zu Hause, und zwar in einem Stück.«

»*Eh oui.*« Adrienne hob die Tasse an den Mund. »Dafür müssen wir dankbar sein.«

42

Adrienne fand, es sei warm genug, das Mittagessen auf der Terrasse einzunehmen, und Christopher bestand darauf, dass Sable zur Feier des Tages eine Flasche alten Champagner aus dem Keller holte. Mrs. Jenks übertraf sich selbst, indem sie von weiß Gott woher organisierten Lachs mit Harrys Lieblingssauce Béarnaise, neuen Kartoffeln und frischen grünen Bohnen aus dem Küchengarten auftrug.

»Man hat mir gesagt, dass Soldaten nichts zu Schweres mögen, wenn sie heimkommen«, erklärte Mrs. Jenks mit vor Freude geröteten Wangen, als Harry sich nach dem Essen in der Küche für das Festmahl bedankte.

Olivia gesellte sich zu ihm und schlug einen Spaziergang durch den Garten vor.

Sie schlenderten gemächlich dahin, damit Harry sich wieder mit der Umgebung vertraut machen konnte. Selbst er musste zugeben, dass der Park herrlich aussah im sanften Licht der Maisonne.

»Wharton Park war also zwei Jahre lang ein Lazarett?«, bemühte Harry sich, Konversation zu machen.

»Ja. Wir hatten immer mehr als vierzig Offiziere gleichzeitig hier«, erklärte Olivia, während sie um den Springbrunnen herumwanderten, der seit der Verabschiedung eines Kriegsgesetzes über die Rationierung von Wasser nicht mehr benutzt worden war. »In dem alten Gemäuer wimmelte es von Menschen, weil wir obendrein die Land Girls dahatten. Mrs. Jenks war ein Schatz: Ihre Erfahrung bei der Versorgung von großen Gruppen hat uns sehr geholfen.«

»Wo hast du mit Vater und Mutter gewohnt?«

»Im Ostflügel. Luxuriös ist es dort, wie du weißt, nicht gerade, aber wenigstens hatten wir einen Platz zum Schlafen. Dein Vater hat geschimpft wie ein Rohrspatz und den Offizieren den Marsch geblasen, wenn sie mit schmutzigen Stiefeln durchs Haus marschiert sind. Doch ehrlich gesagt, glaube ich, dass ihm die Zeit gefiel. So hatte er in der Genesungsphase immer jemanden, mit dem er sich unterhalten konnte.«

»Anscheinend warst du in meiner Abwesenheit mehr als beschäftigt.«

»Das ging allen so. Ich muss dich warnen, das Gebäude ist dringend reparaturbedürftig. Die vielen Leute, die wir einquartieren mussten, haben die Mängel deutlich aufgezeigt. Du hast dir den richtigen Zeitpunkt für die Rückkehr ausgesucht. Bis vor Kurzem war das hier mit den Krankenbetten und der medizinischen Ausrüstung noch ein ziemlich düsterer Anblick.«

»Für die Jungs ein ziemlich hübscher Platz zum Erholen.«

»Ja, wenn das Wetter gut war, saßen sie gern auf der Terrasse. Manche haben es leider nicht geschafft.« Olivia seufzte. »Einer zum Beispiel, der war wegen einer Kugel im Kopf blind geworden. Ich habe ihm vorgelesen, so oft ich konnte. Eines Nachts ist er währenddessen urplötzlich gestorben.«

»Grässliche Erfahrung für dich.« Harry war bisher nicht in den Sinn gekommen, dass Olivia und seine Eltern im Krieg gelitten haben könnten.

»Sind in der Nähe Bomben abgeworfen worden?«, fragte er.

»Ein paar auf Norwich, aber wir sind zum Glück ungeschoren davongekommen.«

»Hattet ihr Todesopfer auf dem Anwesen zu beklagen?«

»Ja. Insgesamt neun junge Männer. Ich gebe dir eine Liste mit ihren Namen; du könntest ihre Familien besuchen. Und Mr. Combe ist vor ein paar Wochen am Strand von Weybourne auf eine Mine getreten. Du kannst dir vorstellen, wie es seiner Frau geht.«

»Ja. Arme Mrs. Combe. Eine Katastrophe. Das heißt also, wir haben im Moment keinen Verwalter?«

»Richtig. Wir haben auf dich gewartet, damit du einen Nachfolger bestimmst. Und« – Olivia biss sich auf die Lippe – »du erinnerst dich doch sicher an Venetia?«

Harry grinste. »Wie könnte man die vergessen?«

»Ja, sie hat wirklich jeden Blödsinn mitgemacht. Am Ende scheint sie in Frankreich für eine Geheimorganisation tätig gewesen zu sein. Jedenfalls ist sie vor drei Jahren verschwunden. Wir haben gerade erst erfahren, was mit ihr passiert ist: Die Nazis haben sie in Paris erwischt, gefoltert und erschossen.«

»Das tut mir leid, Olivia. Ich weiß, wie gut du mit ihr befreundet warst.«

Olivia schluckte. »Danke. Ich bin froh, dass es endlich vorbei ist. Hoffentlich kann bald wieder Normalität einkehren. Aber jetzt«, sagte sie, räusperte sich und hakte sich bei Harry unter, »zeige ich dir den Küchengarten. Der ist so ziemlich das Einzige, was in deiner Abwesenheit wachsen und gedeihen konnte.«

Als sie die Tür in der Mauer aufdrückte, fiel Harrys Blick auf die gepflegten Reihen Gemüse. Der Garten war nun dreimal so groß wie bei seiner Abreise.

»Beeindruckend, Olivia.« Es gelang ihm nicht, »Schatz« zu ihr zu sagen. »Wie hast du das ohne Bill geschafft?«

»Das weiß ich auch nicht so genau. Irgendwie kriegt man es hin. George hat getan, was in seiner Kraft stand, und so konnten wir die Patienten immerhin mit gesundem Essen versorgen.«

Harry schaute hinüber zum Gewächshaus, in dessen Glaswänden sich die Sonne spiegelte, und ging darauf zu.

»Leider hat das Treibhaus die Zeit nicht so gut überstanden. Wir mussten alle Blumen entfernen, um Tomaten darin anbauen zu können. Bill ist seit seiner Rückkehr sehr fleißig gewesen, hat neue Pflanzen besorgt und gesetzt, und allmählich erlangt dieser Ort wieder seine alte Pracht. Ich glaube, das tröstet ihn ein wenig.«

»Wollen wir?« Harry deutete auf die Tür.

»Wenn du möchtest.«

Als sie eintraten, schlug ihnen ein intensiver Geruch entgegen, der Harry an Lidia denken ließ. Ihm schwindelte.

»Harry, alles in Ordnung?«, fragte Olivia besorgt und nahm seinen Arm.

Er schüttelte sie ab. »Nicht!«, herrschte er sie an, bereute seine heftige Reaktion jedoch sofort. »Entschuldige, ich …« Er begann, die Blumenreihen abzugehen. Überrascht blieb er vor einem Kasten mit Orchideen stehen. »Die waren früher nicht hier.«

Bestürzt über Harrys Grobheit antwortete Olivia: »Stimmt. Bill hat sie mitgebracht. Erstaunlich, dass sie die lange Reise überstanden haben. Bill kümmert sich rührend um sie; seit ihrer Ankunft wachsen und gedeihen sie prächtig.«

»Bill hatte immer schon einen grünen Daumen. Ich finde Orchideen wunderschön.« Harry beugte sich darüber, um den Duft einzuatmen und in Erinnerungen an Lidia zu schwelgen. »In Asien, besonders in Thailand, wachsen sie wie Unkraut.«

»Das sagt Bill auch«, bestätigte Olivia, als sie das Gewächshaus verließen. »Trotz der schrecklichen Zeit, die ihr beide dort erlebt habt, findet er, es sei ein schönes Fleckchen Erde.«

»O ja«, murmelte Harry.

Nach dem Abendessen legte Harry sich zu Olivia ins Bett, nahm sie, allen guten Vorsätzen zum Trotz, in die Arme und schlief mit ihr. Ihr Körper war ihm fremd – so viel runder und voller als der von Lidia; ihre Haut ungewohnt hell, und das Schlimmste: Sie roch so anders. Doch wenn er die Augen schloss und sich darauf konzentrierte, seine Frustration in Leidenschaft zu verwandeln, gelang es ihm, sich nach Thailand, zu Lidia, zurückzuversetzen.

Hinterher lag er mit schlechtem Gewissen neben Olivia.

»Entschuldige. Ich hoffe, ich habe dir nicht wehgetan. Ich bin ... ziemlich aus der Übung«, log er.

»Nein, Harry, du hast mir nicht wehgetan.« Olivia, die seine Grobheit als Leidenschaft deutete, war erstaunt und erfreut darüber.

»Gut.« Er küsste sie auf die Wange und schlüpfte, angewidert von sich selbst, aus dem Bett. »Ich schlafe heute Nacht im Ankleidezimmer, weil ich im Moment schrecklich unruhig bin und unter Albträumen leide. Ich will dich nicht stören. Gute Nacht, Olivia.«

»Gute Nacht.« Olivia warf ihm eine Kusshand zu, als er den Raum verließ. »Ich liebe dich«, flüsterte sie, als die Tür sich hinter ihm schloss.

Harry tat so, als hätte er ihre Worte nicht gehört. Im Ankleidezimmer setzte er sich auf das schmale Bett, stützte den Kopf in die Hände und begann stumm zu weinen.

Am Morgen ging Harry durch den Park zum Gewächshaus, weil er sich tags zuvor nicht wie geplant hatte fortschleichen können, um sich mit Bill zu treffen. Bill kümmerte sich gerade um seine Orchideen, und die Klänge aus seinem Bakelitradio erfüllten die Luft mit beruhigender klassischer Musik.

Bill begrüßte Harry mit einem Lächeln. »Hallo, Sir. Na, wie war die erste Nacht zu Hause?«

»Gut, danke.« Harry schloss die Tür des Gewächshauses hinter sich. »Tut mir leid, dass ich es gestern nicht mehr zu der Tasse Tee geschafft habe«, entschuldigte er sich.

»Unter den gegebenen Umständen habe ich Sie gar nicht erwartet. Ich weiß, dass alle etwas von einem wollen, wenn man gerade heimgekommen ist.«

»Stimmt.« Harry wandte sich gleich dem eigentlichen Thema zu. »Bill, du hast in deinem Cottage keine Briefe für mich erhalten, oder?«

Bill schüttelte verwundert den Kopf. »Nein, warum sollte ich?«

Harry setzte sich auf einen Schemel.

»Es ist Folgendes, Bill …« Harry fuhr sich nervös mit der Hand durch die Haare. »Kann ich dir vertrauen?«

»Das wissen Sie, Sir.«

»Ja. Wenn ich dir erzähle, was seit Changi passiert ist, bedeutet das, dass ich mein Leben in deine Hände lege. Ich brauche deine Hilfe, Bill, und muss viel von dir verlangen.«

»Sie wissen, dass Sie sich auf mich verlassen können, Sir.«

»Ich fürchte, ich werde dich schockieren.«

Bill goss ruhig weiter die Pflanzen. »Nach allem, was wir in den vergangenen vier Jahren durchgemacht haben, bezweifle ich, dass mich noch irgendetwas schockiert. Aber schießen Sie los. Ich höre.«

»Gut …« Harry nahm all seinen Mut zusammen und schilderte Bill stockend seine Geschichte, von Thailand, von der Bamboo Bar und schließlich von der jungen Frau, in die er sich verliebt hatte.

»Ich kann nicht ohne sie sein, Bill«, schloss er, erleichtert darüber, die Worte laut aussprechen zu können. »Und ich möchte mein Leben in Wharton Park aufgeben und so bald wie möglich nach Bangkok zurückkehren, weil ich sowieso nicht zum Herrn und Meister geschaffen bin. Ich habe Lidia deine Adresse gegeben, damit sie mir schreiben kann, ohne dass Olivia etwas merkt.«

Er sah Bill an, der den Blick nicht von seinen Pflanzen hob. »Wahrscheinlich hältst du mich jetzt für ein Monster, weil ich Frau und Familie betrüge.«

»Nein, Sir. Sie haben sich verliebt, und es ist nicht ihre Schuld, dass sie auf der anderen Seite der Welt lebt. Wie Sie wissen« – Bill wandte sich Harry zu –, »war der Gedanke an meine Elsie das Einzige, was mich in Changi am Leben gehalten hat. Und wenn sie auf der anderen Seite der Welt wäre, würde ich dorthin gehen.«

»Tatsächlich?«

»Ja. Ich bin natürlich nicht mit einer anderen Frau verheiratet, und auf mir lastet auch keine große Verantwortung wie auf Ihnen.« Bill kratzte sich am Kopf. »Schätze, diese Nachricht wird ein ganz schöner Schock sein für Ihre Familie. Besonders jetzt, wo Ihr Vater so krank ist. Sie haben alle die Tage bis zu Ihrer Rückkehr gezählt. Keine Ahnung, was geschieht, wenn Sie gehen und die Leitung des Guts nicht übernehmen, Sir.«

»Hör auf, mich ›Sir‹ zu nennen, ja?«, sagte Harry verärgert. »Wenn wir allein sind, genügt ›Harry‹.« Er ließ den Kopf hängen. »Entschuldige, Bill. Wie du dir vorstellen kannst, bin ich im Moment ziemlich … nervös.«

»Ja.« Bill seufzte. »In Ihrer Haut möchte ich nicht stecken, so viel steht fest. Jedenfalls habe ich kein Problem mit den Briefen. Aber ich muss Elsie einweihen, wenn sie zu uns geschickt werden.«

Harry war entsetzt über diesen Gedanken, weil er wusste, wie nahe Elsie und Olivia sich standen. »Kann ich mich darauf verlassen, dass sie meiner Frau nichts verrät?«

Bill nickte. »Wenn ich sie darum bitte, schon. Sie ist verschwiegen wie ein Grab.«

»Das bringt sie in eine schwierige Lage, nicht wahr?«

»Ja, aber daran lässt sich wohl nichts ändern. Und wenn ich das bemerken darf: Ich möchte nicht, dass sie denkt, diese Briefe wären an mich gerichtet und ich hätte mir in Thailand eine Freundin angelacht.«

»Stimmt«, pflichtete Harry ihm bei. Er seufzte resigniert. »Wenn Elsie es erfahren muss, erfährt sie es eben. Außerdem hoffe ich, dass es nicht allzulange dauert, bis ich reinen Tisch machen kann. In den letzten vierundzwanzig Stunden hatte ich schon das Gefühl zu platzen, wenn ich es nicht bald tue.«

Bill stieß einen Pfiff aus. »Wie gesagt, ich beneide Sie nicht. Sie muss es wirklich wert sein, diese Frau.«

Harry stand auf. »Sie ist es, Bill. Ich gehe jetzt wieder zurück. Später komme ich noch mit einem Brief an Lidia und Geld für Briefmarken vorbei, damit du ihn für mich aufgeben kannst. Am besten wäre, du versteckst ihre Briefe unter den Orchideen dort.« Harry deutete auf einen Kasten.

»Wenn Sie meinen.«

»Gut. Danke, Bill. Wieder einmal bist du mein Retter in der Not.« Harry wandte sich zum Gehen.

»Noch eins …«, begann Bill, und Harry drehte sich zu ihm um.

»Natürlich, Bill. Du weißt, wie sehr ich deine Meinung

schätze. Obwohl nichts auf der Welt mich von meinem Entschluss abbringen kann.«

»Das will ich gar nicht versuchen, weil ich sehe, dass es keinen Sinn hätte. Was Sie für sie empfinden, steht Ihnen ins Gesicht geschrieben.«

»Dann raus mit der Sprache.«

»Ich wollte nur sagen, dass ich eine Weile gebraucht habe, mich wieder hier einzugewöhnen. Die Gedanken an die Heimat haben mich in Asien überleben lassen, aber seit meiner Rückkehr« – Bill suchte nach den richtigen Worten –, »seit meiner Rückkehr fehlen mir die Dinge des merkwürdigen Lebens dort, besonders die Hitze, der Duft der Blumen und der blaue Himmel.«

»Mir gehen diese Dinge auch ab, doch das ist es nicht, was mich dorthin zieht. Ich wünschte, es wäre so einfach«, fügte Harry mit einem Seufzen hinzu und verließ das Gewächshaus.

Als Harry gegangen war, dachte Bill über das nach, was Harry gesagt hatte und wie er das Thema mit Elsie angehen solle. Er wusste, dass sie Olivia verehrte und sich nicht so ohne Weiteres darauf einlassen würde, sie zu betrügen. Und wenn Harry tatsächlich das tat, was er vorhatte, wusste Bill nicht, was aus dem Anwesen und ihnen allen werden würde.

An jenem Abend erklärte Bill Elsie, dass sie ein Geheimnis bewahren müsse.

»Natürlich verspreche ich dir, nichts zu verraten«, sagte sie, erstaunt über seinen besorgten Gesichtsausdruck. »Worum geht's, Bill? Spuck's aus.«

Elsie reagierte mit schockierter Miene auf Bills Ausführungen. Erst nach ein paar Schrecksekunden fragte sie: »Du glaubst doch nicht, dass er das wirklich macht, oder?«

»Doch.«

»Das ist das Ende von Wharton Park. Und von uns. Wer soll das Gut leiten, wenn Master Harry geht? Wir haben keinen Ersatz für ihn, und von Miss Olivia weiß ich, dass es schlecht steht um Wharton. Wir brauchen Vorräte, die Maschinen sind veraltet, und im Gebäude müsste alles Mögliche repariert werden.«

»Master Harry will Lord Crawford vorschlagen, das Anwesen einem Cousin zu vermachen, der ungefähr so alt ist wie Master Harry.«

»Das wird nicht möglich sein. Er meint seinen Cousin Hugo, aber der ist vor ungefähr achtzehn Monaten in Nordafrika gefallen.« Elsie schüttelte den Kopf. »Es gibt keinen außer ihm.«

»Verstehe.« Bill nahm einen Schluck Tee. »Weiß Master Harry das?«

»Nein. Das erzählt man jemandem, der gerade erst heimgekommen ist, nicht als Erstes. Außerdem hat Master Harry diesem Cousin anscheinend nie besonders nahe gestanden, was bedeutet, dass er sich wahrscheinlich nicht einmal nach ihm erkundigt hat. Aber wer weiß« – Elsies Miene hellte sich ein wenig auf – »vielleicht bringt diese Nachricht ihn dazu, seine Meinung zu ändern. Er würde doch sicher seinen schwerkranken Vater und seine Mutter nicht im Stich lassen, oder? Denn wenn Olivia das erfährt, bleibt sie bestimmt nicht da.« Elsie rang die Hände. »Nach all den Jahren, die sie auf ihn gewartet hat, hintergeht er sie so!«

Bill seufzte. »Das ist nicht unsere Sache, und …«

»O doch, Bill!«, rief Elsie wütend aus. »Weil der junge Master es zu unserer Sache gemacht hat!«

»Stimmt. Es ist alles ziemlich übel, aber was soll ich tun?«, fragte Bill sie.

»Du hättest dich weigern können«, herrschte Elsie ihn an.

»Elsie, du weißt so gut wie ich, dass wir den Crawfords nichts abschlagen können. Sie sorgen für unser Auskommen.«

»Ich finde, das übersteigt unsere Pflicht. Bei dem bloßen Gedanken daran wird mir übel! Und wie ich Miss Olivia morgen vor die Augen treten soll, weiß ich nicht.«

»Es tut mir leid.« Bill wollte Elsie in den Arm nehmen, doch sie schob ihn weg.

»Tu, was du nicht lassen kannst, Bill. Aber ich will damit nichts zu tun haben und auch nicht mehr drüber reden.« Sie stand vom Tisch auf, stellte ihre Tasse in die Spüle und ging türenschlagend hinaus in den Garten.

43

Beim Mittagessen verkündete Harrys Vater in seiner üblichen emotionslosen Art den Tod von Harrys Cousin Hugo. Obwohl Harry sich alle Mühe gab, sich den Schrecken nicht anmerken zu lassen, blieb er Adrienne nicht verborgen.

»Tut mir leid, Harry. Du hast ihn gemocht. Aber es gibt auch eine gute Nachricht«, tröstete sie ihn. »Hugos Frau Christina war vor seiner Abreise nach Afrika schwanger und hat jetzt einen süßen kleinen Jungen, den sie nach seinem Onkel Charles benannt hat. Das Leben geht also weiter.«

»Wie alt ist der Kleine?«, erkundigte sich Harry.

»Fast zwei.«

Harry sank der Mut. Das war kein Alter, in dem man Wharton Park leiten konnte.

Als Christopher laut gähnte, erhob Adrienne sich sofort und ging zu ihm. »Zeit für eine Ruhepause, Liebling.«

»Immer dieses Theater!«, beklagte er sich, als Adrienne ihm aufhalf und ihn zur Tür und nach draußen geleitete.

»Wenn ich deinen Vater ins Bett gesteckt habe, trinken wir drei draußen auf der Terrasse Kaffee, *oui*? Heute ist so ein schöner Tag.«

»Tut mir leid«, meldete sich Olivia zu Wort, »ich muss nach Cromer, Papierkram für die Land Girls erledigen. Ohne Bürokratie lässt sich offenbar kein Krieg beenden. Brauchst du irgendetwas, Harry?«

Harry schüttelte den Kopf. »Nein danke, Olivia.«

»Übrigens hat heute Morgen ein Major Chalmers angerufen. Er wollte wissen, ob du gesund und wohlbehalten nach Hause gekommen bist. Ich habe ihm versprochen, dass du ihn zurückrufst. Die Nummer habe ich dir notiert.«

»Gut«, sagte Harry. »Es war klar, dass ich mich bald bei ihm zurückmelden müsste.«

»Ich glaube, deine Mutter möchte sich mit dir unterhalten.« Olivia küsste ihn auf die Stirn. »Wie du dir vorstellen kannst, gibt es eine Menge aufzuarbeiten.«

Wenige Minuten später gesellte sich Adrienne zu ihm. Harry hatte vor, ihr seine Neuigkeiten so schnell wie möglich zu unterbreiten.

»Mutter, wie krank ist Vater?«

»*Chéri*, du siehst ja selbst, wie schwach er ist«, antwortete Adrienne mit leiser Stimme und reichte ihm eine Tasse.

»Was sagen die Ärzte? Olivia meint, wenn er sich schont, könnten ihm noch ein paar Jahre vergönnt sein, aber ...«

Adrienne nahm einen Schluck Kaffee. »Harry, du musst die Wahrheit erfahren.« Sie griff seufzend nach seiner Hand. »Dein Vater liegt im Sterben. Vor weniger als zwei Monaten hat er einen schweren Herzinfarkt erlitten, und seitdem ist seine linke Körperhälfte gefühllos. Deshalb fällt ihm das Gehen so schwer.« Adrienne traten Tränen in die Augen. »Tut mir leid, Harry, dass ich das so direkt sage, aber uns bleibt nicht mehr viel Zeit. Er kann uns jeden Moment verlassen. Bevor das geschieht, solltest du dich von ihm in die Gutsführung einweisen lassen.«

»Verstehe.« Harry hob die Tasse an den Mund. Er hatte Mühe, das Zittern seiner Hand zu verbergen.

»Olivia und ich haben unser Bestes gegeben, doch um den Papierkram und die Finanzen hat sich immer dein Vater gekümmert. Auf den Konten von Wharton Park ist nicht mehr viel Geld. Olivia und ich haben in den letzten Monaten die Gehälter der Bediensteten ausgezahlt, also weiß ich, wie schlecht es steht. *Mon dieu*, Harry, die Lage könnte kaum übler sein.«

Harry räusperte sich. »Wie soll ich mich um das Anwesen kümmern? Es kann sein, dass ich zum Militär zurückmuss.«

»*Non*, Harry«, widersprach Adrienne mit fester Stimme. »Wir brauchen dich hier; du musst das Anwesen auf Vordermann bringen. Wir beschäftigen hundert Arbeiter, deren Lebensunterhalt von dir abhängt. Du wirst als Invalide aus dem Dienst entlassen. Dein Vater hat das für dich arrangiert. Darüber bist du sicher froh, *n'est-ce pas*?«

Harry ärgerte es, dass über seinen Kopf hinweg Entscheidungen für ihn getroffen wurden, weil er nach der langen Zeit im Gefängnis gerade erst wieder lernte, sie selbst zu fällen. Er hatte völlig vergessen, dass sein Leben ihm hier nicht allein gehörte.

»*Chéri*, ich verstehe, wie du dich angesichts des schlechten Zustands deines Vaters fühlen musst. Wenigstens kannst du vor seinem Tod noch ein bisschen Zeit mit ihm verbringen. Olivia und ich werden dich bei der Bewältigung der schweren Aufgabe unterstützen. Die beste Entscheidung, die du je getroffen hast, war, sie zu heiraten. Ich kann sie nur immer wieder loben. Sie war *magnifique*, und ich weiß nicht, was wir in Wharton Park ohne sie getan hätten.«

Die beste Entscheidung, die *du* je getroffen hast, Mutter, dachte Harry bitter.

Er stand auf. »Entschuldige, Mutter, aber das ist alles ein ziemlicher Schock für mich. Ich brauche Zeit für mich allein und werde einen Spaziergang machen.«

»Natürlich. *Je suis désolée, chéri*«, rief sie ihm nach, als er die Stufen in den Park hinuntereilte.

Harry flüchtete vor der Vollkommenheit des mütterlichen Gartens und blieb erst stehen, als er die offenen Maisfelder erreichte.

Dort sank er auf den Boden, schlug vor Frustration auf die nackte Erde ein und schrie Lidias Namen gen Himmel. Dann begann er, hemmungslos zu schluchzen.

Als er sich halbwegs erholt hatte, drehte Harry sich auf den Rücken und blickte zum wolkenlosen Himmel empor.

Er konnte immer noch … einfach … weglaufen …

Er schüttelte verzweifelt den Kopf. Wie sollte das gehen? Sein Vater würde bald sterben. Und nach allem, was seine Mutter und Olivia gesagt hatten, würde der Schock über Harrys Verschwinden seinen Tod beschleunigen.

Er saß in der Falle. Jedenfalls bis zum Tod seines Vaters.

Und danach?

Konnte er es seiner verwitweten Mutter zumuten, das Anwesen allein zu führen? Olivia würde sicher nicht hierbleiben, wenn ihr Mann sie verließ. Adrienne käme nicht allein zurecht. Was bedeutete, dass er, wenn er sich der Verantwortung entzog, nicht nur Wharton Park dem Untergang weihte, sondern auch die treuen Arbeiter, deren Zukunft von ihm abhing.

Vielleicht ließ sich das Gut verkaufen? Aber wer hatte jetzt nach dem Krieg die nötigen Mittel für den Erwerb? Außerdem würde es seiner Mutter nicht nur das Herz brechen; sie würde sich auch mit Zähnen und Klauen dagegen wehren, weil sie ihr Leben Wharton Park gewidmet hatte.

Die einzige andere Möglichkeit bestand darin, Lidia zu sich zu holen.

Doch wie sollte das gehen? Wie konnte er sich von Olivia scheiden lassen nach allem, was sie für ihn, seine Eltern und Wharton Park getan hatte? Konnte er da einfach verkünden, dass eine junge Frau aus Thailand kommen und sie ersetzen würde?

Dieser Gedanke war absurd. Lidia bedeutete ihm viel, aber als Herrin eines solchen Anwesens konnte er sie sich nicht vorstellen. Außerdem würde die Kälte sie umbringen. In England würde seine Treibhausblume welken und eingehen.

Harry beobachtete, wie die Dämmerung hereinbrach. Mit dem Tageslicht schwand seine Hoffnung. Das Schicksal hatte sich gegen ihn verschworen.

Er konnte Wharton Park nicht im Stich lassen. Nicht einmal für Lidia.

Doch wie sollte er ihr sagen, dass nichts von dem eintreten würde, was er ihr versprochen hatte?

Harry stand auf und ging niedergeschlagen durch die Felder zurück in den Park. Er hatte beschlossen, Lidia fürs Erste nur zu schreiben, sein Vater sei krank, weswegen seine Rückreise nach Bangkok sich verzögern würde. Die einzige ihr gegenüber gerechte Lösung – sie freizugeben – konnte er sich im Moment nicht vorstellen.

Er öffnete die Tür zum Gewächshaus. Bill hatte bereits Feierabend gemacht. Auf dem Weg zu den Orchideen krampfte sich Harry die Brust zusammen, weil ihm der Duft von Lidia in die Nase stieg. Als er einen der Töpfe anhob, fand er darunter einen Umschlag, der von der Pflanze darüber ziemlich feucht war.

Beim Anblick von Lidias kleiner, ordentlicher Schrift schnürte sich ihm die Kehle zu.

Mein lieber Harry,
ich bekomme Deinen Brief von Schiff. Er macht mich sehr glücklich. Du fehlst mir auch. Ich kann Deine Rückkehr kaum erwarten. Wenn ich traurig bin, denke ich an unsere gemeinsame Zukunft, und dann bin ich wieder glücklich. Ich trage Deinen Ring jeden Tag. Er ist Symbol unserer Liebe. Eines Tages heiraten wir vor unseren Göttern.

In Hotel ist alles in Ordnung. Wir bekommen Bettwäsche und Kissen für die Zimmer und haben jetzt weniger Verdunkelung. Es gibt viele neue Gäste, und Madame ist sehr glücklich.

Deine Freunde hier schicken Dir Grüße. Alle sagen, Dein Klavierspiel fehlt in der Bamboo Bar.

Bitte verzeih mein schlechtes Englisch. Ich lerne noch und hoffe, dass es bald besser wird. Auf ewig Dein, Harry,
Deine Treibhausblume

Harry drückte den Umschlag an seine Brust. »Wie soll ich so weiterleben?«, stöhnte er.

Er sank auf den Hocker, um den Brief noch einmal zu lesen. Da hörte er Schritte und die Tür am anderen Ende des Gewächshauses. Als er erkannte, dass es Olivia war, schob er das Kuvert hastig in die Hosentasche.

Sie näherte sich ihm mit besorgter Miene.

»Ich habe dich überall gesucht. Deine Mutter meint, sie hätte dich nach dem Essen nicht mehr gesehen.«

»Stimmt. Ich habe … Zeit für mich gebraucht«, erklärte er.

»Ach, Schatz. Es tut mir schrecklich leid. Wahrscheinlich hat deine Mutter dir die Wahrheit über deinen Vater gesagt.«

»Ja.« Harry war froh über diese plausible Erklärung für seine geröteten Augen.

Sie breitete vorsichtig die Arme aus. »Darf ich dich umarmen?«

Harry wehrte sich nicht, weil er sich nach dem körperlichen Trost eines anderen Menschen sehnte. An ihrer Schulter weinte er sich aus wie ein Kind. Sie beruhigte ihn und versprach ihm, für ihn da zu sein. Sie versicherte ihm, dass sie ihn lieben und ihm beistehen würde.

Doch Harrys Gedanken kreisten um ein anderes Problem.

»Ich muss mich verabschieden«, murmelte er. »Aber wie soll das gehen?«

»Ich weiß, Schatz, ich weiß«, flüsterte Olivia.

In Changi hatte Harry gelernt, ohne viel Grübeln zu leben, und diese Fähigkeit kam ihm in den folgenden Wochen zugute. Die Vormittage verbrachte er bei seinem Vater im Arbeitszimmer, das bald das seine werden würde, um sich über sämtliche Aspekte der Führung von Wharton Park zu informieren. Vater und Sohn verbrachten mehr Zeit miteinander als je zuvor. Doch diesen gemeinsamen Stunden haftete Wehmut an, weil ihnen beiden klar war, warum sie zusammensaßen.

Erst jetzt wurde Harry die Vielschichtigkeit der Aufgaben bewusst, die sein Vater bewältigte. Je mehr er darüber erfuhr, desto mehr wuchs seine Bewunderung für ihn.

»Die goldene Regel – selbst wenn du jemanden für die Buchhaltung und die Verwaltung der Farm hast – lautet, immer den Überblick über alles zu behalten. Du musst die Bücher überprüfen und jede Woche über dein Land reiten. Verstehst du, was ich dir zu sagen versuche, mein Junge?«

»Ja, Vater«, antwortete Harry, den die Zahlen in der Kladde verwirrten. Rechnen war nie seine Stärke gewesen.

»Du musst alles im Griff haben und dafür sorgen, dass jeder in Wharton Park das weiß. Dein Urgroßvater hätte dieses Haus fast verloren, weil er sich stärker für das weibliche Geschlecht und den Portwein interessierte als für das Anwesen. Die Bediensteten sind ihm auf dem Kopf herumgetanzt. Vergiss nie: Ein guter Anführer führt von vorne aus. Deine Jahre beim Militär werden dir nützen. Ich bin stolz auf dich, mein Junge.« Er nickte, als wollte er die Jahre gutmachen, in denen er ihn nicht gelobt hatte.

Also setzte Harry sich aufs Pferd und ritt das Anwesen ab. Er informierte sich über die voraussichtliche Ernte des folgenden Jahres und über die Maschinen, die ersetzt werden mussten. Er zählte Rinder und Schweine und besuchte die Pächter, wobei er feststellte, dass einige die Grenzen des ihnen zugeteilten Grunds klammheimlich ausgedehnt hatten.

Harry bestimmte Jim, den Sohn von Mrs. Crombe, zum neuen Verwalter. Er war auf dem Gut groß geworden und hatte gesehen, wie sein Vater es vor ihm verwaltete. Jim besaß zwar keine Erfahrung in der Menschenführung, war aber jung, klug und ehrgeizig. Harry folgte dem Rat seines Vaters, er solle jemanden wählen, dem er vertrauen könne.

Bis spät in die Nacht ging Harry die Buchhaltung durch – das lenkte ihn ab und verschaffte ihm eine Ausrede dafür, erst dann das eheliche Schlafzimmer zu betreten, wenn Olivia bereits schlief. Schon bald stellte er fest, dass es um die Finanzen des Anwesens noch schlechter stand, als seine Mutter dachte.

Am Ende des Sommers glaubte Harry, jeden Quadratmeter des Guts zu kennen und zu wissen, wie viel Ertrag durch den Verkauf der Ernte und des Viehs zu erwarten war beziehungsweise wie hoch die Ausgaben für neue Maschinen und Vorräte würden. Olivia hatte ihn überdies darauf hingewiesen, dass einige der Arbeitercottages dringend renovierungsbedürftig seien, doch das musste warten, weil für die Reparaturen am Haupthaus allein Tausende benötigt würden.

Harry errechnete, dass er zehntausend Pfund aufnehmen musste, um das Gut auf Vordermann zu bringen. Es würde zwei Jahre dauern, bis die ersten Gewinne flossen und er anfangen konnte, den Kredit abzuzahlen. Es handelte sich um ein langfristiges Projekt.

Harry warf seufzend einen Blick auf die Großvateruhr, die in der Ecke des Arbeitszimmers leise vor sich hin tickte. Es war halb drei Uhr morgens. Wie jede Nacht dachte er an Lidia und fragte sich, wo sie sich aufhielt. In Bangkok war es vormittags. Wahrscheinlich saß sie lächelnd an der Rezeption und entzückte die neuen Gäste mit ihrem Charme …

Und träumte davon, dass Harry bald zu ihr zurückkam.

Harry holte Briefpapier aus der Schreibtischschublade seines Vaters und schrieb ihr, wie jeden Abend, einen kurzen Liebesbrief, den er am Morgen Bill geben würde. Darin erwähnte er nichts mehr von ihrer gemeinsamen Zukunft, um sie nicht mit Versprechungen zu quälen, die sich nie erfüllen ließen, sondern sagte ihr lediglich, wie sehr er sie liebe und wie sehr sie ihm fehle.

Obwohl nur hin und wieder eine Antwort von ihr kam, sah er jeden Tag unter den Orchideen im Gewächshaus nach.

Harry schaltete seufzend die Schreibtischlampe aus. Schon in Changi hatte er geglaubt, eine lebenslängliche Strafe zu verbüßen; nun erschien es ihm, als setzte sie sich in Wharton Park fort.

44

Als der Sommer dem Herbst wich und die Kälte des Winters herannahte, wurde Christopher allmählich zu schwach, um noch aufzustehen. Adrienne saß den größten Teil des Tages bei ihm, sprach mit ihm oder las ihm etwas vor, während er vor sich hin döste. Sie wich nur von seiner Seite, wenn Harry oder Olivia sie ablöste.

Im Dezember, kurz vor Weihnachten, erlitt Christopher einen weiteren schweren Herzinfarkt. Wenige Stunden später starb er, ohne das Bewusstsein wiedererlangt zu haben.

Die Trauerfeier fand einen Tag vor Heiligabend statt, in der Kapelle des Anwesens, in der Harry und Olivia geheiratet hatten. Über dreihundert Menschen gaben Christopher das letzte Geleit. Er wurde in der Familiengruft der Crawfords neben seinen Ahnen beigesetzt.

Olivia beobachtete Harry aus den Augenwinkeln, als er die Trauergäste nach dem Gottesdienst im Haus empfing. Sein Gesicht drückte Schmerz aus: In diesem Moment liebte sie ihn mehr denn je. Obwohl er nach wie vor reserviert und distanziert war und sie ihn nicht dazu bewegen konnte, von seinen Erlebnissen in Changi zu erzählen, kam er oft spät in der Nacht zu ihr, um mit ihr zu schlafen.

Am nächsten Morgen wachte sie mit blauen Flecken und Schmerzen auf, weil er sie so grob genommen hatte. Irgendwann würde sie ihn bitten, sanfter zu sein, doch fürs Erste ließ sie ihn angesichts der Umstände gewähren. Der körperliche Kontakt sowie der Trost, die der Akt ihr verschafften, waren ihr zu wichtig, um ganz darauf zu verzichten.

Weihnachten verlief in düsterer Stimmung, obwohl Adrienne sich wider Erwarten als erstaunlich gelassen erwies. Vielleicht half es, dass sie Zeit gehabt hatte, sich auf den Tod ihres Mannes vorzubereiten und ihm noch alles zu sagen, was ihr auf dem Herzen lag.

Als die Kirchenglocken das neue Jahr einläuteten, betete Olivia, dass es Harry die innere Ruhe und Zufriedenheit bringen würde, derer er so dringend bedurfte.

Ende Januar, als der erste Schnee des Winters auf Wharton Park fiel, wusste Harry, dass er Lidia reinen Wein einschenken musste. Bis dahin hatte er sich immer noch vorgestellt, zu ihr zu reisen, wenn ihn die Dunkelheit zu übermannen drohte.

Lidias Briefe lasen sich in der letzten Zeit dringlicher als die früheren; sie schrieb, dass es bei seiner Rückkehr viel zu besprechen gebe, und fragte ihn, wann er glaube, kommen zu können. Harry fiel auf, dass sie nicht mehr das Briefpapier des Hotels benutzte, und begann sich Sorgen zu machen.

Unfähig, ihr die Wahrheit zu gestehen, erklärte er in seinem nächsten Brief, dass sein Vater gestorben sei und er vieles regeln müsse, bevor er zu ihr aufbrechen könne.

Dann trafen überhaupt keine Briefe mehr von ihr ein.

Da wusste Harry, dass etwas nicht stimmte, und er ging ins Postamt von Cromer, um Madame Giselle im Oriental ein Telegramm zu schicken, in dem er sich nach ihrem und Lidias Befinden erkundigte.

Zwei Tage später erhielt er die Antwort:

HARRY STOPP ALLES IN ORDNUNG HIER STOPP
WANN KOMMEN SIE STOPP LIDIA VOR ZWEI MONATEN

PLÖTZLICH VERSCHWUNDEN STOPP KEINE NACHSENDE-ADRESSE BEKANNT STOPP GRÜSSE GISELLE.

Harry wurde schwindlig.

Wieder in Wharton Park, ging er ins Arbeitszimmer, schloss die Tür, setzte sich an den Schreibtisch und stützte den Kopf in die Hände, um sich zu sammeln.

Vielleicht war Lidia einfach nur anderswo eine bessere Arbeitsstelle angeboten worden?

Harry schüttelte den Kopf. Er wusste, dass das nicht sein konnte: Lidia liebte ihre Arbeit und war dankbar für die Chance, die Giselle ihr geboten hatte. Außerdem hätte sie ihn mit Sicherheit informiert, wo sie sich aufhielt.

War sie krank?

Oder am Ende tot?

Harry schlug mit der Faust auf den Tisch. Er musste sie finden. Und ihr helfen, falls das nötig war.

Er begann, im Zimmer auf und ab zu marschieren. Dabei versuchte er, sich einen plausiblen Grund für Olivia auszudenken, warum er drei Monate verreisen wollte, um Lidia aufzuspüren, ihr alles zu erklären und sich von ihr zu trennen. Sollte er Olivia sagen, dass er und Sebastian während seines Aufenthalts in Bangkok geschäftliche Projekte angestoßen hätten, denen er nachgehen müsse, um die Finanzen des Anwesens zu konsolidieren?

Als Harry den Telefonhörer aufnahm, um Sebastian anzurufen, klopfte es an der Tür.

»Verdammt«, murmelte Harry. »Herein!«, rief er laut.

Olivia trat mit einem für sie ungewöhnlichen nervösen Lächeln ein.

»Harry, darf ich dich ein paar Minuten stören?«

»Was gibt's?«

Olivia nahm mit zitternden Händen ihm gegenüber Platz.

»Ich muss dir etwas sagen … Keine Sorge, es sind gute Nachrichten.«

Harry schaute sie fragend an.

»Ich … *Wir* erwarten ein Kind! Genau das brauchen wir nach den schrecklichen Jahren, die wir alle durchgemacht haben.«

»Bist du sicher?«

»Vollkommen«, antwortete sie mit einem zufriedenen Nicken. »Der Arzt hat es mir gestern bestätigt. Ich bin im dritten Monat. Geburtstermin ist im August.«

Harry wusste, dass sie eine angemessene Reaktion von ihm erwartete. »Das ist ja wundervoll.« Er trat um den Schreibtisch herum, um sie auf die Wange zu küssen.

Sie sah ihn mit unsicherem Blick an. »Du freust dich doch?«

»Aber natürlich, Olivia.«

»Diesmal bin ich vorsichtiger«, versprach sie. »Die Ärzte raten mir angesichts dessen, was beim letzten Mal passiert ist, zu viel Ruhe. Ich werde also nicht die ganze Zeit auf dem Gut unterwegs sein. Der Gedanke, untätig zu sein, gefällt mir zwar nicht, aber auf lange Sicht wird es sich lohnen, nicht wahr?«

»Selbstverständlich«, pflichtete er ihr bei.

»Ich fürchte, dass das mehr Arbeit für dich bedeutet. Wenn wir es deiner Mutter sagen, hilft sie dir sicher gern bei der Organisation des Haushalts. Jedenfalls sobald sie diese grässliche Grippe überwunden hat. Gott sei Dank dauert es nicht mehr lange bis zum Frühling. Ach, Harry, Schatz«, flüsterte Olivia, Tränen in den Augen. »Unser Kind.«

Verlegen über diese für sie so untypische Emotionalität, zog Olivia ein Taschentuch aus der Jacke und putzte sich die Nase. »Entschuldige. Es hat mich überwältigt. Ich verspreche dir, dich nicht mit ständiger Heulerei zu belästigen.«

In diesem Augenblick wurde Harry Olivias Stärke bewusst. Er hatte ihr in den vergangenen Monaten, abgesehen von dem körperlichen Akt, der meist grob ausfiel, nichts gegeben. Bestenfalls hatte er sie reserviert behandelt, schlimmstenfalls verächtlich. Trotzdem entschuldigte sie sich nun fast dafür, dass sie sich darüber freute, ein Kind zu bekommen.

Dies war ein Augenblick der Offenbarung für ihn. Bestürzt über das, was er als seinen Egoismus erkannte, kniete er vor ihr nieder und ergriff ihre Hand.

»Liebes, ich bin überwältigt. Gönn dir so viel Ruhe, wie du brauchst. Die hast du dir verdient.« Er nahm sie in die Arme. »Wann wollen wir es Mutter verkünden?«

»Ich dachte beim Mittagessen.«

»Sag Mrs. Jenks, sie soll zur Feier des Tages etwas Besonderes kochen.«

Olivia nickte, erfreut über seine Aufmerksamkeit und voller Hoffnung, dass sich dies als Wendepunkt ihrer Beziehung erweisen würde.

Olivia und Harry sagten es Adrienne, die von der Grippe noch ziemlich schwach auf den Beinen war. Sie reagierte genauso begeistert, wie Olivia es erwartet hatte. Harry ging nach dem Essen zu den Stallungen, um über die letzten matschigen Schneereste auf seinem Land zu reiten.

Hinter einem Wäldchen tauchte Wharton Park in voller Pracht auf. Harry hielt sein Pferd an, um das Gebäude in Ruhe zu betrachten. Zum ersten Mal empfand er Stolz darüber, dass es ihm gehörte. Er war jetzt der Herr und Meister, und sogar seine Mutter musste sich seinen Wünschen fügen. Bisher machte er sich in seiner neuen Position gar nicht so schlecht.

Außerdem bestand Aussicht auf einen Erben, möglicherweise sogar einen Sohn, der die Zügel bei seinem Tod übernehmen konnte. Ein tröstlicher Gedanke.

Lidia …

Harry legte den Kopf verzweifelt an den samtigen Nacken des Pferdes. In einer anderen Welt hätte er das Leben mit ihr geteilt.

Nun wusste er, dass es für ihn nur einen Weg gab: Er war in Wharton Park geboren worden und würde dort bleiben.

Harry bekam einen trockenen Mund, als er an Lidia dachte. »Mein Gott …«, stöhnte er.

Er musste sein Los akzeptieren und aufhören, sich und alle, die mit ihm zu tun hatten – besonders Olivia –, zu bestrafen. Sie konnte schließlich nichts dafür, dass er eine andere begehrte, und verdiente Höflichkeit und Verständnis von ihm.

Doch zuerst musste er Lidia finden und seine geliebte Treibhausblume freigeben. Aber wie? Da Olivia schwanger war und Ruhe brauchte, konnte er sie und das Gut frühestens verlassen, wenn das Kind das Licht der Welt erblickte.

Es musste eine andere Möglichkeit geben …

Als das Pferd lostrabte, hatte er eine Lösung gefunden. Er ritt zu den Stallungen zurück, stieg ab und reichte einem Burschen die Zügel.

Beim Betreten des Gewächshauses war der Plan in seinem Kopf fertig. Bill saß auf seinem Hocker und inspizierte die Wurzeln einer Orchidee.

Er hob den Blick. »Guten Tag, Euer Lordschaft. Wie geht's?«

»Gut, danke, Bill.« Harry überraschte es immer noch, wenn jemand ihn mit diesem Titel ansprach, der so lange seinem Vater gehört hatte.

»Leider wieder keine Nachricht.«

»Nein …« Harry sah Bill eine Weile bei der Arbeit zu.

»Wahrscheinlich wird auch keine mehr kommen. Sie scheint verschwunden zu sein.«

Bill legte die Pipette weg. »Was soll das heißen: Sie ist verschwunden?«

»Sie hat das Hotel verlassen, und offenbar weiß niemand, wo sie sich aufhält. Ich bin in großer Sorge.«

»Das denke ich mir«, sagte Bill. »Es tut mir leid. Kann ich irgendwie helfen?«

Harry holte tief Luft. »Ja, ich glaube schon, Bill …«

Um halb fünf ging Elsie mit einem Teetablett hinauf zu Olivia und klopfte an ihre Tür. Als sie das Zimmer betrat, stellte sie fest, dass ihre Herrin noch schlief.

»Aufwachen, Miss.«

Olivia schlug die Augen auf. »Du gütiger Himmel, ist es wirklich schon so spät?«, fragte sie verschlafen. Ein Lächeln breitete sich auf ihrem Gesicht aus. »Das muss die Erleichterung darüber gewesen sein, dass ich es Harry gestanden habe.«

Elsie stellte das Tablett neben Olivia ab. »Was gestanden?«

Olivia wandte sich Elsie mit glänzenden Augen zu und griff nach ihrer Hand. »Liebste Elsie, jetzt, wo ich es Harry und seiner Mutter gesagt habe, darfst du es auch wissen. Ich erwarte ein Kind. Es soll im August kommen.«

»Miss! Wie schön!«

»Ja, nicht wahr? Harry scheint sich auch zu freuen.«

»Bestimmt«, meinte Elsie, bemüht, sich ihr Wissen über den neuen Lord Crawford nicht anmerken zu lassen. Als sie den Tee einschenkte, wurde sie plötzlich traurig. »Sie können sich glücklich schätzen, Miss … glücklicher als ich.«

»Elsie, entschuldige, das hatte ich nicht bedacht. Nach wie vor nichts Neues?«

»Nein. Es wird auch keine positiven Nachrichten geben.

Wir waren erst kurze Zeit verheiratet, als Bill vor vier Jahren in den Krieg zog, aber inzwischen ist er schon wieder eine Weile hier. Er war letzte Woche beim Arzt. Und der sagt, er kann nicht … Sie wissen schon, Miss.« Elsie wurde rot. »Der Arzt meint, es liegt daran, dass Bill mit zwölf Mumps hatte. Wir werden also keine Kinder haben.«

»Elsie, das tut mir schrecklich leid für dich.« Olivia wusste, wie sehr Elsie sich eine große Familie wünschte. »Vielleicht könntet ihr … adoptieren«, schlug sie vor.

»Darauf ist Bill nicht sonderlich erpicht … Und ich bin auch nicht so sicher, was ich davon halten soll. Allerdings hatten wir noch nicht viel Zeit zum Nachdenken. Wir warten erst mal ab und überlegen in ein paar Monaten weiter.«

»Gute Idee. Sehr vernünftig.«

Elsie schob ihren Kummer beiseite. »Ich möchte Ihnen mit meiner Geschichte nicht die Freude verderben. Sie haben viel durchgemacht und verdienen diese gute Nachricht.«

»Danke, Elsie.« Olivia setzte sich auf, als Elsie ihr eine Tasse Tee reichte. »Vergiss nicht: Man darf die Hoffnung nie aufgeben. Im Leben regelt sich manches auf seltsame Weise von selbst, du wirst schon sehen.«

Olivia hatte sich gerade zum Schlafen hingelegt, als Harry an jenem Abend ins Zimmer kam, sich neben sie aufs Bett setzte und ihre Hände in die seinen nahm.

Schon das zweite Mal an einem Tag, dachte Olivia glücklich.

»Schatz, wenn du nicht zu müde bist, möchte ich dir von einer Idee erzählen«, begann Harry.

»Ich bin hellwach. Schieß los«, ermutigte Olivia ihn, die sich darüber freute, dass er sie an seinen Gedanken teilhaben ließ.

»Du weißt sicher, wie schlecht es finanziell gesehen um das Gut steht.«

»Ja. Bist du auf eine Möglichkeit gestoßen, wie man an zusätzliche Geldmittel gelangen könnte?«

»Ich glaube ja. In den wenigen Wochen, die uns geblieben sind, hat mein Vater mir beigebracht, wie man das Potenzial sowohl des Anwesens als auch der Menschen, die es bewirtschaften, steigern kann. Wir haben einen Mitarbeiter, der besondere Fähigkeiten zu besitzen scheint.«

»Und wer ist das?«

»Bill Stafford«, antwortete er, ohne zu zögern. »Ihm gelingen wirklich unwahrscheinliche Dinge im Gewächshaus. Er züchtet Hybriden aus den Orchideen, indem er sie miteinander kreuzt. Ich denke, wenn wir Bill ermutigen und unterstützen, könnten wir anfangen, die Pflanzen zu verkaufen!«

»Gute Idee. Wir müssten nicht viel investieren, bräuchten höchstens ein paar weitere Treibhäuser«, pflichtete Olivia ihm bei.

»Und einige ungewöhnliche Exemplare. Bill scheint über Geschick mit tropischen Gewächsen wie Orchideen zu verfügen. Ich habe ihm geraten, sich darauf zu konzentrieren. Er sagt, er muss sich mehr Wissen darüber aneignen. Also …« Harry kam zum Kern seines Plans, mit dem er hoffte, Olivia zu überzeugen. »… habe ich ihm vorgeschlagen, so bald wie möglich nach Asien zu reisen. Dort kann er sich über die Pflanzen in ihrer natürlichen Umgebung informieren und so viele Exemplare mit nach Hause bringen, wie er möchte, sozusagen als Grundstock.«

Olivia runzelte die Stirn. »Er wird doch nicht wieder dorthin fahren wollen? Bei all den schrecklichen Erinnerungen, die er an dieses Land hat? Könnten wir ihn nicht einfach zu einem Gartenbaukursus schicken? Zum Beispiel in Kew.«

»Es war Bills Idee. Er möchte sich spezialisieren, Fachmann und der Beste auf seinem Gebiet werden. Ich finde, wir sollten ihm die Chance geben«, drängte Harry, der wusste, wie viel von Olivias Zustimmung und Unterstützung abhing. »Schließlich hat er mir das Leben gerettet.«

»Wenn du das für das Beste hältst, musst du ihn losschicken. Bill scheint sowieso den größten Teil des Tages im Gewächshaus zu verbringen und seinem Vater die Pflege des Küchengartens zu überlassen. Ich bin im Moment nicht in der Lage, Jack zu helfen«, fügte sie hinzu. »Wir sollten für Bill jemanden einstellen, der die groben Gartenarbeiten verrichtet.«

»Prima. Das einzige Problem könnte Elsie sein. Sie wird ihren Mann nicht so schnell wieder ziehen lassen wollen.«

»Stimmt«, sagte Olivia.

»Hier bräuchte ich deine Hilfe, Schatz. Könntest du sie davon überzeugen, dass dies die große Chance für Bill ist, es zu etwas zu bringen?«

»Ich tue mein Bestes, aber sie wird nicht glücklich sein.«

»Schatz, Elsie verehrt dich. Ein Wort von dir und sie willigt ein, da bin ich mir sicher.«

Olivia errötete ob des seltenen Kompliments. »Ich sehe, was ich tun kann. Und was ist mit Bills Schiffspassage?«

»Ich habe mich bereits mit Sebastian in Verbindung gesetzt; er würde sich freuen, das für uns zu organisieren.«

»Tja, Schatz«, meinte Olivia, »du scheinst ja schon alles in die Wege geleitet zu haben.«

Als Bill Elsie von dem Plan erzählte, wurde sie wütend.

»Was? Du willst mich wieder allein lassen?«

Bill hatte Harry geschworen, Elsie den wahren Grund für seine Bangkokreise nicht zu verraten.

»Ich weiß, mein Schatz, aber ich glaube, ich kann wirklich

mit Orchideen umgehen, und ich will mehr über sie erfahren. Seine Lordschaft sagt, wenn es mir gelingt, ganz besondere zu züchten, die sich verkaufen lassen, soll es mein Schaden nicht sein. Ein paar Shilling mehr könnten wir doch gebrauchen, oder?«

»Nicht wenn das heißt, dass du wieder wegfährst«, beklagte sie sich und warf einen Blick auf die Uhr an der Wand. »Egal, ich muss jetzt hinüber ins Haus. Wir unterhalten uns später darüber.«

Bill wartete nervös auf seine Frau, die mit einem resignierten Lächeln zurückkehrte.

»Na schön, du alberner Kerl, ich lass dich gehen. Miss Olivia hat mir erklärt, was für eine Chance das für dich ist.«

»Elsie, danke.« Bill drückte sie an sich und küsste sie auf die Stirn.

Elsie bemerkte die Begeisterung in Bills Augen. »Wenn es nur nicht so lange ist... Denn sonst muss ich mir einen feschen Mann suchen, der mir Gesellschaft leistet.«

Bill drückte sie noch fester an sich. Wie glücklich er sich doch schätzen konnte, die große Liebe gefunden zu haben, sozusagen direkt vor der Haustür! »Ich verspreche dir, ich bin in null Komma nichts wieder daheim.«

15

Bangkok 1947

Bill saß im hinteren Teil des *tuk-tuk*, umklammerte mit der einen Hand die hölzerne Armlehne und hielt mit der anderen seinen kleinen Koffer fest, während der Fahrer das dreirädrige Gefährt durch den Bangkoker Verkehr lenkte. Als sie um eine Kurve in eine schmalere Straße einbogen, geriet das *tuk-tuk* ins Schlingern und verfehlte nur knapp eine Frau, die zwei flache, an einem Stock über ihren Schultern hängende Reiskörbe balancierte.

Bill machte die Augen zu und betete, dass die schreckliche Fahrt bald vor dem Oriental Hotel ihr Ende fände. Die Gluthitze von Asien hatte er völlig vergessen; der Schweiß lief ihm in Strömen über den Körper, und er hatte furchtbaren Durst.

»Elsie«, stöhnte er. »Warum hab ich nicht auf dich gehört?«

Wenn er sich vorstellte, dass er sich jetzt gut und gern im Gewächshaus auf sein Abendessen und später auf Elsies warmen, anschmiegsamen Körper hätte freuen können! Stattdessen befand er sich in einem Land, in dem Temperaturen wie im Treibhaus herrschten, ohne viel mehr als die Aussicht auf einen Teller Reis, den er hasste, und die Ungewissheit, wo er die Nacht verbringen würde. Tröstlich fand er nur den Gedanken an die fest gebuchte Heimfahrt in zwei Wochen. Im Vergleich zu den vier langen Jahren in Changi waren vierzehn Tage nichts.

»Lord Harry, Sie sind noch mal mein Tod«, murmelte Bill, als das *tuk-tuk* vor einem schäbig anmutenden Gebäude hielt.

»*Long-Lam Orienten, Krub*«, sagte der Fahrer und deutete darauf. Bill stieß einen Seufzer der Erleichterung aus, als er das Schild über dem Eingang sah.

Ein kleingewachsener Gepäckträger nahm Bill den Koffer aus der Hand und führte ihn ins geräumige Foyer und zur Rezeption, hinter der eine hübsche junge Thaifrau saß. Da Bill wusste, wo Lidia gearbeitet hatte, hoffte er, gleich beim ersten Versuch Glück zu haben.

»Hallo, Miss. Äh … Ich würde gern ein Zimmer für zwei Wochen bei Ihnen buchen.«

»Gern, Sir. Das macht einhundertzwanzig Baht die Nacht,

ohne Frühstück«, antwortete die junge Frau in perfektem Englisch.

»Gut«, sagte Bill, von Harry mit genügend Geld ausgestattet, aber unsicher, wie viel das in Pfund Sterling war.

»Würden Sie bitte hier unterschreiben, Sir? Der Gepäckträger bringt Sie zu Ihrem Zimmer. Es hat einen schönen Blick auf den Fluss«, fügte sie mit einem Lächeln hinzu.

»Danke.« Bill unterschrieb. Sie nahm einen großen Schlüssel aus einem Holzfach hinter sich. »Sie heißen nicht zufällig Lidia?«, erkundigte er sich.

»Nein, tut mir leid, Sir. Sie hat uns vor ein paar Monaten verlassen. Ich bin ihre Nachfolgerin. Ich heiße Ankhana.« Sie reichte ihm den Schlüssel.

»Wissen Sie, wo Lidia jetzt arbeitet?«

»Leider nicht, Sir. Ich habe sie nicht kennengelernt. Sie können Madame Giselle, die Besitzerin des Hotels, fragen, aber die ist im Moment nicht da. Ich wünsche Ihnen einen schönen Aufenthalt, Sir.«

»Danke.«

Bill folgte dem Gepäckträger zu seinem Zimmer, wo ihn, wie schon Harry vor ihm, der Ausblick auf den Fluss entzückte.

Nach einem Nickerchen und einer Katzenwäsche über dem Waschbecken machte Bill sich auf die Suche nach dem Restaurant. Auf der schattigen Veranda bestellte er ein Bier und einen Hamburger, eine Köstlichkeit, die er – dank amerikanischer GIs – beim Warten auf die Heimreise von Changi in Singapur entdeckt hatte. Bill merkte, dass er es genoss, wie ein Gentleman bedient zu werden. Trotzdem wollte er Lidia so schnell wie möglich finden und ihr alles erklären. Denn anschließend konnte er sich darauf konzentrieren, die Orchideen auszusuchen, die er nach England mitnehmen würde.

»Zwei Wochen, Lord Harry, nicht länger«, murmelte er bei seinem Bier. »Dann fahre ich wieder heim zu meiner Elsie.«

Nach dem Essen kehrte Bill an die Rezeption zurück, um die Besitzerin des Hotels zu suchen.

»Fang bei Giselle an«, hatte Harry ihm geraten. »Sie weiß Bescheid und könnte seit dem Telegramm etwas über Lidia erfahren haben.«

Giselle, die sich nun in ihrem Büro aufhielt, kam heraus, um Bill zu begrüßen.

»Kann ich Ihnen helfen, Sir?«

»Ja, äh… Ma'am, ich bin im Auftrag von Lord Harry Crawford hier.«

»*Mon dieu!*« Giselle hob eine Augenbraue. »Unser abtrünniger britischer Pianist. Kommen Sie mal lieber mit.«

Sie führte ihn in ihr Büro. »Nehmen Sie doch Platz, Mr…?«

»Stafford, Ma'am, Bill Stafford.«

Giselle setzte sich an ihren Schreibtisch. »Daraus schließe ich, dass Lord Crawford nicht auf sein Erbe verzichten wird, um unsere Rezeptionistin zu heiraten und als Musiker in unserer kleinen Bar zu arbeiten?«

»Nein, Ma'am, wird er nicht.«

»*Quelle surprise*. Das war mir von Anfang an klar, obwohl er vor seiner Abreise sehr überzeugend wirkte. Ich dachte…«, Giselle lächelte traurig, »… dass die Liebe vielleicht doch einmal siegen würde.«

»Er liebt sie, Ma'am, aber er kann nicht herkommen. Sein Vater ist kürzlich gestorben, und er muss das Anwesen und alle damit verbundenen Pflichten übernehmen.«

»Sie brauchen mir das nicht zu erklären, Mr. Stafford. Ich verstehe nur zu gut. Ich vermute, Sie sind nicht hier, um mir seinen Sinneswandel zu erläutern, sondern der Frau, der er versprochen hat wiederzukommen, *oui*?«

»Ja, Ma'am.« Bill errötete unter ihrem wachen Blick, weil er sich merkwürdig verantwortlich fühlte für die Entscheidung seines Herrn.

»Sie wissen, dass sie nicht mehr hier arbeitet?«

»Ja, das hat mir Seine Lordschaft gesagt. Haben Sie eine Ahnung, wo sie ist?«

»Wie ich Lord Crawford in meinem Telegramm mitgeteilt habe, ist Lidia eines Morgens vor etwa drei Monaten verschwunden. Seitdem habe ich nichts mehr von ihr gehört oder gesehen.«

»War sie krank, Ma'am? Seine Lordschaft ist außer sich vor Sorge.«

»Das glaube ich nicht. Sie wirkte jedenfalls nicht krank. Eher traurig…« Giselle schüttelte den Kopf. »Sie ist ein ausgesprochen hübsches, kluges und wissbegieriges Mädchen und war eine Zierde für dieses Haus. Ich bedaure es sehr, sie verloren zu haben.«

»Warum, glauben Sie, hat sie sich abgesetzt, Ma'am?«

»Wer weiß?« Giselle seufzte. »Ich nehme an, aus privaten Gründen. Das war ganz und gar untypisch für die zuverlässige Lidia. Und ich dachte, sie sei glücklich hier.«

»Könnte sie zu ihrer Familie gegangen sein? Seine Lordschaft sagt, die hätte er einmal mit Miss Lidia auf einer Insel, etwa eine Tagesreise von Bangkok entfernt, besucht.«

»Nein, dort ist sie sicher nicht. Ich habe ihren Onkel in Koh Chang in einem Brief gefragt, ob Lidia bei ihm ist. Er hat geantwortet, er hätte sie nicht gesehen, würde sich aber bei Lidias Mutter nach ihr erkundigen. Leider schien besagter Onkel nicht zu wissen, dass Lidias Mutter einige Monate zuvor nach Japan übergesiedelt war. Lidia wollte bei mir weiterarbeiten, aber möglicherweise ist sie inzwischen doch zu ihrer Mutter gereist.«

»Nach Japan?« Bill sank der Mut. »Als ehemaliger Kriegsgefangener möchte ich nicht dort nach ihr suchen müssen.«

»Das kann ich nachvollziehen. Außerdem ist es ziemlich weit entfernt. Mr. Stafford«, Giselle beugte sich über ihren Schreibtisch, »ich weiß nicht, was mit Lidia passiert ist, aber mein Instinkt sagt mir, dass sie nicht bei ihrer Familie Zuflucht gesucht hat. Ich glaube vielmehr, dass sie sich in dieser Stadt aufhält.«

»O je.« Bill ließ den Kopf hängen, weil ihm diese Aufgabe unbewältigbar erschien. »Wo soll ich anfangen mit der Suche? Hatte sie Freunde im Hotel, denen sie sich anvertraut haben könnte?«

»Nicht dass ich wüsste. Lidia war sehr verschwiegen. Wenn es ein … persönliches Problem gab, hätte sie wahrscheinlich mit niemandem darüber gesprochen, sondern sich eher zurückgezogen wie ein waidwundes Tier.«

Bill betrachtete seine schwieligen Hände. »Ma'am, ich kann nicht nach Hause zurückkehren, ohne sie aufgespürt zu haben. Ich habe es Seiner Lordschaft versprochen. Außerdem …«

»Was, Mr. Stafford?«

Bill holte tief Luft. »Wenn ich sie nicht finde und Seiner Lordschaft nicht versichere, dass es Miss Lidia gut geht, beschließt er am Ende, selbst herzukommen. Er liebt sie wirklich … Sie können sich nicht vorstellen, welche Qualen dieser Mann der Pflicht wegen leidet. Wenn er könnte, wäre er da, das schwöre ich Ihnen. Und unter uns, Ma'am: Was würden wir in Wharton Park ohne ihn machen? Ich und meine Frau Elsie, dazu unsere Eltern und hunderfünfzig andere arme Seelen nebst Frauen und Kindern sind von dem Gut abhängig.

Ohne Seine Lordschaft würde Chaos ausbrechen, so viel steht fest. Ich bin nicht nur für ihn, sondern auch für mich und die Meinigen hier, die Seine Lordschaft zu Hause brauchen.«

»Ich verstehe, wie hin- und hergerissen Lord Crawford sein muss. Ich bin Zeugin ihrer Liebe geworden; es ist eine Tragödie, dass sie zum Scheitern verurteilt ist. *C'est la vie*, Mr. Stafford. Aber ich werde tun, was ich kann, um Ihnen zu helfen.« Sie begann mit ihrem Stift auf den Schreibtisch zu klopfen. »Sie sollten bei den Krankenhäusern anfangen, für alle Fälle ... Ich habe irgendwo eine Liste ...« Sie zog eine Schublade heraus und kramte darin herum.

»Ich kenne nicht einmal ihren Familiennamen ...«

»Den kann ich Ihnen sagen. Hier.« Giselle reichte ihm ein Blatt Papier. »Eine Liste mit allen Krankenhäusern in Bangkok. Die haben wir für die Angehörigen von Kriegsgefangenen in Birma zusammenstellen lassen. Dieser Krieg ... Er hat so viel Schmerz gebracht, und ist letztlich immer noch nicht zu Ende.«

»Ja«, pflichtete Bill ihr bei. »Mich und mein Leben hat er dauerhaft verändert. Und alles auf den Kopf gestellt.«

»Unter normalen Umständen wären Harry und Lidia sich nie begegnet ...« Sie schrieb etwas auf und schob Bill die Notiz hin. »Lidias Familienname und ein Zettel in Thai, auf dem steht, dass Sie nach ihr suchen. Den können Sie in den Kliniken vorzeigen.«

Bill, der in Changi genug Krankheit und Leid gesehen hatte, wurde blass. »Ma'am, offen gestanden, habe ich Angst, sie dort zu finden.«

»Irgendwo müssen Sie anfangen, Mr. Stafford. Am besten schließen Sie die Krankenhäuser als Erstes aus.« Giselle stand auf, und Bill tat es ihr gleich. »Lord Crawford kann sich glücklich schätzen, einen Freund wie Sie zu haben.«

»Ich bin Diener Seiner Lordschaft, Ma'am, und befolge nur Befehle.«

»Nein, Mr. Stafford. Lord Crawford hat Sie mit einer Mission betraut, die er nur einem Freund übertragen würde, egal welche Stellung Sie in seinem Haushalt einnehmen.«

»Dann hoffe ich, dass ich sie erfüllen kann.«

»Das können Sie«, sagte Giselle, als sie die Tür zu ihrem Büro öffnete. »Vorausgesetzt, Lidia ist noch am Leben und möchte gefunden werden.«

46

Bill verbrachte den Rest des Abends damit, Angestellten des Hotels den Zettel zu zeigen, den Giselle ihm gegeben hatte, erntete jedoch nur verständnislose Blicke und Kopfschütteln. Also machte er sich am folgenden Morgen an die unangenehme Aufgabe, die Krankenhäuser von Bangkok abzuklappern.

Als sein *tuk-tuk* durch die schwüle Hitze der riesigen Stadt holperte, verließ Bill fast der Mut.

In den Kliniken ging es erstaunlich sauber und ruhig zu – ganz anders als in der »Leichenhalle« von Changi, wie man die Krankenstation dort genannt hatte. Hier gab es keine vor Schmerz stöhnenden Patienten mit schwärenden Wunden und auch keinen Gestank von menschlichen Exkrementen.

Am Ende des Tages kehrte Bill verschwitzt und erschöpft ins Hotel zurück, ohne eine Spur von Lidia entdeckt zu haben.

»Na, was herausgefunden?«, erkundigte sich Giselle, als sie ihm im Foyer begegnete.

Bill schüttelte den Kopf. »Acht geschafft; zwölf stehen noch aus. Ich weiß nicht, ob ich glücklich sein soll, sie nicht gefunden zu haben, oder enttäuscht.«

»Hier«, Giselle reichte ihm einen Umschlag. »Ein Foto von Lidia, aufgenommen kurz vor ihrem Verschwinden. Es könnte helfen, wenn Sie es in den Krankenhäusern vorzeigen.« Giselle tätschelte Bill die Schulter. »Viel Glück für morgen.«

Bill ging hinauf in sein Zimmer, wo er müde aufs Bett sank und das Kuvert öffnete, um einen Blick auf das Bild zu werfen.

Die Schwarz-Weiß-Aufnahme zeigte zarte Gesichtszüge, wie er sie in Bangkok bei vielen Thaifrauen gesehen hatte. Doch in Lidias großen Augen lag ein Licht, ein Funkeln, das sie förmlich erstrahlen ließ. Bill strich vorsichtig über die makellose Wange. Er fragte sich, ob diese junge Frau wusste, wie sehr sie sein Leben und das anderer so viele tausend Kilometer entfernt durcheinandergebracht hatte.

»Wo bist du, Lidia?«, fragte er und legte das Foto auf das Nachtkästchen.

Nachdem er geduscht und sich umgezogen hatte, lockte Musik ihn in die Bamboo Bar. Er bestellte ein Bier und lauschte dem Jazztrio, das dort spielte. Eigentlich war das nicht seine Musikrichtung – er mochte Vera Lynn und Klassik lieber –, aber in der Bar herrschte eine so beschwingte Atmosphäre, dass seine Laune sich sofort besserte. Er versuchte sich vorzustellen, wie Seine Lordschaft fröhlich, sorgenfrei und frisch verliebt hier spielte.… Es fiel ihm schwer, weil ihm immer wieder die ernsten Gesichtszüge des jungen Mannes in den Sinn kamen, auf dessen Schultern die Last der Welt lag.

Als eine junge Thaifrau ihn fragte, ob sie sich zu ihm setzen dürfe, nickte er, ohne sie wirklich wahrzunehmen. Sie bestellte eine Coca-Cola und begann in stockendem Englisch ein Gespräch mit ihm. Da er vermutete, dass sie auf ihren Begleiter wartete, beantwortete er ihre Fragen. Erst zwanzig Minuten später – sie war inzwischen näher gerückt, und er spürte, wie ihr Oberschenkel sich gegen den seinen drückte – fiel der Groschen. Bill geriet in Panik und winkte den Kellner heran, um zu zahlen. Die junge Frau bedachte Bill mit einem finsteren, enttäuschten Blick, als er aus der Bar eilte.

Bill erreichte sein Zimmer schwer atmend. Obwohl er sich nichts vorzuwerfen hatte, wurde ihm himmelangst bei der Vorstellung, dass Elsie ihn in Gesellschaft einer anderen Frau hätte sehen können. Für ihn gab es keine anderen Frauen, und er verstand auch den Reiz der Asiatinnen nicht. Kameraden hatten sich nach ihrer Entlassung sofort in die Freudenhäuser von Singapur gestürzt, während er nur an seine Elsie mit den großen braunen Augen, der sommersprossigen Nase und dem molligen Körper denken konnte, die zu Hause geduldig auf ihn wartete.

Bill zog sich aus und schlüpfte ins Bett. Vielleicht besaßen er und Elsie weder das Geld noch den Komfort des Landadels, für den sie arbeiteten, aber offenbar war ihnen etwas vergönnt, das man seltener fand als eine schwarze Orchidee: die wahre Liebe.

Am nächsten Morgen erwartete ihn ein weiterer schwüler, stickiger Tag. Bill atmete gierig die kühlere Luft unter den Deckenventilatoren der Krankenhausaufnahme ein, während die Angestellten ihre Aufnahmeunterlagen nach Lidias Namen durchforsteten, ihr Foto betrachteten und schließlich den Kopf schüttelten.

Bills Suche führte ihn tiefer in die Stadt hinein, weg von der eleganten kolonialen Architektur rund um das Oriental Hotel und das Flussufer. Bei seinen *tuk-tuk*-Fahrten von Klinik zu Klinik sah Bill bunt bemalte Tempel mit Mönchen, die im Morgengrauen barfuß die schmutzigen Straßen entlangwanderten, Schalen in der Hand, damit die Einheimischen sie mit Reis füllten. Des Weiteren obdachlose Menschen mit verkrüppelten Gliedern, Frauen mit kleinen Kindern, die in der Gosse bettelten, in den ausgezehrten Gesichtern ein Ausdruck der Verzweiflung. Einer solchen Armut war Bill noch nirgends begegnet. Er begriff, dass das Leben dieser armen Leute, obwohl sie sich frei bewegen konnten, nicht viel besser war als das seine in Changi.

Je mehr Bill sah, desto mehr sehnte er sich nach der Behaglichkeit und relativen Sicherheit seines Daseins und seines Zuhauses in Wharton Park. Ihm wurde immer klarer, wie glücklich er sich schätzen konnte.

Am Ende des Tages hatte Bill alle Krankenhäuser der Stadt abgeklappert, jedoch ohne Erfolg. Er kehrte müde und demoralisiert ins Hotel zurück, weil er nicht wusste, wo er die Suche nach Lidia am nächsten Tag fortsetzen sollte. Als er seinen Schlüssel an der Rezeption abholte, trat Giselle zu ihm, um mit ihm zu sprechen.

»Sie haben sie nicht gefunden.«

»Richtig«, seufzte Bill. »Und ich habe keine Ahnung, wo ich als Nächstes suchen soll. Hätten Sie einen Vorschlag?«

»Sie könnten es in dem Viertel probieren, in dem Lidia gewohnt hat, bevor ihre Familie nach Japan umsiedelte und sie ins Hotel. Möglicherweise ist sie dorthin zurückgekehrt.«

»Einen Versuch wäre es wert«, meinte Bill.

»Ich gebe Ihnen ihre alte Adresse. Zeigen Sie ihr Foto den Nachbarn und Straßenverkäufern ... Vielleicht hat jemand sie gesehen ...« Giselle verstummte. Sie wussten beide, dass die Chancen schlecht standen.

Bill kratzte sich den schmerzenden Kopf. »Ich verstehe bloß nicht, warum sie keine Nachricht mit ihrer Adresse für

Seine Lordschaft hinterlassen hat. Sie hat ihn doch hier erwartet.«

»Wir wissen es nicht, Mr. Stafford«, antwortete Giselle, die allmählich Mitleid mit diesem loyalen jungen Mann bekam, der ihr von Tag zu Tag sympathischer wurde.

»Danke für Ihre Hilfe, Ma'am. Morgen versuche ich mein Glück dort. In zehn Tagen geht mein Schiff zurück. Nicht einmal für Seine Lordschaft kann ich länger bleiben. Sonst hätte ich am Ende keine Frau mehr, zu der ich nach Hause kommen könnte.«

»Tun Sie Ihr Möglichstes, Mr. Stafford, das reicht.« Sie verabschiedete sich mit einem Lächeln.

Bill bat den *tuk-tuk*-Fahrer, ihn zu der Adresse zu bringen, die Giselle ihm gegeben hatte. Sie befand sich zwanzig Minuten entfernt, im Zentrum der Stadt, in einer dunklen, schmalen, von hohen Holzhäusern gesäumten Straße, die sich in merkwürdigem Winkel aufeinander zuneigten und aussahen, als könnte ein Windstoß sie umpusten. Der Geruch von in der Gosse faulenden Lebensmitteln war so stark, dass Bill fast übel wurde.

Als er an der Tür des Hauses klopfte, in dem Lidia früher gewohnt hatte, begrüßte ihn eine Frau mit einem zahnlosen Grinsen. Bill hielt ihr das Foto hin.

Sie nickte und deutete nach oben.

»Sie ist hier?« Bills Herz setzte einen Schlag aus. Die Frau sagte etwas in schnellem Thai, schüttelte den Kopf und gestikulierte wild. Bill stellte den Fuß in die Tür.

»Lidia? Oben?«

»*Mai, mai, mai!*«

Bill wusste inzwischen immerhin, dass das »nein« hieß.

»Wo ist sie dann? Lidia?«, wiederholte er.

Da schlug die Alte die Tür so heftig zu, dass sie ihm beinahe die Zehen zerquetschte.

Bill hämmerte mehrere Minuten lang erfolglos an die Tür, bevor er die Straße auf und ab marschierte und an die Nachbarhäuser klopfte, wiederum ohne Erfolg.

Es war hoffnungslos. Er würde nach Hause zurückkehren und Seiner Lordschaft sagen müssen, dass es ihm nicht gelungen war, sie aufzuspüren. Letztlich war das Projekt von Anfang an zum Scheitern verurteilt gewesen: eine Vermisste, kurz nach dem Krieg, in einer Millionenstadt und ein Westler, den die Einheimischen voller Argwohn betrachteten und der sich nicht mit ihnen verständigen konnte. Er musste kein schlechtes Gewissen haben, weil er sein Möglichstes für Harry getan hatte. Nun fiel ihm kein Ort mehr ein, an dem er noch hätte suchen können. Die verbleibende Zeit würde er darauf verwenden, Orchideen zu erwerben, und dann wie geplant nach England zurückkehren.

Bill sah sich nach seinem *tuk-tuk*-Fahrer um, der wie vom Erdboden verschluckt zu sein schien. Hinter einer Ecke verbarg sich ein großer, lauter Markt, wo er sich eine Schale mit Nudeln kaufte und sich ziellos zwischen den Ständen hindurchschlängelte, bis er einen mit einer riesigen Auswahl an bunten, süß duftenden Orchideen entdeckte. Er blieb davor stehen, um die Pflanzen zu begutachten, von denen er die meisten nicht kannte.

»Helfen?«, fragte eine Stimme hinter der Blütenpracht hervor.

Bill lugte zwischen den *Dendrobia* hindurch und entdeckte einen winzigen Mann, der auf dem Boden hockte.

»Sprechen Sie Englisch?«, erkundigte sich Bill erstaunt.

»Bisschen Englisch, ja«, antwortete der Mann und stand auf. Aufgerichtet reichte er Bill bis zur Brust. »Habe viele seltene Orchideen. Meine Familie bringt sie von Chiang Mai. Wir berühmt«, erklärte er stolz. »Wir liefern Königspalast.«

»Die Pflanzen sind in der Tat ungewöhnlich«, sagte Bill und zeigte auf eine besonders beeindruckende orangefarbene Orchidee mit zarten, schmalen Blütenblättern, über die dunkle Adern zu einer weißen Spitze verliefen. Er stellte die Schale mit den Nudeln auf den Tisch, legte das Foto daneben und nahm die Pflanze in die Hand, um sie eingehender zu betrachten.

»Was ist das?«

»*Dendrobium unicum*, Sir. Selten und teuer.« Der Mann schmunzelte. »Mag hell Licht und trocken Wetter.«

»Und die?« Bill hob eine Orchidee mit zarten, fliederfarbenen Blütenblättern hoch. Hätte er doch nur Papier und Stift dabei gehabt, um die Namen der Blumen und die Informationen über sie zu notieren! Der Verkäufer schien sich auszukennen.

»*Aerides odorata*. Wächst auf Boden in Wald. Mag Schatten.«

»Und die?«

In den folgenden zwanzig Minuten bewegte Bill sich in einer Welt, in der er sich wohlfühlte, und vergaß Lidia. Am liebsten hätte er den ganzen Stand aufgekauft und mit in sein Gewächshaus genommen, um sich dort mit den einzelnen Exemplaren vertraut zu machen, mit Temperatur, Licht und Feuchtigkeit zu experimentieren und Zucht- und Kreuzungsversuche zu unternehmen.

»Sind Sie morgen auch hier?«, fragte Bill, der überlegte, wie er all die Pflanzen nach Hause schaffen und wo er sie in Wharton Park lagern würde.

»Jeden Tag, Sir.«

»Ich möchte die Orchideen, die ich kaufe, nach England verschiffen.«

»Ja, Sir. Ich organisiere. Wir schicken Kiste an Dock für Ihr Schiff.«

»Und ich sehe zu, wie Sie sie einpacken und verladen«, erklärte Bill, weil er nicht in See stechen und feststellen wollte, dass er fünf Kisten mit Gänseblümchen erworben hatte. »Ich komme morgen wieder, um die Pflanzen auszuwählen und Ihnen die Einzelheiten mitzuteilen.«

»Okay, Sir. Bis morgen.«

»Ja. Danke.« Bill wandte sich, in seine Gedanken an die Orchideen versunken, zum Gehen.

»Sir! Sir! Sie vergessen Foto!«, rief der Mann und lief ihm mit dem Bild hinterher.

»Danke.« Als Bill die Hand danach ausstreckte, bemerkte er, wie der Mann das Foto betrachtete.

Der Verkäufer hob den Blick. »Sie sehr schön. Ich kenne.«

Bill schluckte. »Tatsächlich?«

»Ja. Lidia. Gute Kundin. Wohnt hier.« Der Mann deutete in Richtung der Straße, aus der Bill gekommen war. »Aber ich sehe nicht mehr. Vielleicht ist weg.«

Bill versuchte, ruhig zu bleiben und so zu sprechen, dass der Mann ihn verstand. »Können Sie herausfinden, wo sie jetzt ist?«

»Ja, leicht. Meine Cousine ihre Freundin viele Jahre. Ich frage.«

»Bitte. So bald wie möglich. Ich muss sie unbedingt finden.«

»Warum?« Der Mann runzelte die Stirn. »Sie Problem? Will kein Problem.«

»Nein, nein.« Bill, dem klar war, dass es keinen Sinn hatte, ihm die ganze Geschichte zu erzählen, bat ihn: »Sagen Sie Ihrer Cousine, dass Harry hier ist und nach Lidia sucht. Dann weiß sie Bescheid.«

Der Mann dachte kurz nach. »Okay. Aber ich muss Cousine besuchen und Zeit haben für finden …«

Bill holte einen Geldschein aus der Tasche und reichte ihn dem Mann. »Morgen bekommen Sie mehr, wenn Sie Informationen für mich haben.«

»Okay, Sir. Ich tue Bestes.«

»Danke.«

Bill entfernte sich. Er wagte kaum zu hoffen, dass der Zufall ihm zu Hilfe kam.

47

»Ich finde Miss Lidia, Sir«, teilte der Blumenverkäufer Bill am nächsten Morgen mit.

»Wo ist sie?«

Der Mann betrachtete schweigend seine schmutzigen Zehen. Bill zog zwei Geldscheine aus der Tasche und gab sie ihm.

»Ich bringe Sie.« Der Mann pfiff den Jungen vom nächsten Stand heran, damit der auf den seinen aufpasste, und signalisierte Bill, dass er ihm folgen solle.

»Miss Lidia umgezogen«, erklärte der Blumenmann, während er Bill durch ein Labyrinth aus schmutzigen Straßen führte. »Ihr Leben … nicht gut. Cousine sagt, sie sehr krank. Kann nicht arbeiten, kann nicht zahlen Wohnung.«

»Was ist mit ihr passiert?«, fragte Bill.

»Glaube, Sie wissen, Sir«, antwortete der Mann. »Ich sage, Harry hier, und sie sehr glücklich. Sie sagt, Sie sollen kommen. Sie helfen, ja? Ich denke, sie sterben.«

Der Mann blieb vor einem Haus stehen, dessen Holztür halb verrottet und mit Brettern ausgebessert war. Als Bill eintrat, stolperte er fast über einen einbeinigen Bettler, der auf der Schwelle saß. Bill hielt den Atem an, weil ihm aus dem stickigen Innern der Gestank von ungewaschenen, kranken Menschen entgegenschlug. Der Blumenmann führte ihn eine schmale, knarrende Treppe hinauf und klopfte an einer Tür.

Von drinnen erklang eine leise Stimme. Der Verkäufer sagte in Thai etwas, worauf wieder Murmeln zu hören war.

»Okay, Mister Harry. Ich gehe. Sie krank. Ich will nicht anstecken. Kommen Sie wieder, wenn Sie Blumen verschiffen.«

Der Mann eilte die Treppe hinunter, bevor Bill etwas erwidern konnte. Bill holte tief Luft, drückte die Klinke herunter und trat ein. In dem Raum war es drückend heiß und dunkel; lediglich schmale Lichtstreifen, die durch die Lamellen der Läden drangen, spendeten Licht.

»Harry?«, hörte Bill, dessen Augen sich erst an die Dunkelheit gewöhnen mussten, eine matte Stimme aus einer Ecke des Zimmers. Auf dem Boden lag eine Matratze, darauf eine kleine Gestalt.

»Harry, bist du das? Oder träume ich?«

Bill machte wortlos einen Schritt auf die Matratze zu, weil er sie nicht erschrecken wollte.

»Harry?«

Sie hatte die Augen geschlossen, und ihr Kopf war zur Seite gedreht. Bill beugte sich vor, um sie genauer zu sehen. Er hatte Harrys Lidia gefunden.

»Harry, Liebling ...«, murmelte sie. »Ich wusste, du kommst ... zurück zu mir.«

Bill war klar, dass er nichts sagen, den Bann nicht brechen durfte. Schweren Herzens kniete er neben ihr nieder und berührte ihre glühend heiße Stirn.

»Harry ... Ich träume ... Gott sei Dank ... Du bist da ... Ich liebe dich, Harry ... Ich liebe dich ...«

Bill, der feststellte, dass sie nur halb bei Bewusstsein war, strich ihr sanft über die Stirn.

»Halt mich … so krank … Angst … Bitte halt mich …«

Leise weinend, nahm Bill ihren schlaffen Körper in die Arme und spürte die unnatürliche Hitze des Fiebers, die von ihrer klammen Haut ausstrahlte.

Sie stieß einen Seufzer aus.

»Du bist hier, Harry, du bist wirklich hier … Jetzt ist alles gut.«

Bill hatte keine Ahnung, wie lange er Lidia so hielt. Wenn er glaubte, sie schlafe, zuckte sie wieder zusammen. In Changi hatte er Ähnliches erlebt, und er wusste, welches Ende ein solches Fieber nahm …

Möglicherweise schlief er selbst, benommen von der Hitze im Raum, irgendwann ein, Lidia im Arm. Als sein Körper der unnatürlichen Hockstellung wegen zu schmerzen begann, legte er sie sanft auf die Matratze zurück. Dann stand er mit steifen Gliedern auf und suchte nach Wasser, mit dem er ihr die Stirn kühlen konnte.

Da hörte er ein Geräusch. Es kam von der anderen Seite der Matratze.

Plötzlich bewegte sich in dem diffusen Licht etwas, und Bill zuckte vor Schreck zusammen.

Als er um die Matratze herumging, sah er wieder eine Bewegung und hörte ein Geräusch unter einem Laken hervordringen. Er zog es vorsichtig zurück.

Ein bernsteinfarbenes Augenpaar blickte ihn an. Kurz darauf legte sich die winzige Stirn in Zornesfalten, und die Stille wurde vom hungrigen Schreien eines Neugeborenen durchbrochen.

»Ich hatte schon geahnt, warum Lidia verschwunden ist«, erklärte Giselle, als Bill in ihrem Büro Platz nahm, das mittlerweile gesättigte Kind im Arm. »Sie war immer so dünn gewesen, doch in letzter Zeit hatte sie zugenommen. Hier in Thailand ist es eine große Schande, ein lediges Kind zu haben. Ich wusste allerdings auch, dass ich sie nicht fragen konnte; sie musste es mir selbst sagen.«

»Gott sei Dank habe ich sie gefunden, Ma'am. Sie war in einem schrecklichen Zustand, kaum noch bei Bewusstsein ...« Bill nahm einen großen Schluck von dem Brandy, den Giselle ihm eingeschenkt hatte. Obwohl er im Krieg viel erlebt hatte, wusste er, dass es lange dauern würde, bis er die vergangenen Stunden verarbeitet hätte.

Das Schreien des Kindes hatte Bill aus seiner durch die Hitze verursachten Lethargie gerissen und ihn dazu gebracht, mit dem winzigen Bündel aus dem Haus, zurück zum Markt, zu laufen. Anfangs war der Blumenmann noch zurückhaltend gewesen, doch ein paar Geldscheine hatten bewirkt, dass er den alten Lastwagen holte, den er zum Transport der Orchideen verwendete. Damit würde er Lidia ins Krankenhaus fahren.

»Es grenzt an ein Wunder, dass Sie sie rechtzeitig gefunden haben«, sagte Giselle. »Wie ging es ihr, als Sie die Klinik verlassen haben?«

»Sie war bewusstlos. Ich weiß nicht, was ihr fehlt, weil ich die Ärzte nicht verstanden habe. Sie war an ein Infusionsgerät angeschlossen und hatte eine Sauerstoffmaske über dem Gesicht, als ich gegangen bin«, erzählte Bill. »Beim Runtertragen zum Lastwagen war überall Blut ... an ihrem Unterleib. Keine Ahnung, ob sie es schafft ...« Bill musste schlucken. »Wenigstens kümmert sich jetzt jemand um sie, und sie ist nicht mehr allein in dem stinkenden Zimmer.«

»Weiß man, wie alt das Kind ist? Mir scheint es ziemlich klein zu sein.« Giselle beäugte das Bündel in Bills Armen.

»Die Nabelschnur ist noch nicht abgefallen, also würde ich sagen, höchstens ein paar Tage. Die Ärzte haben die Kleine untersucht und sie mir gegeben. Ich glaube, sie dachten, ich bin … der Vater.« Bill wurde rot und senkte den Blick. »Viel weiß ich nicht über Kinder, mehr über Kälber auf der Farm, aber ich habe den Eindruck, dass sie gesund und munter ist. Einen gesunden Appetit hat sie jedenfalls.«

»Und sie ist hübsch«, bemerkte Giselle.

»Ja, stimmt.« Bill traten Tränen in die Augen, als er die Kleine betrachtete. »Was soll ich mit ihr machen, Ma'am?«

»Mr. Stafford, das kann ich Ihnen auch nicht sagen. Vielleicht sollten Sie sich um sie kümmern, bis Lidia gesund ist. Dann lassen sich weitere Entscheidungen treffen.«

»Entschuldigen Sie, wenn ich das frage: Was mache ich mit der Windel? Sie haben sie im Krankenhaus gewechselt, aber …« Bill rümpfte die Nase. »Inzwischen ist sie nicht mehr frisch.«

»Windeln und Milch treiben wir schon auf, und sie kann bei Ihnen im Zimmer schlafen. Irgendwo im Lager haben wir ein Körbchen …«

»Und was ist, wenn Lidia sich nicht erholt, Ma'am? Was tu ich dann?«

Giselle seufzte. »Mr. Stafford, bei dieser Entscheidung kann ich Ihnen nicht helfen. Vielleicht sollten Sie Lord Crawford informieren?«

»Ma'am, das geht nicht. Ich darf mich nicht melden, weil Gefahr bestünde, dass die Nachricht … abgefangen würde. Wenn die Lady davon erführe …« Bill sah das Baby an. »Sie erwarten selber Nachwuchs.«

»Lord Crawford scheint ganz schön emsig gewesen zu sein«,

stellte Giselle fest. »*Alors*! Dann werden Sie dieses Schlamassel wohl allein bewältigen müssen.«

»Er kann doch nichts dafür, dass er sich verliebt hat. Und Lidia liebt ihn auch nach wie vor. Sie« – Bill zögerte kurz – »hat mich für Harry gehalten und dachte, ich bin zu ihr zurückgekommen, wie Seine Lordschaft es ihr versprochen hat. Ich habe das Missverständnis nicht aufgeklärt, weil ich sie nicht noch mehr aus der Fassung bringen wollte. O Gott«, Bill schluckte. »Sie haben recht: Was für ein Schlamassel.«

Nachdem Bill seinen Brandy geleert hatte, saßen sie eine Weile schweigend da.

»Traurig«, meinte Giselle schließlich. »Die Kleine ist wieder ein Ergebnis dieses unseligen Krieges. Mr. Stafford, Sie müssen pragmatisch denken. Wenn Lidia nicht genesen sollte, gibt es hier Waisenhäuser, die solche Kinder aufnehmen …«

Bill schauderte bei der Vorstellung. »Hoffentlich erholt sie sich. Zwar muss ich ihr dann erklären, dass sie Seine Lordschaft nie mehr wiedersehen wird, er verheiratet ist und seine Frau in England ein Kind erwartet …«

»Ich beneide Sie nicht, Mr. Stafford. Trotzdem glaube ich, dass Sie die Sache in den Griff bekommen werden.« Giselles Bewunderung für diesen freundlichen, ruhigen Mann wuchs von Tag zu Tag. »Bitte sagen Sie Lidia, wenn Sie sie sehen, alles Liebe von mir. Und jetzt kümmere ich mich um Milch, Windeln und das Körbchen.«

»Vielen Dank für Ihre Hilfe, Ma'am.« Bill stand auf, die Kleine auf dem Arm, erschöpft von den Ereignissen des Tages.

Giselle folgte ihm zur Tür. »Mein lieber Mr. Stafford, wir tun alle, was wir können.«

In der folgenden Woche blieb Bill nichts anderes übrig, als sich rasch über Kinderpflege zu informieren. So kurzfristig war es unmöglich gewesen, professionelle Hilfe zu organisieren, aber Laor, Bills fröhliches Thaizimmermädchen, erwies sich von unschätzbarem Wert. Sie zeigte ihm, wie man das Kind fütterte und wickelte, und kicherte, wenn Bill sich anfangs ungeschickt anstellte. Allmählich gelang es ihm, die Rhythmen der Kleinen richtig einzuschätzen und herauszufinden, ob sie vor Hunger schrie, weil die Windel voll war, oder ob sie unter etwas litt, das Giselle »Koliken« nannte – oft um fünf Uhr morgens. Er hatte Spaß daran, sie auf den Rücken zu klopfen, bis sie ein Bäuerchen machte und ihr Köpfchen zufrieden auf seiner Schulter ruhte. Dann kroch er erschöpft ins Bett und wachte erst wieder auf, wenn das Kind gegen acht das nächste Mal krähte, weil es gefüttert werden wollte.

Bill besuchte Lidia jeden Vormittag mit der Kleinen im Krankenhaus. Lidia war nach wie vor nicht bei Bewusstsein und hatte Fieber. Die Schwestern beobachteten voller Mitgefühl, wie er das Kind auf einer Matte neben dem Bett fütterte und wickelte. Giselle bat ihren thailändischen Geschäftsführer, in der Klinik anzurufen und mit einem Arzt zu sprechen. So erfuhr Bill, dass Lidia nach der Geburt eine schwere Blutung erlitten hatte. Der Arzt sagte, die Aussichten seien nicht allzu gut, weil die Blutung noch nicht gestoppt sei und Lidia sich eine Sepsis zugezogen habe. Dagegen erhalte sie starke Medikamente, die bisher jedoch nicht wirkten.

Bill, der bei ihr saß und ihre glühende Stirn mit einem feuchten Tuch kühlte, hatte das Gefühl, dass es sich um eine nutzlose Geste handelte. Manchmal regte Lidia sich, schlug kurz die Augen auf und schloss sie wieder. Bill wusste, dass sie seine und die Anwesenheit des Kindes nicht bemerkte.

Allmählich begann Bill zu verzweifeln. Sein Schiff nach England würde in drei Tagen ablegen, und er hatte keine Ahnung, was er machen sollte, wenn Lidia das Bewusstsein vor seiner Abreise nicht wiedererlangte. Klar war nur, dass sie erst einmal viele Wochen lang nicht in der Lage sein würde, sich selbst um das Kind zu kümmern.

Laor hatte ihm gezeigt, wie er die Kleine in der in Thailand üblichen Schlinge tragen und mit ihr die Nachmittage bei Priyathep, dem Blumenmann, verbringen konnte. Gemeinsam besuchten sie den großen Pflanzenmarkt von Bangkok und wählten Orchideen aus, die er mit nach England nehmen wollte.

Während sie durch Bangkoks heiße, von Menschen wimmelnden Straßen trotteten, lernte Bill von seinem neuen Freund alles über Orchideen. Priyatheps Familie züchtete sie seit drei Generationen in Chiang Mai und holte sie aus dem gebirgigen Dschungel rund um ihr Dorf. Priyathep versprach, jede neue Art, die er entdeckte, in Zukunft sofort nach Wharton Park zu schicken.

Während solcher Rundgänge schlief das Kind friedlich an Bills Brust und schrie nur, wenn es Hunger hatte oder die Windel voll war. Anfangs kam Bill sich noch albern vor, doch mit der Zeit stellte er erstaunt fest, wie beruhigend er die Wärme des winzigen Körpers fand.

»Nett Kind«, bemerkte Priyathep eines Tages. »Kein Problem. Sie gut Vater.«

Und Bill errötete vor Stolz.

»Du bist wirklich ein artiges und obendrein hübsches Kind, Süße«, murmelte Bill, als er die Kleine am Abend, inzwischen geübt, wickelte. Er hob sie hoch und küsste sie auf die dunklen, weichen Haare. »Was mache ich bloß mit dir?«, seufzte er, als er sie in ihr Körbchen legte.

Zwei Tage vor seiner Abreise war Lidia noch immer nicht bei Bewusstsein, und Bill wurde klar, dass er Arrangements treffen musste.

»Kennen Sie eine nette Familie in Bangkok, die sie nehmen würde?«, fragte er Priyathep, als sie anfingen, die Orchideen in Kisten zu packen.

»Nein. Menschen hier haben viele Kinder und nicht genug Geld und Essen. Wenn Mummy stirbt, Kind kommt in Waisenheim«, erklärte Priyathep unumwunden.

Bill seufzte. »Wissen Sie eines?«

»Ja, Mister Bill. Ist aber nicht schön. Zu viele Kinder, vier in ein Bett. Stinkt.« Priyathep rümpfte die Nase. »Kind dort krank und stirbt. Nicht gut.« Er musterte die Kleine, die in einer flachen, mit einer Decke ausgelegten Kiste schlief, während Bill arbeitete. »Keine Zukunft für sie hier, wenn Mummy stirbt.«

Nach einer schlaflosen Nacht ging Bill wie üblich ins Krankenhaus, wo eine lächelnde Schwester an Lidias Bett stand. Sie sagte etwas in Thai. Erst jetzt merkte er, dass Lidias Augen offen waren; sie wirkten riesig in ihrem schmalen, grauen Gesicht. Damit hatte er nicht gerechnet. Lidia richtete ängstlich den Blick auf ihn.

»Wer sind Sie?«, fragte sie mit schwacher, heiserer Stimme. »Wo ist Harry? Träume ich, dass er zu mir kommt? Warum haben Sie mein Baby? Geben Sie mir!« Sie streckte die Arme nach der Kleinen aus, die in der Schlinge vor Bills Brust schlief.

Die Krankenschwester tröstete Lidia in Thai und half Bill, das Kind aus der Schlinge zu heben und es in Lidias Armbeuge zu legen.

Lidia bombardierte die Schwester mit Fragen, die diese beantwortete, während Bill stumm dabeistand. Nun war der

Moment der Wahrheit gekommen. Bill hätte liebend gern ein weiteres Jahr in Changi verbracht, wenn er ihm erspart geblieben wäre.

Nachdem die Schwester das Zimmer verlassen hatte, wandte Lidia sich Bill mit vor Zorn funkelnden Augen zu.

»Warum sagen Sie, Sie sind Vater von Kind? Wer sind Sie? Sagen Sie mir!«

»Ich schwöre, dass ich das nicht behauptet habe, Miss Lidia. Ich kann kein Thai. Wahrscheinlich haben sie mich dafür gehalten, weil ich Sie hierhergebracht habe. Ich bin Bill Stafford, ein Freund von Lord Harry. Er hat mich nach Bangkok geschickt, um Sie zu suchen.«

»Harry? Er ist … nicht hier?« Die Wut wich aus Lidias Blick; sie war den Tränen nahe. »Aber ich sehe ihn … Er kommt zu mir … hält mich … Ich …«

»Lidia, ich war bei Ihnen im Zimmer. Harry ist nicht hier, sondern in England. Tut mir leid, daran lässt sich nichts ändern.«

»Nein, nein … Ich sehe ihn … Und kämpfe, will am Leben bleiben für ihn. … Er kommt zu uns zurück«, stöhnte sie und schloss weinend die Augen.

»Lidia … Er liebt Sie, sehr. Sie bedeuten ihm alles.«

»Warum ist er dann nicht da? Er verspricht mir, dass er zurückkommt«, jammerte sie mit leiser Stimme.

»Sein Vater ist gestorben. Er muss den Familienbesitz in England führen. Wenn er könnte, wäre er hier, das versichere ich Ihnen.«

»Er kommt bald?«, flüsterte Lidia.

»Er kann nicht, Miss Lidia. Deshalb hat er mich geschickt.«

»Sie nehmen uns mit nach England …«

Bill sah, dass Lidia kurz davor stand, wieder das Bewusstsein zu verlieren.

»Ruhen Sie sich aus, Miss Lidia«, sagte er und griff nach ihrer Hand. »Ich bleibe bei Ihnen. Wir reden später weiter. Dann erzähle ich Ihnen alles.«

»Er kommt … Er liebt mich … Er liebt mich …«

Noch während sie sprach, schlief Lidia ein.

Die folgenden beiden Stunden saß Bill an Lidias Bett. Als die Kleine aufwachte und vor Hunger zu schreien begann, schlief Lidia weiter. Bill entwand sie Lidias Armen, fütterte und wickelte sie und legte sie vorsichtig zurück.

Erst am Abend regte Lidia sich. Zur selben Zeit betraten Arzt und Schwester das Zimmer und signalisierten Bill, dass er gehen solle.

Draußen besorgte Bill sich ein Bier und eine Schale Nudeln und setzte sich zum Essen auf die Stufen des Krankenhauses.

Trotz seiner Jahre in Changi hatte Bill das Gefühl, noch nie so hilflos und allein gewesen zu sein.

Eine Stunde später durfte Bill zurück in die Station. Nun saß Lidia, mehrere Kissen im Rücken, aufrecht da. Sie wirkte immer noch sehr zerbrechlich, aber wacher und ruhiger.

»Bitte, Mister Bill, setzen Sie sich«, forderte sie ihn auf und deutete auf einen Stuhl. »Der Arzt sagt mir, Sie sind sehr freundlich. Sie bringen mich hierher, kümmern sich um mein Kind und besuchen mich jeden Tag. Er sagt, Sie sind guter Mensch.«

»Ich habe alles in meiner Macht Stehende getan, Miss Lidia. Sie«, Bill deutete auf die Kleine, die in den Armen ihrer Mutter lag, »ist einfach süß.«

Lidia lächelte das Kind an. »Sieht sie aus wie ihr Daddy?«

Obwohl Bill fand, dass sie eher ihrer Mutter wie aus dem Gesicht geschnitten war, nickte er. »Ja. Was mich schon lange interessiert: Wie heißt sie eigentlich?«

»Jasmine. Harry sagt, seine Mutter pflanzt diese Blume in Garten in England. Hier wächst sie auch. Schöne Pflanze und angenehmer Duft.«

»Ja, ich mag Jasmin, Miss Lidia«, pflichtete Bill ihr bei. »Ein schöner Name.«

»Ich hoffe, Harry gefällt er. Und Sie sind Bill …?«

»Stafford, Miss Lidia. Ich war mit Lord Harry in Changi; wir haben uns gegenseitig beigestanden zu überleben …« Bill verzog das Gesicht bei der Erinnerung an diese Zeit. »Zu Hause in England bin ich sein Gärtner.«

»Gärtner?« Lidia hob eine Augenbraue. »Er hat Gärtner geschickt, mich suchen?«

»Er weiß, dass er mir vertrauen kann, Miss Lidia. Ich würde alles für ihn tun.«

»Ja, er ist ganz besonderer Mann. Ich will ihn bald sehen und ihm unser Baby zeigen. Jetzt verstehe ich seine Briefe, warum er nicht hier ist. Sein Vater stirbt. Sie kommen, bringen mich zu Harry nach England, ja?«

»Lidia, ich …«

»Ich kann jetzt nicht nach England gehen, Mister Bill.« Lidia schüttelte den Kopf. »Arzt sagt, ist viel kaputt in mir von Baby. Ich muss schnell operiert werden. Es dauert wahrscheinlich viele Wochen, bis ich wieder in Ordnung bin. Also müssen wir warten, bevor ich auf lange Reise gehe.«

Bill schluckte. »Miss … Ich meine, Lidia … Ich …«

Sie sah den Kummer in seinem Blick.

»Was?«

»Ach, Miss, ich weiß nicht, wie ich es Ihnen sagen soll … Ich …«

»Er will mich nicht?«, fragte sie.

»Doch, er liebt Sie, Miss, mehr als alles andere … Das ist es nicht … Ich …«

»Wenn er mich liebt, ist alles okay. Aber, Mister Bill, was ist mit Harry passiert?«

»Ich glaube, ich sollte nach der Operation wiederkommen, wenn es Ihnen besser geht. Es wäre nicht richtig, Sie im Moment damit zu belasten.«

»Mister Bill, ich sterbe fast. Vielleicht sterbe ich jetzt bei Operation. Das sagt Arzt. Sie ist morgen«, fügte sie hinzu. »Es bleibt keine Zeit. Also sagen Sie mir alles. Bitte, Mister Bill. Ich muss es wissen.«

»Miss …«

Lidia streckte ihm zitternd die Hand entgegen. »Ich bin bereit. Keine Sorge. Ich weiß, dass er mich liebt. Nur das ist wichtig. Bitte sagen Sie es mir.«

Also klärte Bill sie auf. Lidias Gesicht verriet keinerlei Emotion, doch ihre Hände ballten sich zu Fäusten.

Als Bills Blick auf die kleine Jasmine fiel, die schlafend im Arm ihrer Mutter lag, wusste er, dass er Lidia nicht die ganze Geschichte erzählen konnte, dass er ihr Olivias Schwangerschaft verschweigen musste.

»Tja. Harry ist verheiratet, und jetzt, da sein Vater nicht mehr lebt, ruht die Last der Verantwortung auf ihm. Er wollte wirklich seiner Frau alles beichten, sie um die Scheidung bitten und zu Ihnen zurückkommen. Aber das geht nicht. Er hat mir aufgetragen, Ihnen zu sagen, dass er Sie immer lieben wird«, schloss Bill. »Glauben Sie mir, Miss Lidia, ihm ist dabei genauso elend wie Ihnen. Es tut mir so leid für Sie beide.«

Lidia starrte ausdruckslos vor sich hin.

»Weiß er von Baby?«, fragte sie schließlich mit leiser Stimme.

»Nein.«

Lidia nickte. Bill sah, wie sie überlegte.

»Er kann mich nicht haben, auch nicht, wenn ich überlebe.«

»Nein, Miss Lidia. Trotz seiner besten Absichten.«

»Würde er sein Kind wollen, wenn er wüsste?«

Lidias Gesicht wurde von Sekunde zu Sekunde fahler. »Miss, ich bezweifle es«, antwortete er mit matter Stimme.

»Ich möchte, dass Sie ihn fragen, ob er unser Kind nimmt.« Sie packte ihn am Ärmel. »Schicken Sie heute Abend Telegramm. Fragen Sie ihn. Bitte, Mister Bill. Ich habe keine Zeit. Ich muss entscheiden, was das Beste ist für Jasmine, solange ich kann.« Erschöpft ließ sie Bills Ärmel los. »Ich bin nicht wichtig. Ich blicke Tod in Auge, und vielleicht ist mein Schicksal, dass ich Erde bald verlasse. Aber unser Kind soll nicht leiden. Harry will das auch nicht, das weiß ich. Sie müssen sie zu ihm bringen … zu ihrem Vater …«

Bill schluckte. Er besaß nicht den Mut, ihr zu sagen, dass die Verwirklichung ihres Vorschlags unmöglich war.

Lidia sah ihre Tochter an.

»Sie verdient Zukunft, Mister Bill. Auch wenn ich überlebe, kann ich mich nicht gut um sie kümmern. Ich habe jetzt kein Zuhause, keine Arbeit und kein Geld. Sie muss mit nach England gehen. Dort hat sie eine Chance.«

»Miss Lidia …«, krächzte Bill. »Die Kleine braucht ihre Mutter. Ich denke …«

»Möglich, dass ich sterbe, und dann hat Kind niemand, der sich kümmert.« Sie küsste Jasmine auf den Kopf und wölbte die Hände darum. »Bitte nehmen Sie sie. Ist das Beste. Wenn ich sie länger behalte, kann ich sie vielleicht nicht … weggeben.« Lidia brach die Stimme.

Sie beugte sich vor, um Jasmine Abschiedsworte zuzuflüstern, dann versuchte sie, mit vor Anstrengung zitterndem Körper, das Kind hochzuheben. Bill nahm ihr Jasmine ab, und Lidia begann, stumm zu weinen.

»Passen Sie auf sie auf, bitte, Mister Bill. Ich glaube, Sie sind guter Mensch. Ich muss Ihnen und Harry vertrauen, weil ich nicht weiß, ob meine Zukunft auf Erde ist oder in Himmel. Aber egal. Jasmine ist Zukunft, nicht ich. Bitte, Mister Bill«, flehte sie. »Finden Sie Weg, mir zu sagen, dass es meiner Tochter gut geht. Wenn ich lebe, muss ich das wissen.«

»Ja. Ich schreibe Priyathep, dem Blumenmann«, versprach Bill. »Und ich kümmere mich um Jasmine, Miss Lidia, keine Sorge.«

»*Kop khun ka.* Sagen Sie ihnen beiden, dass ich sie liebe, mehr als Sterne am Himmel. Sie sind Segen in meinem Leben, von Gott.«

Lidia streckte ein letztes Mal die Hand nach ihrem Kind aus und sank erschöpft in die Kissen zurück. »Sagen Sie ihnen, ich sehe sie beide wieder. Denn« – ein Strahlen ging über ihr Gesicht – »Liebe stirbt nie, Mister Bill.«

48

Anfang Juli stand Bill vor Elsies Tür.

»Bill! Warum hast du mir nicht gesagt, dass du heute kommst? Dann hätte ich dich in Felixstowe abgeholt!« Als Elsie ihn umarmen wollte, sah sie, dass er ein sorgfältig in eine Decke gehülltes Bündel im Arm hielt. Sie beäugte es argwöhnisch. »Was hast du denn da?«

»Lass uns reingehen, ja? Dann kann ich sie ablegen.«

Elsie schloss die Tür hinter ihm. Als er das Bündel ablegte, begann es sich zu bewegen.

»Schatz, du hast mir gefehlt. Ich dir auch?«

Elsies Blick blieb auf das Bündel gerichtet.

»Sicher. Aber was ist das da?«

Bill sah sie unsicher an. »Ich habe dir ein Geschenk mitgebracht. Es war ein Risiko, das gebe ich zu. Aber letztlich hatte ich keine andere Wahl. Schau sie dir an. Sie ist ein kleiner Engel.«

Elsie schlug die Decke zurück und blickte in ein Paar großer bernsteinfarbener Augen.

»Bill!«, rief Elsie aus und hob die Hände an ihre geröteten Wangen. »Sie ist wunderschön! Wem gehört sie?«

»Uns. Ich habe dir ein kleines Mädchen mitgebracht.«

»Aber…« Elsie fehlten die Worte. »Sie muss doch jemandem gehören. Bill Stafford! Raus mit der Sprache.«

Jasmine fing zu weinen an. »Armes Ding! Komm her.« Elsie nahm sie auf den Arm und betrachtete ihre honigfarbene Haut, die winzige Nase und die dichten dunklen Haare. »Psch, psch, meine Kleine«, sagte sie und gab ihr den Finger zum Nuckeln, um sie zu beruhigen. »Wie alt ist sie?«

»Ein bisschen älter als zwei Wochen bei meiner Abreise, also inzwischen fast acht Wochen«, antwortete Bill.

»Wie hat sich dieser große, ungeschickte Kerl denn auf dem Schiff um dich gekümmert? Der weiß doch überhaupt nichts über Kleinkinder, oder?«, fragte sie Jasmine, in die sie sich bereits zu verlieben begann.

»Wir zwei sind gut miteinander zurechtgekommen. Sie ist wirklich brav, macht kaum einen Mucks«, erklärte Bill stolz.

»Bill, sag mir sofort, was los ist.«

Er stellte sich hinter Elsie und legte die Arme um ihre Schultern. »Ich habe das Richtige getan, oder, Liebes? Schau sie dir an. Ein echter Wonneproppen.«

»Ich… Bill! Mir fehlen die Worte. Wirklich!« Elsie schüttelte den Kopf. »Da tauchst du einfach mit einem kleinen Kind hier auf!« Plötzlich verdüsterte sich ihre Miene. »Verschweigst du mir etwas, Bill? Was hast du angestellt, nachdem du aus Changi raus warst?«

»Ach, Elsie!« Bill küsste sie. »Nun sei nicht albern! Ich war längst wieder bei dir, als die Kleine gezeugt wurde.«

Elsie zählte die Monate an den Fingern ab, und ein erleichtertes Lächeln breitete sich auf ihrem Gesicht aus.

»Du hast recht, Bill. Du kannst nicht der Vater sein. Aber bist du sicher, dass alles seine Richtigkeit hat? Dass du nicht ins Gefängnis musst, weil du ein Kind gestohlen hast? Und dass keiner uns die Kleine wegnimmt?«

»Das schwöre ich. Sie gehört uns, Elsie, ist unser Kind. Keiner wird sie uns je wegnehmen, das verspreche ich dir.«

»Wie heißt du denn?«, gurrte Elsie der Kleinen zu.

»Ihre Mutter hat sie ›Jasmine‹ genannt. Aber das können wir ändern, wenn es dir nicht gefällt.«

»Jasmine … hm, ich denke, der Name passt, wenn man bedenkt, dass ihr … Papa«, Elsie ließ sich das Wort auf der Zunge zergehen, »… schöne Blumen züchtet.«

»Von denen habe ich auch mehrere Kisten mitgebracht, Schatz.«

Elsie sah Bill an. »Sie ist ein thailändisches Kind, stimmt's? Aber sie hat nicht ganz diese seltsame Farbe.« Elsie ließ die Finger über die weiche Haut von Jasmines Unterarm gleiten.

»Das ist eine lange Geschichte. Wenn du ein paar Minuten aufhören könntest, dich mit der Kleinen zu beschäftigen, und deinem Mann einen schönen starken Tee kochst, erzähle ich sie dir.«

Gestärkt durch den Tee, schilderte Bill ihr die Ereignisse.

»Du verstehst bestimmt, dass ich keine andere Wahl hatte. Du hättest das Gleiche getan, oder?«

»Ja, Bill.«

»Gott sei Dank«, sagte er erleichtert. »Aber du weißt auch, dass die Lady auf keinen Fall davon erfahren darf.«

»Natürlich, Dummkopf«, murmelte Elsie und begann, die kleine Jasmine im Arm zu wiegen. »Ich schweige wie ein Grab, wenn das bedeutet, dass wir diesen kleinen Schatz behalten dürfen.« Sie sah Bill an. »Aber wirst du dein Versprechen dieser Lidia gegenüber halten und Seiner Lordschaft die Wahrheit sagen?«

»Lidia hat ihm einen Brief geschrieben und im Krankenhaus für mich hinterlegt, weil sie gerade operiert wurde, als ich kam. Sie hat mir außerdem eine Orchidee dagelassen. Auf einem Zettel stand, sie ist etwas Besonderes und für die Kleine, damit sie sich später an sie erinnert. Noch sind keine Blüten dran, aber …«

»Bill, nun hör auf mit den Blumen und verrate mir lieber, was du mit dem Brief an Seine Lordschaft machen willst!«, fiel Elsie ihm ins Wort.

»Ich weiß es nicht, Elsie.«

»So viel steht fest: Wenn du ihm den Brief gibst, weckst du schlafende Hunde. Was, wenn er unsere Kleine plötzlich selber möchte? Ich würde an deiner Stelle keinen Staub aufwirbeln.«

Bill küsste die frisch gebackene Mutter und das Kind. »Ich geh mal rüber ins Gewächshaus, zum Nachdenken.«

Bill setzte sich auf eine Kiste mit Orchideen und zog Lidias Brief aus der Tasche. Er hatte keine Ahnung, was darin stand. Das ging ihn auch nichts an. Er bekam immer noch feuchte Augen, wenn er sich erinnerte, wie Lidia ihm Jasmine ohne ein Wort des Selbstmitleids gegeben hatte, obwohl ihr der Schmerz deutlich anzumerken gewesen war.

Bill dachte über die Leidenschaft der beiden Liebenden

und ihre Tragödie nach. Seiner Einschätzung nach war Lidia inzwischen tot. Es bestand also mit ziemlicher Sicherheit kein Risiko, wenn er den Brief weitergab. An der Situation ließ sich ohnehin nichts ändern, denn Seine Lordschaft war sich seiner Pflichten bewusst. Ihn würde interessieren, was mit Lidia geschehen war, und die Antworten auf seine Fragen kamen wohl am besten von Lidia selbst, der Frau, die Harry liebte. Vielleicht spendete ihm dieser Beweis ihrer Liebe Trost. Und was schadete es schon, wenn er gelegentlich im Cottage vorbeischaute, um zu sehen, wie seine kleine Tochter sich entwickelte?

Solange die Lady nichts davon erfuhr …

Harry würde es ihr nie erzählen, so viel stand fest.

Bill ignorierte den Rat seiner Frau, rief sich ins Gedächtnis, dass er lediglich der Bote war, und versteckte den Brief an der üblichen Stelle unter den Orchideen.

Dann wandte er sich den Kisten zu und begann, die wertvollen Pflanzen auszupacken und zu sortieren.

Olivia, die nur noch acht Wochen bis zur Geburt hatte, hörte noch am selben Nachmittag von Elsie von dem Neuankömmling und wurde ins Cottage eingeladen, um sich das Kind anzusehen.

»Sie ist wunderschön«, sagte Olivia mit leiser Stimme, als die Kleine ihren Finger packte und zu brabbeln anfing. »Wie heißt sie denn?«

»Jasmine, Miss.«

»Genau richtig«, rief Olivia aus. »Hab ich dir nicht gesagt, dass sich im Leben manches auf seltsame Weise von selbst regelt?«

»Ja, Miss. Und es ist tatsächlich so gekommen. Für uns alle.«

Auf dem Weg zum Haus blieb Olivia vor dem Gewächshaus stehen. Sie hatte Bill seit seiner Ankunft nicht gesehen und wollte ihm zu der kleinen Jasmine gratulieren und ihm ihre Bewunderung für seinen Akt der Menschlichkeit aussprechen. Von Elsie wusste sie, dass es in Thailand viele alleinstehende Mütter gab, die zu krank oder arm waren, um sich um ihre Kinder zu kümmern, und dass Bill eine solche unglückliche Frau kennengelernt hatte, die bei der Geburt gestorben war. Da dem Kind somit das Waisenhaus drohte, hatte Bill die Kleine Elsie mitgebracht, deren Liebe ihr gewiss war.

Olivia, die gerade das Kind in ihrem Bauch strampeln spürte, war froh, dass es nicht mit den Problemen des armen kleinen Dings konfrontiert werden würde, das Bill gerettet hatte.

Sie öffnete die Tür zum Treibhaus, in dem überall Kisten herumstanden. Bill konnte sie nirgends entdecken. Sie beschloss, einige Minuten zu warten, ging die Reihen der Blumen entlang, erfreute sich an ihrem Duft, blieb vor den Töpfen mit den Orchideen stehen und hob einen hoch, um die Pflanze genauer zu betrachten.

Da fiel ihr Blick auf einen Umschlag unter dem Topf. Sie zog ihn heraus. Er war an Harry gerichtet, ohne Absender und Poststempel. Die Schrift kannte sie nicht, und in einer Ecke des Kuverts befand sich eine kleine Ausbuchtung. Olivia gab ihrer Neugierde nach und öffnete es.

Olivia las den kurzen Text dreimal und sank auf den Boden. Um Luft ringend, wickelte sie den kleinen Wattebausch aus, der die Ausbuchtung verursacht hatte, und starrte den winzigen Ring mit dem Bernstein an, der ihr für einen Kinderfinger gemacht zu sein schien.

Es schnürte ihr die Kehle zu. Nein, sie würde nicht weinen, denn Tränen nützten in so einem Fall nichts.

Olivia bemühte sich zu verstehen, was sie soeben gelesen

hatte: Diese Frau liebte ihren Mann. Da Harry ihr offenbar einen Heiratsantrag gemacht hatte, liebte er sie ebenfalls. Er hatte ihr außerdem versprochen, so bald wie möglich nach Bangkok zurückzukehren. Als das nicht gegangen war, hatte er Bill unter Vorspiegelung falscher Tatsachen geschickt, um sie aufzuspüren. Und Bill war mit dem, wie die Frau behauptete, Kind ihres Mannes nach Hause gekommen.

Da betrat Bill das Gewächshaus.

Olivia versuchte, sich aufzurichten, schaffte es aber nicht.

»Miss Olivia, was machen Sie denn auf dem Boden? Kommen Sie, ich helfe Ihnen.«

»Nein!« Sie stand auf und marschierte, wild mit dem Brief herumfuchtelnd, auf ihn zu. »Würdest du mir freundlicherweise erklären, was das ist?«

Als Bill klar wurde, was sie in der Hand hielt, verzerrte sich sein Gesicht vor Entsetzen.

»Miss Olivia, der war nicht für Sie. Bitte …«

»Ich habe ihn aber gefunden, und wenn du mir nicht sofort sagst, was du dir da mit meinem Mann ausgedacht hast, sorge ich dafür, dass du mit deiner Frau und diesem … *Bastard* auf der Stelle von meinem Land verschwindest! Raus mit der Sprache!«

»Bitte, denken Sie an Ihren Zustand, Miss Olivia. Sie dürfen sich nicht aufregen …« Bill überlegte. Er wusste, dass viel auf dem Spiel stand. »Es bedeutet nichts, wirklich. Ein einsamer Soldat, der auf Abwege geraten ist.«

»Was?! So sehr auf Abwege, dass er einer Frau einen Heiratsantrag gemacht hat?« Olivia hielt ihm den Ring unter die Nase. »Obwohl seine Ehefrau zu Hause geduldig vier lange Jahre auf ihn gewartet hat?«

»Beruhigen Sie sich, Miss Olivia, bitte«, flehte Bill sie an.

»Ich beruhige mich erst, wenn ich die Wahrheit kenne.«

Olivia begann vor Wut zu beben. »Entweder du sagst es mir, oder du verschwindest hier!«

»Ich weiß nicht, was sie in dem Brief schreibt; ich habe ihn nicht gelesen.… Ich …«

»Sie schreibt, dass sie ihn liebt und ihre gemeinsame Zeit in Bangkok nie vergessen wird. Angeblich versteht sie, dass er ihr Versprechen ihr gegenüber nicht einlösen kann. Und er soll sich um ihr ›Geschenk‹ an ihn kümmern, weil sie selbst krank und nicht dazu in der Lage ist. Mein Gott!« Olivia schüttelte den Kopf. »Und ich dachte, er wäre so distanziert, weil er seine Erfahrungen in Changi verarbeiten muss. Dabei sehnt er sich nach einer *Nutte* in Bangkok!« Sie sah Bill an. »Lebt dieses Mädchen noch? Elsie hat gesagt, sie wäre bei der Geburt des Kindes von … meinem Mann … gestorben.«

»Ich weiß es nicht. Möglicherweise, Miss Olivia, aber sie war sehr krank, als ich abgereist bin.«

Olivia zerriss den Brief und schleuderte die Fetzen in die Luft. »Egal. Wenn du meinen Mann siehst, sagst du ihm, dass sie tot ist. Wenn nicht, sitzt du mit deiner Frau und dem Balg auf der Straße!«

»Wie Sie meinen, Miss Olivia.«

Olivia begann, heftig atmend auf und ab zu marschieren; Schweiß trat ihr auf die Stirn. »Das Kind muss sofort vom Anwesen verschwinden! Sofort, verstehst du? Ich kann nicht dulden, dass der *Bastard* meines Mannes hier in Wharton Park aufwächst! Ich hole das Kind morgen früh ab und bringe es nach …«

»NEIN!« Bill war selbst über seine Vehemenz überrascht. »Tut mir leid, Miss Olivia, das Kind bleibt, wo es ist, bei Elsie und mir.« Bill begann ebenfalls zu zittern. »Werfen Sie uns raus, wenn Sie wollen, aber ich habe dem armen Mädchen versprochen, mich um die Kleine zu kümmern, und das tue ich auch.«

»Dann müsst ihr morgen früh alle drei verschwunden sein. Es geht nicht an, dass mein Mann sich hinter meinem Rücken mit meinen Bediensteten gegen mich verschwört.«

»Wie Sie meinen, Miss Olivia. Aber mit Verlaub: Ich habe nur die Anweisungen Seiner Lordschaft ausgeführt. Er wird wissen wollen, ob die Reise ... erfolgreich war. Wenn Sie das wünschen, muss ich ihm nicht verraten, von wem das Kind ist. Doch wenn Sie uns hinauswerfen, wird Seine Lordschaft bestimmt nicht lange brauchen, um zwei und zwei zusammenzuzählen.«

Olivia blieb stehen. »Versuchst du, mich zu erpressen, Bill?«

»Nein, Miss Olivia.« Bill suchte nach den richtigen Worten. »Ich schildere nur die Tatsachen. Vielleicht ist es das Beste, wenn Seine Lordschaft die Wahrheit erfährt. Damit er Ihnen, Miss Olivia, seine Entscheidungen erklären kann?«

Olivia sank auf eine Kiste und stützte den Kopf in die Hände. »Mein Gott, was für ein Desaster.«

»Bitte. Sie dürfen nicht vergessen, aus welchem Grund Seine Lordschaft mich nach Bangkok geschickt hat. Bei seiner Heimkehr ist ihm klar geworden, wie sehr er Sie liebt und dass er bleiben muss.«

Olivia hob verzweifelt den Blick. »Harry hat mich *nie* geliebt! Und er wird es auch nie tun. Er ist jämmerlich, unfähig und schwach. Ich verachte ihn aus tiefstem Herzen.« Sie holte ein paarmal Luft, um sich zu beruhigen. »Er hält sich heute wegen Bankangelegenheiten in London auf. Ich nehme an, du hast noch nicht mit ihm gesprochen?«

»Nein, Miss Olivia.«

»Na, das ist ja schon was. Und er weiß nichts von dem Kind?«

»Nein. Wir hatten während meiner Abwesenheit keinen Kontakt.«

»Du schwörst, dass du die Wahrheit sagst, Bill?«

»Ja, Miss Olivia. Er hätte alles aus dem Brief erfahren, aber das wird nun ja wohl nicht geschehen, oder?« Bill senkte den Kopf. »Es ist meine Schuld. Elsie hat gesagt, ich soll ihm den Brief nicht geben. Sie hat immer recht«, fügte er leise hinzu.

»Sie ist ein sehr kluges Mädchen, und du kannst dich glücklich schätzen, sie zu haben«, pflichtete Olivia ihm bei. »Sie wird kein Wort über die Angelegenheit verlieren?«

»Nein«, versprach Bill mit fester Stimme. »Sie wissen doch, wie sehr sie sich immer ein eigenes Kind gewünscht hat.«

»Ja.« Olivias Blick wurde ein wenig sanfter. »Die Kleine kann nichts dafür. Na schön, dann soll es eben so sein. Aber Seine Lordschaft darf nie etwas davon erfahren. Ich könnte es nicht ertragen, wenn er sein Herz an einen Mischling hängt, wo er doch bald sein eigenes Kind haben wird, das er lieben kann, auch wenn er nichts für seine Frau empfindet. Du musst mir versprechen, dass du, wenn du mit Seiner Lordschaft redest, nichts von dem Kind erwähnst und nur sagst, die Mutter sei tot. Mehr nicht. Die Zukunft von Wharton Park und allen, die hier leben, steht auf dem Spiel. Hast du verstanden, Bill?«

»Ja, Miss Olivia.«

»Ich sage Elsie, dass ich Bescheid weiß«, erklärte Olivia. »Weil ich mich nicht von meiner Bediensteten zum Narren machen lassen möchte. Wir drei werden dieses Geheimnis bewahren bis zum Tag unseres Todes.«

»Ja, Miss Olivia.«

»Dann wäre das also geregelt.« Olivia ging an Bill vorbei zur Tür, wo sie sich noch einmal zu ihm umdrehte. »Du sollst wissen, dass ich dir nicht böse bin, Bill. Du hast nur Anweisungen befolgt. Mein Mann, der arme Narr, hat keine Vorstellung davon, was für ein treuer Diener du ihm bist.«

Sie bedachte ihn mit einem kurzen Lächeln, bevor sie das Gewächshaus verließ.

Als Harry am folgenden Tag aus London zurückkehrte und hörte, dass Bill zu Hause war, verzichtete er auf das Mittagessen, vorgeblich, weil er die Pflanzen, die Bill mitgebracht hatte, sehen wollte. Olivia, die seine wahren Beweggründe kannte, nahm seine Ausrede hin.

Bill tat, was sie ihm aufgetragen hatte: Er log für Wharton Park und alle, die davon abhingen. Bill teilte Harry mit, dass Lidia einige Wochen vor seiner Ankunft in Bangkok gestorben sei, dass er ihr Grab besucht und Orchideen darauf abgelegt habe. Dann hielt er Harry im Arm, der um seine Liebe weinte.

Als Harry ein wenig ruhiger war, erwähnte Bill das kleine Mädchen, das er vor dem Waisenhaus bewahrt hatte, und lud ihn ein, es sich im Cottage anzusehen, wenn er sich wieder besser fühle.

»Natürlich, Bill, bald«, versprach Harry halbherzig und stolperte, vor Trauer fast blind, aus dem Gewächshaus.

Olivia erwartete nicht, dass ihr Mann sich in jener Nacht zu ihr gesellen würde, und er tat es auch nicht. Beim Frühstück am nächsten Morgen hatte sie sich wieder unter Kontrolle und dachte an ihr Kind und Wharton Park. Fortan blieb ihr Herz für Harry verschlossen. Sie beobachtete ihn, wie er mit kummervollem Gesicht am anderen Ende des Tischs saß, und wusste, dass Bill sein Versprechen gehalten hatte.

Als Olivia die Trauer in der Miene ihres Mannes las, empfand sie … nichts.

Sie würde sich nicht mehr durch seine Distanziertheit verletzen lassen, sondern freute sich insgeheim über seinen Schmerz.

Zwei Tage später kam sie nieder.

Man holte den Arzt, der sich redlich bemühte, Olivias Wehen zu stoppen, doch schon wenige Stunden nach ihrem Einsetzen erblickte ein kleiner Junge lange vor der Zeit das Licht der Welt.

Christopher Harry James Crawford, Erbe von Wharton Park, starb drei Tage später nach tapferem Kampf gegen den Tod.

Und obwohl Harry, sobald seine Frau sich von der Geburt erholt hatte, versuchte, wieder zu ihr ins Bett zu kommen, ließ Olivia bis zum Tag ihres Todes keinen körperlichen Kontakt mit ihrem Ehemann mehr zu.

49

Wharton Park

Ich sitze in der Bibliothek und versuche, in der Geschichte, die ich gerade gehört habe, einen Sinn zu erkennen. Eine tragische Geschichte von Liebe, Verrat und Schmerz … eine Geschichte, aus der ich hervorgegangen zu sein scheine.

Harry Crawford ist mein Großvater … Crawford-Blut fließt in meinen Adern … Meine Mutter war halb Thai und stammte von der anderen Seite der Welt … Elsie und Bill sind nicht blutsverwandt mit mir … Irgendwie bin ich dafür mit Kit verwandt …

Trotz dieser Enthüllungen bleibe ich gelassen. Wharton Park ist immer Teil von mir gewesen. Ich hatte seit jeher das Gefühl gehabt hierherzugehören. Jetzt weiß ich, dass meine Vorfahren dreihundert

Jahre lang in diesen Mauern gelebt haben. Ihr Wesen scheint in diesem Gebäude zu stecken.

Wharton Park und die Crawford-Familie – meine Familie – sind unauflöslich miteinander verbunden. Das Haus greift nach uns, zieht uns zu sich, verlangt, dass wir zu ihm zurückkehren. Es ist, als würden wir ihm gehören und als gäbe es keinen Weg daran vorbei. Wharton Park forderte sogar ein Kind ein, das viele tausend Kilometer entfernt geboren wurde, ein Kind, das eigentlich überhaupt nicht hätte zur Welt kommen sollen, und holte es zu sich.

Meine Mutter Jasmine, die einzige Vertreterin ihrer Generation, außerehelich geboren in den chaotischen Nachwehen des Krieges, die sich ihres Erbes und ihres juristischen Anspruchs auf das Anwesen niemals bewusst war, wuchs unerkannt auf seinem Grund und Boden heran. Und hinterließ weitere Crawfords, von denen das Schicksal eine nach Wharton Park zurückgeführt hat.

Plötzlich wird mir die Wahrheit bewusst. Tröstet oder erschreckt sie mich?

Wharton Park gehört nicht den Crawfords.

Wir gehören Wharton Park.

Julia spürte die Anspannung in ihrem Körper und merkte, dass sie Kits Hand umklammert hielt. Sie sah in das graue, müde Gesicht von Elsie.

Schließlich brach Kit das Schweigen. »Wenn ich das richtig verstehe, sind Julia und ich also Cousins dritten Grades?«

Elsie nickte. »Ja, Kit.«

»Hat Harry je erfahren, dass das kleine Mädchen, das nur wenige hundert Meter von ihm entfernt aufwuchs, Lidias Tochter war?«

»Nein. Bill und ich haben Miss Olivia gegenüber unser Versprechen gehalten und es keinem verraten. Harry hat nie wieder einen Fuß in den Küchengarten oder die Gewächshäuser gesetzt. Bill fand es sehr schade, dass ihre enge Verbindung zerbrach. Obwohl er verstehen konnte, dass Seine Lordschaft nicht mehr an Lidia erinnert werden wollte. Seine Lordschaft hat seine Tochter über zwanzig Jahre lang nicht gesehen. Bis er eines Tages kurz vor seinem Tod vor unserer Tür stand.« Elsie wandte sich Julia zu. »Deine Mutter hat ihm aufgemacht. Da muss ihm ein Licht aufgegangen sein, denn Bill hatte immer gesagt, Jasmine sei ihrer Mutter wie aus dem Gesicht geschnitten. Jedenfalls war Seine Lordschaft kreidebleich, als er eintrat.«

»Muss ein ganz schöner Schock für ihn gewesen sein«, meinte Kit.

»Ja«, pflichtete Elsie ihm bei. »Der arme Mann war ganz zittrig. Ich habe ihn an den Tisch gebeten und ihm eine Tasse Tee mit viel Zucker eingeschenkt. Obwohl er gekommen war, um Bill sein Changi-Tagebuch zu geben, hat er die ganze Zeit nur Jasmine angeschaut. Sie war gerade aus den Gewächshäusern zurück, wo sie Orchideen gemalt hatte. Seine Lordschaft hat ihr Fragen darüber gestellt.«

Elsie traten Tränen in die Augen. Kit ließ Julias Hand los, stand auf und legte der alten Dame einen Arm um die Schultern. »Elsie, wenn dir das alles zu viel ist …«

»Nein. Jetzt, wo ich es angefangen habe, möchte ich es auch zu Ende bringen. Jedenfalls hat Seine Lordschaft Jasmine gefragt, ob sie ihm ihre Bilder überlassen würde, weil sie ihm so gut gefielen. Sie hat ja gesagt, und er hat ihr einen Kuss gegeben und sich verabschiedet. Das war das letzte Mal, dass ich Seine Lordschaft lebend gesehen habe.«

»Wahrscheinlich war es das Beste, dass er es erst am Ende erfahren hat. Auch für Jasmine«, sagte Kit.

»Seinen Blick beim Abschied werde ich nie vergessen. Er war Ende vierzig, sah aber Jahre älter aus. Seine Lordschaft hatte nicht viel vom Leben. Seine und Miss Olivias Ehe stand nur auf dem Papier. Der Schock über die Sache mit Jasmine und dann noch der Verlust ihres eigenen Babys hat Olivia verändert. Das Schicksal hat aus einem freundlichen Mädchen eine verbitterte alte Frau gemacht. Harry war sie jedenfalls kein Trost, so viel steht fest. Meiner Ansicht nach ist er an gebrochenem Herzen gestorben.«

»So also sind die vier Bilder in dem Verkauf gelandet, der vor ein paar Monaten hier stattfand«, sagte Kit zu Julia.

Julia war so in Gedanken versunken, dass sie ihm keine Antwort gab.

»Jasmine hat nie erfahren, wer ihre richtigen Eltern waren?«, fragte Kit.

Elsie schüttelte den Kopf. »Nein. Was für einen Sinn hätte das gehabt?« Sie musste gähnen. »Entschuldigt, aber Geschichtenerzählen ist anstrengend.« Sie sah Julia an. »Alles in Ordnung, Liebes? Das musst du jetzt wahrscheinlich erst mal verdauen. Immerhin war deine Mum deine Mum und dein Dad dein Dad, auch wenn ich nicht deine Oma bin. Aber ich habe dich immer geliebt, als wäre ich deine Großmutter, das kannst du mir glauben.«

»Das weiß ich, Oma.«

»Es war schrecklich, dieses Geheimnis all die Jahre zu bewahren, doch es ging nicht anders.«

»Das bedeutet ja«, rief Kit aus, dem plötzlich ein Licht aufging, »dass Julias ältere Schwester Alicia die direktere Erbin von Wharton Park ist als ich. Als Frau könnte sie nicht den Titel tragen, aber einen Anspruch auf das Gut haben.«

»Nein.« Elsie schüttelte müde den Kopf. »Das erzähle ich euch ein andermal. Jetzt muss ich ins Bett.« Kit half ihr beim Aufstehen.

»Danke, Kit. Sie sind ein Gentleman, ein echter Crawford.«

Sie hakte sich lächelnd bei ihm unter und sagte zu Julia, die auf dem Sofa sitzen geblieben war: »Tut mir leid, Liebes. Ich habe mir den Kopf darüber zerbrochen, ob ich es dir erzählen soll oder nicht. Weil das Schicksal dich zurück nach Wharton Park zu Kit geführt hat, wollte ich es dir nicht vorenthalten. Ich hoffe, meine Entscheidung war richtig.«

Julia stand auf und umarmte ihre Großmutter. »Ja. Ich bin dir dankbar, dass du es mir gesagt hast.«

Kit und Julia sahen Elsie nach, wie sie den Raum verließ.

»Meinst du, ich soll mit ihr nach oben gehen?«, fragte Julia.

Kit schüttelte den Kopf. »Ich habe das Gefühl, dass sie allein sein möchte. Lust auf einen Brandy? Nach der Geschichte könnte ich einen vertragen.«

Julia schüttelte den Kopf. »Nein danke.« Sie setzte sich wieder aufs Sofa, während Kit eine Karaffe aus einem Schränkchen unter den Bücherregalen nahm und sich einen Drink einschenkte.

»Mich würde interessieren, ob deine leibliche Großmutter noch am Leben ist. Wenn Lidia siebzehn war, als Harry sie 1946 kennenlernte, wäre sie jetzt … achtzig? Möglich ist es.« Kit setzte sich neben Julia auf die Couch und legte einen Arm um sie. »Lidia muss Harry wirklich viel bedeutet haben, wenn er bereit war, alles für sie aufzugeben. Nun wissen wir auch, von wem du deine Begabung fürs Klavierspielen geerbt hast: von deinem Großvater Harry.«

Julia lehnte den Kopf an Kits Schulter und dankte Gott, dass sie nur Cousins dritten Grades waren. »Ja, vermutlich.«

»Und die Moral von der Geschicht? Dass die Pflicht über die Liebe siegte. Bin ich froh, dass ich nicht in Harrys Haut stecke! Ich verstehe, warum er glaubte, keine andere Wahl zu haben.«

»Mir tut eher Olivia leid. Obwohl sie Bescheid wusste, hat

sie ihre Gefühle dem Wohl von Wharton Park untergeordnet. Kein Wunder, dass sie verbittert war. Sie blieb ihr ganzes Erwachsenenleben lang ungeliebt und wurde betrogen.«

»Ja.« Kit nahm einen Schluck Brandy. »Ich bedaure nur, dass ich ihr, wenn ich in den Ferien hier war, nicht mehr Beachtung geschenkt habe. Für mich war sie immer eine vertrocknete, sauertöpfische Alte.«

»Nach dem Verlust ihres eigenen Kindes muss es für sie sehr schmerzhaft gewesen sein, meine Mutter in dem Wissen auf dem Anwesen heranwachsen zu sehen, dass sie Harrys Tochter war.«

»Das Leben kann schon traurig sein«, stellte Kit fest und zog Julia näher zu sich heran. »Deshalb muss man jeden Tag nutzen. Sollen wir uns nach all diesen Aufregungen zurückziehen?«

Julia nickte. Sie gingen gemeinsam zur Eingangshalle. Julia setzte sich auf die Stufen, während Kit wie jeden Abend die Lichter ausschaltete und die Türen zusperrte. Als er fertig war, nahm er neben ihr Platz. »Alles in Ordnung, Schatz?«, erkundigte er sich und verschränkte seine Finger mit den ihren.

»Ja.«

»Im einen Moment noch Enkelin eines Gärtners, im nächsten schon die von einem Lord!«, neckte Kit sie. »Aber deines ist kein Einzelschicksal. Ich könnte dir ein halbes Dutzend adlige Familien mit Leichen im Keller nennen. Komm, lass uns schlafen gehen. Morgen wird ein harter Tag.«

Im Bett schlang Kit schützend die Arme um Julia.

»Eins verstehe ich allerdings nicht«, sagte Julia in der Dunkelheit. »Warum sollte Alicia nicht dabei sein, als Elsie die Geschichte erzählte? Schließlich ist es ihre genauso sehr wie meine.«

Kit strich ihr über die Haare. »Es sind wohl noch nicht alle Geheimnisse gelüftet. Gute Nacht, Schatz.«

Am folgenden Morgen war Julia früh auf den Beinen, um das sonntägliche Frühstück vorzubereiten. Elsie erschien kurz nach neun in der Küche, schockiert darüber, dass sie so lange geschlafen hatte. »Die vielen Erinnerungen gestern haben mich müde gemacht«, erklärte sie, als sie sich an den Küchentisch setzte. »Normalerweise bin ich um sechs wach.«

Julia reichte Elsie eine Tasse Tee. »Einmal länger schlafen schadet sicher nicht. Außerdem freue ich mich, dass ich mich ausnahmsweise mal um dich kümmern kann.«

»Wie hast du meine Enthüllungen gestern Abend verdaut?«

»Nach dem ersten Schreck fühle ich mich gut«, antwortete Julia. »Schließlich hast du mir ja nicht gesagt, dass meine Eltern gar nicht meine Eltern waren.« Julia legte die Hand auf Elsies Schulter und beugte sich über sie, um ihr einen Kuss zu geben. »Dass wir keine Blutsverwandten sind, ändert nichts an meinen Gefühlen für dich.«

Elsie griff nach Julias Hand. »Danke, Liebes. Nach all deinen schrecklichen Erfahrungen im letzten Jahr hatte ich Sorge, dass das zu viel für dich wäre. Trotzdem musstest du es erfahren. Du und Kit, wenn ihr eines Tages heiraten solltet … Ihr seid verwandt. Es schien mir« – Elsie suchte nach dem richtigen Ausdruck – »unschicklich, es dir nicht zu sagen.«

»Danke. Darüber würde ich mir allerdings nicht den Kopf zerbrechen. Unsere Gene sind im Lauf der Generationen gut vermischt worden. Ich habe Eier und Speck für dich besorgt. Möchtest du die?«

Elsie strahlte. »Du weißt doch, dass ich zu einem richtigen englischen Frühstück nie nein sage, Liebes. Kommt dein Dad heute zum Mittagessen?«

»Ich habe ihm eine Nachricht auf Band gesprochen; bis jetzt hat er sich nicht gemeldet. Wahrscheinlich leidet er unter Jetlag und schläft noch. Er ist erst gestern Abend aus den Staaten zurückgekommen.«

»Julia« – Elsies Miene wurde ernst –, »du musst mir versprechen, dass ihr Alicia nichts von dem verratet, was ihr von mir wisst, bevor ich nicht mit deinem Dad gesprochen habe.«

»Natürlich, wenn du das möchtest. Ahnt Dad etwas davon?«

»Nein. Ich möchte ihm mit meinen eigenen Worten erklären, warum ich es Jasmine nie gesagt habe.«

»Gut. Lass dir davon auf jeden Fall nicht den Tag verderben. Alicia, Max und die Kinder kommen um halb eins. Sie freuen sich schon darauf, dich zu sehen.«

»Die Freude ist ganz meinerseits«, sagte Elsie und nahm einen Schluck Tee. »Wie albern von mir, dass ich solche Angst hatte, nach Wharton Park zu fahren, nicht? Ich dachte, das weckt schlechte Erinnerungen, doch es hat gute zurückgebracht.« Elsie schaute sich in der Küche um. »Nach Harrys Tod war es hier wie in einer Leichenhalle. Mir graute immer vor der Arbeit. Aber jetzt steckt neues Leben in dem alten Gemäuer. Dazu waren zwei junge Liebende nötig.«

Julia wurde rot und wechselte das Thema. »Ich wollte dich fragen, wie lange das Rindfleisch im Ofen schmoren muss«, sagte sie und deutete auf den Braten auf der Arbeitsfläche. »Ich bin keine sehr geübte Köchin.«

»Begeisterung ist das Wichtigste, Liebes.« Elsie stand auf. »Ich zeige dir, wie man das Fleisch zubereitet.«

50

Kurz nach halb eins kamen Max und Alicia mit dem Wagen die Auffahrt herauf. Julia öffnete die schwere Tür und ging hinunter, um sie zu begrüßen.

Die Kinder waren beeindruckt von der Größe des neuen Hauses ihrer Tante. Julia scheuchte alle auf die Terrasse, wo Elsie sie erwartete. Beim Anblick ihrer Urenkel begann sie zu strahlen. Als Kit sich mit einer Flasche Champagner zu ihnen gesellte, wurde er den Kindern vorgestellt, und Julia freute sich, wie ungezwungen er mit ihnen umging.

Wenig später begab Julia sich in die Küche, um nach dem Rinderbraten zu sehen. Alicia folgte ihr.

»Kann ich dir was helfen?«, fragte sie.

»Ja, behalte bitte die Karotten im Auge und sag mir, wann sie durch sind«, antwortete Julia, während sie etwas Öl in eine Pfanne gab. »Gemüse kriege ich nie richtig hin.«

Alicia probierte eine Möhre. »Wunderbar. Ich nehme sie vom Herd. Seltsam, dir beim Kochen zuzuschauen«, bemerkte sie, während sie den Topf auf die Warmhalteplatte schob.

»Früher hatte ich nie Zeit dazu, aber ich lerne gern. Kit bringt es mir bei.«

Alicia verschränkte die Arme. »Ich weiß immer noch nicht, wie ihr zwei zusammengekommen seid. Ich dachte, du bist in Frankreich, und da spazierst du Arm in Arm mit Kit Crawford die High Street von Holt entlang. Du hättest mich ruhig einweihen können.«

»Ja«, pflichtete Julia ihr mit schlechtem Gewissen bei. »Tut mir leid. Ich wusste nicht so recht, was ich sagen sollte. Das alles ist ziemlich schwierig zu erklären. Du hättest es vielleicht für eine übereilte Entscheidung gehalten.«

»Und sie missbilligt?«

»Ja.«

»Wieso sollte ich das, nach der Hölle, durch die du gegangen bist? Wenn Kit dich glücklich macht … Hältst du mich denn für so voreingenommen?«

»Nein, ich …« Julia schüttelte den Kopf. »Wahrscheinlich war ich bloß egoistisch und wollte mein Glück eine Weile für mich behalten.«

»Das Baby und seine … äh, Freundin sind weg?«

»Genau deswegen habe ich nichts gesagt!«, fauchte Julia. »Annie ist nicht seine ›Freundin‹ und das Kind nicht von ihm. Kit hat ihr einfach nur geholfen. Die Leute sollten sich um ihre eigenen Angelegenheiten kümmern.«

»Mein Gott, Julia! Als neuer Eigentümer von Wharton Park, einem der größten Anwesen im County, gehört er sozusagen dem Landadel an, und über den tratscht man eben. Dir wird es übrigens nicht anders ergehen, falls du mit ihm zusammenbleibst, also gewöhn dich dran! Wenn du mir die Wahrheit anvertraut hättest, wäre es mir möglicherweise gelungen, die Gerüchte zu unterbinden. Ich muss mich wirklich manchmal fragen, wofür du mich hältst.« Alicias Wangen waren rot vor Zorn. »Ich hätte mich für dich gefreut, denn ich finde Kit ausgesprochen nett und sehe, dass er in dich vernarrt ist. Nicht viele Männer hätten dich so aufopfernd gepflegt. Ich wusste damals schon, welche Gefühle er für dich hegt.«

»Tatsächlich?«, fragte Julia.

»Ja. Und ich wusste auch, dass du ihn magst. Du warst nur zu verwirrt und unsicher, um dir das einzugestehen, was ich übrigens gut verstehen kann.«

»Ach.« Julia hatte Alicia unterschätzt. »Meinst du, wir könnten uns jetzt, wo alles klar ist, öfter treffen?« Das sollte eine Art Friedensangebot sein.

»Ja, das wär schön. Aber reden wir von was anderem. Kommt Dad auch?«, erkundigte sich Alicia. »Er ist ja wohl erst heute Nacht gelandet.«

»Ja. Ich habe allerdings keine Ahnung, wann. Er hat gesagt, wir sollen nicht mit dem Essen auf ihn warten. Ich glaube, er möchte Elsie sehen.«

»Hast du Dad schon von dir und Kit erzählt?«

»Nein. Du weißt ja, wie er ist, besonders nach einer solchen Forschungsreise. Da hat er nichts anderes als Flora und Fauna im Kopf.«

»Und wie geht's Elsie?«, fragte Alicia, als Julia begann, die Sauce anzurühren. »Hat sie die Geschichte weitererzählt?«

»Nein, nicht wirklich«, flunkerte Julia Elsie zuliebe. »Das wird sie sicher noch, aber gestern Abend war sie ziemlich müde.« Julia holte das Fleisch aus dem Ofen. »Ich glaube, der Braten ist fertig, was meinst du? Könntest du Kit bitten reinzukommen, um das Fleisch zu tranchieren?«

George traf braun gebrannt und vor Gesundheit strotzend ein, als sie gerade beim Hauptgang waren. Julia holte ihm eine Scheibe Braten, und beim Essen unterhielt er den Tisch mit seinen neuen Erkenntnissen über die Galapagosinseln. Hinterher half er Julia, die Teller in die Küche zu tragen.

»Liebes«, sagte er, als er sie neben der Spüle abstellte, »du siehst verändert aus. Oder besser gesagt: eher wie die alte Julia. Hat der attraktive junge Mann diese Veränderung bewirkt?«

»Kit hat mir auf jeden Fall geholfen, auf mancherlei Weise. Mir geht es ... deutlich besser.«

»Ich hatte noch keine Gelegenheit, mich mit ihm zu unterhalten, aber er scheint ein netter Kerl zu sein. Verbirgt sich in dieser Küche irgendwo eine Geschirrspülmaschine?«

»Nein. Viel zu modern für dieses Gemäuer.« Julia schmunzelte. »Ich fürchte, hier heißt es wie früher die Hände ins Spülwasser stecken. Wir leben wie in den Fünfzigern, doch das macht mir nichts aus. Es ist so ein schönes altes Haus.«

»Stimmt. Was für eine merkwürdige Erfahrung, von der eigenen Tochter in Wharton Park empfangen zu werden und meine Familie wieder auf dem Gut zu sehen.« Er steckte den Stöpsel in die Spüle und drehte den Wasserhahn auf.

»Lass mal, Dad. Um das Geschirr kümmere ich mich später. Könntest du die Pavlova und die Himbeeren für mich raustragen?« Sie deutete auf den Küchentisch. »Sind leider bloß aus dem Supermarkt. Nachspeisen kann ich noch nicht.«

George machte sich mit dem Dessert auf den Weg zur Tür, wo er sich zu ihr umwandte. »Du wohnst jetzt mit Kit hier in Wharton Park; gehe ich recht in der Annahme, dass es sich um eine ernstere Sache handelt?«

»Wer weiß? Ich folge deinem Motto, Dad, und nehme jeden Tag, wie er kommt.«

»Kluges Mädchen. Freut mich für dich, Liebes.«

Nach dem Essen spielte Kit mit den Jungen Fußball, und Julia führte Alicia und die Mädchen durchs Haus, damit George und Elsie Zeit allein hatten.

»Gütiger Himmel«, japste Alicia, als sie die langen Korridore entlanggingen und die Türen zu den Räumen öffneten. »Da stehen euch aber ganz schöne Renovierungsarbeiten bevor. Das gesamte Gebäude muss von Grund auf saniert werden.«

»Ach, mir gefällt's so«, erwiderte Julia.

Wieder unten, kochte Julia Kaffee, und Alicia trug das Tablett hinaus auf die Terrasse, wo Elsie mit geschlossenen Augen die Nachmittagssonne genoss.

»Wo ist Dad?«, fragte Alicia und setzte sich.

Elsie blinzelte sie an. »Er lässt sich entschuldigen, weil er vergangene Nacht nur ein paar Stunden geschlafen hat. Er sagt, er ruft dich später an.«

»Der Arme, er muss wirklich müde sein. Möchtest du einen Kaffee?«

Nachdem Alicia und Max nach Hause gefahren waren, um ihre Sprösslinge zu baden und ins Bett zu stecken, machte Kit sich noch einmal auf den Weg zur Farm, so dass Julia allein mit Elsie den Sonnenuntergang bewunderte.

»Ich habe mit deinem Dad gesprochen«, sagte Elsie.

»Gut.«

»Wenn man ein Geheimnis aus der Vergangenheit lüftet, ist das wie die Büchse der Pandora. Was zum Vorschein kommt, landet an völlig unerwarteten Orten.«

»Es muss dir schwergefallen sein, Oma. Danke, dass du geredet hast. Nun beginne ich Seiten an mir, die ich früher nicht verstanden habe, zu begreifen. Kit würde übrigens interessieren, ob du weißt, was aus Lidia geworden ist. Hat sie die Operation überstanden?«

»Ich verrate dir jetzt etwas, das nicht einmal Bill weiß. Bill hat damals wie versprochen seinem Freund, dem Blumenmann, geschrieben und ihn gebeten, Lidia zu sagen, dass Jasmine sicher in Wharton Park angekommen ist. Natürlich hat er nicht erwähnt, dass sie in unserem Cottage lebt und nicht oben im großen Haus bei ihrem Dad. Lidia hat ein paar Wochen später geantwortet, sie hätte die Operation überstanden und wäre auf dem Weg der Besserung. Daraufhin habe ich ihr Bilder von Jasmine geschickt. Wir sind über die Jahre in Kontakt geblieben. Ich habe die ganze Zeit so getan, als wär ich das Kindermädchen von Jasmine.«

»Wie rücksichtsvoll von dir.«

»Wie Lidia glauben konnte, dass Harrys Frau sein uneheliches Kind bei sich aufnehmen würde, weiß ich wirklich nicht. Aber wenn es sie glücklich machte zu denken, ihr Mädchen würde als feine Dame erzogen, wollte ich ihr die Illusion nicht rauben.« Elsie rieb sich die Nase. »Vielleicht ist die Mentalität in diesen heißen Ländern doch anders.«

»Könnte Olivia nach dem Verlust ihres Babys mit dem Gedanken gespielt haben, meine Mutter zu adoptieren?«, fragte Julia.

»Nie und nimmer!«, rief Elsie empört aus. »Sie hätte Jasmine nicht als ihr eigenes Kind ausgeben können, weil Olivia helle und Jasmine dunkle Haut hatte. Und wichtiger: Sie hätte sie nicht als Harrys Kind anerkannt, denn Olivia wusste, dass er ihre Mutter liebte. Schließlich wollte sie durch Jasmine nicht täglich an diese Liebe erinnert werden. Egal wie leer ihr eigenes Nest blieb.«

»Stimmt«, pflichtete Julia ihr bei. »Das hätte sie nicht getan. Bist du nach wie vor mit Lidia in Kontakt, Oma?«

»Nein. Nach dem Tod deiner Mutter habe ich ihr nicht mehr geschrieben. Das konnte ich ihr einfach nicht mitteilen. Wie wir beide wissen, verwinden Mütter den Verlust eines Kindes nie … Um deine Frage zu beanworten: Ich weiß nicht, ob Lidia noch am Leben ist.«

Julia schwieg.

»Man darf nie meinen, die Vergangenheit würde Vergangenheit bleiben. Sie geht immer weiter. Weil ich Kit und dir die Geschichte erzählt habe, sieht sich auch dein Vater mit einer Entscheidung konfrontiert. Ich kann nur hoffen, dass ich das Richtige getan habe.«

»Egal, wie diese Entscheidung ausfällt: Ich bin sicher, dass unsere Familie stark genug ist, sie auszuhalten.«

Elsie griff nach Julias Hand und tätschelte sie. »Ja, Liebes, das glaube ich auch.«

51

Drei Tage später brachte Kit Julia mit dem Auto zum Londoner Flughafen Stansted.

»Hast du inzwischen mit deinem Vater geredet?«, fragte Kit, den Blick auf den dichten Verkehr gerichtet.

»Ich habe ihm zweimal auf den Anrufbeantworter gesprochen, und gestern hat er endlich zurückgerufen. Er war in Kew, den dortigen Koryphäen seine Galapagosfunde präsentieren.«

»Er hat nichts von seinem Gespräch mit Elsie am Sonntag erwähnt?«

»Nein. Und ich habe auch nicht gefragt. Er klang« – Julia zuckte mit den Achseln – »ein bisschen distanziert, aber das ist öfter so. Irgendwann wird er es mir schon erzählen.«

»Ja. Außerdem hast du genug um die Ohren, Schatz.« Kit drückte Julias Hand. »Ich wünschte, ich könnte dich begleiten. Bist du sicher, dass du allein zurechtkommst?«

Julia nickte. »Ich muss das jetzt hinter mich bringen.«

»Ja. Und …« Kit suchte nach Worten. »Du weißt, dass ich deine Liebe zu den beiden respektiere. Ich empfinde sie nicht als Bedrohung und akzeptiere, dass du mit Xavier zusammen wärst, wenn es ihn noch gäbe.«

Beim Abschied an der Passkontrolle hätte Julia Kit gern gesagt, wie glücklich sie mit ihm war und wie sehr sie ihn liebte, doch sie fand nicht die passenden Worte.

Kit schloss sie in die Arme. »Du wirst mir fehlen, Schatz«, flüsterte er ihr ins Ohr.

»Du mir auch«, antwortete sie.

Er trat einen Schritt zurück und strich ihr eine Haarsträhne aus dem Gesicht. »Bitte pass auf dich auf. Und vergiss nicht: Ich bin da, wenn du mich brauchst. Ich warte auf dich, egal wie lange es dauert.«

Julia nickte, den Tränen nahe. »Danke.«

»Ich liebe dich.«

Sie winkte ihm zum Abschied zu, bevor sie durch die Kontrolle ging.

Bei der Landung in Toulon stellte Julia überrascht fest, dass sie sich weniger Gedanken über das vor ihr Liegende machte als über ihren Abschied von Kit. Sie wusste nicht, wann sie ihn wiedersehen würde. Wie sehr er ihr bereits nach drei Stunden fehlte, überraschte sie.

Als ihr der vertraute Duft der Kiefern in die Nase stieg, hätte sie am liebsten kehrtgemacht und wäre wieder zu Kit zurückgeflogen. Im Mietwagen auf der Küstenstraße wurde ihr klar, warum sie sich so gern in Kits Arme geflüchtet hätte: Sie fürchtete sich vor dem, womit sie in weniger als einer Stunde konfrontiert wäre.

Doch sie musste Abschied nehmen, und zwar allein.

Auf der Küstenstraße herrschte dichter Touristenverkehr. Julia lenkte den Wagen durch die hübschen Urlaubsorte Bormes de Mimosa, Lavendou und Rayol Canadel, wo gerade die Familien vom Strand in die belebten Bars und Cafés strömten. Im August traf ganz Frankreich sich im Süden, weshalb man nur langsam vorankam.

Die kurvige Straße begann sich nach oben zu schlängeln, so dass sich herrliche Ausblicke auf das azurblaue Meer eröffneten. Nach der Kargheit der Landschaft von Norfolk, deren Schönheit Julia nun zu schätzen wusste, bot die Côte d'Azur Spektakuläres und Farbenfrohes. Es war, als vergliche man einen Rohdiamanten mit einem raffiniert geschliffenen und gefassten Saphir, aber beide besaßen ihren Reiz.

In La Croix Valmer wählte Julia die steile, schmale Straße zu dem auf einem Hügel gelegenen Ort Ramatuelle. Je näher sie ihm kam, desto nervöser wurde sie. Sie hatte nur selten das Bedürfnis nach einem Drink; jetzt hätte sie sich einen gewünscht.

Wie üblich war der Ort voll mit Touristen, so dass Julia den Wagen ein ganzes Stück von ihrem Domizil entfernt abstellen musste. Sie holte die Tasche aus dem Kofferraum des Autos und ging zu Fuß den schmalen Weg zum Haus, das sich nicht weit vom Hauptplatz entfernt befand. Ramatuelle bestand aus einem Labyrinth enger Sträßchen, versteckter Gassen und pittoresker alter Steinhäuser, über deren Mauern sich Kaskaden üppiger lilafarbener Bougainvillea ergossen.

Die Strände von Pampelonne und Saint-Tropez lagen nur zehn Minuten entfernt, was bedeutete, dass es hier weniger ländlich zuging als in anderen Orten und eine ganze Reihe teurer Lokale eine schicke Klientel anlockte. Julia gefiel das Städtchen am besten im Winter, wenn es den Einheimischen gehörte.

Sie blieb vor den schmiedeeisernen Toren stehen und versuchte, sich zu sammeln …

Jetzt wird jeden Augenblick die Tür aufgehen. Gabriel, der weiß, dass ich komme, wird mit Agnes am Fenster warten, bereit, zu mir hinunterzulaufen.

Ich werde ihn an mich drücken und seinen Duft einatmen, eine Mischung aus dem von Xavier, mir und ihm selbst. Ich werde über seine frisch gewaschenen dunklen Haare streichen, die viel zu lang sind für einen Jungen, aber ich schaffe es einfach nicht, ihm die hübschen weichen Locken abzuschneiden.

»Tu es rentrée. Je t'aime, Maman«, wird er sagen, wenn er sich an mich klammert wie ein kleiner Affe und wir gemeinsam die Stufen hinaufgehen. Agnes wird uns mit einem Lächeln begrüßen, und ich werde mich mit Gabriel auf dem Schoß an den Küchentisch setzen, wo sie mir berichten, was sich in meiner Abwesenheit ereignet hat.

Irgendwann wird er von meinem Schoß klettern, um mir voller Stolz ein Bild zu zeigen, das er für mich gemalt hat. Das Papier ist aufgeworfen von der grob aufgetragenen Farbe, aber er weiß, dass ich mich darüber freue.

Dann werden wir hinausgehen, und Gabriel wird sich auf sein Dreirad setzen und wie ein Wilder um die Terrasse herumfahren, um mir zu zeigen, wie gut er das kann. Wenn er müde ist, wird er zurück auf meinen Schoß klettern, den Daumen in den Mund stecken und sich an meine Brust kuscheln. Ich werde ihn zu seinem Bettchen tragen, ihn vorsichtig hineinlegen, mich über ihn beugen, ihn auf die Stirn küssen, ihm über den Kopf streichen, ihm mit leiser Stimme sagen, wie sehr ich ihn liebe, und was wir nun, da ich wieder zu Hause bin, gemeinsam unternehmen können. Kurz vor dem Einschlafen wird er ein Auge aufmachen, um nachzusehen, ob ich noch da bin.

Und ich werde da sein … immer.

Julia öffnete die Tür, bereit, in die Vergangenheit und den Schmerz zurückzukehren.

Sie blieb im Flur stehen, erstaunt über den ganz eigenen Geruch, der lange unbewohnten Häusern anhaftet. Die Fensterläden in der Küche waren wegen des grellen Hochsommerlichts geschlossen, und der Raum lag im Halbdunkel. Auf dem langen französischen Eichentisch lehnte ein Zettel an einer Schale mit frischem Obst.

Liebe Madame Julia,
ich hoffe, Sie finden das Haus in dem von Ihnen erwarteten Zustand vor. Ich habe den Kühlschrank aufgefüllt, und auf dem Herd steht eine Kasserolle. Ich komme morgen wie üblich um zehn Uhr. Rufen Sie mich bitte an, wenn Sie zuvor etwas brauchen sollten.
Willkommen zu Hause, Madame,
Agnes

Julia nahm einen reifen Pfirsich aus der Schale, biss hinein und trat an die Tür zur Terrasse. Das alte Haus befand sich in einer belebten, schmalen Straße auf einem Hügel. Der herrliche Ausblick wurde nicht verstellt von anderen Gebäuden, der Hügel war mit Kiefern und Olivenbäumen bewachsen und erstreckte sich Hunderte von Metern hinunter zum blau schimmernden Meer.

Unter der mit dicken dunkelblauen Trauben bewachsenen Pergola hatte Julia den größten Teil der Zeit verbracht, den Zikaden, dem übenden Xavier und Gabriel gelauscht, dessen Kreischen vom Swimmingpool herüberdrang.

Jetzt hörte sie nur noch die Zikaden; Julia war allein. Hier konnte sie sich nicht vor den Erinnerungen verstecken. Julia sank auf einen schmiedeeisernen Stuhl.

Vor nur einem Jahr … Es fühlte sich an wie eine Ewigkeit.

Jener schreckliche, alles verändernde Tag hatte ganz normal begonnen, ohne Vorwarnung oder Ahnung dessen, was geschehen würde.

Ein heißer Sonntag im Juli …

Julia hatte ihre Sachen für den Vormittagsflug nach Paris gepackt, wo sie mit dem Orchestre de Paris in der Salle Playel auftreten und Rachmaninows *Konzert Nr. 2*, ihr Lieblingsstück, spielen sollte. Sie erinnerte sich, dass sie ihre Taschen nach unten gebracht hatte, um auf das Taxi zu warten, froh darüber, dass sie nur eine Nacht wegbleiben würde: Am folgenden Nachmittag wäre sie zum Tee wieder da. Der Abschied von Gabriel fiel ihr schwer, andererseits tröstete sie sich damit, dass dies eine gute Gelegenheit für ihre »Jungs« war, Zeit miteinander zu verbringen. Wenn Xavier zu Hause war, saß er für gewöhnlich am Klavier und wurde wütend, wenn Gabriel ihn störte. Also lernte Gabriel, seinen Vater, dessen Künstlertemperament ihn unberechenbar machte, in Ruhe zu lassen.

Sonntags war Agnes nicht da, um sich um Gabriel zu kümmern, also übernahm Xavier das. Ein Dirigentenfreund von Xavier hatte die beiden ein Stück weiter die Küste hinauf zum Schwimmen und Grillen eingeladen. Dort konnte Gabriel mit anderen Kindern spielen.

»*Maman*«, sagte Gabriel und schlang die Arme um ihren Hals. »*Je t'aime*. Komm schnell wieder nach Hause. Du fehlst mir.«

»Du mir auch, *petit ange*. Viel Spaß bei der Party, und sei brav.«

»Wir fahren mit Papas schnellem neuem Sportwagen, *Maman*.« Gabriel wand sich aus Julias Umarmung und begann, wie ein Motor brummend im Flur herumzulaufen.

»*A bientôt, chérie*«, sagte Xavier. »Ich wünsche dir einen guten Auftritt und freue mich schon auf das Wiedersehen.« Er drückte Julia an sich und küsste sie.

»*Je t'aime, chéri*. Pass gut auf Gabriel auf.«

»Ich hoffe, dass er auf mich aufpasst«, erwiderte Xavier lachend, und Gabriel stellte sich neben seinen Vater, um ihr nachzuwinken.

In ihrer Pariser Garderobe wählte Julia Xaviers Handynummer unmittelbar vor ihrem Auftritt. Es meldete sich wie so oft nur die Mailbox. Wahrscheinlich waren sie noch nicht vom Grillen zurück. Sie würde es in der Pause wieder versuchen.

Sie war nervös, als sie die Bühne betrat und vom Publikum mit Applaus empfangen wurde. Doch sobald sie am Klavier saß, verschwand die Angst. Ihre Finger berührten die Tasten, und die ersten Takte des Konzerts erfüllten den Raum.

Am Ende wusste sie, dass sie noch nie besser gespielt hatte. Das Publikum, das der gleichen Meinung zu sein schien, bedankte sich mit stehenden Ovationen. Julia verließ die Bühne mit einem Strauß roter Rosen in euphorischer Stimmung. Die Menschen drängten sich um sie und überschütteten sie mit Lob.

»Madame Forrester«, hörte sie die Stimme ihres Managers. Sein ernstes Gesicht hob sich deutlich von denen der lächelnden Gratulanten ab. Er bahnte sich einen Weg zu ihr.

»Madame Forrester, würden Sie bitte mit mir kommen?«

Er führte sie zu seinem Büro und schloss die Tür hinter sich.

»Ist irgendetwas nicht in Ordnung?«

Er sagte ihr, dass die Gendarmerie von Saint-Tropez angerufen habe, und gab ihr die Nummer des Inspektors, mit dem sie sich umgehend in Verbindung setzen solle.

»Wissen Sie, warum?«, fragte Julia, als sie mit zitternder Hand den Hörer nahm.

»Madame, die Einzelheiten kenne ich nicht. Ich lasse Sie jetzt allein, damit Sie in Ruhe mit ihm sprechen können.«

Er verließ das Büro, und sie verlangte den Inspektor, dessen Name auf dem Zettel stand. Sie wurde sofort mit ihm verbunden. Er teilte ihr mit, was passiert war.

Der Wagen war in einer engen Kurve von der Straße abgekommen, den steilen Abhang hinuntergeschlittert, in Flammen aufgegangen und hatte die trockenen Büsche in Brand gesetzt.

Irgendwo in der verkohlten Landschaft lagen die sterblichen Überreste ihres Mannes und ihres Sohnes.

Eine Woche später, als Julia sich schon in England befand, hatten die französischen Behörden sie informiert, dass sie in der Nähe des Wagens die Knochen eines etwa zweijährigen Kindes gefunden hätten. Vermutlich sei Gabriel aus dem Auto geschleudert worden, als dieses den Abhang hinuntergerollt war.

Der Inspektor erklärte Julia, leider sei eine zweifelsfreie Identifikation unmöglich, weil das Feuer alle DNS-Spuren vernichtet habe.

Julia konnte sich kaum noch erinnern, was sich nach jenem ersten, schrecklichen Anruf aus der Pariser Salle Playel ereignet hatte. Irgendwann war Alicia eingetroffen und hatte sie mit nach England genommen.

Nach zwei Tagen in Alicias Gästezimmer hatte Julia gewusst, dass sie das Kreischen und Lachen von Alicias Kindern nicht ertragen würde, und war der Stille wegen in das winzige Cottage in Blakeney gezogen.

Julia zwang sich, in die Gegenwart zurückzukehren und die Tränen abzuwischen. Sie durfte sich nicht von den Erinnerungen überwältigen lassen, weil etliches in Frankreich zu erledigen war. Je eher sie es anpackte, desto schneller konnte sie abreisen.

Sie ging in die Küche, erhitzte die Kasserolle, setzte sich mit einem Glas Wein an den Tisch und zwang sich zu essen.

Anschließend nahm sie auf dem Klavierhocker im Wohnzimmer Platz, legte die Finger auf die Tasten und begann, Paganini zu spielen.

Julia spielte für sie, für ihren Mann und ihren geliebten Sohn. Und versuchte zu glauben, dass sie sie, wo immer sie auch sein mochten, hören konnten.

Später öffnete sie die Tür zu ihrem und Xaviers Schlafzimmer, holte ein Nachthemd aus ihrer Tasche, ohne in die Nähe des Schranks zu gehen, in dem die Kleidungsstücke ihres Mannes hingen, und legte sich ins Bett.

Julia sah sich um. Sie hatte diesen Raum immer geliebt, vielleicht deshalb, weil er ihr gehörte, ein Zufluchtsort war und kein anonymes, für eine Nacht gemietetes Hotelzimmer. Sie betrachtete das Gemälde, das sie und Xavier in einer Galerie in Gassin erstanden hatten, und entdeckte seine Bürste auf der Kommode unter dem Spiegel.

Davor hatte sie sich am meisten gefürchtet: vor der ersten Nacht allein in ihrem Bett. Doch sie blieb ruhig. Möglicherweise deshalb, weil sie akzeptiert hatte, dass weder Xavier noch ihr geliebter kleiner Engel hierher zurückkehren würde.

Nichts, was sie empfand, tat oder sagte, würde sie wiederbringen. Das stille Haus, in dem sie als Familie gelebt und geliebt hatten, war der endgültige Beweis dafür.

52

Als Julia am nächsten Morgen aufwachte, stellte sie erleichtert fest, dass es fast neun Uhr war und sie die Nacht durchgeschlafen hatte.

Eine Stunde später gesellte sich ihre Haushälterin Agnes zu ihr auf die Terrasse. Julia stand auf und umarmte sie.

»Ça va, Agnes?«

»Ça va bien, Madame Julia. Et vous?«

»Besser, danke. Kommen Sie, trinken Sie einen Kaffee mit mir«, fuhr Julia in Französisch fort, der Sprache, die sie hier immer gesprochen hatte und die ihr jetzt fremd und unnatürlich vorkam.

Agnes setzte sich.

»Danke, dass Sie sich um das Haus gekümmert haben. Es ist alles prima.«

»Keine Ursache, Madame Julia. Sie sehen gut aus.«

»Ich beginne zu akzeptieren, was passiert ist, weil mir keine andere Wahl bleibt. Der Schmerz wird nie ganz verschwinden …« Julia schluckte. »Da wären ein paar Dinge, die ich allein nicht schaffe. Könnten Sie mir dabei helfen?«

»Natürlich, Madame.«

»Ich werde nur ein paar Tage bleiben und dann wieder nach England zurückkehren. Ich habe vor, das Haus zu verkaufen.«

»Madame!«, rief Agnes entsetzt aus. »Das ist Ihr Zuhause!«

»Ich weiß, Agnes, aber es muss sein. Hier erinnert mich alles an mein früheres Leben.«

»Verstehe.« Agnes nickte ernst.

»Könnten Sie für mich Xaviers Schrank ausräumen, wenn ich weg bin? Und« – Julia schnürte es die Kehle zu – »Gabriels Zimmer. Vielleicht kennen Sie eine Wohltätigkeitsorganisation oder eine Familie, die sich über seine Spielsachen und seine Kleidung freuen würde?«

Agnes traten Tränen in die Augen. »Natürlich, Madame. Ich weiß eine Familie, die dankbar wäre dafür.«

»Ich komme noch einmal her, um meine persönlichen Dinge zu holen. Ansonsten schreibe ich alles zum Verkauf aus, wie es ist. Ich halte das für das Beste.«

Agnes nickte. »Es gibt ein altes französisches Sprichwort, Madame: Um der Zukunft zu gehören, muss man die Vergangenheit akzeptieren. Ich helfe Ihnen, so gut ich kann. Sie sind … sehr tapfer.«

»Nein.« Julia schüttelte den Kopf. »Wenn ich tapfer wäre, würde ich hierbleiben. Ich bin hergekommen, um Abschied zu nehmen.«

Agnes ergriff Julias Hand. »Er … Sie würden wollen, dass Sie sich auf die Zukunft konzentrieren und neues Glück finden.«

Julia lächelte matt. »Das muss ich jedenfalls glauben.«

»Ja, Madame, das müssen Sie.«

Agnes leerte ihren Kaffee und stand auf. »Wenn Sie mich jetzt entschuldigen würden. Ich muss mich an die Arbeit machen. Die Rechnungen habe ich auf den Schreibtisch im Arbeitszimmer gelegt.«

»Ich schreibe gleich heute die Schecks aus. Bitte sagen Sie allen Dankeschön für ihre Geduld.«

»*Pas de problème, Madame.* Wir hatten Sie gern hier. Sie drei«, fügte sie hinzu und ging ins Haus.

Julia verbrachte einige Stunden damit, die Post zu sichten, die sich im Lauf des vergangenen Jahres angesammelt hatte. Seit dem Unfall waren immer wieder Beileidsbriefe eingetroffen. Dass so viele Leute an sie dachten, tröstete sie.

Schließlich steckte sie alle Karten in eine Mappe, um sie mit nach England zu nehmen, und begann, Schecks auszustellen für die Leute, die sich in ihrer Abwesenheit um das Haus gekümmert hatten.

Beim Anblick eines großen Umschlags stockte ihr der Atem: Es handelte sich um die Sterbeurkunden für ihren Mann und ihren Sohn, die endgültige Bestätigung ihres Todes. Somit war der Fall offiziell abgeschlossen.

Ausgestattet mit Spaten, Kelle und zwei jungen Zypressenbäumen, fuhr Julia die zehn Minuten zu der tückischen Kurve, in der sich der Unfall ereignet hatte. Sie stellte den Wagen in einer Parkbucht ab, trug Spaten und Kelle zu der Kurve und ging noch einmal zum Auto zurück, um die Zypressen zu holen. Von der Hügelkuppe aus sah sie die verkohlten Bäume rund um die Schneise, die das Feuer geschlagen hatte. Als sie vorsichtig den steilen Abhang hinunterkletterte, entdeckte sie Zeichen neuen Lebens: wilde Orchideen und einige grüne Schösslinge. Feuer zerstörte nicht nur, sondern düngte auch. Julia konnte nur hoffen, dass das auf ihr Leben ebenfalls zutraf.

Da Julia die genaue Stelle ihres Todes nicht kannte, wählte sie die Mitte des Unfallorts und begann zu graben. In der Hitze war das Schwerstarbeit, doch sie gab sich erst zufrieden, als sie die jungen Zypressen nebeneinander eingepflanzt hatte. Dann kniete sie vor ihnen nieder und dachte an die geliebten Menschen, für die sie standen.

»Auf Wiedersehen, *mon petit ange* und mein Xavier. Schlaft gut. Ihr werdet mich immer begleiten. Und eines Tages werden wir wieder zusammen sein. Ich liebe euch sehr …«

Sie stand auf und warf beiden eine Kusshand zu, bevor sie den Abhang wieder emporkletterte.

Am folgenden Morgen fühlte sich Julia erleichtert darüber, dass sie sich ihren schlimmsten Ängsten gestellt hatte. Freunde hatten einen Gedenkgottesdienst für Xavier und Gabriel vorgeschlagen; vielleicht war sie nun, nach dieser Geste des Abschieds, dazu bereit.

Julia wagte den nächsten wichtigen Schritt und suchte den örtlichen Makler auf. Dieser sprach sein Bedauern aus, doch Julia wusste, dass er sich insgeheim die Hände rieb, schon bald das begehrteste Haus von Ramatuelle im Angebot zu haben.

»Madame, ich kann den Verkauf mit einem einzigen Anruf in die Wege leiten. Objekte wie das Ihre werden selten angeboten. Sie können jeden Preis nennen; ich garantiere Ihnen, dass er bezahlt wird. Aber Sie sollten sich wirklich sicher sein. Zu einem Haus wie dem Ihren kommt man in diesem Ort nur einmal im Leben.«

»Ich bin mir ganz sicher«, erklärte Julia. »Ich würde mir lediglich wünschen, dass eine Familie dort lebt.«

»Da hätte ich genau die richtigen Käufer für Sie«, erklärte der Makler.

»Gut.« Julia stand auf. »Je schneller, desto besser. Das Haus sollte bewohnt werden, und das kann ich nicht. Ich reise in ein paar Tagen ab. Wenn jemand es besichtigen möchte: Agnes Savoir hat die Schlüssel.«

Der Makler streckte ihr die Hand hin. »Danke, Madame, dass Sie mir Ihr schönes Haus anvertrauen. Und … mein herzliches Beileid.«

»*Merci, Monsieur.*«

Julia verließ das Büro und trat auf den Platz mit seinen hübschen Cafés. Sie wählte einen Tisch in der Sonne und bestellte einen *café au lait*. Sie trank ihn langsam und genoss die entspannte Atmosphäre. Die würde ihr fehlen – die französische Lebensart hatte ihr immer gefallen.

Vielleicht, dachte Julia, fühlte sie sich aufgrund ihrer Gene so zu Hause hier. Schließlich war ihre Urgroßmutter Adrienne Französin gewesen.

Julia bestellte einen weiteren *café au lait*, um noch ein wenig an diesem Ort der Ruhe zu verweilen. Der »andere« Teil von ihr fiel ihr ein, über den sie so wenig wusste: Er hatte seine Wurzeln im Osten, in der tropischen Hitze, und war das Ergebnis einer tragischen Liebe, die nur kurz erblühen konnte. Vielleicht würde sie eines Tages dorthin reisen und die Schönheit erblicken, die Harry in ihren Bann geschlagen hatte.

Dann wanderten ihre Gedanken zu Kit, und sie musste lächeln. Er hatte sie in den vergangenen Tagen wie versprochen in Ruhe gelassen, Verständnis bewiesen und nichts von ihr gefordert, ihr lediglich SMS geschickt, in denen er ihr schrieb, wie sehr er sie liebe und dass er an sie denke.

Julia zog ihr Handy aus der Tasche, rief seine letzte Nachricht auf und las sie. Am meisten wunderte es sie, wie selbstverständlich er ihr seine Liebe erklärte, obwohl sie ihm die ihre noch nicht gestanden hatte.

Offenbar war sie noch nicht dazu bereit gewesen.

Jetzt, da sie einen Schlussstrich unter die Vergangenheit gezogen hatte, gab es keinen Grund mehr, ihm nicht zu sagen, dass sie ihn liebte.

Im Haus buchte sie den Rückflug per Internet. Sie würde am folgenden Tag abreisen, weil sie so schnell wie möglich zurück zu Wharton Park und Kit wollte, um ihm zu versichern, dass sie nun ganz und gar ihm gehörte.

Da klingelte ihr Handy. Auf dem Display sah sie, dass es Kit war. Sie meldete sich.

»Hallo, Schatz, wie geht's?«

»Gut, danke, Kit.«

»Prima. Schön, deine Stimme zu hören. Du fehlst mir, Julia. Passt du gut auf dich auf?«

»Ja.« Sie lächelte.

»Weißt du schon, wann du nach Hause kommst?«

Obwohl sie die genaue Uhrzeit kannte, wollte sie ihn überraschen. »Noch nicht exakt. Da ich praktisch alles erledigt habe, könnte es gut sein, dass ich früher wieder da bin, als du vermutest.«

»Wunderbar!« Kit klang erleichtert. »Ich kann dir gar nicht sagen, wie trist es hier ohne dich ist.«

»Dito.«

»Das glaube ich dir. Ich denke an dich, Schatz.«

»Und ich an dich. Ist bei dir alles in Ordnung?«

»Abgesehen davon, dass du mir fehlst, ja. Mir geht's gut. Sag mir Bescheid, wann du kommst, damit ich den Festbraten ins Rohr schieben und das Feuerwerk aufbauen kann. Ich liebe dich, Schatz. Melde dich wieder.«

»Ja, Kit. Bis bald.«

An jenem Nachmittag setzte sich Julia mit einem Gefühl großer Dankbarkeit dafür, dass das Schicksal ihr eine zweite Chance auf das Glück gewährte, an den Flügel.

Wie üblich verlor sie beim Spielen jegliches Zeitgefühl und merkte gar nicht, wie die Sonne unterging. Sie hörte auch nicht, wie die Tür zum Wohnzimmer sich öffnete. Als das Stück zu Ende war, warf sie einen Blick auf ihre Uhr: nach sieben. Zeit für ein Glas Rosé, dachte sie, während sie die Noten zusammenlegte und in ihrer Tasche verstaute.

Da nahm sie aus den Augenwinkeln eine Bewegung wahr und wandte sich um.

Sie starrte die Gestalt ungläubig an. Ein Geist.

Die Gestalt machte den Mund auf. »Hallo, Julia. Ich bin wieder da.«

53

Julias Gehirn weigerte sich, die Impulse, die es von Augen und Ohren erhielt, zu verarbeiten.

Weil es einfach nicht sein konnte.

Das war Xavier und doch nicht Xavier. Oder jedenfalls nicht der, dessen Bild sie seit dem Tag seines Todes im Kopf hatte. Dieser Xavier wirkte zehn, vielleicht sogar zwanzig Jahre älter und war nicht mehr nur schlank, sondern ausgemergelt. Außerdem verlief eine gezackte Narbe über die linke Seite seines Gesichts.

»Ich kann verstehen, dass du schockiert bist, mich zu sehen.«

Fast hätte Julia ob dieser Untertreibung laut gelacht. Sie brauchte eine ganze Weile, bis sie ihre Stimme fand. »Ich versuche gerade, mir darüber klar zu werden, ob du ein Geist bist oder nicht.«

Er schüttelte den Kopf. »Nein.«

»Dann ...« Sie presste ein »Wie ...?« hervor.

»Wir müssen über vieles reden, Julia. Aber bitte komm doch zuerst zu mir. Umarme deinen aus dem Reich der Toten zurückgekehrten Mann und vergewissere dich, dass er real ist.«

Xavier streckte die Arme nach ihr aus.

Julia erhob sich wie in Trance.

»Ach, *ma chérie*, meine Julia ...«, murmelte er, als sie ihn berührte. »Du kannst dir nicht vorstellen, wie lange ich diesen Moment herbeigesehnt habe.«

Julia brach in Tränen aus.

»Ich ... verstehe ... das nicht!«

Als sie zu Boden zu sinken drohte, trug Xavier sie halb zum Sofa und ließ sie darauf Platz nehmen.

»Ich weiß, ich weiß, *ma petite*. Mir war von Anfang an klar, dass es ein Schock für dich sein würde, mich wiederzusehen. Und ich habe überlegt, wie es für dich am leichtesten wäre«, sagte er und strich ihr übers Haar. »Aber letztlich gab es keinen guten Weg.«

»Wie … kannst du hier sein? Du bist tot, vor einem Jahr gestorben.… Wenn nicht, wo bist du dann die ganze Zeit über gewesen?«

»Das erzähle ich dir alles noch. Doch zuerst sollten wir feiern, dass wir wieder zusammen sind.«

»Nein!« Julia löste sich von ihm. »Bitte sag es mir jetzt!«, flehte sie ihn an.

»*D'accord*, du hast recht. Lass uns Wein trinken, um unsere Nerven zu beruhigen. Hier, *chérie*, das wird dir helfen«, sagte er und reichte ihr ein Glas.

Julia glaubte nicht, dass irgendetwas, am allerwenigsten Wein, ihr »helfen« könnte. Trotzdem nahm sie einen Schluck. »Bitte«, wiederholte sie. »Du musst es mir erklären, Xavier. Sonst verliere ich den Verstand.«

Xavier stellte Julias Glas auf das Beistelltischchen. Dann legte er seine langgliedrigen Finger über Julias Hand, ohne den Blick von ihr zu wenden.

»*Ma chérie* … Ich habe so lange von diesem Moment geträumt und mich gleichzeitig davor gefürchtet. Ich wusste nicht, was ich tun sollte – dir auf ewig fernbleiben? Dir diesen Schock ersparen, dich schützen? In mancherlei Hinsicht wäre es leichter für mich gewesen, mich zu verstecken, mich nicht dem Schrecklichen zu stellen, das ich dir angetan habe. Doch nein, unmöglich! Ich durfte nicht weglaufen, sondern musste meiner Verantwortung als Ehemann und Vater ins Auge blicken.«

»Mein Gott!« Julia schlug eine Hand vor den Mund. »Xavier … Wenn du lebst … Was ist mit Gabr…?«

Xavier schüttelte den Kopf. »Nein, *mon amour*, er ist tot. Ich habe es selbst gesehen.«

Julia entzog ihm ihre Hand und holte tief Luft. »Erzähl es mir.«

Xavier trank seinen Wein aus und streckte die Hand wieder nach Julia aus. »Nein! Rühr mich nicht an!«, rief sie fast hysterisch aus. »Bitte erzähl es mir!«

»*D'accord, chérie.* Wir haben die Party an diesem schrecklichen Tag um sieben Uhr verlassen. Gabriel wollte auf den Beifahrersitz meines neuen Kabrios, und ich habe ja gesagt. Er war ganz aufgeregt, dass er vorne sein durfte, hat gekreischt und gelacht und mich gedrängt, schneller zu fahren. Und ich« – Xaviers Stimme wurde rau – »habe ihm die Bitte erfüllt. In der Kurve musste ich einem entgegenkommenden Auto ausweichen. Ich habe die Kontrolle über den Wagen verloren, der den Abhang hinunterschlitterte. Bitte, Julia, vergib mir …« Er schluckte. »Der Wagen ist gegen einen Baum geknallt. Ich hatte einen Schock erlitten; mein Gesicht blutete.« Er berührte die Narbe an seiner Wange. »Ich habe sofort nach Gabriel gesehen, doch der Sitz neben mir war leer. Allem Anschein nach war er aus dem Auto geschleudert worden. Irgendwie gelang es mir, hinaus- und den Abhang emporzuklettern, um nach Gabriel zu suchen.«

Xavier stützte den Kopf in die Hände. »Ach, Julia …«

Sie schwieg.

»Ich … habe ihn gefunden. Ein Stück weiter den Abhang hinauf. Zuerst dachte ich, er sei nur ohnmächtig, weil ich keinerlei Verletzung entdecken konnte. Aber dann … Gott steh mir bei! Ich habe ihn hochgehoben, und sein Kopf hing herunter wie bei einer kaputten Puppe. Da wusste ich, dass er schwer verletzt ist.«

»Heißt das, er hatte sich das Genick gebrochen?«

»Ja. Seine Augen standen weit offen ... Ich habe seinen Puls gefühlt und nichts gespürt, ihn gerüttelt, versucht, ihn aufzuwecken, obwohl ich wusste, dass es sinnlos war. Ich habe ihn im Arm gehalten, ich weiß nicht, wie lange. Plötzlich habe ich einen lauten Knall gehört und gesehen, dass der Wagen in Flammen aufging. Es war alles furchtbar trocken dort und dauerte nur wenige Sekunden, bis die Flammen auf mich zukamen. Wie soll ich dir das erklären?« Xavier begann zu schluchzen. »Ich bin weggerannt, durch den Wald, weg von dem Feuer. Und ...«, er stieß einen erstickten Schrei aus, »... habe unseren Jungen nicht mitgenommen.«

Julia zwang sich, nicht aufzuspringen. »Bitte, Xavier, sprich weiter. Ich muss alles erfahren.«

Nach kurzem Schweigen fuhr Xavier fort: »Jeden Tag frage ich mich, warum ich Gabriel nicht mitgenommen habe. Ich kann es nicht erklären.« Er schüttelte den Kopf. »Ich habe ihn dort gelassen. Vielleicht waren es der Schock und der Kummer, vielleicht auch Egoismus und Überlebenswille.«

Wieder weinte er, doch Julia blieb ungerührt. »Und wohin bist du gerannt?«

Xavier wischte sich Augen und Nase mit dem Handrücken ab. »Keine Ahnung. Irgendwann bin ich stehen geblieben, habe mich im Wald hingelegt und bin eingeschlafen; möglicherweise war ich auch bewusstlos. Als ich das erste Mal aufwachte, war es Nacht. Ich bin wieder eingeschlafen, und beim zweiten Mal Aufwachen war es Morgen. Ich wusste, dass ich zu dir nach Hause und dir alles erklären musste. Irgendwie habe ich es nach Saint-Tropez geschafft.« Er holte tief Luft. »Julia, bitte glaub mir, zu diesem Zeitpunkt war ich fast wahnsinnig vor Kummer. Vor einem Kiosk hing eine Zeitung. Du weißt, wie die Schlagzeile an jenem Tag lautete.«

»Nein. Ich habe sie nicht gelesen.«

»Auf der Titelseite war ein Foto von dir, keines von mir. Aber an dem Morgen hätte mich ohnehin niemand erkannt. Mit dem blutverkrusteten Gesicht und den zerrissenen Kleidern sah ich aus wie ein Landstreicher, nicht wie der Ehemann der berühmten Julia Forrester.«

Er begann, im Zimmer auf und ab zu laufen.

»Ich habe mich in der öffentlichen Toilette gewaschen und mir Wasser und eine Zeitung gekauft, um über den Unfall zu lesen. Mir wurde klar, dass du und der Rest der Welt glaubten, ich sei tot. Ich wusste« – Xavier blieb stehen und sah Julia an –, »dass ich nicht zu dir gehen und dir die Wahrheit sagen konnte, weil du mir nicht vergeben würdest. Ich hatte Gabriel umgebracht und dort liegen lassen. Und ich bin einfach weggelaufen.«

»Wohin?«

»Auf ein Ausflugsboot nach Nizza, von wo ich die Fähre nach Korsika genommen habe. Dort bin ich in einer kleinen Pension in den Hügeln untergetaucht, bis das Geld aus war. Dann habe ich ein paar Wochen Obst gepflückt, an unterschiedlichen Orten, damit man mich nicht erkennt. Es dauerte ziemlich lange, bis ich mich erholt hatte und in der Lage war, wieder klar zu denken. Ich hatte dich in dem Glauben gelassen, dass dein geliebter Sohn und dein Mann umgekommen waren. Es hat mich viel Zeit gekostet, den Mut zur Rückkehr zu finden. Jetzt habe ich es endlich geschafft.«

Langes Schweigen.

»Woher wusstest du, dass ich hier bin?«, fragte Julia schließlich.

Xavier sah sie verwundert an. »Wo hättest du sonst sein sollen? Höchstens auf Konzertreise.«

»Ich war aber nicht hier, sondern in England. Und ich habe nicht Klavier gespielt.« Sie stand auf und ging durch die Küche hinaus auf die Terrasse, wo sie die Arme um den Körper schlang und zum nachtblauen Sternenhimmel hinaufblickte. »Vergib mir, vergib mir«, murmelte sie, als sie merkte, dass sie sich gewünscht hätte, Gabriel wäre verschont geblieben.

Er hat unser Kind umgebracht …

NEIN! Julia schüttelte den Kopf. Das durfte sie nicht denken. Es war ein Unfall gewesen, ein Moment der Verantwortungslosigkeit, eine falsche Entscheidung, wie sie allen Eltern unterlaufen konnte …

Außerdem war nicht klar, ob Gabriel überlebt hätte, wenn er hinten in seinem Kindersitz festgeschnallt gewesen wäre.

Er hat ihn dort verbrennen lassen …

»O Gott«, flüsterte Julia.

Wie sollte sie ihm das je verzeihen?

Was, wenn Gabriel noch gelebt hatte?

Diesen Gedanken durfte sie nicht weiterverfolgen. Sie musste Xavier glauben, dass er die Wahrheit sagte.

Und sein Verhalten in den folgenden zwölf Monaten?

Hätte sie Xavier vergeben können, wenn er nach Hause gekommen wäre und seinen schrecklichen Fehler eingestanden hätte?

Darauf wusste sie keine Antwort.

Julia sank auf einen Stuhl.

Waren die extremen Umstände eine hinreichende Erklärung?

Und was würde aus ihr und Kit werden, jetzt, da Xavier wieder da war?

Julia zuckte zusammen, als sie Xaviers Berührung spürte.

»Julia.« Xavier ging vor ihr in die Hocke und nahm ihre Hände in die seinen. »Es tut mir wirklich sehr leid. Ich werde mir nie verzeihen können, was ich getan habe. Aber bitte glaub mir: Ich bin zurückgekommen, um alles ins Lot zu bringen. Weil ich um meine Schuld weiß und weil« – er küsste ihre Hände – »ich dich liebe, *chérie*. Meinst du, du schaffst es, mir zu vergeben?«

Julia sah die Verzweiflung in seinem Blick. »Heute will ich darüber nicht mehr reden. Ich bin müde und muss schlafen. Bitte geh ins Gästezimmer.«

Die beiden folgenden Tage blieb Julia in ihrem Zimmer und ignorierte Xaviers Flehen, mit ihm zu sprechen. Sie musste das, was sie gehört hatte, verdauen und brauchte Zeit, um ihre Wunden zu lecken. Tagsüber schlief sie stundenlang, um dann mitten in der Nacht aufzuwachen und sich dem Albtraum zu stellen.

Am dritten Morgen ließ Julia Xavier in ihr Zimmer. Er hielt ein Tablett mit frischen Croissants, Marmelade und Kaffee in der Hand.

»Ich hab dir Frühstück gebracht, *chérie*. Du musst etwas essen.« Er stellte das Tablett aufs Bett. »Julia, es tut mir schrecklich leid, dich diesem Schmerz ausgesetzt zu haben.«

Julia richtete sich auf, als er ihr eine Tasse Kaffee reichte, und nahm einen Schluck.

»Ich wollte heute nach England zurückfliegen«, sagte sie mit flacher Stimme.

»*Non!*«, rief Xavier entsetzt aus. »Du willst doch jetzt nicht gehen, oder? Julia, du bist nicht in der Verfassung zu reisen, und wir müssen miteinander reden.«

Die Sehnsucht nach dem Frieden und der Ruhe, die Julia bei Kit in Wharton Park erlebt hatte, ließ ihre Augen feucht werden.

»Xavier, ich …«

»Julia, ich möchte dich nur um eines bitten: Bleib hier

bei mir, wenigstens ein paar Tage. Lass dir helfen, über den furchtbaren Schock hinwegzukommen. Wenn du danach immer noch gehen willst, werde ich dich nicht aufhalten. Wir sind Gabriel schuldig, es zumindest zu versuchen.«

»Ich habe monatelang allein um ihn getrauert.«

»Dann gib mir die Chance, mit dir um ihn zu trauern. Bitte verlass mich nicht, *chérie*. Ohne dich kann ich nicht... weiterleben.«

»Na schön. Ich bleibe hier. Erst einmal.«

Xavier schlang die Arme um sie. Dabei verschüttete er den Kaffee über das Bettzeug.

»*Merci, mon amour.* Du wirst deine Entscheidung nicht bereuen. Also, Julia, was würdest du heute gern unternehmen?«

»›Unternehmen‹?«, wiederholte sie verblüfft.

»Ja, ich glaube, es täte dir gut, aus dem Haus zu kommen, Distanz zu den Erinnerungen zu kriegen. Wir könnten« – Xavier zuckte mit den Achseln – »einen Spaziergang an unserem Lieblingsstrand machen und zusammen Mittag essen?«

»Ich...«

»Julia, bitte, *mon amour.*« Xavier betrachtete seine Hände, bevor er mit leiser Stimme fortfuhr: »Ich weiß, wie viel Schmerz ich dir mit meiner Geschichte bereitet habe, aber gibt es nicht irgendwo einen kleinen Teil von dir, der sich freut, dass dein Mann wieder da ist? Hast du auch... um mich getrauert?«

»Natürlich! Ich war monatelang untröstlich. Du ahnst nicht, was ich durchgemacht habe! Als ich dann endlich imstande war, die Lage zu akzeptieren und zu glauben, dass es eine Zukunft für mich geben könnte, kamst du hier reingeschneit und...« Sie stützte den Kopf in die Hände. »Ich weiß einfach nicht mehr, was ich empfinden soll.« Sie begann zu weinen.

Xavier nahm sie in den Arm und strich ihr über die Haare.

»Ja, *mon amour*. Ich schwöre dir, ich werde es wiedergutmachen, mich um dich kümmern und dich trösten. Du bist nicht mehr allein. Ich bin hier. Wir brauchen einander doch, oder?«

»Ja, aber …«

»Ich hielte es wirklich für eine gute Idee, das Haus eine Weile zu verlassen. Wenn es dir zu viel wird, bringe ich dich sofort heim, *d'accord*?«

Sie seufzte. »*D'accord*.«

»Gut. Doch zuerst muss ich zur Gendarmerie und den Beamten sagen, dass ich von den Toten wiederauferstanden bin.«

»Deine Sterbeurkunde liegt auf dem Schreibtisch im Arbeitszimmer. Die solltest du mitnehmen.«

Er stand auf. »Dir ist klar, dass ich mich möglicherweise vor Gericht verantworten muss?«

Der Gedanke war Julia noch nicht gekommen. »Weswegen?«

»Wegen aggressiven Fahrens, vielleicht sogar wegen Totschlags. Aber es geht nicht anders. Ich bringe das jetzt hinter mich. Ich habe Angst«, gestand er.

Julia kannte seinen Blick: Er wollte, dass sie ihn begleitete. Ohne ihm Beachtung zu schenken, stand sie auf.

»Bis später«, sagte sie und ging ins Bad.

Julia saß am Klavier, als Xavier zurückkam, weil sie hoffte, im Spiel Trost zu finden. Er betrat das Wohnzimmer mit einem Lächeln auf den Lippen.

»*Voilà*! Es ist vollbracht! Als ich mit meiner eigenen Sterbeurkunde zu dem Inspektor gegangen bin …« Xavier kicherte. »*Chérie*, ich wünschte, du hättest sein Gesicht gesehen!«

»Er war sicher schockiert.« Julia fand Xaviers gute Laune unpassend.

»Er bezweifelt, dass Anklage erhoben wird, weil es keine Zeugen für den Unfall gibt. Er hat meine Erklärung sofort akzeptiert. Offenbar bin ich nicht der erste Fahrer, der an dieser Stelle von der Straße abgekommen ist. Möglich wäre eine Klage, weil ich meinen Tod vorgetäuscht habe, allerdings nur, wenn uns Geld aus unseren Versicherungen ausbezahlt wurde. Ist das der Fall?« Er sah sie besorgt an.

Zum ersten Mal war Julia froh über ihre nachlässige Bearbeitung des Papierkrams im Zusammenhang mit dem »Tod« ihres Mannes. »Nein«, antwortete sie mit leiser Stimme.

Xavier wirkte erleichtert. »*C'est parfait!* Dann kann dir auch keiner was.«

Julia sah ihn mit großen Augen an. »*Was?!*«

»Keine Sorge.« Er küsste sie auf die Stirn. »Es beweist, dass wir nicht gemeinsam versucht haben, unrechtmäßig an Geld zu gelangen.«

Julia bedeckte das Gesicht mit den Händen. »Bitte, Xavier! Hier geht es um den Tod meines … *unseres* Kindes, nicht um einen ausgeklügelten Versicherungsbetrug!«

»Entschuldige meine Insensibilität, *chérie*. Ich fürchte nur diese grässliche französische Bürokratie.« Er zog ihr die Hände vom Gesicht. »Lässt du dich jetzt von mir zum Mittagessen ausführen? Vielleicht sollten wir nicht nur das Negative sehen, sondern auch das Positive, *oui*? Und das ist«, sagte er und hob Julias Kinn an, um sie auf die Lippen zu küssen, »dass ich ein freier Mann bin, von den Toten auferstanden und wieder mit meiner schönen Frau vereint.«

54

Das hübsche Küstenstädtchen Gigaro gegenüber von Saint-Tropez hatte sich durch seine Lage in einem ausgewiesenen Naturschutzgebiet ein wenig abseits von der Hauptstraße, die die bekannteren Orte der Riviera miteinander verband, seinen alten Charme erhalten. Seine pittoresken Lokale entlang des sauberen Strandes waren ein von den Einheimischen gut gehütetes Geheimnis.

Xavier betrat das La Salamandre mit einer niedergeschlagen hinter ihm hertrottenden Julia, die beobachtete, wie Chantal, die Besitzerin des Lokals, Xavier anstarrte, als wäre er ein Geist.

Xavier nickte. »*Oui*, Chantal, *c'est moi*!«

Chantal schlug die Hand vor den Mund. »Aber … *Mon dieu*! Ist das zu fassen? Wie kann das sein?«

Xavier umarmte sie. »Das ist eine lange Geschichte, die ich dir irgendwann einmal erzählen werde. Könnten wir unseren üblichen Tisch haben und eine Karaffe Rosé, bitte?«

Als Chantal sich entfernte, um den Wein zu holen, sah Julia Xavier über den Tisch hinweg an.

»Was willst du sagen, wenn die Leute dich fragen, wo du warst?«, erkundigte sie sich mit ausdrucksloser Stimme.

»Die Wahrheit.« Xavier zuckte mit den Achseln. »Dass ich den Kopf verloren habe und weggelaufen bin.«

Julia beschäftigte schon den ganzen Morgen ein Gedanke. »Du weißt, dass das ein gefundenes Fressen für die Medien ist, oder?«

»Ja, Julia. *Voilà*!« Xavier schlug mit der flachen Hand auf den Tisch. »Ich werde eine Pressekonferenz geben und die Aasgeier ein einziges Mal auf uns loslassen. Ja, das ist die Lösung! Wir rufen Olav an. Der soll das organisieren.«

Xavier erinnerte Julia an einen unter Volldampf fahrenden Zug; sie begriff seine Freude und Erleichterung darüber, aus dem Exil zurückgekehrt zu sein, konnte aber nicht mit ihm Schritt halten. Ihr war weder nach Pressekonferenzen noch nach dem Champagner zumute, den Chantal jetzt spendierte. Ihre Gedanken galten ausschließlich ihrem toten Kind. Xavier hingegen schien die Idee mit der Pressekonferenz zu beflügeln. Sie hatte völlig vergessen, wie eitel er sein konnte.

»Bitte, Xavier, Interviews ertrage ich noch nicht«, flehte sie ihn an.

»Ja, du hast recht. Entschuldige, *chérie*. Ich sollte nichts überstürzen. Doch ich kann mich eines Glücksgefühls nicht erwehren, wenn ich in die Augen meiner schönen Frau blicke. *Santé*.« Er stieß mit ihr an.

»Ich bin alles andere als glücklich. Wie sollte ich auch, so kurz nachdem ich die wahren Umstände von Gabriels Tod erfahren habe?«

Xavier griff nach ihrer Hand. »Julia, es war ein schrecklicher Unfall, den ich mir nie verzeihen werde. Aber ich habe mich und dich genug gestraft. Was soll ich tun? Sag es mir, Julia, und ich mache es, das verspreche ich dir.«

»Nichts. Du kannst nichts tun.«

Am nächsten Morgen wurde Julia von heftigem Klopfen an der Haustür geweckt. Als sie schlaftrunken hintappte, musste sie feststellen, dass Xavier sie schon geöffnet hatte … und ein Meer aus Gesichtern, Kameras und Diktafonen auf sie wartete.

Ein Blitzlichtgewitter ging auf sie nieder. Sie floh ins Wohnzimmer, sank schwer atmend aufs Sofa und bat Xavier, die Tür zuzumachen. Endlich hörte sie, wie sie sich schloss und Xavier sich zu ihr gesellte.

»Bist du sie losgeworden?«, fragte sie mit zitternder Stimme.

»*Chérie*, es tut mir leid, dass das so schnell geschehen ist, aber du weißt, dass es sich nicht verhindern lässt. Du bist berühmt, und ich bin dein Mann. Sie ziehen erst ab, wenn sie ihre Story haben. Je schneller wir es hinter uns bringen, desto besser. Ich habe ihnen gesagt, wir kommen in einer halben Stunde raus, um ein Interview zu geben. Dann sind sie zufrieden.«

»Sie wollen doch sicher nur mit dir sprechen, oder? Muss ich wirklich da raus?«

Xavier legte einen Arm um sie. »Du weißt, wie scharf sie auf dich sind. Du lieferst ein tolles Foto für die Titelseite. Das ist der Preis für Reichtum und Ruhm, *n'est-ce pas*? Ich muss jetzt erst mal duschen.« Mit einem Blick auf das alte, ausgewaschene T-Shirt, in dem sie geschlafen hatte, fügte er hinzu: »Vielleicht solltest du dich auch ein bisschen frisch machen.«

Julia folgte seinem Vorschlag und ließ sich, wie Xavier sie umarmte und liebevoll auf die Lippen küsste, fotografieren. Als die Journalisten sie fragten, wie sie sich nach der wunderbaren Rückkehr ihres Mannes fühle, antwortete sie, sie sei sehr glücklich, ihn wiederzuhaben.

Was hätte sie sonst sagen sollen?

Kurz nach dem Interview klingelte ihr Handy.

»Julia, ich bin's, Alicia. Stimmt das, was ich gerade im Radio gehört habe? In den Nachrichten hieß es, Julia Forresters Mann sei gesund und munter aufgetaucht.«

»Ja, es ist wahr. Ich hätte dich anrufen sollen, aber mir sitzt der Schreck selbst noch in den Gliedern. Und ich hatte nicht erwartet, dass die Geschichte sich so schnell herumspricht.«

»Das ist eine Mordsstory; die Reaktion der Presse überrascht mich nicht. Jetzt, wo er wieder da ist, wirst du wohl in Frankreich bleiben, oder?«

»Ich …« Julia schwieg kurz. »Ich weiß es nicht.«

»Okay … Hast du schon mit Kit gesprochen?«

»Nein.«

»Ohne dich bevormunden zu wollen: Ich glaube, es wäre eine gute Idee, mit ihm zu reden. Er sollte es aus deinem Mund erfahren, nicht aus der Zeitung.«

»Ja, da hast du wahrscheinlich recht.«

»Dad hat übrigens angerufen. Er weiß von der Geschichte und möchte dir gratulieren. Bist du nun glücklich, dass Xavier wieder da ist?«

Julia sah, dass Xavier aus der Küche kam. »Tut mir leid, Alicia, können wir später weiterreden? Ich habe gerade alle Hände voll zu tun.«

»Natürlich. Grüß Xavier von mir. Ich ruf dich noch mal an. Pass auf dich auf, Julia. Tschüs.«

Julia spürte, wie sich Arme um sie legten.

»Wie geht's dir, Julia?«

»Ich bin verwirrt«, gab sie zu.

»Die Presse liebt Happy Ends … *Je t'aime* …« Xavier küsste ihren Nacken, und seine Hände begannen, über ihren Körper zu wandern.

Julia entwand sich ihm. »Nein! Begreifst du denn nicht? Das ist kein Happy End!«

»Stimmt. Entschuldige. Ich wollte dir meine Liebe zeigen, aber ich muss warten, bis du dazu bereit bist.«

Julia spürte, wie ihr der kalte Schweiß ausbrach. Sie musste allein sein, weg von ihm. Als sie zur Tür ging, sagte Xavier: »Roland und Madeleine haben uns zur Feier meiner Rückkehr zum Lunch eingeladen. Möchtest du hingehen?«

Roland und Madeleine waren an jenem schicksalhaften Tag die Gastgeber von Xavier und Gabriel gewesen.

»Nein, ich bin müde, Xavier.«

Sie sah die Verärgerung in seinem Blick. »Gut. Aber ich denke, ich sollte hingehen. Ich breche in einer halben Stunde auf. Bis später dann, *mon amour.*«

»Ja.«

Julia sank auf einen Terrassenstuhl. Es war ein brütend heißer Tag, die einzige Grenze zwischen Meer und Himmel bildete eine schimmernde weiße Hitzelinie.

Alicia hatte recht. Sie musste Kit anrufen und es ihm selbst sagen.

Aber wie? Julia schüttelte den Kopf.

Xavier war wieder da und ihr eigener Schmerz nebensächlich. Sie war nicht mehr frei für Kit. Wie merkwürdig, dachte Julia: der Mann von den Toten auferstanden, doch sie selbst fühlte sich, als wäre sie gestorben.

Als sie hörte, wie Xavier das Haus verließ, holte sie tief Luft und wählte Kits Nummer.

Das Display seines Handys verriet Kit, dass es Julia war. Er ließ es klingeln, weil er es nicht über sich brachte, mit ihr zu sprechen. Er wusste, was sie sagen würde. Er hatte alles im Autoradio gehört.

Kit schaute hinaus auf den Park. Ihm war von Anfang an klar gewesen, dass Julia die Beziehung mit ihm nur begonnen hatte, weil sie glaubte, ihr Mann sei tot. Es konnte keinen Kampf um sie geben. Xavier war Julias Mann, sie seine Frau …

Kit schüttelte den Kopf. Er hätte ahnen müssen, dass alles zu perfekt war …

Zum ersten Mal seit Jahren hatte er einer Frau wirklich

sein Herz geschenkt und war mit wahrer Liebe belohnt worden.

»Wo werde ich das noch einmal finden?«, fragte er sich.

Er wusste, dass das nicht möglich war und ihre Beziehung keine Chance hatte. Julia freute sich bestimmt über Xaviers Rückkehr, wie er selbst sich über die von Milla gefreut hätte.

Wieder klingelte das Handy. Wieder Julia.

»Ich wünsche dir Glück, Liebling«, flüsterte er. »Ich werde dich immer lieben.«

Kit Crawford begann zu weinen wie ein Kind.

55

Irgendwie gelang es Julia, die folgenden Tage zu überstehen. Wie schon so oft fand sie Trost am Klavier, das ihr nicht nur eine willkommene Fluchtmöglichkeit vor der Realität, sondern auch Schutz vor Xaviers permanenter Aufmerksamkeit bot. Julia wusste, dass er ihr seine Liebe beweisen wollte und sich nichts sehnlicher wünschte als ihre Erwiderung, doch im Moment war sie dazu nicht in der Lage. In ihrem Innern herrschte Leere.

Nachdem Julia den Nachmittag am Klavier verbracht hatte, schenkte sie sich ein Glas Rosé ein und setzte sich auf die Terrasse, wo kurz darauf das Handy klingelte. Auf dem Display erschien Alicias Nummer.

»Hallo?«

Am anderen Ende war Schluchzen zu vernehmen.

»Alicia, was ist denn?«, fragte Julia.

»Ach, Julia! Ich ...«

»Versuch, dich zu beruhigen, und sag mir, was los ist.«

»Nein. Es ist schrecklich! Kann ich zu dir nach Frankreich kommen? Ich muss hier weg. Max sagt, er nimmt sich ein paar Tage frei und passt auf die Kinder auf. Ich weiß, du hast selber genug um die Ohren, aber … ich brauche dich.«

»Natürlich kannst du kommen. Ist irgendwas mit Max?«

»Nein. *Ich* bin das Problem!«

»Bist du krank?«

»Nein, mir geht's gut. Bitte, Julia … Ich könnte gleich morgen einen Flug nehmen und am Nachmittag bei dir sein. Würdest du mich in Toulon abholen?«

»Klar. Kann ich sonst noch was für dich tun?«

»Nein, lass mich nur eine Weile bei dir unterschlüpfen, damit ich meine Gedanken sortieren kann. Ich will nicht vor den Kindern die Krise kriegen.«

»Ruf mich an, sobald du den Flug gebucht hast. Ich hole dich morgen ab. Was auch immer es sein mag: Es lässt sich bestimmt geradebiegen.«

»Leider nicht. Es hat mir den Boden unter den Füßen weggezogen. Danke, Julia. Ich ruf dich später noch mal an.«

Julia war schockiert, sie so aus der Fassung zu hören. Was war nur geschehen, dass Alicia ihre vier Kinder allein ließ?

Xavier, der einige Stunden später nach Hause kam, erzählte ihr, er habe in Saint-Tropez Freunde getroffen und sich mit ihnen zur Feier des Tages ein paar Drinks genehmigt. Er sprach undeutlich, stellte Julia angewidert fest. Seine Schwäche für Alkohol war in ihrer Ehe seit jeher ein Problem gewesen. Wenn Julia ihn darauf hinwies, dass er zu viel getrunken habe, wurde Xavier aggressiv und stritt es ab.

Als Agnes am Abend das Essen auf der Terrasse servierte und Xavier sein Glas füllte, sagte Julia nichts, weil ihr die Energie für eine Auseinandersetzung fehlte.

»Morgen kommt meine Schwester. Sie möchte ein paar

Tage bleiben«, teilte Julia ihm mit, während sie in ihrem Fisch herumstocherte.

Xavier runzelte die Stirn. »Die perfekte Alicia gibt uns die Ehre?«

»Sprich nicht so über meine Schwester. Irgendwas ist los. Sie wollte mir nicht sagen, was, klang aber ziemlich durcheinander.«

»Vielleicht ist das Lieblingshemd ihres Mannes in der Bügelwäsche verloren gegangen«, spottete Xavier.

Julia wechselte das Thema. »War das mit *Le Figaro* heute dein letztes Interview?«

»Das liegt ganz bei mir. Ich habe mehrere andere Anfragen und ein Angebot, meine Memoiren zu schreiben. Sie bieten mir eine Menge Geld dafür. Was hältst du davon?«

»Wir brauchen das Geld nicht.«

»Und die Leute von *Paris Match* würden gern herkommen, um uns beide zu interviewen.«

»Nein. Ich habe dir gesagt, dass ich nur einmal vor die Presse trete. Bitte halt mich aus allen weiteren Vereinbarungen heraus.«

»*D'accord.*« Sie setzten schweigend ihre Mahlzeit fort.

Nach einer Weile streckte Xavier die Hand nach ihr aus. »Du bist nicht glücklich, Julia, oder? Bitte sag mir, warum.«

»Ich brauche Zeit, mich an die neue Situation zu gewöhnen.«

Xavier drückte ihre Hand und schenkte sich Wein nach. »Ja, vielleicht ist das der Grund. Du bist so anders.«

»Ich bin tatsächlich anders. Vieles hat sich geändert seit deinem Verschwinden.«

»Wir konnen unser Leben gestalten wie vorher, oder, *chérie*?«, flehte er sie an. »Unsere Liebe war so … schön. Wir finden sie wieder, das weiß ich.«

Julia seufzte. »Das hoffe ich, Xavier.«

Später folgte er ihr bis zur Schlafzimmertür.

»Bitte, Julia, lass mich diese Nacht bei dir bleiben, damit ich dir zeigen kann, wie sehr ich dich liebe, und wir uns beide daran erinnern, wie es früher war.« Er nahm sie in die Arme.

Obwohl sie nicht die geringste Lust darauf verspürte, ließ Julia sich von Xavier streicheln und küssen, weil sie hoffte, dass ihr das tatsächlich helfen würde, sich zu erinnern.

Nach dem Sex lag Julia neben Xavier wach. Der Akt war schnell vorüber gewesen, Xavier sofort eingeschlafen.

Julia gestand sich ein, dass sie seine Berührungen und seine Alkoholfahne widerlich gefunden hatte. Wie konnte das sein? Früher hatte sie sich immer nach seinem Körper gesehnt. Das war ein wichtiger Teil ihrer Beziehung gewesen.

In dieser Nacht wälzte Julia sich hin und her, weil sie, während Xavier mit ihr schlief, an Kit gedacht hatte. An seine zärtlichen Berührungen und das Lachen … Daran, dass sie bei ihm ganz sie selbst sein konnte, dass Kit sie so liebte, wie sie war …

Julia zwang sich, diese Gedanken zu verdrängen. Sie musste sich in ihr Schicksal fügen.

In der Ankunftshalle des Flughafens von Toulon sah Julia Alicia von der Gepäckrückgabe kommen. Ihre Schwester war ein Schatten ihrer selbst. Julia umarmte sie.

»Hallo, Alicia. Willkommen in Frankreich.«

»Julia, schön, dass du da bist …«, konnte Alicia gerade noch sagen, bevor sie in Tränen ausbrach.

»Komm, gehen wir zum Wagen. Daheim kannst du mir dann alles erzählen«, meinte Julia und dirigierte Alicia in Richtung Auto.

Unterwegs nach Ramatuelle starrte Alicia, die Hände verkrampft im Schoß gefaltet, geradeaus. »Willst du jetzt darüber sprechen?«, fragte Julia. »Oder möchtest du warten, bis wir zu Hause sind?«

»Ist Xavier da?«

»Ja.«

»Hast du schon mit Dad geredet?«

»Nein«, antwortete Julia. »Ich habe kein Wort von ihm gehört. Seltsam, dass er sich nach Xaviers Auftauchen nicht gemeldet hat.«

»Vielleicht hatte er andere Sorgen«, murmelte Alicia.

Sie fuhren schweigend eine Anhöhe hinauf, von der aus sich ein herrlicher Blick auf das azurblaue Mittelmeer bot.

Alicia legte ihrer Schwester die Hand auf den Arm. »Bleib mal hier stehen, ja? Ich möchte runterschauen.«

Julia lenkte den Wagen in eine Parkbucht auf der Kuppe des Hügels. Alicia stieg aus und ging zu dem Geländer, das sie von der steilen Klippe über dem Meer trennte.

Julia stellte sich neben sie und beugte sich über das Geländer. »Schön, nicht?«

»Dad hat mir vor drei Tagen gesagt, dass ich adoptiert bin.«

»Wie bitte?« Julia blieb der Mund offen stehen.

»Ja. Mum hatte Krebs, als sie etwa zwanzig war, lange vor dem zweiten Mal mit über vierzig. Damals dachten sie, sie könnte wegen der Bestrahlung keine Kinder mehr bekommen. Also haben sie mich adoptiert. Mum ist also nicht meine Mum, und Dad ist nicht mein Dad, und du, Julia«, sagte sie und wandte sich ihr mit ausdruckslosem Blick zu, »bist nicht meine Schwester.«

»Nein! Ich …« Wann würden die schockierenden Neuigkeiten endlich aufhören? »Das ist nicht wahr.«

»Doch. Dad hat mir meine Geburtsurkunde gezeigt. Offenbar war meine Mutter eine gewisse Joy Reynolds aus

Aylsham, die als Teenager schwanger geworden ist. Sie hat mich zur Adoption freigegeben, und Mum und Dad – oder besser gesagt George und Jasmine – haben mich bekommen, als ich zwei Wochen alt war.«

»Aber ...«

»Du willst wissen, was mit dir ist?« Alicia schien die Gedanken ihrer Schwester zu erraten. »Keine Sorge, Julia, du bist definitiv von ihnen. Ich bin das einzige Kuckucksei.«

»Ich verstehe das nicht, Alicia. Wie ist es möglich, dass ich drei Jahre später geboren wurde, wenn Mum doch keine Kinder kriegen konnte?«

»Anscheinend geschieht es öfter, dass kinderlose Frauen, die ein Baby adoptieren, plötzlich schwanger werden. Scheint etwas mit den Hormonen zu tun zu haben, die der Mutterinstinkt aktiviert«, erklärte Alicia. »Max hat das gestern Abend für mich im Internet recherchiert; da stehen Hunderte solcher Geschichten. Mach dir also keine Gedanken, Julia, du bist wirklich blutsverwandt mit ihnen. Tut mir leid, wenn das bitter klingt. Alles, was ich bisher für selbstverständlich gehalten habe, ist Makulatur. Ich weiß nicht mehr, wer ich bin.«

»Das muss furchtbar für dich sein. Offen gesagt, verstehe ich nicht, warum Dad dir das ausgerechnet jetzt gestanden hat. Das hätten die beiden doch schon vor Jahren tun können, oder?«

»Ja, aber ich glaube, er wollte es mir eigentlich nie sagen. Jetzt war er wegen etwas, das Elsie ihm erzählt hat, unter Zugzwang.«

Deshalb hatte Elsie sie also gebeten, Alicia nichts davon zu verraten, dass Julia eine Crawford war. Alicia gehörte nicht zur Familie.

»Letztlich ist es egal, warum«, meinte Alicia. »Jedenfalls hat es mich völlig aus der Bahn geworfen.« Alicia stützte den

Kopf auf die Arme und weinte. »Ich fühle mich wie verloren.«

Eine verletzliche und verzweifelte Alicia war so ungewohnt, dass Julia Mühe hatte, tröstende Worte für sie zu finden.

»Ich kann deinen Schock verstehen ...«

Alicia sah Julia an. »Tatsächlich? Nein, Julia, das glaube ich nicht. Meine Familie bedeutet mir alles. Sie war immer meine erste Priorität. Weißt du noch, wie Mum gestorben ist? Ich habe mir solche Mühe gegeben, mich um dich und Dad zu kümmern. Obwohl ich auch völlig durcheinander war, musste ja jemand in Mums Fußstapfen treten und dafür sorgen, dass es weitergeht. Ich habe gelernt, irgendwie zurechtzukommen ...«

»Es tut mir leid, wirklich, Alicia. Das war mir nicht bewusst.«

»Natürlich nicht. Du und Dad, ihr habt euch immer in eure eigenen Welten zurückgezogen. Doch für mich wart ihr zwei meine Familie, alles, was ich hatte. Dad hat seine Pflanzen gesammelt, und du bist irgendwann auf die Musikhochschule, froh, endlich von mir wegzukommen ...«

»Das stimmt nicht, Alicia ...«

»Julia, bitte sei ehrlich.« Alicias Stimme klang rau. »Du hast es gehasst, von mir bemuttert zu werden. Vermutlich hegst du nach wie vor Ressentiments gegen mich mit meinem ›perfekten‹ Leben ... Du fühlst dich bevormundet. Das kann ich dir nicht verdenken.« Sie schüttelte den Kopf. »Es war meine freie Entscheidung, diese Rolle zu übernehmen. Sie hat mir geholfen zu überleben und meinen eigenen Schmerz zu verdrängen. Seit damals bin ich immer für alle da – für dich, Dad, Max, die Kinder ... Und jetzt« – Alicia schnürte es die Kehle zu – »stellt sich raus, dass diese heile Welt eine Lüge war! Du und Mum und Dad, ihr seid nicht mal meine richtige Familie!«

Julia wusste, dass vieles von dem, was ihre Schwester sagte, stimmte.

»Es war keine Lüge, Alicia«, erwiderte sie erst nach einer ganzen Weile. »Wir lieben einander … Egal wessen Blut in unseren Adern fließt.«

Alicia stützte den Kopf wieder auf das Geländer. »Entschuldige, Julia, dass ich ausgeflippt bin. Meine Fähigkeit, alles in den Griff zu kriegen, scheint mich verlassen zu haben. Mir ist, als würde das Leben rund um mich herum zusammenstürzen. Nichts ergibt mehr Sinn.«

Julia berührte vorsichtig die Schulter ihrer Schwester. »Das ist nur der erste Schock. Es wird besser, glaub mir.«

»Ich kann's einfach nicht fassen, dass Mum mich nicht zur Welt gebracht hat«, flüsterte Alicia, »sondern eine vollkommen Fremde.«

»Mum ist es doch ähnlich ergangen …«, rutschte es Julia heraus.

Alicia schaute Julia mit blassem, tränennassem Gesicht an. »Was? Willst du behaupten, dass Mum adoptiert war?«

Julia nickte. »Ja. Das hat Elsie mir gesagt und wahrscheinlich auch Dad.«

»Gütiger Himmel«, stöhnte Alicia. »Wusste Mum von der Adoption?«

»Nein. Für Elsie war Jasmine ihre Tochter, Punkt. Das ist letztlich das Einzige, was zählt, oder?«

Alicia schwieg. Julia strich ihrer Schwester eine blonde Haarsträhne aus der Stirn. »Diese Enthüllung ändert nichts an dem, was wirklich wichtig ist. Der einzige Unterschied zwischen dir und Mum besteht darin, dass sie nichts davon ahnte.«

Alicia blickte seufzend aufs Meer hinaus. »Das mit Mum zu

wissen, hilft mir irgendwie. Ich muss mich emotional an die neuen Gegebenheiten gewöhnen.«

»Ja«, pflichtete Julia ihr bei. »Ich habe im vergangenen Jahr selbst eine ganze Reihe Schocks erlitten und weiß, dass das seine Zeit braucht.«

»Erinnerst du dich, dass ich dir einmal gesagt habe, ich hätte Angst davor, einmal mit einem richtigen Problem konfrontiert zu werden wie du? Nun schau mich an!« Sie lächelte traurig. »Ich bin ein Wrack!«

»Du bist auch nur ein Mensch, Alicia. Geh nicht zu hart mit dir ins Gericht.«

»Genau das hat Max mir geraten.« Sie wandte sich zu Julia. »Er unterstützt mich, wo er kann.«

»Ein toller Mann, Alicia. Und er liebt dich.«

»Das Problem ist nur, dass ich an meine Rolle der Starken gewöhnt bin … Es muss schrecklich für ihn sein, mich nach all den Jahren so … labil zu erleben.«

»Vielleicht hat er gar nichts dagegen, sich zur Abwechslung mal um dich zu kümmern.«

»Möglich …« Alicia streckte die Arme aus. »Drück mich.«

Julia tat ihr den Gefallen.

»Tut mir leid, was ich gerade gesagt habe. War nicht so gemeint.«

»Und mir tut es leid, dass mir nicht bewusst war, wie sehr Mums Tod dir zu schaffen gemacht hat. Ich habe mich aufgeführt wie ein egoistisches Monster, während du uns nur helfen wolltest. Du warst wunderbar zu mir, besonders in letzter Zeit. Ich weiß nicht, wie ich ohne dich zurechtgekommen wäre.«

»Tja, kleine Schwester«, sagte Alicia und löste sich aus der Umarmung. »Jetzt brauche ich dich, okay?«

»Okay.«

Nach einem Schläfchen aß Alicia mit Julia und Xavier auf der Terrasse. Jetzt wirkte sie ruhiger, wenn auch nach wie vor blass. Xavier zeigte sich von seiner besten Seite, und da Alicias Gegenwart eventuelle Spannungen zwischen ihm und Julia neutralisierte, gelang ihnen ein angenehmer Abend. Um Mitternacht zog Alicia sich gähnend zurück.

»Tut mir leid, Leute, ich hab nicht sonderlich gut geschlafen und zu viel Wein getrunken. Gute Nacht und danke, dass ich bei euch unterkommen konnte.« Sie drückte Julias Hand.

Bald darauf ging Xavier ins Bett, so dass Julia die Lichter ausschaltete und die Türen verschloss. Es war ganz anders als mit Kit, mit dem sie diese Aufgabe gemeinsam erledigt hatte. Als sie ums Haus herumging, dachte sie darüber nach, dass sie sich nie die Mühe gemacht hatte, Alicias Verletzlichkeit unter der Oberfläche wahrzunehmen.

Kit hatte sie einmal darauf aufmerksam gemacht ... Er hatte erkannt, wie sie wirklich war, und sie verstanden. Hätte sie doch nur sein Einfühlungsvermögen besessen! Immerhin konnte Julia sich jetzt bei Alicia revanchieren. Ein Gefühl der Zuneigung für ihre Schwester durchströmte sie beim Betreten des Schlafzimmers.

Ihr Blick fiel auf Xavier, der nach der vergangenen Nacht anscheinend zu dem Schluss gekommen war, dass er seine ehelichen Rechte wieder geltend machen durfte.

»Deine Schwester ist mir heute Abend irgendwie ...« Xavier suchte nach dem passenden Wort. »... menschlicher erschienen. Obwohl ich es kaum erwarten konnte, dass das Essen vorbei ist. Ich wollte dich ganz für mich haben, *mon amour.*« Er deutete auf die Auswölbung in seinen Boxershorts.

Als Julia sich aufs Bett setzte, um sich auszukleiden, zog er sie zu sich heran und drückte ihren Kopf nach unten.

»Nein, Xavier!« Sie entwand sich seinem Griff. »Nicht heute. Ich bin müde.«

»Julia, du weißt doch, wie sehr ich das mag«, bettelte er.

Julia stand auf und ging ins Bad.

Am folgenden Tag musste Xavier zu einem Interview früh aus dem Haus, so dass Julia und Alicia zu zweit ein spätes Frühstück genießen konnten. Danach schlug Julia vor, einen Ausflug ans ruhigere Ende des Pampelonne-Strandes von Saint-Tropez zu machen.

»Wie dekadent«, bemerkte Alicia, als sie sich auf bequemen Liegestühlen an der Strandbar niederließen. »Schön, wenn man nach so einer Geschichte zu einer Schwester flüchten kann, die in Südfrankreich lebt. Du hast recht: Dass ich adoptiert bin, macht wahrscheinlich wirklich keinen großen Unterschied.«

»Richtig«, pflichtete Julia ihr bei und reckte ihr Gesicht in die Sonne. »Meine Ressentiments gegen dich tun mir leid. Ich hatte nur immer das Gefühl, dass du alles richtig machst und ich alles falsch.«

»Schön wär's«, stöhnte Alicia. »Ich war die letzten zwanzig Jahre so damit beschäftigt, meinen Emotionen aus dem Weg zu gehen, dass ich jetzt nicht weiß, wer ich bin.«

»Möglicherweise macht's dir ja Spaß, es herauszufinden«, meinte Julia. »Und vielleicht solltest du dich eine Weile auf dich selbst, nicht auf andere konzentrieren.«

»Leider möchte ich gebraucht werden«, gab sie zu. »Was bleibt mir denn, wenn ich darauf verzichte?«

»Die Menschen, die dich deiner Persönlichkeit wegen lieben, nicht weil du etwas für sie tust.«

»Ach. Meinst du, dass Max und die Kinder mich auch mögen, wenn ich seine Hemden nicht mehr bügle und vergesse, ihnen was zu kochen?«

Julia hörte die Ironie in Alicias Worten. »Aber ja. Unter Umständen würden wir alle mehr Respekt vor dir haben, wenn du uns nicht jeden Wunsch von den Augen abliest. Wer weiß, vielleicht fangen wir am Ende an, dich zu umsorgen.«

»Wow! Was für ein Gedanke.« Alicia kicherte. »Das habe ich mir selbst zuzuschreiben. Ich wollte immer kompetent wirken und bin es letztlich auch. Jedenfalls meistens.«

»Ja, aber du darfst durchaus hin und wieder verletzlich und anlehnungsbedürftig sein wie wir alle. Und du solltest dich nicht schämen, es zu zeigen.«

»Du hast recht. Wie Max sich mir gegenüber verhält, seit das passiert ist... Ich dachte immer, ich hätte ihn geheiratet, weil er eben da war und ich jemanden brauchte, nachdem du aus dem Haus warst und Dad sich kaum noch daheim blicken ließ. Aber diese Krise hat mir gezeigt, wie glücklich ich mich schätzen kann, ihn zu haben.«

»Siehst du, es gibt immer Hoffnung. Wenigstens weißt du nun, dass Max viel mehr wert ist als du dachtest. Den Kindern wird's unter seiner Obhut nicht gerade schlecht gehen, oder?«

»Nein. Hier ohne irgendwelche Verpflichtungen in der Sonne zu liegen, ist einfach ... toll!«

»Gut. Dann solltest du das in Zukunft öfter machen.«

»Weißt du was?« Alicia lehnte sich auf ihrem Liegestuhl zurück und schloss die Augen. »Das tue ich glatt!«

Bei einem leichten Lunch aus frischem Mozzarella mit Tomaten und einer Karaffe jungem Wein aus der Gegend erzählte Julia Alicia, was sie über ihre Herkunft erfahren hatte.

»Unsere Mutter war also eine Crawford?«

»Ja. Die uneheliche Tochter von Lord Harry. Ironie des Schicksals, dass sie direkt vor der Nase ihres Vaters aufwuchs und nie davon erfuhr.«

»Kein Wunder, dass Dad mir das sagen musste. Sonst hätte

ich am Ende gedacht, in meinen Adern fließe Crawford-Blut, und angefangen, mich wie eine Prinzessin aufzuführen und zum Frühstück ein Diadem zu tragen.« Alicia schmunzelte. »Interessant finde ich, dass du mehr Anspruch auf Wharton Park hast als Kit. Du bist eine direkte Nachfahrin von Harry, Kit ist nur eine Art Cousin. Hätte Mum das Anwesen geerbt, wenn sie noch am Leben wäre?«

»Mum wurde leider nicht im Ehebett gezeugt, wie Elsie es so treffend ausgedrückt hat.«

»Das spielt jetzt keine Rolle mehr. So etwas lässt sich mit Hilfe einer DNS-Analyse nachweisen. Erst kürzlich habe ich einen Artikel in der *Times* über einen ähnlich gelagerten Fall gelesen.«

»Wahrscheinlich hast du recht, aber wie du weißt, erbt der nächste männliche Verwandte den Titel. Allerdings hätte Mum, wären die Verwandtschaftsverhältnisse damals bekannt gewesen, bestimmt Anspruch auf ein Erbteil gehabt.«

Alicia sah Julia an. »Dann erhebt sich doch folgende Frage: Glaubst du, dir steht ein Teil des Anwesens zu?«

»Vielleicht«, antwortete Julia und nahm einen Schluck Kaffee. »Bisher hatte ich weder die Zeit noch die Lust, mich näher damit zu beschäftigen. Außerdem brauche ich das Geld nicht.«

»Stimmt. Du und Kit, ihr seid, was …?« Sie kratzte sich an der Nase. »Cousins dritten Grades?«

Julias Miene verdüsterte sich. »Ja, so was Ähnliches. Aber das ist doch nicht wichtig, oder?«

»Wirklich nicht?«, hakte Alicia nach.

»Warum sollte es?«

»Noch vor ein paar Wochen warst du mit Kit zusammen. Ihr wart sehr glücklich miteinander und …«

»Alicia, darüber möchte ich nicht sprechen«, fiel Julia ihr

ins Wort. »Xavier ist wieder da, also bin ich eine verheiratete Frau. Was auch immer Kit und ich waren: Jetzt ist es irrelevant.«

»Hast du mit Kit gesprochen?«

»Wie gesagt: Ich möchte nicht darüber reden, okay?«

56

Am folgenden Morgen brachte Julia Alicia zum Flughafen.

»Es war sehr schön«, sagte Alicia im Abflugbereich. »Genau das Richtige für die gequälte Seele.« Sie rümpfte die mit frischen Sommersprossen übersäte Nase. »Eigentlich will ich gar nicht nach Hause.«

»Du kannst jederzeit wiederkommen. Mit oder ohne Familie. Und vergiss nicht, dass es völlig in Ordnung ist, hin und wieder an dich selbst zu denken.«

»Wird gemacht. Danke, Julia. Ich habe viel gelernt.«

»Tatsächlich?«

Alicia nickte, zog Julia an sich und umarmte sie.

»Das ist ein Neuanfang für mich und für uns, oder?«

»Ja«, bestätigte Julia. »Pass auf dich auf, Alicia.«

»Gleichfalls.«

Während der Heimfahrt dachte Julia an ihre Schwester und hoffte, dass dieses neue Verständnis anhalten würde. Außerdem gestand sie sich ein, wie sehr sie sich danach gesehnt hätte, das Flugzeug nach England mit ihr zu besteigen.

Auch sie wollte nicht nach Hause. Obwohl sie zugeben musste, dass Xavier sich große Mühe gab, spürte sie in seiner Gegenwart Anspannung, Unbehagen und Irritation, die sie nicht kontrollieren konnte.

Und am allerschlimmsten: Von ihrer früheren Liebe für ihn war nichts mehr übrig.

Julia stellte den Wagen ab, holte tief Luft und ging zum Haus. Heute Abend würde sie alles tun, um die Situation angenehmer zu gestalten. Was blieb ihr anderes übrig?

Als sie die Tür öffnete, stieg ihr der köstliche Geruch von frischem Fleisch, zerlassener Butter und Kräutern in die Nase. Xavier schwenkte in der Küche zwei Steaks in der Pfanne.

»*Voilà*! Du bist wieder da. Ich habe beschlossen zu kochen und Agnes freizugeben. Setz dich auf die Terrasse, *chérie*. Ich bringe gleich was zu trinken.«

Überrascht und verwirrt tat Julia, wie ihr geheißen. In ihrer ganzen Ehe hatte Xavier noch nie gekocht. Er trat mit einer Flasche Champagner auf die Terrasse und füllte zwei Gläser.

»Auf uns«, sagte er.

»Ja, auf uns«, wiederholte sie, und sie tranken.

Er setzte sich neben sie, nahm ihre Hand und küsste sie. »Ich konnte es gar nicht erwarten, dass deine Schwester endlich abreist. Ich weiß, wie schwer es für dich ist, meine Anwesenheit zu akzeptieren und mir meine Schuld an Gabriels Tod zu vergeben. Aber ich schwöre dir: Wenn du mir vertraust, mache ich alles wieder gut. Glaubst du mir?«

»Ich glaube dir, dass du das willst, Xavier.« Julia hatte ein schlechtes Gewissen, weil nichts, was er sagte oder tat, dieses Gefühl der emotionalen Taubheit in ihr beseitigen konnte.

»Ich möchte dir etwas zeigen, Xavier.«

»Was du willst, *chérie*.«

»Den Ort, an dem Gabriel gestorben ist. Einen Tag vor deinem Auftauchen habe ich dort zwei Zypressen gepflanzt; eine für dich und eine für ihn. Begleite mich und sich sie dir an.«

Er schwieg kurz, bevor er sagte: »Natürlich.«

»Morgen früh.«

»Ja.«

»Danke, Xavier.«

In jener Nacht schlief Julia zum ersten Mal wieder mit dem Kopf an der Schulter ihres Mannes ein.

Wie immer, wenn beide sich zu Hause aufhielten und keine Verpflichtungen hatten, stand Julia als Erste auf. Xavier kam selten vor halb elf aus dem Bett; die Zeit dazwischen nutzte Julia zum Üben.

Um elf betrat Xavier die Küche, wo Julia gerade Kaffee machte.

»*Bonjour*, Julia.« Xavier schlang die Arme um sie. »Mm, der Kaffee riecht gut.«

Julia reichte ihm eine Tasse. »Gehst du duschen? Ich würde gern so schnell wie möglich fahren.«

Xavier runzelte die Stirn. »Wohin?«

»An den Ort, an dem Gabriel gestorben ist und ich die Bäume gepflanzt habe, erinnerst du dich?«

»Ja, ja, natürlich. Bin gleich fertig.«

Julia versuchte, ihre Verärgerung zu unterdrücken. Sie verstand sein Zögern, weil es für ihn genauso schwer sein würde, dorthin zurückzukehren, wie für sie. Aber sie musste seine Trauer sehen.

Zwanzig Minuten später kam Xavier voll angekleidet in die Küche.

»*Alors!* Fahren wir.«

Wie immer, wenn sie zu zweit unterwegs waren, lenkte Julia den Wagen.

»Morgen muss ich nach Paris, die letzten Interviews geben. Dann ist das Kapitel abgeschlossen«, erklärte er.

Julia schwieg.

»Olav sagt, der Verleger ruft bald an, um mich zu dem Buch zu überreden. Ich habe noch nie so viel zu tun gehabt.«

Wieder schwieg Julia.

Sie stellte den Wagen in der Parkbucht ab, dann gingen sie wortlos den Abhang hinunter zu den beiden Zypressen. Julia hatte eine Gießkanne mitgebracht, um sie zu gießen.

Sie war mit den Gedanken halb bei Gabriel und halb bei Xavier, der nervös neben ihr stand. Nach einer Weile ergriff er ihre Hand. »Du hast etwas sehr Schönes geschaffen. Dies ist ein Ort des Friedens, erwachsen aus der Tragödie. Sollen wir den einen Baum herausreißen, der für mich steht?«

»Vielleicht. Ich …«

Da klingelte Xaviers Handy. Er zog es aus der Hosentasche und warf einen Blick auf die Nummer.

»*Pardon, chérie*, das ist der Londoner Verleger. Ich muss rangehen.« Xavier entfernte sich, um den Anruf entgegenzunehmen.

Julia riss die größere der beiden Zypressen aus dem Boden und schleuderte sie so weit sie konnte von der Stelle weg, die den Tod ihres geliebten Sohnes und ihre Liebe zu Xavier markierte.

Im Lauf des Sommers wurde Julia sich allmählich der Ironie des Schicksals bewusst: Jetzt, da sie endlich die Zeit hatte, die sie sich früher mit Xavier gewünscht hätte, sehnte sie sich nur noch danach, dass er das Haus verließ.

Es entwickelte sich eine Routine: Julia übte morgens, bevor Xavier aufstand, er am Nachmittag, wenn Julia an den Strand ging, um ihm zu entkommen und sich zu entspannen. Immer wieder schweiften ihre Gedanken zu Kit ab. Sie überlegte, wo er sich befand und was er machte, und hätte ihm gern ihr Herz ausgeschüttet und sich Rat von ihm geholt.

Eines Abends im August, als Julia nach Hause kam, war Xavier in der Küche damit beschäftigt, eine Liste zu erstellen.

»Ich finde, wir sollten ein Fest geben, *chérie*. Was sagst du dazu?«

Julia hob die Augenbrauen. »Was für ein Fest?«

»Eine Feier anlässlich meiner Wiederauferstehung von den Toten, damit alle wissen, wie glücklich wir sind. Ich schreibe gerade die Namen sämtlicher Leute auf, die ich einladen möchte.«

»Wenn du meinst.« Julia fand die Idee haarsträubend, war aber zu kraftlos, um mit ihm zu streiten. »Wann soll die Party steigen?«

»So bald wie möglich. Viele werden die Riviera bald verlassen; ich dachte mir, der nächste Samstag wäre genau richtig.«

»Wenn du meinst«, wiederholte Julia, füllte ein Glas mit Wasser und ging in ihr Arbeitszimmer, um E-Mails zu beantworten.

Agnes half ihnen, alles für das Fest vorzubereiten, und Xavier, der Julia fragte, welches von drei Hemden er bei der Party tragen solle, war aufgeregt wie ein kleiner Junge vor dem Geburtstag.

Beim Anziehen und Schminken empfand Julia keinerlei Vorfreude. Xavier hatte über hundert Gäste eingeladen, von denen sie manche kaum kannte. Ihr Unbehagen angesichts der Feier hatte sie Alicia zwei Tage zuvor anvertraut.

»Xavier gibt sich Mühe, Julia«, hatte Alicia festgestellt. »Ihr habt so viel durchgemacht, da kann er jetzt auch feiern, oder? Zugegeben, ein richtiges Happy End ist es nicht, aber immerhin ein besseres als das letztes Jahr um diese Zeit.« Kurzes Schweigen. »Wann wirst du Xavier endlich verzeihen, dass er den Unfall überlebt hat?«

Julia war klar gewesen, dass sie recht hatte. Und sie hatte sich vorgenommen, mit Xavier zu feiern, auch wenn ihr Herz sich ihm nie mehr öffnen würde.

Nun betrachtete sie sich ein letztes Mal im Spiegel, bevor sie nach unten ging.

»*Chérie*, du bist wunderschön heute Abend.«

Julia ließ sich von ihm umarmen.

Er nahm zwei Gläser Champagner vom Tablett eines Kellners, der im Flur auf die Gäste wartete.

»Auf uns.« Xavier stieß mit ihr an. »Und auf den Neuanfang.«

Als er sie küsste, klingelte es an der Tür, und Xavier begrüßte die ersten Gäste. Schon bald wimmelte es in Haus und Garten von Menschen, besonders rund um das Jazztrio, das in einer Ecke der Terrasse spielte.

Julia gab die glückliche Gattin des wiedergekehrten Mannes. Xavier hielt um Mitternacht eine Rede, in der er seine wunderbare Frau und ihre Liebe pries. Er betonte, wie verzweifelt sie über den Tod ihres geliebten Sohnes seien, versicherte den Anwesenden jedoch, dass sie sich um weitere Kinder bemühen würden.

Um ein Uhr morgens, als die Party in vollem Gange war und der Champagner in Strömen floss, wankte Madeleine, die Xavier und Gabriel zu dem verhängnisvollen Grillnachmittag eingeladen hatte, nicht mehr ganz nüchtern auf Julia zu.

»Schätzchen.« Madeleine drückte Julia an ihren üppigen Busen. »Wie schön, euch beide wieder vereint zu sehen«, erklärte sie in ihrem texanischen Akzent. »Ich hätte nicht gedacht, dass ich das noch erleben würde.«

»Ich auch nicht«, sagte Julia mit einem spöttischen Lächeln.

»Wir hatten solche Schuldgefühle. Schließlich waren sie vor dem Unfall auf unserer Party.«

»Wie du ganz richtig bemerkst: Es war ein Unfall.«

Madeleine trat einen Schritt zurück und sah sie mit glasigen Augen an. »Schätzchen, ich muss dich wirklich bewundern, dass du das verzeihen kannst!«

»Dass es ein Unfall war?«, fragte Julia verwirrt.

»Wir haben Xavier gesagt, sie sollen bei uns schlafen, aber natürlich wollte er nicht auf uns hören.«

»Warum?«

»Weil wir alle wussten, dass er nicht mehr fahren kann, Schätzchen. Dazu war keiner von uns mehr in der Lage«, fügte sie, ein wenig unsicher auf den Beinen, hinzu.

Julia begann zu begreifen, was sie meinte.

»Heißt das, Xavier war betrunken?«

»Wusstest du das nicht? Als er vor ein paar Wochen zum Lunch bei uns war, hat er gesagt, er hätte es dir erklärt, und du hättest ihm verziehen.«

Als Madeleine Julias Blick sah, schlug sie eine Hand vor den Mund. »O je, hoffentlich habe ich mich nicht verplappert. Wir trinken alle gern mal einen über den Durst, oder? Schau dir die Leute heute Abend an. Ich wette, die meisten haben niemanden, der sie heimfährt! Das könnte uns allen passieren. Ich wäre die Letzte, die da mit Steinen wirft. Du bist wieder mit dem Mann zusammen, den du liebst. Kommt uns doch bald mal besuchen, ja, Schätzchen?«

Während die Party weiterlief, packte Julia alles, was hineinpasste, in die kleine Tasche, mit der sie nach Frankreich gereist war. Xavier saß am Klavier und unterhielt die Gäste.

Er würde ihre Abwesenheit erst später bemerken.

Sie stellte die Tasche neben die Schlafzimmertür und schlich auf Zehenspitzen in den Raum, in den sie sich bis dahin nicht gewagt hatte. Julia trat an Gabriels Bettchen.

Auf dem Kissen lag Pomme, Gabriels geliebter Teddybär. Sie drückte ihn an sich. Dann öffnete sie den kleinen Schrank und holte eines von Gabriels T-Shirts heraus.

An der Zimmertür verabschiedete sie sich mit einer Kusshand von dem Raum, verstaute ihre beiden Schätze in der Tasche, ging die Treppe hinunter und verließ das Haus.

57

Auf die bequeme Armlehne gestützt, blicke ich auf die Welt hinunter. Obwohl ich schon oft geflogen bin, staune ich jedes Mal wieder über dieses Wunder.

Es ist fast dunkel; auf dem Monitor vor mir sehe ich, dass wir uns über Delhi befinden, einer Ansammlung blinkender Lichter, die von zahllosen, dicht an dicht gedrängten Menschen zeugen. Jeder hätte seine eigene Geschichte zu erzählen. Die Kraft all dieser Leben erstaunt mich und macht mich demütig.

Die letzten Lichter von Delhi verschwinden, das Flugzeug überquert die riesigen, menschenleeren Gebirgszüge des Himalaja, und die Welt unter mir wird schwarz.

Im Moment, denke ich traurig, bin ich wie dieses Flugzeug; es steht mir frei zu landen, wo ich möchte. Könnte doch jemand den Flugweg für mich bestimmen! Noch ein paar Wochen zuvor war ich sicher gewesen, dass mein Leben endlich der richtigen Route folgte, doch jetzt ist es wieder vom Kurs abgekommen.

Immerhin weiß ich dieses Mal, dass ich die Kraft besitze, damit fertig zu werden, ohne Selbstmitleid und ohne Sehnsucht nach dem, was hätte sein können. Ich habe mich endgültig von der körperlichen Erinnerung an meinen Sohn verabschiedet und werde den Gedanken an Gabriel und den Schmerz über seinen Verlust im Herzen tragen, so lange ich lebe.

Was Xavier anbelangt: Das Podest, auf das ich ihn gestellt hatte, ist zusammengebrochen. Die ersten Risse bekam es, als er zurückkehrte und mir seine Geschichte erzählte. Die Enthüllung vor ein paar Tagen hat lediglich bestätigt, was ich schon wusste: Xavier ist ein schwacher, egoistischer Mensch, dem letzlich nur er selbst wichtig ist.

Er widert mich an.

Ich bedaure nicht, ihm den Rücken gekehrt zu haben. Ich konnte nicht mehr bei ihm bleiben.

Nun kehre ich wieder einmal in die Vergangenheit zurück, um meine Zukunft zu entdecken.

Nach dem Essen schließe ich die Augen und schlafe, während das Flugzeug mich sicher nach Osten bringt.

Vor dem Ankunftsbereich wurde Julia von einem adrett gekleideten Fahrer mit einem Schild erwartet, auf dem ihr Name stand. Sie schob ihren Gepäckwagen durch die Menschenmenge auf ihn zu.

»Willkommen in Bangkok, Miss Forrester. Ich bringe Sie zu Auto, bitte.« Der Fahrer nahm den Gepäckwagen, und sie folgte ihm hinaus in die heiße Luft der Stadt.

Wenig später saß Julia in einer bequemen Limousine. Der Fahrer versuchte, in gestelztem Englisch Konversation zu machen, aber Julia war nicht interessiert und schaute aus dem Fenster. Die Mischung aus Bürotürmen, blitzenden Golddächern von Thaitempeln und heruntergekommenen Holzschuppen mit Wäscheleinen faszinierte sie. Es wunderte sie, dass keine ihrer zahlreichen Reisen, unter anderem nach China und Japan, sie nach Bangkok geführt hatte.

Der Wagen hielt vor dem mit Blättern überwachsenen Eingang des Oriental Hotel. Beim Aussteigen atmete Julia den ganz eigenen Geruch der Stadt ein – den süßlichen Duft exotischer Blumen, vermischt mit dem Gestank faulenden Gemüses. Irgendwie kam ihr dieser Geruch vertraut vor.

Als sie das Foyer betrat, reichte ihr ein hübsches Thaimädchen eine Jasmingirlande. »Willkommen im Oriental Hotel, Miss Forrester. Ich bringe Sie zu Ihrem Zimmer.«

Julia bedankte sich und bewunderte das elegante Foyer mit seinem prächtigen Orchideenarrangement und den riesigen chinesischen Laternen an der hohen Decke.

In ihrem Zimmer öffnete Julia die Tür zum Balkon, um den majestätischen Fluss zu bewundern, der sich endlos in beide Richtungen zu erstrecken schien. Darauf schaukelten Boote in allen Formen und Größen, und es drang nie nachlassender Lärm herauf.

Julia ließ sich einen Kaffee aufs Zimmer bringen und machte es sich auf dem Balkon bequem, wo sie die Atmosphäre genoss. Sie mochte die Wärme und ertrug auch das schwülste Wetter.

Als sie sich ein wenig nach links beugte, stellte sie fest, dass das Oriental eine kleine Oase der Ruhe inmitten seiner prunkvolleren Hotelnachbarn darstellte. Der älteste Teil des Komplexes, den wohl ihr Großvater gekannt hatte, hieß, das entnahm sie den Angaben über das Haus, die sie gerade durchblätterte, nun Authors Lounge. Er befand sich direkt am Fluss, etwa hundert Meter von ihr entfernt, jenseits der gepflegten tropischen Gärten und des Swimmingpools. Seine hübsche Fassade im Kolonialstil wirkte winzig im Vergleich zu den hohen Gebäuden rundherum, doch Julia konnte sie sich zu Harrys Zeit vorstellen, als Holzschuppen auf Pfählen.

Gähnend holte Julia die Adresse aus ihrer Handtasche, die Elsie ihr gegeben hatte. Bevor sie die letzte Etappe ihrer Reise in die Vergangenheit anging, musste sie schlafen, um einen klaren Kopf zu bekommen.

Julia schlief deutlich länger, als sie vorgehabt hatte, und wachte benommen um Viertel vor fünf auf. Sie setzte sich mit einem Glas kaltem Weißwein auf den Balkon und verfolgte, wie die Nacht in Bangkok hereinbrach. Unter ihr schmückten blinkende weiße Lichter die Bäume auf der Terrasse, die bereits von Menschen, die zu Abend essen wollten, wimmelte. Bei ihrem Anblick spürte Julia, dass sie Hunger hatte. Sie fuhr mit dem Aufzug hinunter ins Foyer, freute sich darüber, dass der Liftboy sie schon mit ihrem Namen ansprach, und ging an die Rezeption.

»Madam, kann ich Ihnen helfen?«, fragte ein hübsches Thaimädchen sie lächelnd.

»Ja.« Julia reichte ihr den Zettel mit der Adresse. »Würden Sie mir einen Wagen besorgen, der mich dorthin bringt?«

»Natürlich. Das ist nicht weit weg. Soll ich den Wagen gleich bestellen?«

»Nein, bitte für morgen um elf.«

»Gerne, Madam. Kann ich sonst noch etwas für Sie tun?«

»Nein danke.« Julia durchquerte das Foyer, um kurz dem Streichquartett zu lauschen, das in einer Ecke Schubert spielte.

Dann ließ sie sich zu einem von Kerzen erhellten Tisch mit direktem Blick auf den Fluss am anderen Ende der Terrasse geleiten, wo sie ein weiteres Glas Wein und grünes Curry bestellte. Sie beobachtete die elegant gekleideten Gäste, lauschte dem leisen Tuckern der Boote auf dem Fluss und wurde plötzlich ganz ruhig.

Selbst wenn es ihr nicht gelang, ihre Großmutter aufzuspüren, oder wenn sie herausfand, dass sie tot war, wie Elsie vermutete, hatte diese Reise ihren Sinn. Umsorgt von freundlichem Personal, fühlte Julia sich in der friedlichen Atmosphäre dieses ganz besonderen Ortes, an dem ihre Geschichte begonnen hatte, wie in einem Kokon.

Zu ihrer Überraschung schlief Julia die Nacht durch, ohne eine der Schlaftabletten geschluckt zu haben, die sie immer gegen den Jetlag mit sich führte. Am Morgen nahm sie ein Frühstück aus Mango und Papaya zu sich und trank starken Kaffee dazu. Um fünf vor elf wurde sie aus dem Foyer zu der wartenden Limousine gebracht.

Der Fahrer drehte sich mit einem Lächeln zu ihr um. »Das ist eine Privatadresse, ja?« Er deutete auf den Zettel.

»Ich glaube schon.«

»Okay, Madam.«

Julia hätte Lidia gern telefonisch vorgewarnt, kannte aber ihren Nachnamen nicht. Elsie hatte die Fotos immer an »Lidia« geschickt.

»Hältst du das wirklich für eine gute Idee?«, war Elsies erste Reaktion gewesen, als Julia sie von Paris aus angerufen und ihr gesagt hatte, dass sie nach Thailand fliegen wolle, um ihre echte Großmutter zu suchen. »Weiter in der Vergangenheit zu wühlen, wenn du dich mit der Zukunft beschäftigen solltest?«

Vielleicht, dachte Julia, hatte Elsie recht, vielleicht musste sie aber auch zu ihren Wurzeln zurückkehren, bevor sie sich weiterentwickeln konnte.

Der Wagen schlängelte sich durch die Straßen von Bangkok. Der Fahrer hob erstaunt eine Augenbraue, als Julia ihr Fenster öffnete, um die Luft einzuatmen. Auf den Gehsteigen wimmelte es von Menschen, in den Gassen von Garküchen und auf den Straßen von Autos, uralten Bussen und motorisierten *tuk-tuks*. Das Ganze erschien ihr wie ein riesiger Schmelztiegel aus Ost und West.

»Wir sind fast da, Madam. Haus ist am Fluss, ja?«, fragte der Fahrer.

»Das weiß ich leider nicht. Ich bin das erste Mal hier.«

»Keine Sorge, Madam. Wir finden es, okay?«

Julia nickte.

Wenige Minuten später bog er in ein Wohngebiet. Als der Fahrer das Ende einer Sackgasse erreichte, deutete er auf ein Tor.

»Das ist richtige *Soi*, und Haus, das Sie wollen«, teilte er ihr mit.

»Danke.«

Er öffnete ihr die Tür und fragte mit einem Lächeln: »Soll ich warten?«

»Ja, bitte. Ich weiß nicht, wie lange es dauern wird.«

»Keine Sorge, Madam, lassen Sie sich Zeit. Ich bin hier.«

»Danke.«

Julia holte tief Luft und ging die kleine Straße entlang. Das hübsche Haus war im Thaistil erbaut, mit holzverkleideten Außenwänden, einer Veranda um das gesamte Erdgeschoss sowie einem Dach in Form eines umgedrehten V, dessen Enden sich nach oben bogen.

Sie stieg die Stufen zur Veranda hinauf. Da sie keine Klingel entdecken konnte, klopfte sie an der Tür, wartete und klopfte noch einmal. Gerade als sie sich enttäuscht abwenden wollte, öffnete sich die Tür.

Aus dem schmalen Spalt lugte ein altes Augenpaar.

»Kann ich helfen?«, erkundigte sich ein Mann mit starkem thailändischem Akzent.

»Ja, ich suche Lidia.«

Die Augen musterten sie voller Angst.

»Wer sind Sie? Was wollen Sie?«, fragte er.

»Ich komme aus England. Ein Freund von Lidia hat mich gebeten, ihr eine Nachricht zu überbringen. Ist sie da?«

Der Mann schüttelte den Kopf. »Nein. Auf Wiedersehen.« Er versuchte, die Tür zu schließen, doch Julia hinderte ihn daran.

»Kommt sie zurück?«

Der Mann zuckte mit den Achseln. »Vielleicht.«

»Es geht ihr gut?«

»Ja, ihr geht gut. Und jetzt gehen Sie, ja?«

»Könnten Sie ihr, wenn sie zurückkommt, ausrichten, dass eine Freundin von Harry sie sehen möchte? Ich wohne im Oriental Hotel und warte dort auf sie.« Julia sprach die Worte langsam und deutlich aus, damit er sie verstand.

»Harry.« Der Mann wiederholte den Namen. »Okay, ich sage ihr.«

Dann schlug er ihr die Tür vor der Nase zu, und Julia kehrte zum Wagen zurück.

Den Nachmittag verbrachte sie am Pool. Immerhin wusste sie nun, dass Lidia lebte. Im Moment konnte Julia nicht viel mehr tun als warten und die Zeit zum Nachdenken nutzen.

Und sich ihren Gefühlen für Kit stellen.

Ihre Ehe mit Xavier wäre nach allem, was sie über den Unfall erfahren hatte, mit ziemlicher Sicherheit zerbrochen, aber Julia musste zugeben, dass auch ihre Gefühle für Kit eine Rolle spielten. Kits Liebe zu ihr, seine Ruhe, Stärke und Sicherheit hatten sie Xavier und die Beziehung zu ihm in klarerem Licht sehen lassen.

Kit war in einem denkbar ungünstigen Moment in ihr Leben getreten. Dass sie bei ihm trotz der Trauer um ihren Sohn und ihren Mann solches Glück gefunden hatte, zeugte von der Kraft ihrer Verbindung.

Julia wusste, dass es sich um Liebe handelte.

In den vergangenen Monaten hatte sie eine weitere wichtige Lektion gelernt: Alles hing vom Timing ab. Wenn sie Kit unter anderen Umständen kennengelernt hätte, wären sie vermutlich noch zusammen gewesen.

Leider gab es kein Zurück, weil sie sein Vertrauen missbraucht hatte. Kit musste sich vorkommen wie ein weggeworfenes Spielzeug. Julia wäre es an seiner Stelle nicht anders ergangen. Sie hatte nicht einmal den Anstand oder den Mut besessen, mit ihm persönlich zu sprechen.

Als Julia später am Abend mit einem Glas Wein auf dem Balkon saß, beschloss sie, Olav telefonisch zu bitten, dass er ihr ein möglichst dichtes Auftrittsprogramm zusammenstellte.

So gern hätte Julia Kit von den blinkenden Lichtern auf dem Fluss und davon erzählt, wie wohl sie sich in diesem fernen Land fühlte. Dass sie das Gefühl hatte dazuzugehören – wie ihr Großvater damals.

Gott, wie Kit ihr fehlte!

Sie sprach reichlich dem Wein zu und ließ den Tränen über den Verlust von Kit zum ersten Mal freien Lauf.

In den folgenden Tagen nutzte Julia die Zeit, in der sie auf eine Reaktion von Lidia wartete, um auf Harrys Spuren mit dem Boot den Fluss hinaufzufahren und den Königspalast und den Smaragdbuddha zu besichtigen. Den Nachmittagstee nahm sie in der Authors Lounge ein, wo sie die alten Sepiafotografien an den Wänden betrachtete. Darauf war das Hotel zu sehen, wie es sich zur Zeit von Harrys und Lidias unseliger Affäre präsentiert hatte.

Sie fragte regelmäßig an der Rezeption, ob Nachrichten für sie hinterlegt worden seien – ohne Erfolg. Außerdem rief sie Olav an, damit dieser ihre Auftritte organisierte. Und sie verbrachte viele Stunden am Swimmingpool, wo sie darüber nachdachte, wo sie künftig leben wollte.

Im Augenblick war sie faktisch heimatlos – es sei denn, man zählte das Cottage in Norfolk mit, was sie nicht tat. Abgesehen davon, dass es ihren Bedürfnissen nicht entsprach, hätte es sie zu sehr an Kit erinnert.

Vielleicht war ein Neuanfang in einer Großstadt die Lösung. Ein nüchternes Apartment, das ihr nichts bedeutete, sich jedoch als Rückzugsort zwischen den Auftritten eignete.

London … Paris … New York?

Bedauerlicherweise stand die Welt ihr wieder einmal offen.

Beim Abendessen auf der Terrasse beschloss Julia, am folgenden Tag Lidias Haus noch einmal aufzusuchen. Dann würde sie diese Stadt verlassen und ein neues Leben beginnen.

»Madam Forrester«, riss die Stimme des Oberkellners sie aus ihren Gedanken.

»Ja?«

»Hier ist jemand, der mit Ihnen sprechen möchte.«

Aus der Dunkelheit trat eine sehr kleine, elegant in thailändische Seide gekleidete Frau, deren pechschwarze Haare zurückgesteckt und auf der einen Seite mit zwei Orchideen geschmückt waren.

Julia glaubte, sie zu erkennen. Es dauerte einen Moment, bis ihr klar wurde, warum: Sie besaß viele ihrer eigenen Züge. Die Frau musste um die achtzig sein, doch ihre honigfarbene Haut durchzogen fast keine Falten. Sie hatte große, mandelförmige, bernsteinfarbene Augen. Julia konnte sich vorstellen, wie atemberaubend schön sie mit siebzehn gewesen war.

Die Frau begrüßte sie mit einem traditionellen *wai* und einem Lächeln.

»Ich bin Lidia.«

»Danke, dass Sie gekommen sind.« Julia war fasziniert von dieser Frau, die ihr selbst so ähnlich sah. »Bitte setzen Sie sich doch«, fügte sie hinzu und deutete auf den freien Stuhl ihr gegenüber.

Lidia nahm Platz. »Sagen Sie mir, warum Sie zu meinem Haus kommen und meinen Boy erschrecken?«

»Entschuldigung. Das wollte ich nicht.«

»Er sagt, er glaubt, er sieht Geist.«

Julia hob fragend eine Augenbraue. »Warum denn das?«

»Er denkt, ich gehe einkaufen und komme zurück als junge Frau. Jetzt sehe ich, warum. Sie sind mir sehr ähnlich. Wie können Sie *Freundin* von Harry und mir als Mädchen ähnlich sein? Ich weiß nicht, ob ich alte Dame erwarten soll oder junge.«

»Und ich wusste nicht, was ich sagen sollte. Lidia, ahnen Sie, wer ich bin?«

Lidia musterte sie genauer. »Sie sind zu jung für meine Tochter Jasmine. Also vielleicht meine Enkelin?«

»Ja«, bestätigte Julia, der Tränen in die Augen traten. »Jasmine war meine Mutter.«

»Entschuldige, dass ich gebraucht habe, zu dir zu kommen, aber du verstehst bestimmt, dass ich schockiert bin, als ich Harrys Namen höre. Ich denke jeden Tag an ihn. Lebt er noch?«

»Nein, Lidia, er ist vor vielen Jahren gestorben. Tut mir leid.«

Lidia nickte und legte die Hände aufs Herz. »Ich weiß es hier drin, aber hoffe immer noch. Wie stirbt er?«

Julia schüttelte den Kopf. »Das war vor meiner Geburt. Meine Großmutter Elsie – oder besser gesagt, die Frau, die ich bis vor ein paar Wochen noch für meine Großmutter gehalten habe – meint, er sei an gebrochenem Herzen gestorben.«

Lidia putzte sich die Nase. »Entschuldige, es gehört sich nicht für alte Dame, in der Öffentlichkeit zu weinen. All die Jahre höre ich nichts …«

»Elsie hat dir Fotos von meiner Mutter geschickt, oder? Damit du weißt, dass es ihr in England gut geht.«

»Ja. Das ist nett von ihr. Aber die Fotos schickt Jasmines Kindermädchen Elsie. Warum nennst du sie deine Großmutter?«

Nun war klar, dass Lidia nie die ganze Wahrheit erfahren hatte.

»Lidia, das ist eine lange Geschichte, die ich selbst erst seit Kurzem kenne.«

»Verstehe. Braucht Zeit. Erzähl mir von deiner Mutter. Ist sie so schön wie du? Ist sie hier?«

»Nein.« Diese Reise in die Vergangenheit gestaltete sich weitaus komplizierter und schmerzlicher, als Julia erwartet hatte. »Meine Mutter ist schon vor zwanzig Jahren gestorben, als ich elf war«, antwortete sie und legte ihre Hand auf die von Lidia.

Lidia begann zu zittern, sagte etwas in Thai, stieß einen tiefen Seufzer aus und beruhigte sich wieder.

»Ich glaube, jetzt ist nicht Zeitpunkt, Dinge zu hören, die du mir erzählen musst. Wir reden anderswo. Ich möchte nicht, dass Fremde meinen Schmerz sehen.«

»Gut. Es tut mir leid, dass ich schlechte Nachrichten bringe. Vielleicht hätte ich dich nicht aufsuchen sollen.«

»Nein, denk das nicht, Julia. Hab kein schlechtes Gewissen, weil du mir erzählst von unserem Schicksal. Ich verliere Tochter, du Mutter. So sind Leben und Tod. Vergiss nicht, Julia: Schlechte Nachrichten bringen auch gute. *Du* bist hier. Du bist Teil von mir, und ich bin Teil von dir. Wir können zusammen sitzen, an Ort, wo ich deinen Großvater kennenlerne und mich in ihn verliebe. Das ist doch schön, oder?«

»Ja«, pflichtete Julia ihr bei.

Der Kellner brachte einen Drink für Lidia.

»*Kop khun ka*, Thanadol. Darf ich meine Enkelin Julia vorstellen? Sie ist um halbe Welt geflogen, um mich zu finden.«

Thanadols Augenbrauen bewegten sich ein wenig nach oben. »Sie sind sich sehr ähnlich. Bitte rufen Sie mich, wenn Sie etwas brauchen.«

Als er weg war, fragte Julia Lidia: »Woher kennst du ihn?«

»Ich arbeite vor Jahren hier mit Thanadols Vater«, antwortete Lidia. »Viele Angestellte des Hotels haben Verwandte, die vor ihnen hier beschäftigt sind. Es ist wie große Familie.«

»Wie lange hast du hier gearbeitet?«, erkundigte sich Julia.

»Zehn Jahre, bis ich meinen Mann kennenlerne.«

»Du bist verheiratet?«, fragte Julia überrascht.

»Ja. Ich lerne ihn auch hier in Hotel kennen. Wir sind vierzig Jahre zusammen. Ich bin bei ihm, als er vor zwölf Jahren stirbt.«

»Es freut mich zu hören, dass du am Ende doch noch das Glück gefunden hast«, sagte Julia.

»Julia, das ist keine Liebe. Ich liebe nur Harry. Aber ich habe gutes Leben mit ihm. Mein Mann ist sehr erfolgreich und hat großes Unternehmen; ich helfe ihm bei Aufbau. Ich liebe ihn, weil er mich liebt.«

»Hattet ihr Kinder?«

»Nein.« Lidia schüttelte traurig den Kopf. »Ich sterbe fast nach Geburt von deiner Mutter. Danach keine Babys mehr.«

»Das tut mir leid.«

»Vielleicht«, überlegte Lidia laut, »kann ich Jasmine behalten, wenn ich nicht so krank bin, als *Khun* Bill kommt. Aber nach Entscheidung gibt es kein Zurück; man muss Schicksal akzeptieren. Ich lerne vor vielen Jahren, dass man Schicksal nicht beeinflussen kann … und auch nicht Menschen.«

»Stimmt«, pflichtete Julia ihr bei.

Lidia blickte gedankenverloren über den Fluss. »Liebe Julia«, sagte sie nach einer Weile, »ich bin müde und muss nach Hause. Wie lange bist du in Bangkok?«

»Ich wollte bald abreisen. Aber jetzt, wo ich dich gefunden habe, könnte ich länger bleiben.«

»Komm morgen zu Mittagessen zu mir«, schlug Lidia vor. »Dann reden wir weiter. Aber mich interessiert: Habe ich noch andere Enkel?«

»Nein, nur mich.«

»Du bist genug, ein Geschenk Gottes«, erklärte Lidia. »Sag, meine Enkelin, bist du selbst Mutter… oder arbeitest du?«

Ohne auf den ersten Teil der Frage einzugehen, antwortete Julia: »Ich bin Pianistin.«

»Ach, Julia! Weißt du, dass dein Großvater, als ich ihn das erste Mal sehe, Klavier spielt? Gleich da drüben in Bamboo Bar.« Lidia deutete auf die Authors Lounge. »Da verliebe ich mich in ihn. Er wird richtig lebendig, wenn er spielt. Und du erbst seine Begabung. Aber jetzt«, sie stand auf, »muss ich nach Hause.«

Julia erhob sich von ihrem Stuhl, unsicher, welche Form des Abschieds sie wählen sollte. Lidia machte ihr die Sache leicht, indem sie ihre Hand ergriff und sie auf beide Wangen küsste.

»Danke, dass du kommst, mich zu suchen. Auf Wiedersehen, Enkelin. Wir reden morgen.«

Nachdem Lidia gegangen war, blieb Julia noch ein wenig sitzen und schaute auf den Fluss. Als sie später vom Tisch aufstand, blickte sie hinauf zum Himmel, von wo aus Harry ihr Treffen vielleicht beobachtet hatte.

58

Am folgenden Tag fuhr Julia, ausgestattet mit einigen Fotos, in der Hotellimousine zu Lidias Haus. Diesmal öffnete Lidias Boy ihr die Tür mit einem Lächeln und einem *wai*.

»Willkommen, *Khun* Julia. *Khun* Lidia wartet auf Veranda. Ich bringe Sie zu ihr.«

Julia folgte ihm durch die zum Schutz gegen die grelle Sonne mit Fensterläden verdunkelten Räume auf eine große, auf Pfählen in den Fluss gebaute Holzterrasse. Sie war geschmückt mit großen Blumentöpfen, und der süßliche Duft von Jasmin, der Julia an die Gärten von Wharton Park erinnerte, lag in der Luft.

Durch eine Brise vom Wasser, in der vom Dach hängende Messingglöckchen schwangen, blieb es auf der Veranda angenehm kühl.

Das Haus befand sich an einer breiten Stelle des Flusses, so dass die Motoren der Boote, die in einiger Entfernung vorbeituckerten, nur gedämpft zu hören waren.

Lidia trat mit einem alten Strohhut auf dem Kopf und einer Blechgießkanne in der Hand um die Ecke. Sie strahlte, als sie Julia sah.

»Julia.« Sie breitete die Arme aus. »Willkommen bei mir.« Sie stellte die Gießkanne neben einen Wasserhahn und bot ihrer Enkelin einen Stuhl am gedeckten Tisch an. »Setz dich und fühl dich ganz wie zu Hause. Möchtest du etwas trinken?«

»Ja, gern. Danke, Lidia.«

Lidia nickte ihrem Boy zu, der an der Tür wartete. Kurz darauf stellte er ein Glas Wasser und eine Kokosnuss mit Strohhalm vor sie hin.

»Ich habe auch Bier oder Wein, wenn du möchtest«, sagte Lidia.

Julia schüttelte den Kopf. »Nein, ich probiere gern.« Sie nahm einen Schluck von der süßen, klebrigen Flüssigkeit. »Ungewohnt, aber es schmeckt mir.«

Als Julia bemerkte, dass Lidia sie nicht aus den Augen ließ, wurde sie rot.

»Entschuldige, Julia, wenn ich so starre. Es ist merkwürdig und schön, dich, Enkelin von Harry und mir, in meinem Haus zu haben.« Sie schmunzelte. »Ergebnis gefällt mir. Du bist sehr hübsch. Du hast gute Teile von Thaierbe und englische Größe und Haltung. Und herrliche Haut. Thaifrauen geben viel dafür, hellhäutig und europäisch zu sein!«

»Und ich würde gern braun werden«, bemerkte Julia.

Lidia lachte schallend. »Ja, Weiße möchten unbedingt braun werden. Scherz Gottes. Wir wollen alle, was wir nicht haben können.« Lidia beugte sich mit ernsterer Miene zu Julia vor. »Julia, hab keine Angst, mir zu erzählen, was aus Jasmine wird, als sie nach England kommt. Ich glaube, ich weiß es schon. *Khun* Bill und seine Frau Elsie adoptieren mein Baby, nicht wahr?«

»Ja. Sie hatten keine andere Wahl.«

»Weiß Harry es?«, fragte Lidia. »Weiß er, dass seine Tochter so nah bei ihm aufwächst?«

»Meine Großmutter – ich meine Elsie – sagt, er wusste es bis wenige Wochen vor seinem Tod nicht. Er wollte Bill etwas zum Aufbewahren bringen und ist dabei Jasmine zum ersten Mal begegnet. Da ging ihm ein Licht auf, weil sie dir wie aus dem Gesicht geschnitten war.«

»Meine Jasmine wächst also nicht als Tochter von britischem Lord in Wharton Park auf«, stellte Lidia fest, »sondern bei Gärtner und seiner Frau.«

»Ja.« Nun musste Julia Lidia die ganze Wahrheit enthüllen. »Zur gleichen Zeit hat Harrys Frau Olivia ein Kind zur Welt gebracht.«

»Verstehe.« Lidias Blick verdüsterte sich. »Hier in Thailand erwähnt Harry nie, dass er verheiratet ist. Wenn, hätte ich nicht …« Sie schüttelte den Kopf. »Er betrügt mich und seine Frau.«

»Ich kann mir deine Gefühle vorstellen. Keine Ahnung, warum Harry es dir nicht gesagt hat. Vielleicht hatte er Angst, dich zu verlieren, wenn du es erfährst.«

»Ja.« Lidias bernsteinfarbene Augen begannen zu funkeln. »Als Bill nach Geburt von Jasmine zu mir nach Bangkok kommt und es mir sagt, sterbe ich fast vor Kummer. Aber im Lauf der Jahre begreife ich besser.« Ihr Blick wurde sanfter. »Ich begreife, dass man zwei Menschen gleichzeitig lieben kann.«

»Nein, Lidia. Elsie hat mir erklärt, dass es von Anfang an eine arrangierte Ehe war. Harry blieb keine andere Wahl, als Olivia zu heiraten und einen Erben zu zeugen. Liebe spielte dabei keine große Rolle. Olivia wurde für geeignet befunden, und für ihn war es einfach eine Pflicht. *Du* warst die Frau, die Harry liebte und mit der er zusammen sein wollte.«

»Und seine Frau? Liebt sie ihn? Oder akzeptiert sie nur Arrangement?«, fragte Lidia.

»Elsie, die vierzig Jahre lang ihre Zofe war, behauptet, Olivia hätte Harry angebetet. Für sie war es die große Liebe. Das machte die Sache natürlich nicht besser, als sie von dir erfuhr.«

»Sie erfährt es?« Lidia schlug die Hand vor den Mund. »Wie?«

»Sie hat deinen letzten Brief an Harry mit deinem Verlobungsring entdeckt und wenige Tage später ihr Baby verloren. Elsie sagt, sie war den Rest ihres Lebens verbittert über Harry.«

»O je! Welche Schmerzen Liebe verursacht!« Lidia schüttelte den Kopf. »Ich habe Mitleid mit seiner armen Frau. Verrät sie Harry, dass sie über mich Bescheid weiß?«

»Nein. Sie hat sich ihm emotional verschlossen und ihre Pflicht dem Anwesen gegenüber erfüllt. Elsie meint, sie hätten den Rest ihres Lebens gelitten. Es wäre besser gewesen, wenn Harry Olivia freigegeben hätte und zu dir zurückgekehrt wäre. Aber da war Wharton Park, das sich nach dem Krieg in erbärmlichem Zustand befand. Für Harry arbeiteten sehr viele Menschen, deren Auskommen von ihm abhing. Obwohl es ihm das Herz brach, musste er in England bleiben. Er hatte wirklich keine andere Wahl.«

Lidia nickte. »Bill erklärt mir das in Bangkok. Er ist guter Mensch. Er rettet mir das Leben.«

»Ich mochte ihn sehr«, sagte Julia. »In Wharton Park habe ich die meiste Zeit bei ihm in den Gewächshäusern verbracht. Meine Mutter und ich sind von den Düften unserer Heimat umgeben aufgewachsen, ohne zu ahnen, dass sie Teil unseres Lebens waren.«

»Das tröstet mich.« Lidia lächelte. »Ich schicke Bill eine besondere Orchidee für Jasmine. Sie ist sehr selten; es gibt nur wenige auf der Welt. Ich sehe sie kurz vor Jasmines Geburt auf dem Blumenmarkt in Bangkok und kaufe sie für sie. Blüht sie in England für ihn?«

»Ach.« Julia fiel das Bild ein, das die junge Jasmine von der seltenen Orchidee gemalt und das Julias Vater George erkannt hatte. »Ja, ich glaube schon«, flüsterte sie.

»Und dein Vater? Ist er auch tot?«, fragte Lidia.

»Nein.« Julia lächelte. »Ihm geht es gut. Er hat meine Mutter verehrt, und sie waren sehr glücklich miteinander.

So glücklich, dass er sich nach ihr keine Frau mehr gesucht hat.«

»Weiß er von Herkunft seiner Frau?«

»Ja, allerdings wie ich erst seit Kurzem.«

»Eines Tages möchte ich Mann meiner Tochter kennenlernen«, sagte Lidia. »Und du, bist du auch Einzelkind?«

»Äh, nein. Ich habe eine Schwester, von der ich noch nicht lange weiß, dass sie adoptiert ist«, erklärte Julia. »Meine Mutter dachte, sie könnte keine Kinder bekommen, und so haben sie meine Schwester Alicia als Baby bei sich aufgenommen. Sie ist drei Jahre älter als ich. Es war eine große Überraschung, als meine Mutter mit mir schwanger wurde. Ich glaube, mein Vater wollte Alicia die Wahrheit nie sagen, aber als Elsie ihm die Geschichte von Jasmine und Wharton Park erzählte, hat er sich wohl dazu verpflichtet gefühlt. Sonst hätte sie gedacht, sie wäre ebenfalls eine Enkelin von dir und Harry. Doch sie bleibt meine Schwester«, sagte Julia mit Nachdruck.

»Natürlich. Aber jetzt, finde ich, sollten wir etwas essen, Julia.«

Lidia nickte ihrem wartenden Boy zu, der ins Innere des Hauses verschwand.

»Du bist also Pianistin, Julia? Kann ich dich irgendwo spielen hören?«

»Ja. Ich bin schon auf der ganzen Welt aufgetreten. Ich hatte Glück. Ein Agent hat mich am Royal College of Music entdeckt, als ich neunzehn war, und mir geholfen, meine Karriere aufzubauen.«

»Julia, Glück ohne Talent nützt nichts«, bemerkte Lidia. »Du musst gut sein. Und du bist noch so jung. Wo willst du nach Bangkok hin? Möchtest du auftreten?«

»Nein«, antwortete Julia, als der Boy mit einem Tablett, darauf zwei Schalen mit dampfender Suppe, aus dem Haus trat.

»Das vergangene Jahr hat schwierige Veränderungen mit sich gebracht. Ich werde erst in ein paar Monaten wieder auftreten. Offen gestanden, habe ich nicht die geringste Ahnung, wohin die Reise von hier aus geht. Ich bin nach Bangkok gekommen, um Zeit zum Nachdenken zu haben.«

»Du musst mir alles erzählen, wenn wir Nongs *Tom-Kha-Gai*-Suppe essen. Ich finde, sie ist beste von Bangkok.«

Nach der köstlich cremigen Kokosnusszitronengrassuppe mit zarten Hühnchenstreifchen servierte Nong einen Teller mit Mango und Papaya zum Dessert.

»Erzähl mir jetzt von deinem schwierigen Jahr, Julia.«

»Ich habe meinen zwei Jahre alten Sohn Gabriel vor zwölf Monaten bei einem Autounfall verloren. Anfangs dachte ich, auch sein Vater Xavier sei tot, doch der ist vor ein paar Wochen wieder in unserem Haus in Frankreich aufgetaucht. Er hat den Wagen gelenkt und ist nach dem Unfall einfach verschwunden, angeblich, weil er es nicht geschafft hätte, mir alles zu erklären. Erst vor einer Woche habe ich herausgefunden, dass er ziemlich betrunken war und nicht mehr hätte fahren dürfen. Also« – ihre Stimme wurde sehr leise – »habe ich ihn verlassen und bin hierhergekommen.«

Lidia legte ihre Hand auf die von Julia. »Eine schreckliche Geschichte. Ich weiß, es ist schlimmste Strafe Gottes, ein Kind zu verlieren.«

»Ja«, pflichtete Julia ihr bei. »Etwas Schlimmeres kann ich mir nicht vorstellen.«

»Nach so etwas ist Herz leer.«

»Ja, es gibt keinen Trost und nichts, was einem den Schmerz nehmen könnte.«

»Stimmt. Auch ich trauere um meine Tochter, schon zum zweiten Mal.« Lidia seufzte. »Aber für dich ist es noch schwieriger: Du musst deinem Mann Schuld geben für Tod von Sohn.«

»Ich verachte ihn für das, was er Gabriel und mir angetan hat«, erklärte Julia.

»Ist natürlich. Aber einmal musst du verzeihen, dir selbst zuliebe, Julia. Ich lerne, dass es nicht gut ist, solchen Zorn in sich zu haben. Er frisst dich auf, zerstört dich.«

»Ich weiß, Lidia. Doch es fällt mir schwer, das in die Tat umzusetzen.«

»Ja. Wir werden beide von Männern verraten, die wir lieben und denen wir vertrauen. Xavier scheint schwach zu sein, wie viele Männer. Zuerst denke ich, Harry ist auch schwach, aber jetzt sehe ich, dass er vielleicht doch nicht ist. Er muss stark sein, wenn er in England bleibt und seine Pflicht tut.«

»Elsie sagt, diese Entscheidung hat ihm das Herz gebrochen. Du warst die Liebe seines Lebens.«

»Und er von mir. Liebst du deinen Mann?«, fragte Lidia.

»Ich habe ihn für die Liebe meines Lebens gehalten, bis ...«

Lidia beugte sich gespannt vor.

»Als ich dachte, ich sei Witwe, hat sich ein anderer Mann in England aufopfernd um mich gekümmert. Mit seiner Hilfe bin ich wieder auf die Füße gekommen und habe erkannt, dass es eine Zukunft für mich geben könnte. Und für uns.«

»Verstehe. Wo ist er jetzt?«

»In Norfolk. Ironie des Schicksals: Er ist der neue Lord Crawford«, gestand Julia. »Er lebt in Wharton Park.«

Lidia starrte Julia mit offenem Mund an. »Das heißt, dass ...?«

»Nein. Wir sind keine nahen Verwandten. Nach der Fehlgeburt hatten Olivia und Harry keine Kinder mehr. Kit und ich sind, glauben wir, Cousins dritten Grades.«

Die Erleichterung war Lidia deutlich anzumerken. »Gott sei Dank. Du hast starke Gefühle für diesen Mann, das sehe ich in deinen Augen. Liebst du ihn?«

»Zuerst dachte ich, ich mag ihn, weil er da war, als ich ihn brauchte. Aber als Xavier auftauchte und ich wieder seine Frau wurde, musste ich die ganze Zeit an Kit denken. Das hat sich bis jetzt nicht geändert.«

»Warum kehrst du nicht zu ihm zurück?«

»Weil« – Julia warf die Haare in den Nacken – »alles ziemlich kompliziert ist. Ich habe Kit nicht einmal persönlich gesagt, dass Xavier zurück ist. Er musste es durch die Presse erfahren. Nein.« Sie schüttelte den Kopf. »Er will mich bestimmt nicht mehr zurück. Ich habe ihn zu sehr verletzt.«

»Du liebst Lord Crawford von Wharton Park und bist bei mir in Bangkok. Wir weinen beide viele Tränen für die, die weit weg sind in England. Vielleicht liegt Fluch auf Wharton Park. Es ist wie hilfloses Baby, das man pflegen und füttern muss. Ihm ist egal, wer sein Leben opfert.«

»Irgendwann wird Kit das Anwesen verkaufen müssen. Er hat kein Geld, um die Kredite abzubezahlen, und die Renovierung wird Hunderttausende von Pfund kosten. Das ›hilflose Baby‹, wie du es nennst, wird wohl bald neue, hoffentlich wohlhabendere Eltern haben.«

»Kein schöner Gedanke, Liebe meines Lebens an Haus zu verlieren«, meinte Lidia und verzog das Gesicht. »Aber ich verstehe, es ist mehr als das, Erbe. Und traurig, wenn es stirbt.«

»Ja, denn egal wie viel Schmerz Wharton Park verursacht hat: Es ist wunderschön. Ach, Lidia, ich wünschte, du könntest es sehen. Ich mochte es schon als kleines Mädchen, und die Wochen, die ich mit Kit dort verbracht habe, erscheinen mir wie die glücklichsten meines Lebens.«

»Es ist in deinem Blut.« Lidia nickte ernst. »Wenn du Junge wärst, würde es dir gehören, oder?«

»Möglicherweise. Meine Schwester sagt, mithilfe eines DNS-Tests ließe sich sicher ein Anspruch darauf erheben. Doch das würde ich Kit nie antun.« Sie wechselte das Thema. »Habe ich noch andere Verwandte in Thailand?«

»Ja!«, rief Lidia aus und klatschte in die Hände. »Viele! Onkel und Tanten und Cousins. Manche Großnichten und -neffen sind sehr erfolgreich«, fügte Lidia stolz hinzu. »Sie studieren und leben in Japan und Amerika. Ich stamme aus einfacher Fischerfamilie, aber wir sind alle klug, besonders mein Vater. Er bekommt Stipendium für Chulalongkorn-Universität in Bangkok und wird erfolgreicher Journalist und politischer Aktivist. Kann ich Fotos von Jasmine sehen?«

»Natürlich.« Julia nahm sie aus der Tasche und rückte näher zu Lidia heran. »Das ist meine Mutter im Alter von fünf Jahren; hier hat sie die Aufnahmeprüfung für die höhere Schule bestanden ...«

»Sie ist also auch klug!«, stellte Lidia fest.

»Ja. Das ist sie nach der bestandenen Abschlussprüfung der Universität, hier mit meinem Vater und dann mit Alicia und mir.«

Lidia betrachtete die Bilder sowie das Gesicht ihrer Tochter in jeder Phase ihres kurzen Lebens genau, bevor sie den Blick hob und fragte: »Wie stirbt sie, Julia?«

»An Eierstockkrebs. Offenbar lässt er sich nur schwer feststellen. Als er diagnostiziert wurde, war es bereits zu spät.«

»Verstehe. Und Jasmine glaubt bis zu Ende, dass Elsie und Bill ihre Eltern sind?«

»Ja.«

Lidias Augen wurden feucht. »Sie lieben sie.«

»Ja, Lidia.«

»Obwohl sie nicht bekommt, was ich denke, als ich sie nach England schicke.«

»Nein. Früher war es viel wichtiger als heute, in welche Gesellschaftsschicht man hineingeboren wurde. Die alten Regeln gelten nicht mehr. Unbelastet durch unser Erbe, konnten meine Mutter und ich mit unserem Leben anfangen, was wir wollten.«

Lidia nickte. »Wahrscheinlich hast du recht. Auch in Thailand werden Frauen stärker und lernen, selbständig zu sein. Obwohl ich in anderer Zeit aufwachse, heirate ich Mann, der mich gleichberechtigt sieht. Wir sind Partner, und unser Unternehmen macht mich zu sehr reicher Frau. Das erwarte ich nicht als junges Mädchen; ich will einfach nur heiraten und Familie haben.«

»Im vergangenen Jahr habe ich gelernt, jeden Tag so zu nehmen, wie er kommt, und auf das Unerwartete gefasst zu sein«, sagte Julia.

»Dann weißt du wie ich, dass alles möglich ist. Man muss immer in Zukunft blicken und auf Gott vertrauen, egal, welcher Gott. Ich finde, wir haben viele Gemeinsamkeiten, meinst du nicht? Wir lernen beide Leben auf harte Weise kennen; es macht uns klug und stark. Aber jetzt, liebe Julia«, sie unterdrückte ein Gähnen, »muss ich mich ausruhen. Du kannst hier sitzen bleiben oder morgen wiederkommen, damit wir uns weiter unterhalten.«

»Ich komme morgen wieder.«

»Und noch viele Male, bevor du abreist. Wir müssen Zeit nachholen.« Lidia stand auf, küsste Julia auf beide Wangen und nahm ihre Hand. »Ich bin froh, dass du mich findest.«

»Ich auch«, sagte Julia und erwiderte die Küsse. »Meinst du, Nong könnte mir ein Taxi rufen?«

»Ja, kein Problem.«

»Morgen um die gleiche Zeit?«, fragte Julia.

»Ja.«

»Auf Wiedersehen, Lidia.« Julia verabschiedete sich mit einem Winken und folgte Nong hinaus.

59

In der folgenden Woche besuchte Julia Lidia jeden Tag. Sie unterhielten sich viele Stunden und fanden so manches übereinander heraus. Julia erfuhr, dass Lidia ihrem Mann geholfen hatte, aus einer kleinen Seidenweberei ein Großunternehmen zu machen, das in alle Welt exportierte. Lidias Entwürfe und ungewöhnliche Farben waren ihrer Zeit voraus und im Westen beliebt. Ihre weichen Möbelstoffe zierten einige der schönsten Häuser des Globus.

»Das Unternehmen ermöglicht mir, was ich am meisten wünsche – reisen«, erklärte Lidia. »Nach Tod meines Mannes verkaufe ich es und werde sehr reich. Aber Hektik von Beruf fehlt mir.«

»Bist du je in England gewesen?«

»Ja. Ich steige immer in Oriental in Knightsbridge ab. Dort bekomme ich Rabatt! Aber«, sie erschauderte unwillkürlich, »ich kann englisches Wetter nicht leiden. Harry nennt mich einmal seine Treibhausblume, und er hat recht: Ich kann in England nicht leben. Deshalb komme ich jedes Mal nach Bangkok zurück. Dieses Land und kleine Haus, wo ich zuerst mit meinem Mann wohne, sind meine Heimat.«

»Ich wünschte, ich wüsste, wo ich hingehöre«, sagte Julia wehmütig.

Lidia tätschelte ihre Hand. »Julia, du bist jetzt an Punkt, den viele Menschen irgendwann in Leben erreichen, wo alle Wegweiser für Zukunft verschwinden.«

»Stimmt«, pflichtete ihr Julia bei, die erkannte, wie wichtig die vergangenen Tage gewesen waren, in denen sie sich Lidia geöffnet hatte. Die Worte der alten Frau trösteten und beruhigten sie. »Ich sehe einfach keinen Weg zurück zu Kit. Er hätte das Gefühl, mir nicht mehr vertrauen zu können. Ich muss einen anderen Wegweiser finden und dem folgen.«

»Keine Sorge, Julia. Er ist in dir. Vielleicht brauchst du nur Hilfe, ihn zu erkennen.«

»Hoffentlich hast du recht«, meinte Julia traurig.

Julia wusste, dass ihr Aufenthalt in Bangkok sich dem Ende zuneigte und sie eine Entscheidung über die Zukunft treffen musste. Sie buchte für den folgenden Abend einen Flug nach Paris. Dort wollte sie sich mit Olav treffen, der einige Tage in der Stadt verbrachte, und mit ihm über ihr Auftrittsprogramm sprechen. Außerdem hatte sie in letzter Zeit zu wenig Klavier gespielt. In Paris konnte sie einen Übungsraum mieten.

Da Julia keine Lust auf ein einsames Abendessen auf der Terrasse hatte, ließ sie sich etwas aufs Zimmer kommen und speiste auf dem Balkon, von wo aus sie zum letzten Mal die Boote auf dem Fluss beobachtete. Die innere Ruhe, die sie in Bangkok verspürt hatte, würde ihr fehlen. Doch nicht einmal Lidia mit ihren achtzig Jahren Lebenserfahrung konnte ihr zeigen, wohin der Weg führen würde. Das musste Julia allein herausfinden.

Ihren letzten Nachmittag verbrachte Julia am Pool, wo viele Bedienstete mittlerweile ihren Namen kannten. Sie hatte Lidia angerufen, um ihr zu sagen, dass sie abreisen werde, und Lidia wollte um sieben Uhr zu einem Abschiedsessen ins Hotel kommen. Julia musste um halb zehn zum Flughafen aufbrechen.

Um sechs duschte Julia, packte die letzten Sachen ein und checkte aus. Als sie an der Bamboo Bar vorbei und zum Essen auf die Terrasse ging, begrüßte Thanadol sie wie immer mit einem Lächeln.

»Guten Abend, *Khun* Julia, wie geht es Ihnen heute?«

»Ich bin traurig«, gestand sie, während sie ihm über die Terrasse folgte. »Es ist mein letzter Abend. Ist meine Großmutter schon da?«

»Nein. Sie hat mich gebeten, Ihnen zu sagen, dass Sie hier warten sollen.« Thanadol deutete auf einen Tisch, an dem bereits jemand saß.

»Was …?« Als sie näher kam, erkannte Julia den Mann, und ihr Herz begann schneller zu schlagen.

Er wandte sich ihr zu.

»Hallo, Julia.«

»Hallo, Kit.«

»Möchtest du dich nicht setzen?«

»Wie um Himmels willen …?«

»Bitte nimm Platz, dann erkläre ich dir alles.«

Julia, die plötzlich weiche Knie bekam, setzte sich.

»Hier«, sagte Kit und reichte ihr ein Glas Rotwein. »Trink, das hilft gegen den Schreck.«

Julia nahm einen großen Schluck Wein. »Was machst du denn in Thailand?«, brachte sie schließlich hervor.

»Ach, du weißt ja, wie das ist: Ich dachte mir, ich fliege mal schnell ans andere Ende der Welt, Bangkok anschauen«, antwortete er schmunzelnd. »Julia, ich wollte dich sehen.«

»Und woher wusstest du, dass ich hier bin?«

»Ich muss nicht gerade Interpol einschalten, um zu erfahren, wo du dich aufhältst, Julia. Schließlich wohnt deine Schwester nur ein paar Häuser weiter. Aber letztlich weiß ich es von Lidia. Sie hat mich angerufen und mir geraten herzukommen, bevor du abreist. Offenbar ist mir das gerade noch rechtzeitig gelungen. Ich hoffe, es macht dir nichts aus.«

Julia war erstaunt über die Leichtigkeit, mit der er die Situation meisterte. »Nein, natürlich nicht.«

»Dürfte ich einen Schritt weiter gehen und dich fragen, ob du dich möglicherweise freust, mich zu sehen?«

»Ja.«

»Puh!« Kit wischte sich mit einer theatralischen Geste über die Stirn. »Lidia hatte mir das schon versichert, aber irgendwo über dem Himalaja ist mir der kalte Schweiß ausgebrochen, und ich habe überlegt, ob das möglicherweise nur die merkwürdigen Phantasien einer alten Dame sind. Was ja gar nicht so abwegig wäre. Schließlich bestehen erstaunliche Ähnlichkeiten zwischen ihrer Situation damals und der unseren heute.«

Julia drehte ihr Glas zwischen den Fingern. »Ich weiß.«

»Normalerweise reise ich einer Frau, die mich sitzen lässt, nicht um die halbe Welt nach. Aber unter den gegebenen Umständen bin ich zu dem Schluss gekommen, dass du es wert bist.«

Julia hob den Blick. »Kit, ich wollte dich nicht verlassen. Ich …«

Kit legte sanft einen Finger auf ihre Lippen. »Das war ein Scherz, Julia. Lidia hat mir in ihrer Rolle als gute Fee alles erklärt und ein Flugticket erster Klasse nach Bangkok vor die Tür von Wharton Park gezaubert. Ohne Rückflug, sollte ich vielleicht erwähnen, also wirst du mir ein paar Pfund leihen müssen, wenn du mich loshaben willst.«

»Ach, Kit …« Julias Augen wurden feucht. »Entschuldige«, sagte sie und wischte hastig eine Träne weg.

»Keine Ursache. Es war keine große Mühe, schon gar nicht in der ersten Klasse … doch hauptsächlich deshalb, weil ich dich liebe.«

»Ich liebe dich auch«, flüsterte Julia.

Kit rückte näher. »Könnte das so etwas wie das verbale Eingeständnis gewesen sein, dass du meine Gefühle erwiderst?«

»Ja.« Julia schmunzelte.

»Aha.« Kit senkte den Blick. »Wirklich, Julia?«, fragte er mit leiser Stimme.

»Ja, Kit. Ich liebe dich ... sehr. Und ich fühle mich elend seit dem Tag des Abschieds von dir.«

»Dann ist deine Thaioma also doch keine verrückte Alte.«

»Nein. Sie hat sämtliche Tassen im Schrank.«

»Anders als ich, der gerade in einem Anfall von Wahnsinn um die halbe Welt geflogen ist, ohne zu wissen, was mich erwartet.« Er nahm ihre Hand. »Ich hasse Klischees, aber du siehst heute Abend wunderschön aus. Und ich bin wohl noch nie so froh gewesen, einen Menschen wiederzusehen.«

Er küsste sie.

»Wenn du schon mal hier bist, und für den Fall, dass dich die Wanderlust gleich packt, wollte ich noch etwas anderes erledigen und dich fragen, ob du Lust hättest, mich zu heiraten.« Kit schaute sich um. »In Anbetracht unserer gemeinsamen Geschichte kann ich mir keinen besseren Ort für einen solchen Antrag denken.«

»Kit, ich würde wirklich gern ja sagen« – Julia wusste, wie lächerlich das klang –, »aber erst, wenn ich geschieden bin.«

»Na, so eine Überraschung. Tja, das Leben ist nun mal nicht vollkommen.« Er rieb lächelnd seine Nase an der ihren.

Ihre Finger verschränkten sich ineinander.

»Ich habe ein Geschenk für dich.«

»Ja?«

Kit griff unter seinen Stuhl und stellte eine merkwürdig anmutende schwarze Pflanze auf den Tisch.

Julia sah die dunklen Blütenblätter erstaunt an. »Ich dachte, es gibt keine schwarzen Orchideen.«

»Gibt es auch nicht. Die hat Gott am letzten Tag der Schöpfung nicht mehr geschafft, also musste der gute Kit ein bisschen nachhelfen. Du brauchst nur Wasser drüberzugießen, dann ist sie wieder so hübsch rosa wie vor meinen Bemühungen, sie anzumalen.« Er deutete auf die kleine Schriftrolle, die im Topf steckte. »Darauf steht die dazugehörige Geschichte. Ich finde sie sehr passend.«

Julia griff nach der Schriftrolle, doch Kit hielt sie zurück. »Lies sie später. Und wenn du das getan hast, bilde dir bitte nichts ein. Vergiss nicht: Dies ist das neue Jahrtausend, und die Interaktionen zwischen Mann und Frau haben sich verändert. Bis auf eine«, fügte er nach kurzem Nachdenken hinzu.

»Und die wäre?«

Kit sah ihr in die Augen. »Die Liebe.«

60

Wharton Park, Januar

Trotz stundenlanger Debatten am Küchentisch und wochenlanger Beschäftigung mit den Zahlen kam Kit am Ende zu dem Schluss, dass er Wharton Park verkaufen musste.

»Wir schaffen es einfach nicht, Liebling«, sagte Kit bei einem Glas Wein in der Bibliothek. »Ich weiß, das bricht dir das Herz, aber ich sehe keine andere Möglichkeit. Nicht einmal mit Unterstützung von English Heritage könnten wir das nötige Geld für die Reparaturen aufbringen. Das wäre nur ein Tropfen auf den heißen Stein.«

»Das ist mir klar. Wenn Xavier nicht von den Toten auferstanden wäre und jetzt begehrliche Blicke auf die Hälfte meiner Einkünfte werfen würde, hätten wir es wahrscheinlich hingekriegt.« Sie rückte näher ans Feuer. Im Haus war es eiskalt, weil der Boiler wieder einmal seinen Dienst versagte.

Kit strich ihr übers Haar. »Julia, in dieser Hinsicht bin ich sehr altmodisch. Es wäre mir schwergefallen, von meiner zukünftigen Frau Geld für Wharton Park anzunehmen. Dem Gebäude zuliebe müssen wir es jemandem verkaufen, der die Mittel besitzt, es zu sanieren.«

»Das macht den Abschied auch nicht leichter. Wharton Park ist nicht einfach nur ein Haus, sondern der Ort, an dem wir uns kennengelernt haben. Und es liegt mir im Blut. Wenn ich es irgendwie retten könnte, würde ich es tun. Verdammter Xavier! Ausgerechnet jetzt, wo ich zum ersten Mal meine Ersparnisse gebrauchen könnte! Nicht zu fassen, dass er so …«

»Vergiss es. Ich spreche morgen mit dem Verwalter, dass ich Wharton wieder zum Verkauf anbiete. Tut mir leid, Schatz, uns bleibt keine andere Wahl.«

Zehn Tage später teilte der Makler ihnen mit, dass es einen ausländischen Interessenten für das Anwesen gebe. Wenn sie das Angebot annähmen, wäre besagte Person bereit, sofort nach England zu fliegen, um den Vertrag zu unterzeichnen.

Ein Angebot, das sie nicht ausschlagen konnten.

Julia schürte das Feuer im Kamin der Bibliothek und arrangierte einen Bund Schneeglöckchen auf dem Tisch – ein halbherziger Versuch, den Kaufinteressenten willkommen zu heißen, der in einer halben Stunde eintreffen sollte.

»Wahrscheinlich ein grässlicher russischer Oligarch mit seiner platinblonden Geliebten«, mutmaßte Julia, als sie Kaffeetassen auf ein Tablett stellte.

Um halb zwölf klingelte ein livrierter Chauffeur an der Tür.

»Madam wäre da«, verkündete er und deutete auf eine vor dem Haus abgestellte Limousine. »Sie lässt fragen, ob Sie sie hineingeleiten würden.«

»Natürlich.« Kit sah Julia verwundert an, als der Fahrer zum Wagen zurückkehrte.

»Mein Gott!«, ereiferte sich Julia. »Für wen hält sich diese ›Madam‹? Für die Queen?«

»Komm, Schatz, lass uns die Zähne zusammenbeißen und die Sache über die Bühne bringen, ja?« Kit drückte ihre Hand und ging mit ihr die Stufen hinunter.

Sie warteten darauf, dass der Chauffeur die Wagentür mit den getönten Scheiben öffnete.

Julia bekam große Augen und stieß einen Freudenschrei aus.

»Lidia! Was machst du denn hier?«

»Überraschung!« Lidia stieg aus und umarmte ihre Enkelin. »Ach, wie schön, so alt und reich zu sein, dass man zaubern kann mit Menschen!«

Dann betrachtete sie zum ersten Mal das Gebäude.

»Aha, Wharton Park. Ich stelle es mir oft vor. Es ist viel prächtiger, als ich denke.« Sie wandte sich Julia mit einem Augenzwinkern zu. »Kein Wunder, dass es gewinnt gegen mich!« Sie hakte sich bei Kit unter. »Bringt mich hinein und zeigt mir alles. Anschließend erkläre ich.«

Nach der Besichtigung zogen sie sich in die Bibliothek zurück, und Lidia ließ ihren Chauffeur eine Flasche besten Champagner aus der Limousine holen.

»Auf das Haus, das unser Leben beeinflusst: auf Wharton Park!«

Julia und Kit stießen mit ihr an. »Auf Wharton Park!«, wiederholten sie.

»Ich möchte euch Plan erklären«, begann Lidia. »Julia, du weißt, dass ich sehr reiche Frau bin wegen meinem Mann. Sehr reiche Frau«, betonte sie. »Bevor ich dich kenne, Julia, denke ich, ich gebe Geld meiner Familie und Wohltätigkeitsorganisationen, die ich unterstütze. Aber jetzt habe ich plötzlich Erbin, und ich ändere mein Testament. Ich hinterlasse das meiste dir.«

»Oma, das ist wirklich sehr nett von dir, aber …«

»Lass mich ausreden. In Bangkok sagst du mir, Wharton Park wird verkauft, weil ihr Schulden nicht abzahlen und Haus nicht renovieren könnt. Also kaufe ich es.« Lidia klatschte vor Freude in die Hände.

»Du möchtest hier leben?«, fragte Kit verwirrt.

»Nein, Kit. Julia weiß, dass ich Kälte hasse. Ich bin eure Vermieterin. Ihr lebt hier. Ich vertraue euch Geld an für Bezahlung von Schulden und Renovierung von Haus. Natürlich ist das auch für euch und neue Generationen«, fügte sie hinzu. »Bei meinem Tod gehört Wharton Park dir, Julia.«

»Gütiger Himmel!«, rief Kit aus. »Das ist sehr großzügig, Lidia.«

»Ich finde, es ist guter Scherz.« Lidias bernsteinfarbene Augen begannen zu funkeln. »Armes Thaimädchen, von Besitzer dieses Hauses in Stich gelassen, kauft es fast fünfundsechzig Jahre später für Enkelin. Ist doch lustig, oder?«

Julia nickte.

»Perfekt«, verkündete Lidia mit einem zufriedenen Lächeln. »Wenn Julia dich heiratet, Kit, ist meine Enkelin endlich Lady Crawford von Wharton Park. Und die Reise, die Harry und ich vor so vielen Jahren beginnen, ist zu Ende. Ich hoffe, euch gefällt meine Idee.« Sie sah Julia an.

»Bist du sicher, dass du das möchtest?«, fragte Julia.

»Julia, sehr sicher. Kit, gefällt dir mein Plan?«

»Wir wissen alle, dass dieses Gut von Rechts wegen sowieso Julia gehört«, antwortete Kit und ergriff Julias Hand. »Und ich würde gern bleiben und meinen Teil dazu beitragen, dass Wharton Park wieder im alten Glanz erstrahlt. Ich liebe das alte Gemäuer auch. Das ist wirklich ein sehr großherziges Angebot, Lidia.«

»Ich möchte nur gelegentlich als euer Gast hier sein und meine englische Familie kennenlernen. Deinen Vater, Julia, und natürlich Elsie, die sich so liebevoll um meine Tochter kümmert.«

»Aber natürlich«, sagte Julia. »Wann immer du willst. Ich habe Elsie von dir erzählt; sie würde dich gern kennenlernen.«

»Gut, Diskussion zu Ende«, meinte Lidia. »Sag ja, Kit, dann kann ich Papiere unterschreiben, bevor ich nächste Woche nach Thailand zurückfliege.«

»Selbstverständlich schlage ich ein«, antwortete Kit. »Wer könnte einem solchen Angebot widerstehen?«

»Und du, Julia?«, fragte Lidia.

»Ich liebe dieses Haus so sehr, Lidia, dass es mir sehr schwerfallen würde, nein zu sagen. Ich kann unser Glück nur noch nicht fassen. Danke, Lidia.« Julia stand auf und umarmte sie.

»Eine Bitte, Julia«, sagte Lidia und fasste Julia an den Händen. »Gehen wir in Salon. Ich möchte dich auf Harrys schönem Flügel spielen hören.«

Im Salon setzte Julia sich ans Klavier. Kit beobachtete, wie Lidia Tränen in die Augen traten, als ihre Enkelin die ersten Takte einer Chopin-Etüde anschlug.

Der Kreis hatte sich geschlossen. Sie nahmen alle ihren Platz ein in dieser Geschichte, die Generationen überspannte, und waren vereint in Wharton Park, das darin selbst eine so wichtige Rolle spielte.

Jetzt, dachte Kit, blieb nur noch, eine neue Geschichte zu beginnen.

Er sah Julia an und wusste, dass ihnen das gemeinsam gelingen würde.

61

Wharton Park, Dezember, elf Monate später

Es ist Heiligabend. Ich stehe am Fenster des Schlafzimmers, das ich mit Kit teile, und blicke auf den Park hinunter. Auch der Winter mit dem in der aufgehenden Sonne glitzernden Frost hat seinen Reiz.

Ich trete zurück in den warmen Raum; meine Füße versinken im dichten, neu verlegten Teppichboden. Ich bewundere die wie das Original handbemalte Tapete und atme den Geruch frischer Farbe ein.

Im vergangenen Jahr hat Kit die Sanierungsarbeiten allein überwacht. Ich konnte ihm nicht beistehen, weil ich mit anderen Dingen beschäftigt war. Wharton Park sieht aus wie immer, aber innen und außen wird alles renoviert und gesichert für die nächsten siebzig Jahre Crawfords, deren Leben sich in seinen Mauern abspielen wird. Bald möchte Kit seinen Traum verwirklichen und seine Erfahrung nutzen, um traumatisierten Kindern zu helfen.

Ich bin die neue Herrin des Hauses. Am Tag meiner Hochzeit mit Kit habe ich die Halskette und die Ohrringe angelegt, die Olivia und Generationen von Crawford-Bräuten vor ihr trugen. Ich werde sie für die Braut meines Sohnes aufbewahren.

Wharton Park wird für mich, ähnlich wie für Olivia, eine wichtige Rolle spielen. Aber ich habe gelernt, dass alles im Gleichgewicht sein muss. Ich werde meine Begabung nutzen, um für meine Familie zu sorgen und sie zu schützen, jedoch nie zulassen, dass sie sie zerstört.

Ich tappe leise, um Kit nicht zu wecken, durchs Bad in den kleinen Raum nebenan. Hier befand sich früher Harry Crawfords Ankleidezimmer. Jetzt ist es das Kinderzimmer. In dem Bettchen schläft friedlich mein kleiner Sohn, den Daumen im Mund.

Alle sagen, er sehe aus wie ich, aber ich weiß, dass das nicht stimmt. Er ist nur er selbst.

»Heute, Harry, ist ein besonderer Tag für dich«, flüstere ich ihm zu.

Er ahnt nicht, dass seine Verwandten – manche sind von der anderen Seite der Welt angereist – sich hier versammelt haben, um an seinem ersten Initiationsritus, der Taufe in der kleinen Kirche des Anwesens, teilzunehmen. Eines Tages wird auch der letzte Ritus seines Lebens dort stattfinden, und er wird in der Familiengruft der Crawfords beigesetzt, bei seinen Vorfahren. Doch sein Lebensweg hat gerade erst begonnen, und ich kann nur hoffen, dass er länger sein wird als der seines Halbbruders.

Ihm ist noch nicht klar, dass er die Verbindung zwischen Vergangenheit und Zukunft darstellt. Und er weiß nichts von der Last der Verantwortung, die sein privilegiertes Dasein ihm auferlegt. Ich habe ihm versprochen, dass sie ihn nie daran hindern wird, das Leben zu wählen, das er sich wünscht. Oder die Frau, die er liebt.

Ich nehme meinen sechs Wochen alten Sohn vorsichtig auf den Arm und genieße diesen Augenblick allein mit ihm. Später wird wenig Zeit sein, mich an ihm zu freuen, weil es heute viel zu tun gibt. Das Haus ist voll mit Gästen, die mit uns Weihnachten in Wharton Park feiern wollen. Der Baum wurde in unseren Wäldern gefällt und steht jetzt in der Eingangshalle, geschmückt mit funkelnden Lichtern und den Kugeln, die seit Generationen in Gebrauch sind.

Ich küsse seine Stirn und bitte Gott, ihn zu schützen, weil ich weiß, dass meine Macht als Mutter begrenzt ist.

Durch den Schmerz und die Freude in den vergangenen zwei Jahren habe ich die wichtigste Lektion des Lebens gelernt: Mehr als den Augenblick haben wir nicht.

LUCINDA RILEY

Die sieben Schwestern

Roman

Maia ist die älteste von sechs Schwestern, die alle von ihrem Vater adoptiert wurden, als sie sehr klein waren. Sie lebt als Einzige noch auf dem herrschaftlichen Anwesen ihres Vaters am Genfer See, denn anders als ihre Schwestern, die es drängte, draußen in der Welt ein ganz neues Leben als Erwachsene zu beginnen, fand die eher schüchterne Maia nicht den Mut, ihre vertraute Umgebung zu verlassen. Doch das ändert sich, als ihr Vater überraschend stirbt und ihr einen Umschlag hinterlässt – und sie plötzlich den Schlüssel zu ihrer bisher unbekannten Vorgeschichte in Händen hält. Sie wurde in Rio de Janeiro in einer alten Villa geboren, deren Adresse noch heute existiert. Maia fasst den Entschluss, nach Rio zu fliegen, und an der Seite von Floriano Quintelas, eines befreundeten Schriftstellers, beginnt sie, das Rätsel ihrer Herkunft zu ergründen. Dabei stößt sie auf eine tragische Liebesgeschichte in der Vergangenheit ihrer Familie, und sie taucht ein in das mondäne Paris der Jahrhundertwende, wo einst eine schöne junge Brasilianerin einem französischen Bildhauer begegnete. Und erst jetzt fängt Maia an zu begreifen, wer sie wirklich ist…

LESEPROBE

Eins

Nie werde ich vergessen, wo ich war und was ich tat, als ich hörte, dass mein Vater gestorben war.

Ich saß im hübschen Garten des Londoner Stadthauses einer alten Schulfreundin, eine Ausgabe von Margaret Atwoods *Die Penelopiade* aufgeschlagen, jedoch ungelesen auf dem Schoß, und genoss die Junisonne, während Jenny ihren kleinen Sohn vom Kindergarten abholte.

Was für eine gute Idee es doch gewesen war, nach London zu kommen, dachte ich gerade in dieser angenehm ruhigen Atmosphäre und betrachtete die bunten Blüten der Clematis, denen die Hebamme Sonne auf die Welt half, als das Handy klingelte und ich auf dem Display die Nummer von Marina sah.

»Hallo, Ma, wie geht's?«, fragte ich und hoffte, dass mir die entspannte Stimmung anzuhören war.

»Maia, ich …«

Marinas Zögern verriet mir, dass sich etwas Schlimmes ereignet hatte.

»Ich weiß leider keine bessere Möglichkeit, es dir zu sagen: Dein Vater hatte gestern Nachmittag hier zu Hause einen Herzinfarkt und ist heute in den frühen Morgenstunden … von uns gegangen.«

Ich schwieg; lächerliche Gedanken schossen mir durch den Kopf, zum Beispiel der, dass Marina sich aus einem irgendeinem Grund einen geschmacklosen Scherz erlaubte.

»Du als Älteste der Schwestern erfährst es zuerst. Und ich wollte dich fragen, ob du es den andern selbst sagen oder das lieber mir überlassen möchtest.«

»Ich …« Als mir klar zu werden begann, dass Marina, meine geliebte Marina, die Frau, die wie eine Mutter für mich war, so etwas nicht behaupten würde, wenn es nicht tatsächlich geschehen wäre, geriet meine Welt aus dem Lot.

»Maia, bitte sprich mit mir. Das ist der schrecklichste Anruf, den ich je erledigen musste, aber was soll ich machen? Der Himmel allein weiß, wie die andern es aufnehmen werden.«

Da erst hörte ich den Schmerz in *ihrer* Stimme und tat, was ich am besten konnte: trösten.

»Klar sag ich's den andern, wenn du das möchtest, obwohl ich nicht weiß, wo sie alle sind. Trainiert Ally nicht gerade für eine Segelregatta?«

Als wir diskutierten, wo meine jüngeren Schwestern sich aufhielten, als wollten wir sie zu einer Geburtstagsparty zusammenrufen, nicht zur Trauerfeier für unseren Vater, bekam die Unterhaltung etwas Surreales.

»Wann soll die Beisetzung stattfinden? Elektra ist in Los Angeles und Ally irgendwo auf hoher See, also dürfte nächste Woche der früheste Zeitpunkt sein«, schlug ich vor.

»Tja …« Ich hörte Marinas Zögern. »Das besprechen wir, wenn du zu Hause bist. Es besteht keine Eile. Falls du wie geplant noch ein paar Tage in London bleiben möchtest, geht das in Ordnung. Hier kannst du ohnehin nichts mehr tun …« Sie klang traurig.

»Ma, *natürlich* setze ich mich in den nächsten Flieger nach Genf, den ich kriegen kann! Ich ruf gleich bei der Fluggesellschaft an und bemühe mich dann, die andern zu erreichen.«

»Es tut mir ja so leid, *chérie*«, seufzte Marina. »Ich weiß, wie sehr du ihn geliebt hast.«

»Ja«, sagte ich, und plötzlich verließ mich die merkwürdige Ruhe, die ich bis dahin empfunden hatte. »Ich melde mich später noch mal, sobald ich weiß, wann genau ich komme.«

»Pass auf dich auf, Maia. Das war bestimmt ein schrecklicher Schock für dich.«

Ich beendete das Gespräch, und bevor das Gewitter in meinem Herzen losbrechen konnte, ging ich nach oben in mein Zimmer, um die Fluggesellschaft zu kontaktieren. In der Warteschleife betrachtete ich das Bett, in dem ich morgens an einem, wie ich meinte, ganz normalen Tag aufgewacht war. Und dankte Gott dafür, dass Menschen nicht die Fähigkeit besitzen, in die Zukunft zu blicken.

Die Frau von der Airline war alles andere als hilfsbereit; während sie mich über ausgebuchte Flüge und Stornogebühren informierte und mich nach meiner Kreditkartennummer fragte, spürte ich, dass meine emotionalen Dämme bald brechen würden. Als sie mir endlich widerwillig einen Platz im Vier-Uhr-Flug nach Genf reserviert hatte, was bedeutete, dass ich sofort meine Siebensachen packen und ein Taxi nach Heathrow nehmen musste, starrte ich vom Bett aus die Blümchentapete so lange an, bis das Muster vor meinen Augen zu verschwimmen begann.

»Er ist fort«, flüsterte ich, »für immer. Ich werde ihn nie wiedersehen.«

Zu meiner Verwunderung bekam ich keinen Weinkrampf. Ich saß nur benommen da und wälzte praktische Fragen. Mir graute davor, meinen fünf Schwestern Bescheid zu sagen, und überlegte, welche ich zuerst anrufen sollte. Natürlich entschied ich mich für Tiggy, die zweitjüngste von uns sechsen, zu der ich immer die engste Beziehung gehabt hatte, und die momentan in einem Zentrum für verwaistes und krankes Rotwild in den schottischen Highlands arbeitete.

Mit zitternden Fingern scrollte ich mein Telefonverzeichnis herunter und wählte ihre Nummer. Als sich ihre Mailbox meldete, bat ich sie lediglich, mich so schnell wie möglich zurückzurufen.

Und die anderen? Ich wusste, dass ihre Reaktion unterschiedlich ausfallen wurde, von äußerlicher Gleichgültigkeit bis zu dramatischen Gefühlsausbrüchen.

Da ich nicht wusste, wie sehr mir selbst meine Trauer anzuhören wäre, wenn ich mit ihnen redete, entschied ich mich für die feige Lösung und schickte allen eine SMS mit der Bitte, sich baldmöglichst bei mir zu melden. Dann packte ich hastig meine Tasche und ging die schmale Treppe zur Küche hinunter, um Jenny eine Nachricht zu schreiben, in der ich ihr erklärte, warum ich so überstürzt hatte aufbrechen müssen.

Anschließend verließ ich das Haus und folgte mit schnellen Schritten der halbmondförmigen, baumbestandenen Straße in Chelsea, um ein Taxi zu rufen. Wie an einem ganz normalen Tag. Ich glaube, ich sagte sogar lächelnd hallo zu jemandem, der seinen Hund spazieren führte.

Es konnte ja auch niemand wissen, was ich gerade erfahren hatte, dachte ich, als ich in der belebten King's Road in ein Taxi stieg und dem Fahrer sagte, er solle mich nach Heathrow bringen.

Fünf Stunden später, die Sonne stand schon tief über dem Genfer See, kam ich an unserer privaten Landestelle an, wo Christian mich in unserem schnittigen Riva-Motorboot erwartete. Seiner Miene nach zu urteilen, wusste er Bescheid.

»Wie geht es Ihnen, Mademoiselle Maia?«, erkundigte er sich voller Mitgefühl, als er mir an Bord half.

»Ich bin froh, dass ich hier bin«, antwortete ich ausweichend und nahm auf der gepolsterten cremefarbenen Lederbank am

Heck Platz. Sonst saß ich, wenn wir die zwanzig Minuten nach Hause brausten, vorne bei Christian, doch heute hatte ich das Bedürfnis, hinten allein zu sein. Als Christian den starken Motor anließ, spiegelte sich die Sonne glitzernd in den Fenstern der prächtigen Häuser am Ufer des Genfer Sees. Bei diesen Fahrten hatte ich oft das Gefühl gehabt, in ein Märchenland, in eine surreale Welt, einzutauchen, die nichts mit der Wirklichkeit zu tun hatte.

In die Welt von Pa Salt.

Als ich an den Kosenamen meines Vaters dachte, den ich als Kind geprägt hatte, spürte ich zum ersten Mal, wie meine Augen feucht wurden. Er war immer gern gesegelt, und wenn er in unser Haus am See zu mir zurückkehrte, hatte er oft nach frischer Meerluft gerochen. Der Name war ihm geblieben, auch meine jüngeren Schwestern hatten ihn verwendet.

Während der warme Wind mir durch die Haare wehte, musste ich an all die Fahrten denken, die ich schon zu »Atlantis«, Pa Salts Märchenschloss, unternommen hatte. Da es auf einer Landzunge vor halbmondförmigem, steil ansteigendem, gebirgigem Terrain lag, war es zu Lande nicht erreichbar; man musste mit dem Boot hinfahren. Die nächsten Nachbarn lebten Kilometer entfernt am Seeufer, so dass »Atlantis« unser eigenes kleines Reich war, losgelöst vom Rest der Welt. Alles dort war magisch … als führten Pa Salt und wir, seine Töchter, ein verzaubertes Leben.

Pa Salt hatte uns samt und sonders als Baby ausgewählt, in unterschiedlichen Winkeln der Erde adoptiert und nach Hause gebracht, wo wir fortan unter seinem Schutz lebten. Wir waren alle, wie Pa gern sagte, besonders und unterschiedlich … eben *seine* Mädchen. Er hatte uns nach den Pleijaden, dem Siebengestirn, seinem Lieblingssternhaufen, benannt. Und ich, Maia, war die Erste und Älteste.

Als Kind hatte ich ihn manchmal in sein mit einer Glaskuppel ausgestattetes Observatorium oben auf dem Haus begleiten dürfen. Dort hatte er mich mit seinen großen, kräftigen Händen hochgehoben, damit ich durch das Teleskop den Nachthimmel betrachten konnte.

«Da sind sie», hatte er dann gesagt und das Teleskop für mich justiert. «Schau dir den wunderschön leuchtenden Stern an, nach dem du benannt bist, Maia.»

Und ich hatte ihn tatsächlich gesehen. Während er mir die Geschichten erzählte, die meinem eigenen und den Namen meiner Schwestern zugrundelagen, hatte ich kaum zugehört, sondern einfach nur das Gefühl seiner Arme um meinen Körper genossen, diesen seltenen, ganz besonderen Augenblick, in dem ich ihn ganz für mich hatte.

Marina, die ich in meiner Jugend für meine Mutter gehalten hatte – ich verkürzte ihren Namen sogar auf «Ma» –, entpuppte sich irgendwann als besseres Kindermädchen, das Pa eingestellt hatte, um auf mich aufzupassen, weil er so oft verreiste. Doch natürlich war Marina für uns Schwestern sehr viel mehr. Sie wischte uns die Tränen aus dem Gesicht, schalt uns, wenn wir nicht anständig aßen, und steuerte uns umsichtig durch die schwierige Zeit der Pubertät.

Sie war einfach immer da. Bestimmt hätte ich Ma auch nicht mehr geliebt, wenn sie meine leibliche Mutter gewesen wäre.

In den ersten drei Jahren meiner Kindheit hatten Marina und ich allein in unserem Märchenschloss am Genfer See gelebt, während Pa Salt geschäftlich auf den Sieben Weltmeeren unterwegs war. Dann waren eine nach der anderen meine Schwestern dazugekommen.

Pa hatte mir von seinen Reisen immer ein Geschenk mitgebracht. Wenn ich das Motorboot herannahen hörte, war ich über die weiten Rasenflächen und zwischen den Bäumen hindurch zur Anlegestelle gerannt, um ihn zu begrüßen. Wie jedes Kind war ich neugierig gewesen, welche Überraschungen sich in seinen Taschen verbargen. Und einmal, nachdem er mir ein fein geschnitztes Rentier aus Holz überreicht hatte, das, wie er mir versicherte, aus der Werkstatt von St. Nikolaus am Nordpol stammte, war eine Frau in Schwesterntracht hinter ihm hervorgetreten, in den Armen ein Bündel, das sich bewegte.

«Diesmal habe ich dir ein ganz besonderes Geschenk mitgebracht, Maia. Eine Schwester.» Er hatte mich lächelnd hochgehoben. «Nun wirst du dich nicht mehr einsam fühlen, wenn ich wieder auf Reisen bin.»

Danach hatte das Leben sich verändert. Die Kinderschwester verschwand nach ein paar Wochen, und fortan kümmerte sich Marina um die Kleine. Damals begriff ich nicht, wieso dieses rotgesichtige, kreischende Ding, das oft ziemlich streng roch und die Aufmerksamkeit von mir ablenkte, ein Geschenk sein sollte. Bis Alkyone – benannt nach dem zweiten Stern des Siebengestirns – mich eines Morgens beim Frühstück von ihrem Kinderstuhl aus anlächelte.

«Sie erkennt mich», sagte ich verwundert zu Marina, die sie fütterte.

«Natürlich, Maia. Du bist ihre große Schwester, zu der sie aufblicken wird. Es wird deine Aufgabe sein, ihr all die Dinge beizubringen, die du anders als sie bereits kannst.»

Später war sie mir wie ein Schatten überallhin gefolgt, was mir einerseits gefiel, mich andererseits jedoch auch aufregte.

«Maia, warte!», forderte sie lauthals, wenn sie hinter mir hertapste.

Obwohl Ally – wie ich sie nannte – ursprünglich eher ein unwillkommener Eindringling in mein Traumreich «Atlantis» gewesen war, hätte ich mir keine liebenswertere Gefährtin wünschen können. Sie weinte selten und neigte nicht zu Jähzornsausbrüchen wie andere Kinder in ihrem Alter. Mit ihren rotgoldenen Locken und den großen blauen Augen bezauberte Ally alle Menschen, auch unseren Vater. Wenn Pa Salt von seinen langen Reisen nach Hause zurückkehrte, strahlte er bei ihrem Anblick wie bei mir nur selten. Und während ich Fremden gegenüber schüchtern und zurückhaltend war, entzückte Ally sie mit ihrer offenen, vertrauensvollen Art.

Außerdem gehörte sie zu den Kindern, denen alles leichtzufallen schien – besonders Musik und sämtliche Wassersportarten. Ich erinnere mich, wie Pa ihr das Schwimmen in unserem großen Swimmingpool beibrachte. Während ich Mühe hatte, über Wasser zu bleiben, und es hasste unterzutauchen, fühlte meine kleine Schwester sich darin ganz in ihrem Element. Und während ich sogar auf der *Titan*, Pas riesiger ozeantauglicher Jacht, manchmal schon auf dem Genfer See fast seekrank wurde, bettelte Ally ihn an, mit ihr im Laser von unserer privaten Anlegestelle hinauszufahren. Ich kauerte mich im Heck des Boots zusammen, wenn Pa und Ally es in Höchstgeschwindigkeit über das spiegelglatte Wasser lenkten. Diese Leidenschaft schuf eine innere Verbindung zwischen ihnen, die mir verwehrt blieb.

Obwohl Ally am Conservatoire de Musique de Genève Musik studierte und eine begabte Flötistin war, die gut und gern Berufsmusikerin hätte werden können, hatte sie sich nach dem Abschluss des Konservatoriums für eine Laufbahn als Seglerin entschieden. Sie nahm regelmäßig an Regatten teil und hatte die Schweiz schon mehrfach international vertreten.

Als Ally fast drei war, hatte Pa unsere nächste Schwester gebracht, die er nach einem weiteren Stern des Siebengestirns Asterope nannte.

»Aber wir werden ›Star‹ zu ihr sagen«, hatte Pa Marina, Ally und mir lächelnd erklärt, als wir die Kleine in ihrem Körbchen betrachteten.

Weil ich inzwischen jeden Morgen Unterricht von einem Privatlehrer erhielt, wirkte sich das Eintreffen meiner neuen Schwester weniger stark auf mich aus als das von Ally. Genau wie sechs Monate später, als sich ein zwölf Wochen altes Mädchen namens Celaeno, was Ally sofort zu CeCe abkürzte, zu uns gesellte.

Der Altersunterschied zwischen Star und CeCe betrug lediglich drei Monate, sodass die beiden einander von Anfang an sehr nahe standen. Sie waren wie Zwillinge und kommunizierten in ihrer eigenen Babysprache, von der sie einiges sogar ins Erwachsenenalter retteten. Star und CeCe lebten in ihrer eigenen kleinen Welt, und auch jetzt, da sie beide über zwanzig waren, änderte sich daran nichts. CeCe, die jüngere der beiden, deren stämmiger Körper und nussbraune Haut in deutlichem Kontrast zu der gertenschlanken, blassen Star standen, übernahm immer die Führung.

Im folgenden Jahr traf ein weiteres kleines Mädchen ein. Taygeta – der ich ihrer kurzen dunklen Haare wegen, die wirr von ihrem winzigen Kopf abstanden wie bei dem Igel in Beatrix Potters Geschichte, den Spitznamen »Tiggy« gab.

Mit meinen sieben Jahren fühlte ich mich sofort zu Tiggy hingezogen. Sie war die zarteste von uns allen, als Kind ständig krank, jedoch schon damals durch kaum etwas zu erschüttern und anspruchslos. Als Pa wenige Monate später ein kleines Mädchen namens Elektra nach Hause brachte, bat die erschöpfte Marina mich gelegentlich, auf Tiggy aufzupassen, die oft an fiebrigen Kehlkopfentzündungen litt. Und als schließlich Asthma diagnostiziert wurde, schob man sie nur noch selten im Kinderwagen nach draußen in die kalte Luft und den dichten Nebel des Genfer Winters.

Elektra war die Jüngste der Schwestern, und obwohl ich inzwischen an Babys und ihre Bedürfnisse gewöhnt war, fand ich sie ziemlich anstrengend. Sie machte ihrem Namen alle Ehre, weil sie tatsächlich elektrisch wirkte. Ihre Stimmungen, die von einer Sekunde zur nächsten von fröhlich auf traurig wechselten und umgekehrt, führten dazu, dass unser bis dahin so ruhiges Zuhause nun von spitzen Schreien widerhallte. Ihre Jähzornsanfälle bildeten die Hintergrundmusik meiner Kindheit, und auch später schwächte sich ihr feuriges Temperament nicht ab.

Ally, Tiggy und ich nannten sie insgeheim »Tricky«. Wir behandelten sie wie ein rohes Ei, weil wir keine ihrer Launen provozieren wollten. Ich muss zugeben, dass es Momente gab, in denen ich sie für die Unruhe, die sie nach »Atlantis« brachte, hasste.

Doch wenn Elektra erfuhr, dass eine von uns Probleme hatte, half sie als Erste, denn ihre Großzügigkeit war genauso stark ausgeprägt wie ihr Egoismus.

Nach Elektra warteten alle auf die siebte Schwester. Schließlich hatte Pa Salt uns nach dem Siebengestirn benannt, und ohne sie waren wir nicht vollständig. Wir wussten sogar schon ihren Namen – »Merope« – und waren gespannt, wie sie sein würde. Doch die Jahre gingen ins Land, ohne dass Pa weitere Babys nach Hause gebracht hätte.

Ich erinnere mich noch gut an den Tag, an dem ich mit Vater im Observatorium eine Sonnenfinsternis beobachten wollte. Ich war vierzehn Jahre alt und fast schon eine Frau. Pa Salt hatte mir erklärt, dass eine Sonnenfinsternis immer einen wesentlichen Augenblick für die Menschen darstellte und Veränderungen einläutete.

»Pa«, hatte ich gefragt, »bringst du uns noch irgendwann eine siebte Schwester?«

Sein starker, schützender Körper war plötzlich erstarrt, als würde das Gewicht der Welt auf seinen Schultern lasten. Obwohl er sich nicht zu mir umdrehte, weil er damit beschäftigt war, das Teleskop auszurichten, merkte ich, dass ich ihn aus der Fassung gebracht hatte.

»Nein, Maia. Leider konnte ich sie nicht finden.«

Als die dichte Fichtenhecke, die unser Anwesen vor neugierigen Blicken schützte, in Sicht kam und ich Marina auf der Anlegestelle warten sah, wurde mir endgültig bewusst, wie schrecklich der Verlust von Pa war.

Des Weiteren wurde mir klar, dass der Mann, der dieses Reich für uns Prinzessinnen geschaffen hatte, den Zauber nun nicht mehr aufrechterhalten konnte.

Ende der Leseprobe
»Die sieben Schwestern«
von Lucinda Riley.

Lucinda Riley

wurde in Irland geboren und verbrachte als Kind mehrere Jahre in Fernost. Sie liebt es zu reisen und ist nach wie vor den Orten ihrer Kindheit sehr verbunden. Nach einer Karriere als Theater- und Fernsehschauspielerin konzentriert sich Lucinda Riley heute ganz auf das Schreiben – und das mit sensationellem Erfolg: Seit ihrem gefeierten Debüt, *Das Orchideenhaus*, stürmte jeder ihrer Romane die internationalen Bestsellerlisten. Lucinda Riley lebt mit ihrem Mann und ihren vier Kindern an der englischen Küste in North Norfolk und in West Cork, Irland. Mehr zur Autorin unter www.lucinda-riley.de und www.lucindariley.co.uk

Mehr von Lucinda Riley:

Das Mädchen auf den Klippen
Der Lavendelgarten
Das italienische Mädchen
Die Mitternachtsrose
Der Engelsbaum
Helenes Geheimnis
Der verbotene Liebesbrief
Die sieben Schwestern
Die Sturmschwester
Die Schattenschwester
Die Perlenschwester
Die Mondschwester
(Alle Bücher auch als E-Book erhältlich)

Unsere Leseempfehlung

576 Seiten
Auch als E-Book
und Hörbuch
erhältlich

Nach dem Tod ihres Vaters kehrt Ally d'Aplièse zum Familiensitz zurück, um den Schock gemeinsam mit ihren Schwestern zu bewältigen. Sie alle wurden adoptiert und kennen den Ort ihrer Herkunft nicht. Aber nun erhält Ally einen Hinweis: die Biographie eines norwegischen Komponisten aus dem 19. Jahrhundert. Allys Neugier ist geweckt, und sie begibt sich auf die Reise in das raue Land im Norden. Dort wird sie ergriffen von der Welt der Musik, mit der sie tiefer verbundener ist, als sie es je hätte ahnen können. Und Ally begreift zum ersten Mal im Leben, wer sie wirklich ist ...

Unsere Leseempfehlung

608 Seiten
Auch als E-Book
und Hörbuch
erhältlich

Band 3 der Reihe um „Die Sieben Schwestern": Star d'Aplièse ist eine sensible junge Frau, deren Leben eng verflochten ist mit dem ihrer Schwester CeCe, aus deren Schatten herauszutreten ihr nie gelang. Als ihr Vater Pa Salt plötzlich stirbt, steht Star jedoch an einem Wendepunkt. Wie alle Mädchen in der Familie ist auch sie ein Adoptivkind und kennt ihre Wurzeln nicht, doch der Abschiedsbrief ihres Vaters enthält einen Anhaltspunkt. Die Spuren führen Star nicht nur auf ein Anwesen in Kent, sondern auch in die Rosengärten und Parks des Lake District im vergangenen Jahrhundert. Und ganz langsam beginnt Star, ihr eigenes Leben zu entdecken und ihr Herz zu öffnen für das Wagnis, das man Liebe nennt ...

Unsere Leseempfehlung

680 Seiten
Auch als E-Book
und Hörbuch
erhältlich

Als der berühmte Schauspieler Sir James Harris in London stirbt, trauert das ganze Land. Die junge Journalistin Joanna Haslam begegnet auf der Beerdigung einer alten Dame, die ihr ein Bündel vergilbter Dokumente übergibt – darunter auch das Fragment eines Liebesbriefs voller mysteriöser Andeutungen. Doch wer waren die beiden Liebenden? Joanna beginnt zu recherchieren, doch noch kann sie nicht ahnen, dass sie sich damit auf eine gefährlich Mission begibt, die auch ihr Herz in Aufruhr versetzt – denn Marcus Harris, der Enkel von Sir James Harris, ist ein ebenso charismatischer wie undurchschaubarer Mann ...